ESPINHOS
DO
TEMPO

Capa:
desenho mediúnico de Matisse
Psicopictoriografado pelo médium Luiz A. Gasparetto
Foto 4ª capa:
Renato Cirone

Revisão e Editoração Eletrônica:
João Carlos de Pinho

21ª edição
Abril • 2006
10.000 exemplares

Publicação, Distribuição
Impressão e Acabamento:
CENTRO DE ESTUDOS
VIDA & CONSCIÊNCIA EDITORA LTDA.

Rua Agostinho Gomes, 2312
Ipiranga • CEP 04206-001
São Paulo • SP • Brasil
Fone / Fax: (11) 6161-2739 / 6161-2670
E-mail: grafica@vidaeconsciencia.com.br
Site: www.vidaeconsciencia.com.br

Zibia Gasparetto

ditado por Lucius

ESPINHOS DO TEMPO

EDITORA GRÁFICA VIDA & CONSCIÊNCIA

Sumário

Intróito

Viver é uma aventura. Estar na Terra, uma oportunidade de progresso e aprendizagem. É esquecer tudo. Apagar a lembrança do passado e permitir-se usufruir de novas experiências.

A reencarnação nos permite reencontrar e, às vezes, conviver com pessoas com as quais privamos em vidas passadas, em outros corpos, em situações diferentes, que nos possibilitam vê-las sob outros enfoques.

Inimigos ou amigos, odiados ou amados, a vida nos une no palco do mundo para uma reavaliação de atitudes, uma nova visão dos fatos, uma reciclagem dos sentimentos, pretendendo acordar e amadurecer nossas almas, forçando-nos a enxergar uma cota maior da realidade.

A conquista da felicidade está em nossas mãos. Deus nos criou para sermos felizes e a vida procura nos mostrar esta verdade.

Iludidos pelo esquecimento temporário, desviamo-nos, escolhendo mal as oportunidades, e recolhemos infelicidade e dor. O cenário do mundo retrata esse desacerto na inversão dos valores, que a muitos aparecem como sendo verdade absoluta.

É hora de acordar. É hora de perceber. Na ciranda das reencarnações, demoramo-nos durante largo tempo. É imperioso mudar. A Nova Era já se aproxima e não há tempo a perder. O mundo está maduro. Novos tempos, novas conquistas, maiores conhecimentos.

Nós somos os donos do mundo! Ao toque dos nossos pensamentos renovados, tudo se transformará! Encarando nossa herança divina de felicidade, prosperidade e amor, abriremos as portas à espiritualidade maior, baniremos o sofrimento da Terra.

O mundo é da forma como nós o construímos! Quando mudarmos nossa maneira de pensar, ele mudará.

Sinto-me feliz por poder contribuir com mais uma história verídica. Ela revela alguns aspectos que nos serão úteis conhecer e nos farão compreender melhor, aceitar e respeitar a sabedoria da vida, que tudo faz para nos ensinar a alegria de viver.

Lucius

Capítulo I

O campo estava florido e alegre, banhado pelo sol, acariciado pela brisa suave que balançava com graça os ramos verdes das árvores.

Os pássaros voejavam de galho em galho, ora procurando alimento, saltitantes pelas campinas em trinados festivos, ora empoleirados no cimo dos galhos, altivos, vitoriosos, a olhar a paisagem embaixo com curiosos e ágeis olhinhos.

Na calma e bucólica paisagem, tudo era harmonia, alegria e paz. Na fazenda, apesar da hora vespertina, as atividades prosseguiam rotineiras. As mucamas, com suas grossas pulseiras de latão, o ruge-ruge das saias engomadas, alvos panos ao redor da cabeça, iam e vinham dirigindo a limpeza, passando o dedo pelos móveis para verificar a poeira, correndo os olhos pelo assoalho lavado, buscando encontrar alguma mancha remanescente.

O esforço era recompensado, porque na fazenda Santa Marina dava gosto de ver o apuro e a limpeza refletindo a fidalguia de seus donos.

Demerval Graciano Coutinho, o proprietário daquelas terras, moço fino, possuidor de grande fortuna, terminara seus estudos em Paris e de volta a São Paulo casara-se com Maria José, sua amiga de infância, filha de ricos comerciantes importadores, com a qual tivera três filhos, Ana, Rosa e Adalberto.

Residiam em Itu, mas costumavam passar temporadas na fazenda, de tempos em tempos, sempre por ocasião da Páscoa, do mês de junho e pelo Natal. Por vezes iam também durante o mês de setembro para ver o desabrochar da primavera.

Neste ano, ela despontara linda, generosa, colocando belo colorido nas árvores. Os ipês enfeitavam cada recanto com sua profusão de flores. Por toda parte havia beleza, verde, luz, cor, fartura, paz.

Quebrando o harmonioso murmúrio do campo com suas vozes naturais, um vulto de mulher apareceu. Alta, esguia, cabelos castanhos presos na nuca em grossa trança, pele clara, suave. Nas mãos nervosas, um lencinho amassado e molhado.

Era Maria José, rosto contraído, olhos vermelhos, lábios apertados. Sem ver a beleza da paisagem nem o chilrear alegre dos pássaros, nem as flores coloridas, sentou-se sob uma árvore e deu largas ao pranto. Soluçou dolorosamente. Seu corpo tremia enquanto apertava o minúsculo e rendado lencinho por entre as mãos nervosas.

Ficou assim durante longo tempo. Depois, aos poucos, foi se acalmando e os soluços cessaram.

"Preciso disfarçar", pensou, um tanto aflita. Levantou-se, correu até o riacho que deslizava mais além e, abaixando-se, banhou as faces cuidadosamente.

Ninguém podia perceber seu desgosto, sua desventura. Precisava controlar-se.

Estendeu-se na relva macia procurando distender a fisionomia. Seu rosto jovem e bonito aos poucos foi se modificando. Maria José estava com vinte e cinco anos de idade e dez de casamento.

Demerval, apesar do temperamento discreto, sempre preso às convenções, não era mau. Cumpria zelosamente suas funções de chefe de família, de pai e de marido. Conservador ao extremo, era partidário de organização e método. Por isso, em sua casa tudo era planejado e a rotina, sagrada. Havia dia e hora para tudo. Ele detestava qualquer acontecimento que viesse a alterar seus hábitos e afazeres.

Conhecendo-lhe a maneira de ser, qualquer um, depois de certo tempo de convivência, poderia saber exatamente em cada dia, hora e minuto o que se passava na casa de Demerval, o que ele estaria fazendo, etc.

Os filhos, desde a mais tenra idade, foram habituados a essa rotina. Vigiados e conduzidos pelas mucamas e pajens, jamais podiam fazer o que quisessem e até na hora destinada aos folguedos e jogos tinham que obedecer ao programa previamente estabelecido.

Maria José levantou-se. Não podia atrasar-se para o lanche. Demerval já teria terminado a sesta e ela não poderia estar ausente ao café com rosquinhas fritas ou bolo de fubá que ele não dispensava.

Apressou o passo. Seu rosto corado era uma máscara. Estava calmo e tranqüilo. Vendo-a, ninguém imaginaria a cena de momentos antes.

Demerval odiava queixas e mau humor. Queria que todos se mostrassem alegres e contentes ao seu redor. Tudo tinha que ser maravilhoso, principalmente na fazenda durante as férias da família.

Por isso, tanto os servos como sua esposa e até seus filhos sempre compunham a fisionomia ao se aproximar dele, porque temiam seu desagrado, comumente convertido em castigo severo e drástico.

A passos rápidos, Maria José galgou os degraus da varanda onde a mucama a esperava ansiosa.

— Sinhá, ele já levantou e o lanche está pronto. Depressa!

Maria José apressou-se mais. Em poucos segundos deu entrada ao salão, onde a mesa já estava posta e preparada.

— É desagradável não a encontrar aqui na hora habitual — observou ele, em tom levemente contrariado.

— Desculpe-me. A tarde estava tão linda que fui ao meu passeio costumeiro e calculei mal o tempo a gastar na volta. Não tornará a acontecer.

— Por certo, querida. Aceito suas desculpas.

Sentaram-se ao redor da mesa. As crianças em silêncio. Só podiam responder se fossem inquiridas. Beberam seu leite, comeram suas rosquinhas calmamente. Ana com nove anos, Rosa com oito e Adalberto com sete. O pai, embevecido, olhos emocionados, fixava a cena familiar com carinho.

Sua família era a mais fina e educada de toda a corte. Orgulhava-se dela. Ele a organizara com seu esforço, seus pontos de vista, seu modo de ser.

— Está uma linda tarde. Realmente este lugar é maravilhoso. Não existem por estas bandas tão lindas paisagens quanto as nossas.

— As terras do coronel José Bento são também muito lindas.

Ele franziu o cenho com certo ar de desagrado.

— Não nego que possui uma boa nascente e pequena cascata. Mas essas terras, eu acho que eram nossas. O seu tataravô, usando de um esbulho, tirou-as do meu bisavô e até hoje eu não esqueci aquela demanda. Se eu cismar, ainda vou mandar reabrir. Aquelas terras são nossas. Fomos esbulhados.

— O coronel José Bento não tem culpa. Não tinha nem nascido naquele tempo.

— É da família. Depois, você sabe que eu não sou de briga. Já me propus a comprar essas terras, ele não vende. Comprar o que era nosso... Não acha que sou bom demais?

— Claro. Você é generoso. Sempre foi.

— Então — concordou ele, satisfeito —, se as terras dele são boas, é porque eram nossas, que esta fazenda é a melhor do mundo!

Maria José baixou os olhos enquanto dizia:

— Tem razão, como sempre.

Com um gesto, ele tornou:

— Está na hora, levem as crianças. Já comeram bastante. Podem ir.

Enquanto se afastavam, ele observou:

— Que linda família nós temos! Como são gentis! Mas, agora estou vendo, você não comeu nada. Está doente?

— Não. É que tenho medo de comer demais. A esta hora não me sabem bem os doces.

Ele a olhou fixamente:

— Cuide da saúde. Se não está bem, dou-lhe algumas colheradas de óleo de rícino. Já sabe como faz bem.

Ela sorriu, alegre:

— Estou muito bem. Vou até comer um pouco para que não me julgue doente.

Maria José tomou uma xícara de café e comeu duas rosquinhas.

— Assim está melhor — volveu ele. — Sabe que me preocupo com a sua saúde. Agora, vamos à leitura.

— Vamos à leitura — tornou ela, com fingida alegria.

Demerval acomodou-se numa gostosa poltrona e Maria José, apanhando um volume encadernado na estante, sentou-se em outra ao seu lado, entregando-lhe. Ele o tomou, satisfeito.

— Como eu sempre digo: não é pelo fato de estarmos na roça que vamos nos privar da cultura.

— Concordo. Mas hoje nós podíamos ler algo em português...

— E privar-me destes versos magníficos? Depois, temos que manter nosso francês.

— Só hoje! Gostaria de algo em nosso idioma.

— Programamos este livro e assim será. Até parece que não sei escolher nossas leituras!

— Está bem — suspirou ela, conformada.

Enquanto ele lia os monótonos versos em francês, Maria José, pensamento distante, dava asas à imaginação.

Estava farta daquela rotina, de ser obrigada a fazer isto ou aquilo, de ter que obedecer sempre como um boneco a tudo quanto o gentil tirano de sua casa determinasse.

Sentia-se como uma ave presa na gaiola a debater-se em suas estreitas paredes, numa constante tentativa de fuga, machucando as asas inutilmente de encontro aos obstáculos inflexíveis.

Se ao menos o futuro lhe abrisse uma perspectiva! Se ao menos pudesse sair daquilo tudo e respirar um pouco de liberdade! Como seria bom poder fazer o que lhe desse na cabeça, sem prestar contas a ninguém. Dormir quando sentisse vontade, comer quando sentisse fome. Sair sem destino nem rotinas, conhecer pessoas alegres e interessantes. Enfim, mudar.

Como seria bom se acontecesse alguma coisa diferente. Irritava-a saber que precisamente às cinco e meia da tarde Demerval fecharia o livro dizendo:

— Por hoje basta. Foi uma ótima escolha. Estes versos são magistrais, não acha?

Ela diria que sim. Depois ele iria até a varanda passear os olhos pela paisagem e esperar pelo jantar que seria servido impreterivelmente às seis e meia.

Mais tarde, na sala de estar, as crianças seriam colocadas na sua frente e ele perguntaria como tinham passado o dia. Era-lhes permitido contar, educadamente e sem arroubos, os jogos, as aulas, o que tinham aprendido. Isso até às oito horas, quando se recolhiam para dormir.

Às terças, quintas e sábados, iam para o piano. Demerval escolhia as partituras e Maria José as executava; ele acompanhava ao violino.

Maria José detestava particularmente esses saraus. Apreciava música, porém Demerval tinha um gosto diferente do seu e escolhia sempre peças em que seu violino pudesse sobressair. A jovem senhora não sabia se as detestava por não gostar de violino ou porque o marido não era um bom instrumentista.

Durante uma hora sentia-se entediada e até rancorosa. Sua angústia continuava mesmo depois de Demerval ter dado o concerto por encerrado.

Recolhiam-se às nove horas para dormir. Às segundas, quartas e sextas, conversavam na sala e Demerval relatava em todos os detalhes a vida em Paris, suas viagens, alegando não ser egoísta e desejar que a esposa compartilhasse dos seus conhecimentos, mesmo sem jamais ter ido à Europa.

Maria José conhecia todos os casos, as minúcias e até podia descrever Paris como se tivesse estado lá. Não agüentava mais ouvir sempre a mesma coisa.

Até quando suportaria esse estado de coisas? Sentia-se mal, porém não tinha coragem para reagir.

"Estou errada", pensava aflita. "Tenho tudo que uma mulher precisa. Dinheiro, proteção, filhos maravilhosos, tudo. Não sei o que está acontecendo, por que estou deste jeito. Deveria agradecer a Deus por ter um marido como ele. Um homem bom, que ama a família, que vive para nós e me trata com bondade. Eu é que estou errada. Preciso aprender a apreciar o que ele gosta. Ser educada e fina como ele."

Era inútil. As emoções brotavam dentro do seu coração e, sem querer, surpreendeu-se várias vezes odiando o marido. Naquele momento, enquanto ele lia deliciado, embalado ao som do seu francês, procurando colocar entonações adequadas, Maria José sentia ímpetos de atirar-se sobre ele, arrancar-lhe o livro das mãos e fazê-lo em pedacinhos. Procurou controlar-se.

"Estou ficando louca", pensou assustada. Fechou os olhos tentando fugir à cena.

Demerval olhou-a e, interrompendo a leitura, inquiriu:

— O que está acontecendo? Por acaso não está apreciando minha leitura?

A jovem senhora ainda tentou dominar-se, mas não conseguiu. Gritou desesperada:

— Não, não gosto. Odeio! Odeio! Odeio!

Ele empalideceu. Maria José à sua frente, pálida, rosto contraído, olhos chamejantes, não parecia sua doce mulher. Ofendido, Demerval levantou-se. Dirigindo-se a ela, tornou, irritado:

— O que está dizendo? Por acaso enlouqueceu?

Vendo a fisionomia apoplética do marido, assustada com o que tinha feito, tudo se confundiu em sua cabeça e ela desmaiou.

Demerval apavorou-se. Levantou a esposa nos braços e carregou-a para a cama. Tirou-lhe os sapatos, afrouxou-lhe as vestes e tentou despertá-la, dando palmadinhas na face.

Vendo que não conseguia acordá-la, chamou sua mucama e pediu os sais.

— Pobre sinhá — choramingou ela, aflita. Tinha já presenciado muitos momentos de depressão de sua ama.

— O que será? — tornou ele, preocupado, aproximando os sais do nariz da esposa.

Tudo inútil. Maria José continuava desmaiada, o rosto abatido, pálido. Não fora as batidas do seu coração, poder-se-ia julgá-la morta.

— Meu Deus! — gemeu ele. — Que desgraça! Por que ela teria adoecido?

A mucama olhava triste, sem nada dizer. Tinha aprendido a ver e calar, durante toda sua vida. Esfregava as mãos de sua sinhá com força, tentando aquecê-las. Quase não se atrevia a sugerir providências, pois sabia que seu amo não as acataria. Mesmo assim, arriscou:

— As mão da sinhá tão muito fria. Um saco de água quente pode ajudá.

— Acho que sim. Já vi médicos fazerem isso. Vá buscar. Depressa.

A negra saiu correndo. Seu amo deveria estar muito assustado para ter aceitado sua opinião. Colocaram um saco de água quente nas mãos e outro próximo aos pés. Aos poucos, as cores começaram a voltar às faces de Maria José.

A custo abriu os olhos. Vendo o rosto do marido inclinado sobre ela, ansioso, recordou-se do ocorrido. Uma onda de remorso invadiu-a. Ele era homem bom. Por que ela o agredira? Por que não conseguia aceitar seu modo de ser? Ela era culpada!

Fechou os olhos, que lhe pareciam pesados como chumbo.

"E agora?", pensou. "Como lhe explicar sua atitude? Como?!"

— Maria José, acorde. Não vá dormir de novo. Acorde.

Com voz fraca, a jovem senhora perguntou:

— O que aconteceu?

— Eu é que pergunto — tornou ele, sério. — O que aconteceu?

— Não sei... Não me recordo... Você estava lendo um lindo verso, é o que me lembro. Depois, não sei mais nada... Acordei aqui.

Ele não se deu por satisfeito.

— Não se recorda do que fez? Você gritou comigo. Disse que odiava, este foi o termo, odiava minha leitura. Quero saber por quê.

— Eu disse isso? — murmurou ela, com voz fatigada. — Não me lembro. Não acredito.

Ele se empertigou.

— Chama-me de mentiroso?

— Não — gemeu ela, aflita. — Só digo que não me lembro de nada. Por que teria dito tais palavras?

Ele a olhou entre a desconfiança e o desgosto. Mas a fisionomia de Maria José, muito abatida, preocupava-o. Resolveu não insistir. Procuraria um médico para tratar dela.

Há algum tempo vinha notando que a esposa não era a mesma. Apesar de ela não se queixar, andava sem apetite, distraída e até um tanto nervosa. Por certo um bom médico resolveria tudo.

— Está bem, deixemos esse assunto. Você precisa repousar.

Ela suspirou aliviada. Ainda bem que ele não insistira.

Maria José, apesar da docilidade do marido, não se acalmou. Temia o futuro. Sentia-se fraca e incapaz de acompanhá-lo. Funda depressão a abateu ainda mais.

De que adiantava querer explicar-lhe, se ele não a entenderia? Seria muito pior dizer-lhe a verdade. Demerval jamais aceitaria que ela discordasse de seus pontos de vista. Sentir-se-ia ofendido, irritado. Confundiria seus sentimentos.

Para ele, amor era obediência, era não ter outra vontade senão a dele, era fazer o que ele achasse certo. Mas, ai dela, por mais que tentasse, não conseguia gostar das coisas de que ele gostava. Amava o marido, apesar de ter se casado em obediência aos pais. A figura elegante de Demerval, que conhecia desde a infância, sua gentileza, suas atenções e sua posição social, tinham-na impressionado favoravelmente. Tinha aprendido a amá-lo.

No entanto, detestava os versos em francês, a rotina obrigatória, a intransigência dele e, ultimamente, até sua calma, sua delicadeza irritavam-na. Foi tomada de profundo sentimento de culpa. Julgou-se leviana, ingrata, perversa.

Que outra mulher não se sentiria feliz possuindo uma família como a sua? Que outra mulher não agradeceria a Deus um marido como o seu?

Inútil tentar convencer-se. O tédio, a tristeza, o vazio, a irritabilidade tiravam-lhe a calma e a alegria de viver. Fechou os olhos fingindo dormir. Em seu coração a depressão, o medo, a angústia vestiam-lhe o futuro de infelicidade e de tristeza. Deixou-se envolver por profundo abatimento.

Permaneceu no leito o resto da tarde, olhos cerrados, pálida, sem forças para levantar-se.

Mesmo preocupado com a esposa, Demerval não modificou os hábitos da família. Cumpriu a rotina religiosamente.

Vendo que a esposa não conseguia levantar-se, jantou com as crianças, conversou com elas e cumpriu sua hora de música massacrando o violino como sempre.

Maria José não tocou nos alimentos que lhe trouxeram. A custo bebeu o caldo que a mucama lhe ofereceu com insistência.

Apesar de sua depressão, no fundo, no fundo, uma parte de Maria José sentia-se contente por ter, de alguma forma, escapado da rotina costumeira. Tinha conseguido ficar à parte do desagradável sarau da noite e da opressiva presença do marido.

Maria José não compreendia por que sentia essa irritação e a presença dele a incomodava.

No horário habitual, Demerval preparou-se para dormir.

— Está melhor? — indagou, com certa preocupação.

Sua mulher não era dada a desmaios e dengos. Estaria realmente doente?

Por outro lado, não acreditava em problemas nervosos. As doenças sempre eram físicas. Por isso, se sua mulher estava doente, deveria haver uma deficiência física. Se tal não houvesse, então tudo não passava de manha ou fingimento.

Daria um tempo para verificar. Caso ela não estivesse melhor no dia seguinte, mandaria buscar o Dr. Amarante, médico antigo de sua família, para examiná-la.

Maria José abriu os olhos e procurou sorrir.

— Sim, estou melhor — respondeu.

— Pois não parece. Não se levantou e nem comeu no jantar.

— Não tenho fome. Sinto muita fraqueza. Tentei levantar-me, mas fico tonta.

Demerval colocou a mão direita sobre sua testa.

— Você não está com febre. Por acaso comeu alguma coisa fora das refeições?

— Não — tornou ela.

— Pode ser problema digestivo. Se você não tem fome, só pode ser isso.

Maria José tentou conversar.

— Não sei o que é. Sinto uma tristeza como se fosse morrer.

Ele cortou com voz firme:

— Deixe de bobagem. Não venha com fantasia. Amanhã chamarei o Dr. Amarante. Por certo lhe dará um remédio e a porá boa. Os intestinos têm funcionado?

— Têm, até demais — tornou ela, apavorada. Sabia onde ele queria chegar.

— É, mas uma boa colher de óleo de rícino é santo remédio.

— Por favor — gemeu ela —, não é o meu caso. Hoje já fui várias vezes.

Demerval olhou-a indeciso.

— Sabe que quero cuidar da sua saúde.

— Sei e agradeço — respondeu ela. — Estou com náuseas.

— Mais uma razão para tomar o purgante. Por certo vai aliviar.

De nada valeram os rogos, os protestos da esposa. Demerval apanhou o detestável remédio e, colocando-o na colher, aproximou-a dos lábios de Maria José.

— Beba — ordenou com voz firme.

Ela respirou fundo e procurou obedecer, porém, ante o cheiro odioso, a náusea sacudiu o corpo frágil da jovem senhora e, de repente, ela sentiu uma onda de revolta que não conseguiu dominar. Trincou os dentes e deu violento empurrão na mão do marido, que, surpreendido, ficou sem ação.

— Eu não quero, entendeu? Não tomo. Saia daqui, Demerval, deixe-me em paz.

O rosto de Maria José transformara-se. Não parecia a mesma pessoa. Seus olhos expeliam chispas e brilhavam rancorosos.

— Maria José, eu ordeno — gritou Demerval, tentando vencer a surpresa.

Ao ouvi-lo, ela saltou do leito, parecendo ter perdido a razão. Seu corpo todo tremia enquanto ela gritava enlouquecida:

— Odeio você! Eu o odeio! Saia daqui senão eu o mato. Eu juro que mato.

Assustado, ele tentou segurá-la. Maria José o empurrou com tanta violência que Demerval caiu de encontro à parede. A força de sua esposa estava multiplicada.

Vendo-o no chão, tentando levantar-se, pálido e assustado, Maria José começou a rir, enquanto dizia:

— Eu sou livre, livre! Vou libertar-me do seu domínio, desta escravidão. Chega! Chega! Se você reagir, mato-o com minhas próprias mãos!

Como ele já fizesse menção de aproximar-se, ela começou a apanhar os objetos ao seu alcance e a atirá-los contra o marido.

— Maria José enlouqueceu — pensou ele.

Apavorado, não encontrou outro recurso e saiu depressa fechando a porta por fora.

Encostou-se nela, pálido, trêmulo, sem saber o que fazer, ouvindo lá dentro a mulher atirando tudo que podia contra a porta.

As servas correram assustadas e as crianças acordaram. A casa transformou-se em pandemônio, onde ninguém sabia o que fazer.

Demerval, desesperado, tornou para as servas aflitas:

— A sinhá enlouqueceu! Que tragédia, meu Deus!

Todos choravam em meio à confusão.

— Fechei-a dentro do quarto — continuou ele. — Vamos esperar para ver se se acalma.

Ainda estavam ouvindo a voz dela gritando e rindo:

— Eu estou livre! Eu estou livre!

Quando o médico chegou e conseguiu entrar, ela estava em meio aos destroços do quarto, vestida com roupas coloridas, cheia de jóias, uma flor nos cabelos soltos e ria feliz.

O Dr. Amarante quis entrar só. Aqueles casos de loucura costumavam ser perigosos.

Demerval, pálido, triste, assustado, ficou esperando do lado de fora do quarto.

— D. Maria José — indagou o médico, vendo-a calma. — Vim ajudá-la. Confie em mim.

Ela o olhou com indiferença.

— Sou seu amigo. Vou curá-la.

— Estou feliz — tornou a jovem senhora. — Sou livre. Vou fazer o que quero.

— Por certo — concordou o Dr. Amarante, conciliador. — Não quer sentar-se?

— Não — disse Maria José. — Só faço o que quero. Você não manda em mim.

— Claro que não. É que sentados podemos conversar melhor.

— O que quer conversar?

— A senhora está doente. Quero ajudá-la.

— Estou muito bem.

— Vou dar-lhe um remédio.

Ela se enfureceu.

— Se se aproximar, eu o mato. Não tomo nada, já disse.

— Está bem — fez ele. — Nesse caso, não vou insistir. Não quer deitar-se?

— Não. Estou bem. Agora saia daqui. Não vou com a sua cara. Deixe-me em paz.

O médico saiu. Em seu rosto refletia-se a apreensão.

— E então, doutor? — tornou Demerval, ansioso.

O médico balançou a cabeça.

— É grave. Precisamos tirá-la da crise.

— Crise?

— Sua mulher teve uma crise de loucura. Não posso dizer até que ponto esse estado a conduzirá. Não quero enganá-lo. Tanto pode ser leve — e nesse caso, com tratamento e certos cuidados, ela passará — como pode piorar e ela não mais voltar ao normal. Nunca se sabe. Temos que lutar e esperar.

Demerval sentiu-se arrasado.

— Nesse caso, doutor, o que fazer?

— Sua mulher nunca teve crises nervosas?

— Nunca. Ela sempre foi meiga, cordata. Estamos casados há dez anos. Nunca a vi dizer uma palavra áspera.

— Notou alguma mudança em seu comportamento nos últimos tempos?

— Notei. Estava sem apetite e um pouco fraca. Ainda ontem comportou-se de forma estranha.

— Conte-me como tudo começou.

Demerval relatou o que sabia.

— Pode ser uma crise nervosa passageira.

— Não creio — tornou Demerval. — Ela sempre foi pessoa calma, cordata e equilibrada. Não é mulher dengosa nem de chiliques.

— Conheço D. Maria José há tempos. Importa-se em responder-me algumas perguntas?

— Estou às ordens — concordou ele, meio a contragosto. Detestava que lhe invadissem a intimidade.

— Vamos a um local sossegado — disse o médico. — Zefa pode entrar no quarto sem medo. Ela está calma.

— Vamos ver — tornou Demerval preocupado. — Zefa, entre lá e veja se ela está bem.

A negra, olhos marejados, obedeceu prontamente. Pobre sinhá. Ela entendia o que se passava. Tinha presenciado as crises de sua sinhá. Vendo o quarto depredado, a figura de Maria José frente ao espelho, cabelos soltos que o marido odiava, flor nos cabelos, a pintar o rosto com carmim, a mucama sentiu um aperto no coração.

— Sinhá — chamou, carinhosa.

Ela pareceu nem ouvir. A negra, pouco mais nova do que sua sinhá, a adorava. Aproximou-se da jovem e repetiu.

— Sinhá, tô aqui. Num precisa tê medo. Sei o que se passa com vosmecê. Num vô contá pra ninguém. Acho que tem razão. Quero ajudá. Vem comigo, vamo descansá.

Ela a olhou e sorriu.

— Eu estou livre — tornou, obcecada. — Estou feliz.

— Eu sei. Fique comigo. Se vosmecê quebrá mais coisa, o médico a leva embora. Calma que eu vou ajudá. Dá sua mão.

Olhava-a nos olhos com muito amor. Maria José estendeu a mão. Zefa segurou-a e, continuando a olhá-la nos olhos, começou a rezar. Maria José fez menção de tirar a mão, mas a negra segurou-a firme.

— Vai embora — disse com voz firme. — Nosso Senhô vai castigá ocê se num deixá ela em paz. Vai em nome de Deus.

A negra rezava em voz alta. Um tremor violento sacudiu o corpo frágil de Maria José e ela teria caído se Zefa não a tivesse amparado. Colocou-a no leito, sempre rezando. A moça chorava convulsivamente.

— Calma, sinhá. Agora tudo vai ficá bem. Fica calma. Num vai acontecê nada. Confia em Deus.

Aos poucos o rosto dela foi serenando e seu pranto passando. Por fim, calou-se.

A negra continuava rezando, confiante.

Maria José abriu os olhos como quem procura recordar-se de alguma coisa.

— Tá tudo bem agora, sinhá. Eu tô aqui.

Ela a olhou ainda sem parecer entender o que se passava. Por fim, murmurou com voz fraca:

— Zefa!

— Sô eu, sinhá. Tá tudo bem.

— O que aconteceu?

— Vosmecê num tava bem, agora já tá melhor.

— Estou fraca e parece que estou vazia por dentro.

— Isso passa. Vosmecê num comeu nada desde onte. Gastô muito as força.

— Estou com fome.

— Isso é bom. Vô mandá trazê café com leite e umas broa quentinha que a sinhá tanto gosta.

— É. Preciso levantar-me. Que horas são?

— Passa das dez.

— Santo Deus! E Demerval? Não me lembro de ter tomado o café com ele.

Foi aí que tentou levantar-se. Vendo a confusão do quarto, perguntou assustada:

— Deus meu! O que foi isso? O que aconteceu?

A negra ficou apreensiva.

— Quero a verdade já — exigiu Maria José, segurando as mãos da negra com força.

— Foi a sinhá. Teve uma crise nervosa.

— Eu?!

— Sim. Num se alembra?

— Não. Não me lembro.

— Pois foi. Quebrô tudo. Atirô tudo em cima do sinhozinho.

— É?!

— É.

— E ele?

— Ficô assustado. Mandô buscá o Dr. Amarante e agora tão lá no gabinete conversando.

— Estou com medo — tornou Maria José, assustada. — Estarei enlouquecendo?

A negra deu de ombros.

— A sinhá num tá louca, não. Tá nervosa, num agüenta mais obedecê o marido e ficô possuída de espírito. Foi isso.

— Espíritos? Não acredito nessas histórias, nessas suas manias.

— É verdade, sinhá. Vosmecê só melhorô depois que eu rezei e pedi ajuda do meu santo. Só assim ele foi embora.

A moça ficou assustada.

— Acha que eles poderão voltar?

— Tem que rezá muito. Deus é grande.

Maria José estava apavorada.

— E agora, Zefa, o que fazer? Como enfrentar Demerval? Ele não vai acreditar.

A negra abanou a cabeça preocupada.

— É, sinhozinho num vai acreditá. Nóis vamo fazê nossas reza. Se vosmecê não melhorá, o doutô leva vosmecê pro hospício.

Maria José agarrou as mãos da negra com força.

— Tenho medo!

— Calma. Vendo que vosmecê tá boa, ele vai embora. Tem que tomá cuidado com as crise. Vamo vê se num acontece de novo.

— Como evitar? Não percebi bem como aconteceu. Meu Deus, como vou viver daqui por diante?

— Bem. Muito bem. Tenha fé. Meu santo vai ajudá. Sinhá tem que aprendê a rezá: quando se senti nervosa, chama por Nagô. Ele é poderoso, tira o perigo do seu caminho.

— Quem é ele?

— É meu santo guia. É muito bom e tem me ajudado muito. Foi ele quem fez a sinhá ficá boa de novo.

— Ah! Deus meu, como vou fazer agora?

— É fácil, sinhá. Vosmecê num se alembra mesmo de nada. É só dizê isso. Acho que o sinhozinho vai ficá contente em sabê que já tá boa. Ele tava muito assustado. Num diga nada além disso. Tem seu doutô, ele que arranje explicação. Os médico sempre encontra uma. E a sinhá num sabe de nada.

— É. Não lembro mesmo. Não sei o que aconteceu. Por isso, não tenho que explicar nada. Olha este quarto, que horror!

— Vô buscá o que comê, depois ajeito tudo.

— Não saia que sinto medo. Eles poderão voltar!

— Vô chamá a Joana. Calma. Eu num saio daqui.

A negra tocou a sineta e logo a escrava entrou. Estava um pouco assustada.

— Vai buscá leite bem quentinho e algumas broa pra sinhá. Bem depressa. Ela já tá melhor.

Joana saiu rápida.

Enquanto esperavam a mucama, Zefa foi colocando o quarto em ordem.

Demerval e o Dr. Amarante conversavam no gabinete. Demerval, apreensivo, estava deprimido, preocupado. O médico dizia:

— O senhor diz que ela leva vida calma, sossegada. Porém, se ela começou a perder o apetite, ficar abatida, deve ter algum problema.

— Não tem, doutor. Nós vivemos muito bem. Ela tem sido obediente, dócil, boa mãe, boa esposa. Eu tenho zelado por nossa casa, feito tudo para que nossa vida seja sempre feliz.

O médico sacudiu a cabeça pensativo.

— Eu sei. Contudo, ela deve ter tido algum aborrecimento. Algum problema íntimo que talvez o senhor não saiba.

Demerval levantou-se irritado.

— Não creio. Maria José não tem segredos para mim. Conheço-lhe os mais íntimos pensamentos.

O médico calou-se pensativo enquanto lentamente fazia seu cigarrinho de palha.

O Dr. Amarante não era bem um fumante, mas, quando preocupado, costumava preparar seu cigarro, picando o fumo com atenção e enrolando-o lenta e caprichosamente. Geralmente acendia-o em silêncio e depois esquecia no cinzeiro, apagado e inútil.

Apesar de inquieto e de detestar o fumo como qualquer outro vício, Demerval não teve outro remédio senão esperar o médico terminar de enrolar seu cigarro, acendê-lo e colocá-lo sobre uma salva que havia na mesa. Feito isso, disse sério:

— Ninguém pode saber o que vai pelo coração de uma mulher.

Demerval não se deu por achado:

— Mas *eu* sei. Conheço bem minha mulher. Posso saber até seus pensamentos.

— Então deve saber o porquê dessa crise.

— Não tenho dúvida. Ela está doente. Seu cérebro está com alguma disfunção. E quem deve saber isso é o senhor, que é o médico. Não posso entender de medicina. Se o chamei, foi para descobrir a doença, dar o remédio e curar.

O médico olhou-o firme:.

— Esses casos de loucura não são fáceis. Não temos meios de conhecer bem as doenças mentais. O que sabemos é que elas começam sempre por causa de problemas emocionais que acabam afetando os nervos e é quando acontece a crise.

Demerval respondeu seguro:

— Não é o caso dela. Maria José sempre foi muito feliz. Não tem problemas e, se teve essa crise, deve haver alguma doença afetando seu cérebro.

— Um tumor? Um coágulo, uma obstrução?

— Claro. Por que não?

— Simplesmente porque essas doenças não ocasionam crises como as que teve D. Maria José. Têm outros sintomas, tais como febre, inconsciência, paralisia, afetam os membros na parte motora, causam cegueira... Ela não tem nenhum desses sintomas.

— Está inconsciente.

— Ela saiu do presente, mas fala e responde como se fosse outra pessoa.

Demerval sentou-se, passando a mão nervosa pelos cabelos.

— Então não sei. Estou perdido!

O médico olhou-o calmo.

— Pode ser que ela melhore. Vamos ver. Tem certeza mesmo de que ela não tem nenhum problema íntimo?

— Tenho — respondeu Demerval, teimoso.

— Muito bem. Agora vou ver como ela está.

Levantaram-se e dirigiram-se até o quarto do casal.

— Quero entrar sozinho — tornou o médico.

Demerval concordou e o doutor abriu a porta e entrou, fechando-a atrás de si.

A cena tinha se modificado. Com o quarto já em ordem, a jovem senhora, recostada nas almofadas, terminava sua refeição com bom apetite. Vendo-o, fixou-o um pouco assustada.

O médico aproximou-se e, colocando uma cadeira ao lado da cama, acomodou-se:

— Vejo que está melhor — disse ele com delicadeza.

— Sim — respondeu ela. — Agora estou bem.

— Estimo. Seu marido e seus filhos estão muito preocupados com a senhora.

Ela fez um gesto vago.

— Eu sei, doutor. Não tive culpa do que aconteceu.

— Não a estou culpando de nada. Só quero dizer que eles vão gostar de saber que já está melhor.

Ela sorriu um pouco triste.

— Sinto ter causado transtorno.

— Isso é o de menos. Estamos alegres com sua recuperação. Sente-se bem para conversarmos um pouco?

— Estou um tanto atordoada e muito cansada. Estou sentindo muita fraqueza.

— É natural. Vou receitar-lhe um bom fortificante. Porém o melhor tônico é a alegria.

Fundo suspiro escapou do peito de Maria José, mas nada disse.

— Não tem sentido alegria ultimamente?

A jovem senhora tentou sorrir.

— Preciso ser alegre. Não tenho nenhum motivo para ser triste. Tenho o melhor marido do mundo e uma família invejável. Por que deveria estar triste?

— Ainda assim a senhora não sente alegria, não é mesmo?

— É... — fez ela, titubeante. — Eu não sei o que acontece comigo. Ando nervosa, angustiada, sinto medo não sei de quê, e muita irritação. Doutor, será que estou ficando louca?

O médico tomou-lhe a mão, segurando-a com força.

— Calma. Não é isso. A senhora está um pouco nervosa. Teve uma crise de nervos. Foi só isso. Não está louca coisa nenhuma.

— Acha mesmo?

— Acho. Acho ainda que a senhora tem algum desgosto íntimo que está provocando tudo isso.

Maria José angustiou-se.

— Não é verdade. Não tenho nada. Estou bem.

— Está bem. Se não pretende contar-me, não insistirei. Lembre-se de que pretendo ajudá-la. Não confia em mim?

— Confio — disse ela. — Mas acredite, nada tenho a contar.

— Está bem. Virei vê-la amiúde. Quando quiser desabafar, estarei à sua disposição. Seu marido não vai saber. Tem certeza de que não quer contar?

— Não há nada a dizer, doutor.

— Está bem. Vou receitar-lhe e deve repousar. Amanhã voltarei para visitá-la.

— Obrigada, doutor.

— Até logo, D. Maria José. Alegria e repouso.

— Está bem, doutor.

O médico saiu. Demerval aguardava-o aflito.

— Doutor, disseram-me que ela já voltou a si e até comeu.

— Sim, é verdade. Ela agora está bem. Vou prescrever-lhe alguns medicamentos.

— Por certo, doutor. Quer ir ao gabinete?

— Na sala ao lado está bem.

Depois de escrever a fórmula do remédio, o médico recomendou:

— Todo cuidado é pouco. Ela está muito sensível e fraca. Não pode ser contrariada em nada.

— Acha que ficará boa?

— Vamos ver. No momento parece bem.

Demerval suspirou aliviado.

— Não sabe como me sinto, doutor! Parece que estou tendo um pesadelo!

— Acredito. Contudo, ela inspira cuidados. Não a contrarie, por favor.

Demerval respondeu magoado:

— Da forma como fala, o doutor parece achar que eu sou o responsável pela sua doença!

— Não disse isso. Espero que se recorde do motivo que provocou a crise.

— Como assim?

— O senhor queria obrigá-la a tomar o óleo de rícino.

O rosto de Demerval ficou rubro.

— Julguei que lhe fizesse bem!

— Mas ela não queria.

— Nunca pensei que fosse ter aquela crise. Queria ajudá-la.

— Eu sei. Mas como o senhor não é médico, não percebeu que não só ela não precisava do purgante como a contrariedade iria fazer-lhe mal.

Demerval estava furioso. Aquele médico atrevido!

— Eu sempre soube o que é melhor para minha família. O doutor fala como se eu fosse o culpado do que aconteceu. Espero que retire o que disse.

O médico abanou a cabeça conciliador.

— Não o estou culpando nem criticando. Porém, como o senhor acha que D. Maria José não foi contrariada, procurei mostrar-lhe a verdade. Gostaria que percebesse o que aconteceu. Sua esposa está nervosa e debilitada e não gosta de óleo de rícino. O senhor procurou obrigá-la. Aí a crise veio, entende?

Apesar de contrariado, Demerval sentiu que ele falava a verdade. Não quis dar a perceber.

— Quando ela se recusou a tomar o remédio, já estava em crise. Caso contrário, teria obedecido, com sempre fez. Não foi por isso que ela ficou mal. Ela já estava.

— Está bem. Não vamos discutir por isso. Só quero que ela fique boa. Para isso, não pode contrariá-la.

— Terei que lhe fazer todas as vontades, ainda que disparatadas?

— Ela me pareceu bem. Não acredito que terá vontades disparatadas. Mas se isso acontecer, deve obedecer. Pelo menos por enquanto. Amanhã, à tardinha, passarei para ver como estão as coisas.

Demerval deu um suspiro resignado.

— Está bem, doutor. Farei esse sacrifício. Farei tudo para ver Maria José curada.

— Sei que fará. D. Maria José precisa de alegria e paz. Passar bem, Sr. Demerval.

— Passar bem, doutor.

O médico saiu e Demerval mandou um escravo à vila para preparar o remédio e depois, procurando dar à fisionomia um ar tranqüilo, entrou no quarto onde estava a esposa.

Maria José, recostada nas almofadas, cochilava tranqüilamente enquanto a mucama, sentada ao lado, velava. Demerval aproximou-se e a negra levantou-se.

— Como está ela? — indagou ele, em voz baixa.

— Vai bem, sinhô — respondeu a escrava, indo postar-se aos pés da cama, em silêncio.

Demerval, com delicadeza, acercou-se. Maria José abriu os olhos e, vendo-o, sobressaltou-se:

— É você?

Ele alisou os longos cabelos dela com carinho.

— Sim. Não se assuste. Sou eu. Estou aqui para protegê-la. Não vai acontecer nada. Você precisa descansar.

Maria José sorriu aliviada. Afinal o marido estava calmo. Dentro em pouco esqueceria o acontecido. Tudo agora estava bem. Cerrou os olhos e adormeceu um sono tranqüilo e reparador.

Capítulo II

Nos dias que se seguiram, Maria José foi melhorando. A princípio, Demerval não insistia com ela para fazer nada e pela primeira vez Maria José pôde ficar no quarto sem ter que participar da rotina da família. Pôde reler velhos livros dos quais tanto gostava, inventar bordados diferentes, conversar horas e horas com Zefa e comer o que lhe apetecia. Foi se recuperando.

Demerval, apesar de solícito, voltara à sua rotina, convidando a esposa a participar. Ela, porém, com delicadeza, recusava-se, pretextando fraqueza e mal-estar.

Depois de uma semana, o médico prescreveu-lhe sair todas as manhãs para caminhar pela fazenda.

Zefa acompanhava-a nesses passeios, dos quais Maria José voltava corada e rejuvenescida. Parecia uma criança em férias, com seus olhos alegres e felizes, os teimosos cabelos, que por vezes escapavam da trança costumeira, emoldurando-lhe o rosto bonito.

Sentia-se livre, e essa sensação tornava-a feliz. À tarde surpreendera os filhos, participando dos seus folguedos e jogos. Eles, vendo-a corada, alegre, entusiasmaram-se, expandindo-se em risadas e ruídos que antes nunca tinham feito.

Demerval sentia-se preocupado. Maria José parecia-lhe bem, porém aquilo não era vida. Sua rotina prejudicada, ele se sentia isolado, preterido, abandonado. Estava mal-humorado. Seus filhos nunca tinham feito tanta algazarra. E, o que era pior, a esposa estava com eles. Estava tudo errado. Como discipliná-los se a própria mãe brincava com eles como criança? Onde estava o princípio de autoridade?

Sua casa não era mais a mesma. Logo deveriam regressar à cidade. Até lá, queria resolver esse problema.

Várias vezes tentou falar com a esposa convidando-a a retomar os antigos hábitos. Porém ela se dizia fraca, sem coragem, temerosa. Ele, recordando as recomendações do médico, não queria obrigá-la.

Quando quinze dias depois o médico voltou, Demerval recebeu-o com alívio.

Levou-o ao seu gabinete e desabafou:

— Doutor, não agüento mais. Isto não é vida. Vivo só e triste. Tudo está mudado. Minha família não é a mesma. Por isso pedi-lhe para conversarmos no meu gabinete.

— D. Maria José não está bem?

— Acho que não. Ela parece outra pessoa. Está mais forte, corada, parece bem. Mas não pode estar! Faz coisas incompatíveis com sua posição!

Dr. Amarante olhou-o tranqüilo. Ele prosseguiu.

— Antes era boa mãe, boa esposa. Estava sempre interessada no meu bem-estar. Agora afasta-se de mim sem razão. Por mais que a convide para nossos hábitos e costumes dos quais tanto gostávamos, ela se recusa. Alega cansaço, fraqueza, esquiva-se. Fecha-se no quarto com Zefa, a fazer enfadonhos bordados, a ler livros desinteressantes. E, o mais grave, está prejudicando a disciplina dos filhos.

— Como assim?

— Mistura-se a eles nos folguedos no jardim, joga com eles, rola com eles no gramado e outro dia até pulou corda! Uma vergonha! Doutor, estou seriamente preocupado. Temos que tomar alguma providência. Maria José não está boa da cabeça.

O médico ficou pensativo. Depois perguntou:

— Ela está se alimentando?

— Muito bem. Isso também é estranho. Não é de comer muito. É como eu disse. Parece outra pessoa. Não a reconheço.

O médico olhou-o por cima dos óculos, num gesto todo seu. Depois disse:

— Não me parece que esteja mal. Quando alguém está em crise, geralmente perde o apetite. Desejo vê-la. Depois conversaremos.

— Está bem. Ela está em seus aposentos. Venha comigo.

O médico bateu na porta e Zefa fê-lo entrar na antecâmara de Maria José, acomodando-o em uma poltrona.

— Um momento, doutô. A sinhá já vem.

Em poucos minutos, Maria José entrou. Cumprimentou o médico com gentileza.

— Vejo que está melhor — tornou ele. — Vim para examiná-la.

— Está bem, doutor.

O médico tomou-lhe o pulso, ouviu seu coração, espiou seus olhos, sua língua e depois concluiu:

— Realmente a senhora está muito melhor.

— Sinto-me bem. Há muito que não me sentia assim.

— Vamos conversar um pouco. Vejo-a corada, bem-disposta, parece até que ganhou um pouco de peso.

— É verdade. O senhor mandou-me cultivar a alegria e é o que tenho feito. Gosto de correr pelos campos sentindo o vento bater-me no rosto. De jogar com meus filhos, de beijá-los, de ver seus rostinhos alegres e corados. Gosto daqui, dos jardins, das flores, do riacho. Sinto-me reviver.

— Isso me alegra. Contudo, há um problema que não consigo entender. O Sr. Demerval sente-se abandonado, sozinho, porque a senhora se recusa a compartilhar de sua vida como sempre fez.

O rosto de Maria José sombreou-se de preocupação. Não sabia o que responder.

O médico continuou:

— Ele está preocupado. Acha que a senhora está doente, diferente, não sabe o que fazer. Pediu-me um remédio que resolva esse problema e faça tudo ficar como antes.

Maria José ficou séria, calada.

— O que me diz? — inquiriu ele, calmo.

— Não sei o que dizer. Não tenho ainda ânimo para começar tudo de novo.

Ele a olhou sério.

— É-lhe difícil viver com seu marido?

Ela se sobressaltou.

— Não leve a mal, doutor. Demerval é um ótimo marido e ótimo pai. Mas não sei o que se passa comigo... De uns tempos para cá tenho andado insatisfeita, preocupada, infeliz. Não sei por quê. Meu marido é um homem bom, educado. Não posso compreender. Eu deveria agradecer a Deus tanta felicidade. No entanto, não consigo suportar a nossa vida, as coisas que lhe dão prazer. Tudo quanto ele faz ou diz irrita-me. Sem motivo, sinto vontade de gritar e até de agredi-lo. Se não retornei à nossa vida de sempre, foi porque tenho medo.

Ela parou, indecisa. Ele pediu:

— Continue. De que tem medo?

— De ter outra crise. De não suportar a situação e acontecer o que aconteceu naquela noite.

— A senhora sabe que a medicina não tem remédio para isso...

Ela torceu as mãos, aflita.

— E eu? O que devo fazer?

Ele a olhou firme.

— A senhora deve contar-lhe o que sente. Dizer que não gosta de obedecer ao que ele determina.

— Não posso. Ele não compreenderia. Por certo iria pensar que eu o estava ofendendo. Não posso falar-lhe sobre isso.

— Quem sabe se a senhora falasse com ele procurando entrar em acordo, cada um cedendo um pouco. Se a senhora tivesse liberdade de escolher como gastar seu tempo, talvez tudo se acomodasse.

— O doutor não conhece Demerval. Ele deseja o melhor para todos nós e não iria aceitar minha opinião. Nunca aceitou. Tenho receio de que se ofenda.

— Precisa correr esse risco. A senhora não tem outro remédio. Seus nervos estão no limite da resistência. Ninguém pode viver toda a vida só fazendo tudo quanto os outros querem. Todos nós temos necessidade de desenvolver nossa própria capacidade de viver. Seu temperamento não é submisso, e por isso a senhora está cansada de fazer só o que ele quer.

— O senhor entende o meu drama.

— É natural. Não se recrimine por isso. Não. Não somos bonecos para sermos comandados, ainda que por aqueles que amamos.

— Quer dizer que não estou errada?

— Claro que não. A senhora sente-se oprimida por fazer sempre apenas o que seu marido decide.

— Não agüento mais. Tenho ímpetos até de agredi-lo.

— Compreendo sua situação, mas devo dizer que não há outro recurso. Se voltar à antiga rotina, por certo novas crises virão quando não puder sufocar a revolta.

— Meu Deus — gemeu ela. — O que fazer?

— Converse com ele. Precisa enfrentar a situação. A verdade, nesses casos, é sempre melhor do que a mentira que não conseguirá sustentar por muito tempo. Procure, com jeito e carinho, fazê-lo compreender que a senhora gosta mais do seu bordado do que dos saraus de música, ou que aprecia ler seus próprios livros em vez de ouvi-lo sempre em suas leituras usuais.

— O senhor está bem informado — tornou ela, olhando para Zefa intencionalmente.

— Ela não me disse nada — esclareceu ele. — Foi o próprio Demerval quem me relatou a vossa rotina. Eu também achei-a enfadonha.

Maria José aventou:

— Não é tanto assim. Demerval fica tão feliz!

— O fato de a senhora fazer o que gosta não a impede de participar, de vez em quando, dos gostos de seu marido. Mas essa deve ser uma escolha livre e sua. Não pode ser uma obrigação sem opção.

— É isso que me aborrece — ajuntou ela. — Mas não posso explicar-lhe. Ele não vai aceitar. Vai pensar que não o amo mais e talvez até me odeie.

— É um risco que a senhora deve correr. O que não pode é ficar como está. A verdade cedo ou tarde aparece. Melhor agora. Talvez ele acabe cedendo um pouco, entendendo, deixando-a escolher como gastar seu tempo.

— Não vou contar. Ele não vai aceitar. Vou pensar mais.

— A senhora é quem decide. Já disse o que pensava. Vou receitar alguns remédios para fortalecê-la e acalmar-lhe os nervos. Porém lembre-se do que eu disse. A alegria é o mais importante.

— Está bem, doutor. Vou pensar.

O médico despediu-se e saiu. Demerval esperava-o impaciente. O Dr. Amarante, novamente com ele no gabinete, depois de ter receitado, recomendou:

— Continue com o mesmo tratamento. Ela ainda precisa.

Ele fez um gesto de desalento.

— Ainda? Até quando ela vai continuar a agir assim? Até quando deverei suportar essa confusão que reina por aqui?

O médico olhou-o sério.

— Afinal a situação não é tão grave assim. Examinei D. Maria José e encontrei-a muito melhor. Não esqueça que o estado dela era grave. A crise pode voltar e não se pode contrariá-la.

Ele se levantou nervoso.

— Isso não é vida, doutor! Só eu tenho estado com a cabeça no lugar. As crianças estão ruidosas e indisciplinadas. A causa é o estado de Maria José. Precisamos resolver isso o quanto antes!

O médico continuou a fixá-lo com seriedade.

— Já que gosta de ler, vou trazer-lhe um livro sobre o assunto. Poderá julgar por si mesmo.

— Não gosto de ler sobre assuntos de medicina. Essa parte compete ao senhor. O que lhe peço é para curar minha mulher e pronto.

— Sr. Demerval, o que me pede é impossível. Essa cura não depende de mim nem dos recursos da medicina. Depende mais do seu comportamento, do dela e daquilo que escolherem fazer com as suas vidas.

— O que quer dizer?

— Que os nervos de D. Maria José estão assim porque ela não agüenta mais fazer só o que o senhor resolve e deseja ter o direito de gastar um pouco do seu tempo com o que gosta!

Demerval ficou rubro.

— Não acredito! Não acredito! Se ela lhe disse isso, está louca mesmo! Fala como se eu fosse um carrasco para minha própria mulher.

— Sr. Demerval, tente compreender! D. Maria José o ama muito, mas gosta de fazer outras coisas, pelo menos de vez em quando, e não seguir só a rotina rígida que lhe instituiu.

Demerval estava furioso. Era muita impertinência daquele doutorzinho falar-lhe naquele tom. Era absurdo! O homem queria subverter-lhe a família!

— Olhe, doutor, se não sabe curar minha mulher, se não tem recursos e conhecimentos para isso, não mais o quero ver nesta casa. Pago-lhe os serviços e passe muito bem. Não admito que venha intrometer-se em nossos assuntos. Voltaremos para a cidade, e lá, por certo, outro médico nos irá ajudar. Se aqui no Brasil não der jeito, levo-a para a Europa. Tenho meios. Não quero mais vê-lo em minha casa.

O médico levantou-se um pouco pálido. Olhou-o firme e disse-lhe, com voz calma:

— O senhor é orgulhoso e prepotente. Faça o que achar melhor, mas garanto que ninguém a vai curar se o senhor continuar tão intransigente. Cuidado, porquanto as crises poderão repetir-se e não sei até onde isso poderá atirá-la à loucura. Vou-me embora. Passar bem.

O Dr. Amarante saiu sem esperar que Demerval lhe pagasse pelo atendimento.

Irritado, Demerval procurou acalmar-se. Aquele doutorzinho de província! Que ousadia! Era um homem de boa educação, senão o teria posto porta afora. Agora resolveria tudo a seu modo. A situação não podia mais continuar. Dali a dois dias voltariam para a cidade. As férias tinham-se acabado.

Quem sabe, pensava ele, voltando para a cidade, tudo retornaria ao normal.

Bebeu um pouco de água, procurou acalmar-se reafirmando para si mesmo: ele sempre tinha encontrado a melhor maneira para viver. Ninguém iria influenciá-lo a mudar. Havia muitos médicos na cidade e melhores do que aquele velho intrometido, doutorzinho de vilarejo.

Olhou as horas e apressou-se. Ainda tinha que descansar na varanda sua meia hora antes do jantar. Não deveria atrasar-se.

Maria José, depois que o médico saiu, ficou pensativa. El zão? Seria melhor falar ao marido, tentando acertar as coisa Demerval ultimamente mostrava-se mais tolerante.

Seria tão bom se ele a compreendesse! Ela gostaria de ser diferente, de gostar das mesmas coisas do que Demerval, de ter prazer em compartilhar de sua rotina, achava mesmo que uma boa esposa precisava fazer isso.

Muitas vezes tinha ouvido a mãe repetir na sua adolescência: "A mulher deve obedecer ao marido. Fazer-lhe as vontades, torná-lo feliz". Ou então "A boa esposa sabe agradar, sorrir sempre, ser carinhosa, ainda mesmo quando o esposo não está bem-humorado". Ou ainda "A obediência é a grande qualidade dos filhos para com os pais, da esposa para com o marido".

Sempre aprendera que deveria preparar-se para casar, ter muitos filhos e não ter outra vontade senão a do marido. Sua mãe tinha sido assim. As mulheres que conhecia eram todas submissas. Por que ela não conseguia? Por que ela tinha que ser diferente?

Tinha sido obediente, casando com Demerval. Tinha se esforçado para amá-lo, obedecer-lhe, mas agora não conseguia dominar-se. Como proceder? Se ele pudesse compreender e ajudá-la, certamente acabaria saindo do problema.

O Dr. Amarante teria razão? Seria melhor contar o que lhe ia no íntimo? Ficou pensando, pensando.

Naquela noite, quando Demerval se recolheu pontualmente às nove horas horas, vendo-a entretida com o bordado, disse-lhe taciturno:

— Largue isso. Precisamos conversar.

Ela obedeceu. Ele continuou:

— Hoje despedi o Dr. Amarante. É um incapaz. Veio com idéias disparatadas tentando justificar sua falta de capacidade para curar a sua doença. Isto aqui está muito conturbado. Nossa família não é mais a mesma. Assim, pensando em colocar as coisas nos devidos lugares, voltaremos à cidade depois de amanhã. Lá, tudo voltará a ser como antes. Temos médicos melhores e mais capazes. Você ficará boa.

Maria José empalideceu. Detestava voltar à cidade. Adorava a vida na fazenda.

— Eu estou melhor. Sinto-me mais calma, mais animada. Estou bem melhor! Os ares daqui fazem-me bem. Gostaria de ficar o resto das férias.

Demerval abanou a cabeça.

— De modo algum. Você pensa que está boa mas ainda não está.

— As crianças estão alegres, coradas. Estão aproveitando muito a temporada.

— Estão indisciplinados, barulhentos. Adalberto chegou até a atirar uma pedra no vidro da cozinha. Chama a isso aproveitar?

— Foi sem querer. Eu vi. Ele estava atirando no alvo para ver quem tinha mais pontaria. Acho que ele calculou mal.

— É inacreditável! Você o defende! E o pior é que também estava lá, como um moleque malcriado. É incrível!

Maria José suspirou fundo. Não podia conversar com ele. Não a ouviria. Não tinha remédio. Sentiu um aperto no coração. Nada diria. O futuro, só Deus poderia prever. Fechou os olhos acomodando-se no leito.

— Estou tão cansada! — murmurou para esquivar-se da discussão.

— Durma, se quiser. Amanhã vamos arrumar tudo. Regressaremos depois de amanhã, de qualquer forma.

Profundo desânimo a acometeu. Demerval não cederia. Ela teria que se submeter novamente à rotina odiosa e enfadonha.

Fechou os olhos, tentou dormir, mas o sono custou a vir. Ouvindo o ressonar do marido, sentia ímpetos de gritar sua irritação, sua impotência. Naquela hora chegou a odiá-lo.

No dia seguinte, Demerval levantou-se e acordou a esposa.

— Levante-se, Maria José, vamos preparar tudo. Não é bom que você fique na cama demais. A fraqueza pode fazê-la sentir-se mal durante a viagem.

Maria José abriu os olhos. Seu rosto estava um pouco pálido e as olheiras haviam reaparecido.

— Não me sinto bem — tornou ela com voz cansada. — Não dormi muito esta noite.

Ele a olhou um pouco preocupado.

— Mais uma razão para voltarmos à cidade. Você necessita ser atendida por um médico competente.

— Quero dormir mais um pouco. Sinto-me fraca.

Demerval, vendo-lhe a fisionomia abatida, não insistiu:

— Descanse mais uma hora. Depois, levante-se. Precisamos preparar o regresso. Amanhã bem cedo voltaremos à cidade.

Ele estava preocupado. Desejava procurar outros médicos. Lutar contra a doença da esposa, defender sua casa, para que tudo pudesse voltar a ser como antes.

Depois que Demerval saiu, Maria José sentiu-se triste, desanimada. Zefa, vendo-lhe a fisionomia angustiada, aproximou-se.

Sentia verdadeira adoração pela sua sinhá. Ainda criança, havia sido dada à mãe de Maria José, senhora bondosa que sempre a tratara com justiça. Desde aquele tempo, fora encarregada de cuidar da sua sinhá e a negra amou-a desde o primeiro dia. Venerava seu rostinho branco e lindo, seus cabelos, seu sorriso, sua simpatia cativante.

Maria José retribuía-lhe o afeto, fazendo-a sua confidente, sua irmã, sua amiga. Zefa havia chorado muito o casamento da sua sinhá. Não gostava de empáfia de Demerval, orgulhoso e intransigente. Receava que fizesse sua ama sofrer. Agora, com o coração partido, via a tristeza, a dor de Maria José.

— Sinhá, tem calma. Deus vai ajudá.

Ela abanou a cabeça, desalentada.

— Não creio. Não quero voltar à cidade. Sinto-me bem aqui. Adoro a natureza! Lá, tudo voltará a ser odioso.

— Vosmecê num qué i? — indagou a negra, séria.

— Não quero. Se eu pudesse, ficava.

— Então deixa comigo. Vô dá um jeito. A sinhá num volta pra cidade tão cedo...

— É difícil. Quando Demerval toma uma decisão, jamais volta atrás. Nada vai demovê-lo.

— Eu vô tentá.

— O que vai fazer?

— A sinhá vai vê. Vô falá com o Bentinho. Ele faz umas reza e pronto.

— Veja lá o que vai fazer...

— O Bentinho entende dessas coisa. Garanto que vosmecê num volta pra cidade tão cedo. É só o santo ajudá.

— Tenho medo dessas bruxarias!

— Qual nada! Num tem perigo. Vamo só pedi pra ele ajudá a ficá aqui mais algum tempo. Ele pode fazê o sinhô mudá de idéia.

— Acha possível?

— Acho. Ânimo, sinhá. Vô mandá a Maria trazê seu café. Vai ficá alegre. Se levanta, e é melhor num deixá o sinhozinho aborrecido. Enquanto isso, vô procurá o Bentinho. Vô levá pra ele uma camisa do sinhô pra ele prepará.

— Cuidado, Zefa. Se Demerval descobre, não sei o que poderá acontecer. Não quero que ele nos separe.

Os olhos da negra brilharam emotivos.

— Ele nunca vai sabê. Afinal, num vamo fazê nenhum mal. É pra felicidade da família. Se ele num qué escutá nem fazê os gosto de vosmecê, isso num tá certo. Ele num pode sê feliz e fazê a vossa infelicidade. Ele vai entendê e tudo vai dá certo.

— Espero que seja assim.

A negra saiu e Maria José, embora se esforçasse, não conseguiu ser otimista, mesmo quando Zefa voltou uma hora mais tarde dizendo que estava tudo acertado. Bentinho já tinha começado a trabalhar e disse a elas que tivessem fé.

Demerval estava ativo. Tinha percorrido as plantações e dado as ordens necessárias. Os escravos preparavam já a bagagem, os doces, os queijos, as frutas, acondicionando tudo para o regresso.

As crianças estavam tristes e chorosas; Maria José, nervosa e sem apetite. Demerval, inquieto e aborrecido.

Finalmente, no dia seguinte de madrugada, deixariam a fazenda de retorno ao lar.

Embora pálida e sem entusiasmo, Maria José concordou em jantar na sala, esforçou-se em comer, mesmo sem vontade.

Demerval procurou ser amável com ela, que, resignada, submeteu-se à rotina habitual.

As crianças se recolheram e depois da leitura que Maria José nem sequer ouviu, tal o seu alheamento, o casal recolheu-se.

Demerval estava triste. Observando o rosto da esposa, temia pela sua saúde.

Maria José deitou-se. Quando Demerval preparava-se para acomodar-se, sentiu-se mal. Cambaleou, levando a mão ao peito. Maria José assustou-se:

— O que foi? Demerval, o que aconteceu?

— Não sei — balbuciou ele, com voz fraca. — Sinto-me mal, de repente tudo começou a rodar. Parece que as forças me fogem...

Maria José levantou-se aflita e amparou o marido indagando:

— Será uma congestão? Você abusou ao jantar?

— Não — gemeu ele. — Não creio. Sinto-me mal, dói-me o peito. Acho que vou cair...

Maria José conduziu-o até o leito, onde ele se deixou cair. Estava pálido, seu rosto cobrira-se de suor.

— Zefa! — chamou a senhora aflita. — Zefa! Corra, mande buscar o Dr. Amarante! Mande o Tico.

Demerval queria dizer que não suportava o médico, mas não conseguiu. Sua cabeça rodava e ele fechou os olhos, exausto. A negra correu e voltou logo depois para ajudar sua sinhá.

— Pronto. Ele já foi. Vamo abri a camisa do sinhozinho pra ele respirá melhor. Assim. Agora vamo abri as janela. Um pouco de ar fresco vai fazê bem.

Maria José estava nervosa.

— Demerval nunca esteve doente. Santo Deus, o que será?

— Calma, sinhá. Vai passá logo, deve sê coisa passageira.

Maria José colocou a mão na testa suada do esposo. Estava gelada. O que fazer?

— Demerval, como está? Já mandei chamar o médico. Dentro em pouco ele estará aqui. Sente-se melhor?

Com voz sumida e com dificuldade, ele respondeu:

— Estou mal!

— Calma. Não há de ser nada, você vai ver. Vai passar. E esse médico que não chega?

— Calma, sinhá. Ele logo vai tá aqui.

As duas ficaram ao lado de Demerval, que não melhorava.

Só quase uma hora depois foi que o Dr. Amarante chegou. Não mencionou a grosseira atitude de Demerval, expulsando-o da fazenda. Era homem de boa índole. Penalizado com o estado do paciente, procedeu a exame detalhado e atento.

Preparou ele mesmo um medicamento com alguns frascos que trazia na maleta e ministrou-o a Demerval, que, aos poucos, foi se sentindo melhor.

Contudo, sentia-se fraco como se estivesse estado no leito durante vários dias.

— O que tenho? — perguntou ao médico com voz fraca.

— O senhor teve um problema de coração. Precisa guardar o leito pelo menos durante uma semana.

— Eu queria voltar para a cidade ainda hoje.

O médico abanou a cabeça.

— Esqueça isso, por enquanto. Se fizer algum esforço, pode ter outra crise e aí eu não responderei pela sua vida.

— É tão grave assim? — indagou ele, arrasado.

— Nem tanto. Mas esse tipo de problema só se cura com o repouso. Fazendo tudo direitinho, acredito que ficará bom.

— Quando poderei regressar?

— Por agora não sei. Depois de mais alguns dias talvez eu possa dizer. Temos que aguardar.

Maria José, preocupada, tomou nota das recomendações do médico, esclarecendo:

— Pode deixar, doutor. Vamos fazer tudo. Demerval vai melhorar. Deus é grande.

O médico respondeu, sério:

— Naturalmente. Por agora dê-lhe uma colher de sopa desta poção a cada duas horas. Alimentos leves e não deve levantar-se. Amanhã cedo voltarei para ver como está. Passar bem, Sr. Demerval.

— Acompanho-o, doutor.

O médico, sobraçando a valise, retirou-se. Já na porta, longe das vistas do marido, ao despedir-se, Maria José perguntou:

— É grave, doutor?

— Ainda não sei bem. O Sr. Demerval não tinha a aparência de ser um cardíaco.

— Nunca foi. Sempre gozou de muito boa saúde.

— A doença pode chegar de repente. Em todo caso, agora ele está melhor. Amanhã cedo voltarei para um exame detalhado. Neste momento o repouso é o melhor remédio. Dei-lhe um sonífero e por certo vai dormir por toda a noite. Teria ele tido algum desgosto?

Maria José abanou a cabeça.

— Não, doutor. Ao contrário. Nada lhe disse sobre meus problemas e fiz tudo quanto ele pediu. Pretendia voltar à cidade amanhã cedo.

— Agora não poderá fazê-lo, pelo menos por enquanto.

— Demerval pode morrer? — indagou ela, preocupada.

— No momento, ele não está correndo esse risco. A crise passou, seu pulso está quase normal. Porém, nada posso dizer antes de exames mais detalhados. Por hoje pode dormir sossegada. Precisa descansar.

— Sinto-me angustiada, nervosa.

— É natural, assustou-se. Mas ele está melhor, posso afirmar. Descanse e amanhã cedo voltarei. Então veremos.

O médico despediu-se e Maria José voltou ao quarto. Aproximou-se de Demerval, que, exausto, olhos fechados, parecia dormir. Comovida, alisou a mão do marido, que abriu os olhos fitando-a assustado:

— Está melhor? — perguntou ela, ansiosa.

— Sinto-me fraco — respondeu ele, com voz cansada.

— Está tudo bem agora. Já passou. Foi uma indisposição passageira. Amanhã você já estará bom.

— Sinto-me cansado.

— É natural. O médico disse que agora tudo está bem, que seu pulso está normal. Evite falar. Amanhã cedo ele voltará e poderá dizer-lhe ao certo o que aconteceu. Durma, que eu lhe darei o remédio na hora certa.

— Se a sinhá permiti, eu posso fazê isso — tornou Zefa, com ar humilde. — A sinhá precisa descansá.

— Vamos ver — respondeu ela. — Por agora, eu mesma quero cuidar dele.

Demerval lançou-lhe um olhar agradecido. Estava sentindo-se pesado, com sono. Fechou os olhos e dentro em pouco começou a dormir.

Maria José, preocupada, custou a conciliar o sono, embora Zefa lhe garantisse que a avisaria na hora de dar o remédio, que ela mesma insistia em ministrar.

Estava tão preocupada que nem percebeu nos olhos da escrava um brilho singular.

No dia seguinte, o Dr. Amarante encontrou Demerval melhor, porém, inexplicavelmente, um cansaço muito forte o acometeu. Examinando-o detidamente, o médico nada encontrou que pudesse indicar uma doença mais séria. Seu pulso normal, sua respiração boa, sua temperatura também normal. Apesar disso, Demerval sentia-se tão fraco e cansado como se tivesse ficado longo período acamado.

Dr. Amarante, preocupado, perguntou:

— O senhor está muito nervoso com o que aconteceu?

— Estou, claro. Preciso ir-me embora, voltar à cidade, cuidar de Maria José, e agora sinto-me amarrado aqui, sem forças para sair desta cama... Afinal, o que é que eu tenho?

— Nada grave, Sr. Demerval. Seu estado geral é bom e não me parece que haja nenhuma doença séria. A princípio pensei em ataque do coração, mas agora não me parece que haja nada com ele. Tudo está bem.

— Então como explicar este cansaço? Por que não posso levantar-me, doutor?

— Provavelmente o senhor teve uma indisposição passageira. Assustou-se. Afinal nunca havia adoecido. Abateu-se. Com o repouso, tudo passará e voltará a ser como antes.

— Quer dizer que é abalo nervoso?

— O senhor teve um mal súbito, sem gravidade, porém o susto o abateu. Faça alguns dias de repouso e tudo passará.

Demerval suspirou:

— Sinto-me muito fraco.

— Vou receitar-lhe uma poção. À medida que for se sentindo melhor, levante-se, fique sentado, e verá que aos poucos tudo passará.

— Assim espero. Quero voltar para a cidade o quanto antes.

— Voltará, Sr. Demerval.

Quando o médico se foi, Maria José mandou preparar o remédio e depois sentou-se ao lado do marido, preocupada.

— É uma desgraça — reclamou ele, com voz fraca. — Você doente, precisando voltar à cidade, e agora eu, deste jeito. Não é mesmo uma desgraça?

— Não fale assim. Felizmente o mal não é grave. Logo mais você estará curado e tudo estará bem. Estou melhor e você não deve preocupar-se comigo.

Mas os dias foram passando e Demerval, embora melhor, sentia-se cansado e sem forças. Não tinha fome nem disposição. Passava o tempo deitado ou recostado em confortável poltrona. Maria José viu-se obrigada a assumir a direção das atividades da família.

Sentia-se bem, apesar da preocupação com o marido, e com excelente disposição. Cuidava da rotina da fazenda, orientando o capataz, das atividades dos filhos e do tratamento do marido.

Este parecia outro homem. Estava arrasado.

Não demonstrava interesse pelos negócios nem disposição para determinar nenhuma providência.

O médico não conseguia entender o que estava acontecendo. Aquele homem estava fisicamente sadio. Por que não se recuperava?

Ao fim de uma semana, confidenciou a Maria José:

— Não sei o que acontece com ele. Fisicamente não encontro nenhum mal. Guardará algum aborrecimento sério?

— Não creio, doutor. Demerval não tem segredos. Depois, tudo aconteceu de repente e nada houve que pudesse tê-lo contrariado.

O médico abanou a cabeça pensativo. Dirigindo-se ao quarto, aproximou-se de Demerval.

Após cumprimentá-lo, tornou com seriedade:

— Sr. Demerval, o senhor precisa reagir. Não pode entregar-se assim ao desânimo, ao cansaço.

— Estou muito mal, doutor.

O médico olhou-o penalizado. Não parecia o homem resoluto que o enfrentara com tanta arrogância.

— O senhor não tem mais nada. Sua saúde está boa. Precisa reagir, levantar-se, tentar sair dessa cama.

— Não posso. Sinto-me sem forças. Dói-me o corpo todo. O senhor precisa dar-me um remédio que me levante. Os que tenho tomado, de nada valeram.

O médico olhou-o sem saber o que dizer. Receitara-lhe reconstituinte de eficácia comprovada. Doença não havia. Como curá-lo?

O Dr. Amarante suspirou pensativo. Depois disse:

— Sr. Demerval, seu caso não se cura com remédios. Tem fundo nervoso. O senhor precisa reagir, lutar, sair dessa depressão que o acomete.

Um lampejo de irritação passou pelos olhos mortiços do doente.

— Recuso-me a crer. Estou doente e o senhor não consegue curar-me. Preciso voltar à cidade. Lá, por certo, há médicos mais eficientes.

O Dr. Amarante endureceu a fisionomia.

— Como queira. Se estou aqui, é porque fui chamado.

Demerval suspirou.

— Porque não há outro. Estamos neste fim de mundo. Mas sua medicina não consegue curar-me. Quer que o elogie por isso?

— Ninguém conseguirá tirá-lo dessa cama se se recusa a aceitar a verdade. Sua depressão, seu desânimo alimentavam seu desvalimento.

Demerval, abatido, tornou:

— Não concordo. Ninguém mais do que eu deseja sair desta cama. Tenho família, esposa que precisa de mim. Como ficar inativo? É isso que me revolta. Sua medicina não me cura e ainda o doutor dá a entender que eu estou deprimido porque quero. O senhor não percebe o quanto esta fraqueza me arrasa?

O médico olhou-o penalizado. Reconhecia o caso inusitado. Conhecia Demerval o bastante para entendê-lo enérgico e até autoritário. Como pudera transformar-se em uma pessoa fraca e sem vontade própria? De onde lhe vinha a dolorosa fraqueza se não apresentava nenhum sintoma ou sinal indicativo de doença?

O Dr. Amarante não sabia o que fazer. Se se tratasse de D. Maria José, por certo poderia entender, mas dele...

Não querendo demonstrar sua perplexidade diante do paciente aflito, tornou com voz grave:

— Posso garantir-lhe, Sr. Demerval, que o senhor não tem uma doença grave. Pense nisso e por certo o ajudará.

Demerval impacientou-se:

— Não acredito. Se não tenho nada grave, por que estou assim?

— Já lhe disse. O senhor teve um mal-estar e assustou-se. Nunca tinha ficado doente antes. Agora receia que a crise volte. É isso. Deve acreditar que seu mal-estar não foi provocado por nenhuma doença séria. Foi coisa sem conseqüências. Por isso, pode levantar-se e reagir. A cama também agrava a fraqueza. Faça esforço, levante-se aos poucos e verá.

— Faça uma tentativa... — tornou Maria José, segurando carinhosa o braço do marido.

— Muito bem. Verei o que posso fazer. Mas levantar-me parece impossível, tal o estado de fraqueza que sinto.

— Isso é assim mesmo — esclareceu o médico. — A princípio vai ser desagradável, inicie aos poucos e logo verá que tudo passou.

Demerval suspirou, resignado. De qualquer forma aquele médico da roça não podia mesmo entender. O importante era sair da cama para poder regressar à cidade o quanto antes. Lá, com certeza, seria devidamente tratado. Os médicos da corte eram bons e eficientes. Haveriam de curar tanto Maria José quanto ele próprio.

Maria José acompanhou o médico, que ao despedir-se desabafou:

— A doença dele é um mistério. Não encontro nada. Intriga-me essa fraqueza sem causa.

— A mim também. Demerval já não é o mesmo. Perdeu o gosto pela vida. Não se alimenta, quando sempre foi um amante da boa mesa. Parece outra pessoa. Mudou completamente.

— É por isso que acredito em problema nervoso.

— Como assim?

— A senhora pode perceber que ele não reage. Está deprimido, triste, desanimado. Essa tristeza é que lhe tira o gosto pela vida. Tem mesmo certeza de que o Sr. Demerval não teve algum desgosto sério?

— Tenho — respondeu ela, sem hesitar. — Na noite em que ele adoeceu, estava bem-disposto e alegre, preparando nosso regresso.

O médico sacudiu a cabeça preocupado:

— A senhora tem certeza de que ele não recebeu nenhuma notícia desagradável?

— Tenho. Ele estava como de hábito e muito animado com a viagem do dia seguinte.

— Bem, de qualquer forma, o que ele precisa agora é de ânimo para sair daquela cama. Procure ajudá-lo encorajando-o a levantar-se, nem que seja alguns minutos por dia, aumentando sempre o tempo à medida que ele for melhorando.

— O senhor acha que ele ficará bom?

— Claro. Depende dele. Não encontro doença nenhuma. Reagindo, conseguirá melhorar. Continue com o reconstituinte e procure fazer os pratos que ele aprecia para despertar-lhe o apetite. Voltarei daqui a dois dias para vê-lo. Caso necessite da minha presença, mande-me avisar. A senhora melhorou, ganhou cores e parece-me bem.

— É verdade, doutor. Graças a Deus. O que seria da família se eu também estivesse mal?

Quando o médico saiu, Maria José voltou ao lado do esposo. Estava penalizada. Desejava ardentemente que ele melhorasse mas, apesar disso, sentia prazer por estar isenta das obrigações cotidianas e da rotina.

Sentia-se livre, alegre e bem-disposta. Surpreendia-se até com vontade de cantar. Continha-se. Pobre Demerval, o que pensaria vendo-a tão alegre?

As crianças estavam contentes por terem que ficar na fazenda por mais algum tempo. Só Demerval impacientava-se, sem conseguir sair daquela triste situação.

Na manhã seguinte, Maria José, depois de quase obrigar o marido a engolir um pouco de leite quente e uma côdea de pão, decidiu firme:

— Vamos levantar um pouco, Demerval.

— Levantar?

— Sim. O médico disse que é preciso. Vou ajudá-lo. Vai sentar-se e depois levantar nem que seja um minuto.

— Não posso — gemeu ele.

— Pode, sim — disse, segurando-o pelas mãos. — Vamos, levante-se, é para o seu bem.

Demerval segurou-se nas mãos dela e tentou erguer-se. Seu corpo pesava como chumbo. Sentou-se no leito a custo. Suava por todos os poros.

— Venha — pediu ela. — Levante-se.

— Não agüento. A cabeça está à roda.

— Isso é assim mesmo. No começo é assim. Venha, levante-se.

Demerval fez um esforço. Porém sentia-se tonto e desconfortável. Sua cabeça girava, sentia-se mal.

— Mais um pouco. Vamos — pedia ela.

Ele se ergueu no leito, sentando-se com dificuldade. Maria José pediu a Zefa que lhe pusesse almofadões às costas. Demerval deixou-se cair nos almofadões.

— Muito bem. Viu como você pôde?

Ele esboçou um sorriso para ela, tentando animá-la. Afinal, ela queria ajudá-lo. Contudo, sentia-se mal e sonolento. Parecia-lhe ter tomado um sonífero.

— Quero dormir — murmurou com voz baixa. — Não agüento.

Maria José concordou.

— Está bem por hoje. Amanhã faremos de novo.

Acomodou-o novamente no leito e, vendo que ele dormia, apanhou um livro e começou a ler.

Nos dias que se seguiram, Maria José obrigava o marido a levantar-se um pouco e, devagar, ele começou a melhorar. Já tinha conseguido levantar-se durante alguns minutos, embora cansado e fraco. Maria José sentia-se mais animada. Ele mesmo foi ficando mais contente com as melhoras obtidas.

Porém Demerval estava um tanto mudado. Revelava-se extremamente sensível.

Qualquer assunto o comovia, exagerava os cuidados com Maria José e com os filhos. Agradecia-lhes constantemente a dedicação e comovia-se até as lágrimas vendo a esposa cuidar do seu bem-estar com tanto desvelo.

Maria José repreendia-o, carinhosa:

— Nada de tristezas. Por que se emociona? Você cuidou de nós por tantos anos. Por que não deveria eu fazer o mesmo?

Demerval chorava desalentado:

— Estou dando trabalho. Você é que está doente e precisando de tratamento!

— Estou muito bem. Não preciso de nada. Tenho tudo. Nossos filhos estão muito bem. Você está melhor. Por que essa emoção? Pode fazer-lhe mal!

Mas era inútil. Demerval conservava os olhos úmidos e o ar triste. Maria José mal reconhecia nele o homem que sempre fora. Como pôde ter mudado tanto e tão de repente? Ele, que era tão forte, decidido, auto-suficiente, tinha se transformado em um homem dependente, fraco e até cansativo.

Um dia Maria José confidenciou com Zefa:

— Não posso entender. Demerval agora é outra pessoa. Como pode ter mudado tanto?

Zefa ergueu os olhos vivos e encarou sua sinhá com adoração.

— A sinhá tá melhor?

— Eu? Estou. Sinto-me bem. Deus é bom. Permitiu que eu melhorasse. O que seria de nós se eu também adoecesse?

— É verdade, sinhá. Mas o sinhô num tem mais deixado vosmecê apoquentada.

— Não fale assim, Zefa. Parece que você está contente com a doença dele.

A negra baixou os olhos.

— Num é isso, sinhá. É que quando ele tá bom, apoquenta a cabeça de vosmecê. E as criança também. Dá gosto vê como eles brinca. Eles tão alegre, corado.

— Eu não quero que fale assim. Até parece que Demerval era mau chefe de família.

— Cruz credo, sinhá. Eu num disse isso. Só disse que ele comandava tudo e a sinhá num gostava, num era feliz.

— Pode ser. Mas gosto muito dele e não estou feliz com ele doente. Quero que ele sare.

A negra olhou-a com certo ar de desafio:

— Mesmo voltando a vida a sê como era?

Maria José não se deu por achada:

— Demerval é um bom homem, Zefa. Pensa sempre em nosso bem-estar.

— Pois então, quando ele ficá bom, a menina num me venha com tremelique.

— Sua negra desarvorada! — ralhou Maria José. — Você anda muito confiada. Vou dar um jeito nisso.

Zefa saiu calada. Sabia que sua sinhá não ficava sem ela. Doía-lhe, no entanto, sua repreensão. Afinal, se ela não tinha voltado para a cidade, foi porque Bentinho tinha dado jeito. E apesar da ingratidão da sinhá, Zefa estava disposta a trabalhar para que o sinhozinho continuasse na cama.

Afinal, a casa estava mais alegre, as crianças felizes e a sinhá corada, bem-disposta, fazendo recordar os tempos de menina, ralhando com ela como fazia naqueles tempos.

Iria procurar Bentinho para que ele continuasse fazendo o trabalho para que o sinhô continuasse na cama. Não fazia falta nenhuma tê-lo andando pela casa, controlando tudo com aquela cara de mandão.

Nunca tinha gostado dele, que tratava sua sinhá como se fosse dono, sem deixar a coitada fazer nada do que gostava. Por isso, ela não iria se arrepender. Estava fazendo o bem para todos. A alegria voltara a reinar. Os escravos gostavam muito mais da sinhá do que do patrão. Qualquer deles faria qualquer coisa para agradá-la, enquanto temiam Demerval, que os castigava com acentuado rigor, embora procurasse ser justo.

À noite, a negra procurou Bentinho.

— Ó de casa, Bentinho. Que Deus Nosso Sinhô seja louvado!

O crioulo magro, menos de quarenta anos, rosto ossudo, olhos fundos, com um grosso cigarro de palha entre os dedos, abriu a porta da choupana singela.

— Amém — tornou ele, sério. — O que ocê qué?

— Conversá co'cê.

Ele tirou umas baforadas e convidou:

— Entra e senta. Como vão as coisa lá na casa-grande?

— Muito bem — esclareceu Zefa sentando-se em um tronco de árvore que servia de banco. Vendo que ele esperava, continuou. — O sinhô tá lá. Deitado, fraco que faz dó! Num pode quase levantá.

— E a sinhá?

— Vai bem. Só que anda amolecida de dó. Por ela, ele ficava bom logo.

— Ela qué que ele fique bom?

— Qué. Mas eu acho besteira. Se ele ficá bom, vai começá tudo de novo. A primeira coisa que vai fazê é voltá pra cidade. Isso eu num quero.

— Por quê?

— Por que a sinhá gosta daqui. Dá gosto vê. Ela tá corada, forte, contente.

— Acha que tá melhor agora?

— Acho. Afinal ele é tão mandão e num é mal que receba uma lição. É bom pra ele aprendê. Acabá com a prepotência dele. Agora obedece ela como um cachorrinho. É assim que tem que sê.

— E eu, o que ganho nisso? Afinal, tô trabalhando, fazendo o que ocê qué. Sabe que faço tudo por sua causa.

A negra riu divertida.

— Num bota feitiço em mim, num pega.

— Marvada. Hoje num deixo ocê saí daqui. Quero a paga de tudo, senão num trabaio mais.

— Tá bem. Acha que vale a pena?

Os olhos dele brilharam de cobiça. Agarrou Zefa, abraçando-a com força.

— A paga é já. Se qué que eu continue, tem que sê agora.

Zefa olhou-o maliciosa, entregando-se ao abraço sem reagir. Quando saiu dali, algumas horas depois, estava alegre e bem-disposta. Era-lhe fácil manejar Bentinho, que sempre se tinha atraído por ela. E assim ela contava ajudar sua sinhá a ficar ali mais tempo e se recuperar.

Capítulo III

Nos dias que se seguiram, tudo continuou na mesma. Maria José, solícita, procurava animar o marido, tentando tirá-lo do leito.

Ele, porém, não melhorava o bastante para levantar-se definitivamente. Maria José estava desanimada. A cada dia mais sua indiferença se acentuava.

Tentando ajudá-lo, ela procurava fazer o que ele gostava. Lia os odiados versos franceses. As complicadas e maçantes obras literárias das quais ele fazia tanto empenho em repetir. Mas era inútil, Demerval nem sequer prestava atenção. Pálido, emagrecido, recostado nas almofadas do leito, dormitava acabrunhado.

Maria José não sabia mais o que fazer. Começou a temer que o marido não mais se recuperasse.

Fazia mais de um mês que as férias tinham acabado e nem sinal de que eles pudessem retornar.

Um dia, decidiu-se. Apanhou papel, escreveu longa carta explicando o que estava acontecendo. Arranjou um portador e enviou-a. Precisava de auxílio. Seu cunhado, por certo, haveria de socorrê-los.

Menelau, tanto quanto o irmão, bacharelara-se em leis na França. Era mais jovem oito anos do que Demerval. Casara-se havia dois anos e ainda não possuía filhos. Era o oposto do irmão. Informal, alegre e bem-humorado, costumava escandalizar a família com suas idéias avançadas.

Demerval tratava-o com certa condescendência autoritária, que Menelau ignorava ostensivamente. Apesar disso, relacionavam-se relativamente bem. Tinham tido pouca convivência, porquanto Demerval afastara-se para estudar quando Menelau ainda era criança e, ao retornar, já tendo concluído seus estudos, Menelau, por sua vez, também seguiu para a Europa, a fim de consolidar sua educação.

O pai, homem austero e rico, disciplinado e sóbrio, achava que a formação só se realizava com esmerada educação européia. Fazia questão, por isso, de que os dois filhos varões para lá fossem, enquanto as três meninas eram educadas no recesso do próprio lar, preparando-se para suas tarefas de esposa e mãe convenientemente.

Maria José preferiu escrever para o cunhado porque o sogro, viúvo, velho e muito doente, não podia sofrer emoções fortes. Sua cunhada Helena havia desposado rico comerciante e residia no Rio de Janeiro; Beatriz, apaixonada por um jovem traficante de escravos português que viera à Província a negócios, fora punida pelo pai, que não aprovava o casamento, e trancada no convento das Carmelitas. Restava Manuela, quinze anos apenas, que cuidava do velho pai com carinhoso desvelo.

A quem recorrer, senão ao cunhado? Mal o conhecia, mas era a única pessoa. Seus pais tinham falecido e seus dois irmãos encontravam-se muito distantes para poder procurá-los.

Menelau residia na capital do império. Maria José entregou a missiva ao portador, recomendando que entregasse pessoalmente. Escolheu o negro Baru porque ele conhecia o caminho. Deu-lhe provisões, bom cavalo, recomendando-lhe resposta urgente.

Depois de vê-lo afastar-se, sentiu-se mais calma. Estava preocupada com os negócios da fazenda. Havia assuntos a decidir e ela nunca cuidara desses detalhes. Desconhecia completamente o mundo dos negócios. Não sabia como proceder.

Demerval, instado a opinar sobre as providências a serem tomadas, mostrara-se pouco interessado e nem sequer se dera ao trabalho de responder.

O que fazer? Havia mercadoria para ser embarcada, não só para a capital da Província como até para outros países. O capataz precisava despachar, os negócios estavam parados, a colheita no celeiro com risco de criar mofo. Demerval sem se interessar, Maria José indecisa, sem saber o que fazer.

Ficou mais calma quando Baru partiu. Confiava que tudo se arranjaria. Contudo, duas semanas decorreram sem que nada se modificasse. O outono já tinha começado quando, numa tarde, chegou à fazenda uma carruagem acompanhada por três pessoas.

Baru era um deles. Maria José, à porta principal, recebeu o cunhado e a jovem esposa, que desceram empoeirados.

— Estas estradas são intoleráveis — foi logo dizendo a jovem senhora, sacudindo a saias rodadas.

Maria José, que a tinha visto apenas uma vez, por ocasião do casamento, não gostou de sua expressão. Ela era loura e franzina, muito bem empoada e penteada, com um chapéu muito enfeitado e um broche de ouro no colarinho alto do vestido.

Na angustiosa situação em que se encontrava, Maria José teve ímpetos de ser descortês. Conteve-se, porém, e, estendendo a mão à sua cunhada, deu-lhe as boas-vindas.

Maria Antônia mal encostou os dedos na mão que lhe era oferecida. Menelau, contudo, aproximou-se com ar amável e beijou a mão de Maria José com delicadeza.

— Estou feliz por revê-la, apesar da triste circunstância.

— Vamos entrar, por favor.

Maria Antônia olhava tudo com ar irônico e Maria José sentiu desejo de bater-lhe. Decididamente não gostava da cunhada. Sua presença irritava-a. Menelau, entretanto, era o oposto. Fino, elegante, delicado, alto e magro, possuía belos cabelos castanhos, muito parecidos com os de Demerval, que ele deixava à vontade, ao contrário do marido, que os alisava com um creme especial que mandava trazer de Paris.

Seus olhos alegres e fracos agradaram Maria José, que se admirava de como um homem tão simpático escolhera para esposa pessoa tão desagradável.

Menelau queria saber tudo sobre o irmão, porém Maria Antônia preferia acomodar-se e tomar um banho. Por isso, só depois de tomar providências e acomodá-la foi que puderam conversar.

Maria José conduziu Menelau ao gabinete de Demerval, e, sentados um diante do outro, expôs a situação.

Ele a ouviu com atenção. Mal conhecia sua cunhada. Imaginava-a mais velha e mais feia. Surpreendia-se com sua beleza saudável, natural, o rosado de suas faces, a graça do seu porte, a beleza dos seus olhos castanhos e expressivos, que a emoção fazia brilhar.

— Desculpe tê-los incomodado. D. Maria Antônia pareceu-me contrariada. Porém, diante do que lhe contei, não sei a quem recorrer. Demerval é outra pessoa. Preciso de ajuda. Não sei o que fazer.

Ele a olhou com meiguice.

— Fez muito bem. Maria Antônia insistiu em acompanhar-me. Logo, nada pode reclamar da viagem. Ao ler sua carta, achei melhor vir pessoalmente. Não se pode tomar providências de tão longe. Tenho tempo. Podemos ficar aqui o quanto for preciso.

— Agradeço-lhe de coração.

— Agora quero ver meu irmão. Disse-lhe que estou aqui?

— Ainda não. Vou preveni-lo. Vamos.

Ele a acompanhou e ficou aguardando do lado de fora. Instantes depois Maria José abriu a porta com um sorriso, convidando-o a entrar.

Menelau aproximou-se do leito em que Demerval, cansado, abatido e triste, aguardava-o. O moço abraçou-o com força, procurando encorajá-lo, condoído de sua aparência física.

— Demerval, quanto tempo! Como está?

— Mal, muito mal — murmurou ele, com voz sumida.

— Estou aqui para cuidar de você. Mandarei buscar um médico na corte e logo você estará curado.

Ele abanou a cabeça:

— Quem dera! Está difícil.

— Que nada! Vamos cuidar de tudo e logo você deixará essa cama. Vai ver!

Demerval tentou sorrir. Fundo suspiro escapou-se-lhe do peito.

— Quem dera, Menelau, quem dera!

— Quanto aos negócios, não se preocupe. Cuido de tudo. Em pouco tempo tudo estará em ordem.

Demerval nada disse. Estava desinteressado, indiferente.

Menelau alarmou-se. Conhecia o irmão, apesar do pouco convívio. Sabia-o preocupado com os bens, que para ele requeriam atenção em primeiro lugar.

Conversou com ele procurando animá-lo, recordando fatos da casa paterna, tentando incentivá-lo à alegria. Mas Demerval, apesar do ar mais alegre, não vibrou com as lembranças nem com os feitos da sua juventude.

Ao sair do quarto, Menelau estava realmente preocupado. Assim que se viu a sós com a cunhada, comentou:

— Você tem razão. Não parece a mesma pessoa. Não se interessa por nada. Fiz o possível para animá-lo. Quero saber em detalhes de tudo quanto aconteceu aqui, desde sua chegada.

Os dois foram até o gabinete de Demerval e lá Maria José contou novamente com detalhes o que tinha acontecido desde a noite em que se preparavam para o regresso.

— E o médico, o que diz?

— Que não consegue encontrar a doença. Que Demerval precisa reagir. Chega a sugerir que ele não deseja curar-se.

— Não acho provável. Se ele não se levanta, é porque não pode. O mano nunca foi homem dengoso.

— Tem razão. Demerval era homem enérgico e bem-disposto, de vontade férrea. Quando decidia uma coisa, ninguém o demovia.

— Eu sei. Esse médico por certo não entende nada.

Maria José sacudiu a cabeça.

— Não sei. O Dr. Amarante é muito respeitado até em Itu, de onde vêm buscá-lo muitos senhores. Mora na roça porque gosta. Se quisesse, podia viver na cidade. É homem simples e bondoso. A mim ajudou muito. Agora estou muito bem, graças a ele.

— Você também esteve doente?

— Estive. Mas já estou bem.

— Conte como foi.

— Tive crise nervosa. Coisa boba.

— Conte.

— Não carece...

— Por favor!

Indecisa, Maria José balbuciou:

— Bobagem. Demerval sempre foi preocupado com a família e, por isso, tinha hábitos visando o nosso bem... você sabe... horário para tudo. E a vida, mesmo aqui na fazenda, tinha que obedecer ao programa que ele fez. Acontece que eu comecei a ficar nervosa, sem razão, claro, até que um dia tive uma crise. Fiquei fora de mim, recuseime a ler os versos em francês que Demerval tanto gostava. E não ficou aí. Fiquei de cama e no outro dia tive outra crise, quebrei tudo quanto tinha no quarto. Acudiu-me Zefa, o Dr. Amarante veio, disse que não tinha sido acesso de loucura e procurou ajudar-me. Demerval deixoume repousar no leito durante alguns dias, mas queria voltar para casa, pretendia levar-me a um médico da cidade. Porém não conseguiu.

Menelau estava sério. Olhou-a fixamente e indagou:

— Você nunca tinha tido essa crise antes?

— Nunca.

— Agora passou. Nunca mais deu?

— Nunca mais. Tenho estado bem.

— Hum! — resmungou ele, pensativo. — Receio que se trate de mandinga.

— Cruz credo, Nosso Senhor nos ajude! — murmurou Maria José, assustada.

— Não sei ainda. Quando estive em Londres, conheci algumas pessoas que estudavam esses casos. Fiquei admirado com o que vi. Gente séria e de confiança. Sem embuste. Disseram que no Brasil é caso comum. Você sabe, os negros, eles conhecem essas coisas.

Maria José empalideceu. Embora Zefa tivesse lhe falado sobre isso, recusava-se a crer que Bentinho tivesse algo a ver com a doença de Demerval. Um negro ignorante, do mato, poder mais do que Deus, as orações, não podia aceitar.

Seu marido era homem piedoso que rezava todas as noites. Absteve-se de falar ao cunhado sobre o assunto. Tinha certeza de que, se ele soubesse, castigaria Bentinho, talvez até Zefa, vendendo-a ou colocando-a a ferros.

A negra tinha sido sua companheira de infância. Amava-a muito e sabia que ela daria a vida por sua causa.

— Não creio nessas coisas — disse ela com voz firme.

— Pois faz mal. Esses assuntos me fascinam. Tenho visto coisas de espantar. Demerval na cama, sem doença nenhuma, naquele desânimo... O que pode ser? Conheço meu irmão. É orgulhoso e intolerante. Pode ser que algum negro tenha querido vingar-se dele.

— Demerval é bom e honesto. Ninguém pode ter raiva dele. Não acredito.

Os olhos de Maria José estavam cheios de lágrimas e seu rosto ruborizado de emoção.

Menelau levantou-se, aproximou-se dela segurando-a pelos ombros, olhando-a bem nos olhos:

— Maria José, você sabe que não é assim. Demerval é pretensioso e prepotente, embora não seja mau. Vim para ajudar. Você ama seu marido, mas isso não deve impedi-la de perceber seus defeitos.

Maria José olhava-o com os olhos brilhantes tentando reter o pranto. Recusava-se a criticar o marido, vendo-o em tão triste condição. No fundo, sabia que o cunhado dizia a verdade. Porém sentia remorsos por ter-se recusado a obedecer-lhe. Sentia-se culpada, de certa forma, pela doença dele.

— Você sabe tanto quanto eu que, com o temperamento de Demerval, é bem possível que alguém o tivesse querido atingir. Não sei até que ponto isso pode ser verdade. Vou investigar.

— Tenho medo dessas coisas! Têm parte com o diabo.

— É por isso que eles sempre têm conseguido vantagens. Não há o que temer se você tem mesmo fé em Deus.

— O que pensa fazer?

— Ainda não sei. Pode confiar em mim.

— Acha que Demerval vai ficar bom?

Menelau franziu o cenho, preocupado:

— Ainda não sei. Vamos confiar em Deus e fazer nossas orações. Todos precisamos muito delas.

— E se ele não melhorar, o que será de nós? — indagou ela, aflita.

— Ainda não sabemos se ele vai continuar doente. Tudo pode mudar. Assim como começou, pode acabar. Porém, se ele demorar a sarar, acho que não tem remédio, você assume a direção dos negócios.

— Eu?! Sou mulher! Nunca aprenderei.

Ele a olhou um pouco divertido.

— Por que se subestima? Enquanto Demerval estiver incapaz, o chefe da casa deve ser você. Precisa ser o pai e a mãe dos seus filhos. Vigiar o capataz, controlar os escravos, a plantação, as vendas e entregas das mercadorias.

Maria José levantou-se aflita:

— Mas eu não sei! Nunca fiz nada disso!

— Estou aqui para ensinar. Tenho negócios, não posso ficar aqui para sempre. Posso ajudar, orientar, mas, quando eu voltar à capital, você é quem vai decidir e comandar sozinha, se Demerval ainda estiver doente.

— Tenho medo — balbuciou ela, assustada.

Menelau tomou entre as suas as mãos frias de Maria José.

— Eu sei. Também tenho medo. Você não foi educada para esses trabalhos. Contudo, apesar de ser mulher, pode fazer isso. Na Inglaterra, conheci mulheres que eram superiores aos homens em matéria de negócios. Você vai conseguir.

Maria José, fitando os olhos do cunhado, sentiu brando calor invadir seu coração.

— Tenho medo, mas se você diz isso, tentarei. Demerval vai orgulhar-se de mim. Cuidarei dos negócios, da família, enquanto ele estiver doente. Quando sarar, terei a alegria de entregar-lhe tudo em perfeita ordem.

— Assim é que se fala. Sinto que posso confiar em você.

Vendo o cunhado afastar-se, Maria José voltou para o lado do marido, que, no leito, continuava entregue a completa fraqueza. Zefa velava, solícita. Maria José chamou-a de lado e comentou em voz baixa:

— Acho bom deixar Bentinho fora desta história. Conversei com Menelau, que entende dessas coisas. Se ele descobrir que andam fazendo mandinga pro sinhô, manda os dois a ferros. Leva-a embora daqui.

— A sinhá falô pra ele do nosso acerto?

— Claro que não. Não quero que nada aconteça a você. Não acredito que isso tenha que ver com a doença de Demerval. Porém meu cunhado não pensa assim. Se ele desconfiar, com certeza Bentinho vai pagar caro. Por isso, você vá lá e fale com ele, que se tiver feito alguma coisa, parar e desfazer tudo.

— Vosmecê num acredita...

— Não acredito, sua negra desaforada, mas ele acredita e não quero ver os dois metidos em encrenca. Vá lá e fale com ele. Que acabe com essas bobagens aqui na fazenda. Senão, vendo ele ao primeiro que passar.

Zefa fez beiço comprido.

— A sinhá é ingrata! Tudo que nóis fazemo é pro seu bem.

— Pois eu proíbo. Não quero você metida nessas coisas do demônio. Deus Nosso Senhor pode até castigar.

— Tô fazendo o bem.

— Vá lá e fale com ele. Estou mandando.

— Tá bem, sinhá. Vô esta noite.

— Muito bem. Estas coisas são proibidas aqui. Se eu souber de qualquer mandinga, castigo na certa.

Zefa olhou a sinhá e percebeu que ela estava muito zangada.

"Os branco são ingrato", pensou, sentida. Afinal, tinha feito tudo por ela. Agora ela estava esquecida, mas quando Demerval recomeçasse a mandar em tudo, queria ver se ela não iria se arrepender!

Na calada da noite, procurou Bentinho. A escrava estava triste e desiludida.

— O que foi? — perguntou ele, sério.

— A sinhá disse que num acredita no seu poder, mas mandô ocê pará os trabaio. Num qué aqui na fazenda ninguém fazendo mandinga. Disse que vai castigá nóis.

Ele riu.

— Ela disse isso? Num tá feliz e bem-disposta?

— Tá. A ingrata. Tem pena do sinhô. Qué que ele fique bom.

Ele tirou algumas baforadas do grosso cigarro de palha que tinha entre os dedos. Ela prosseguiu:

— Chegô o sinhô Menelau e a sinhá disse que ele ficô desconfiado. Acredita nas mandinga e acha que o sinhô tá mandingado. Sinhá tá com medo. Disse que, se ele descobre o que ocê tá fazendo, vai dá castigo. Ela mandô dizê pra desfazê tudo e pará com essas coisa.

Ele ficou sério.

— Sei o que faço. Num carece ter medo.

Num gesto ágil agarrou Zefa, abraçando-a.

— E ocê, o que é que qué?

— Preciso obedecê a sinhá.
— Mas num é isso o que ocê qué.
— Não. Num é. Por mim tudo tá muito bem do jeito que tá. O sinhô num faz falta nenhuma. Mas como a sinhá mandô, ocê faz o que ela qué. Quero só vê quando ele tivé de novo mandando em tudo, se ela vai me dá razão. Deixa ela.
— Ocê tem medo de branco?
— Eu? Tenho. Eles pode me separá da sinhá, me mandá pra longe daqui, castigá ocê.
— Qual! Tenho as costa quente. Tenho meu santo. Ninguém chega se ele num deixá. Posso dobrá esse Menelau como eu quisé. Qué vê?
Zefa sacudiu a cabeça.
— Melhor não. A sinhá pediu e eu faço o que minha sinhá qué. Gosto dela e obedeço.
Ele riu, divertido.
— E o que eu quero, ocê num faz?
— Num sei...
— Pois eu gosto d'ocê. Faço tudo que ocê qué. Fica aqui comigo hoje e eu faço tudo que me pedi.
— Tá bem. Acho que ocê anda me mandingando também, seu negro xerido.
— Ocê que me mandingou. Tô louco por ocê.
Zefa riu satisfeita. Bentinho agradava-a muito. Seus poderes especiais a fascinavam. Davam-lhe a sensação de ser importante, de valer alguma coisa, de saber mais do que os brancos. O que ele tinha feito com o orgulhoso Demerval fizera-a vibrar de satisfação.

Durante anos suportara impotente a arrogância do sinhô e o sofrimento da sinhá. Agora, graças aos poderes de Bentinho, tudo tinha mudado. Lá estava ele, dependente, inseguro, indiferente. Tinha se transformado em um pobre branco, sem nenhuma influência no destino de todos.

Entregou-se a Bentinho feliz, sentindo-se valorizada. Perto dele, não temia nada, porquanto ele tinha amplos poderes e conseguia até comandar o sinhozinho branco.

Capítulo IV

Os dias que se seguiram foram de atividade intensa para Menelau e Maria José. A princípio, Menelau tentara convencer o irmão a orar e compreender que podia estar sendo subjugado por forças de magia. Porém Demerval recusava-se a ouvir o assunto. Não acreditava nessas coisas.

Apesar disso, Menelau e Maria José oravam em voz alta todas as tardes no quarto do enfermo. Mas as melhoras não vinham.

Havia os negócios para ser regularizados e Menelau saía logo cedo com o capataz a tratar da plantação e decidir o que fazer. Quase sempre levava Maria José, a quem procurava explicar tudo, o que irritava o capataz, porquanto achava que mulher não deveria misturar-se aos negócios. Calava em sua contrariedade. Menelau estava decidido a preparar a cunhada para assumir os negócios na ausência do marido.

Maria José, a princípio tímida, aos poucos foi fazendo observações que irritavam o capataz mas encantavam Menelau pela perspicácia e pelo lado prático que apresentavam.

Expressando ironicamente seu desagrado, o capataz comentou de forma desairosa a presença da sinhá em meio aos rudes labores dos homens, no que foi energicamente censurado por Menelau:

— A sinhá D. Maria José é a dona de tudo isto. Senhora da casa, da fazenda, dos escravos, de tudo. Manda como quiser. O sinhô Demerval está doente e ela agora é quem dá as ordens. Se não quer obedecer com respeito, a porta da rua é serventia da casa. Pode ir-se embora.

Ele empalideceu e disse com humildade:

— Não, isso não. Sempre obedeci a sinhá. É que eu achava que esses negócios são coisa de homem. Mulher só sabe mandar nos escravos da casa.

— Engana-se, Manuel. Enquanto o sinhô não puder voltar ao trabalho, ela é quem decide tudo. Se quer continuar, deve obedecer-lhe.

— Está bem. Se o sinhozinho Menelau acha, eu faço.

— Muito bem. A sinhá dá as ordens e você faz.

Assim Maria José, aos poucos, foi se interessando pelos negócios e, apoiada pelo cunhado, foi conseguindo inteirar-se de tudo.

Por causa disso, estavam sempre juntos, e Maria Antônia, enfadada, aborrecida, demonstrava seu desagrado. Odiava a fazenda, a vida simples e até a rotina da casa. O ruído das crianças deixava-a nervosa. Não queria filhos. Tinha horror à gravidez e ao parto. Várias vezes discutira com o marido por causa disso. Ele esperava ansiosamente um herdeiro. Ela, sem que ele soubesse, submetia-se a vários tratamentos em cumplicidade com sua ama, a fim de não ter filhos. Havia uma erva que ela tomava que impedia a gravidez.

Estava irritada. Desejava voltar à corte. Afinal, esse irmão nunca se tinha importado com eles. Por que agora deveriam sacrificar-se para ajudá-lo? Insistia com o marido para que voltassem para casa. Era inútil, Menelau estava irredutível. Um dia, cansada de tentar convencê-lo, muito irritada, observou:

— Estou aqui, neste mato, entediada, enquanto você se mistura aos negros o dia inteiro. Não acha que já fizemos o bastante por esse irmão que nunca sequer nos visitou?

Menelau franziu o cenho com desagrado. Olhando a fisionomia carregada da esposa, perguntou-se pela milésima vez por que tinha concordado em desposá-la. Apesar das vantagens daquela aliança que unira duas tradicionais e abastadas famílias, cujos pais tinham contratado o enlace desde a infância, Menelau casara-se com Maria Antônia porque a tinha julgado meiga e carinhosa. Supusera-a com os mesmos ideais que guardava no coração e partira para o casamento com a disposição de constituir uma família honesta e feliz. Durante seus furtivos encontros no noivado, mal pudera sentir-lhe as idéias. Contudo, jamais tinha lhe passado pela cabeça que uma mulher jovem e bonita pudesse pensar de forma diferente. Sua mãe era extremamente bondosa e dedicada aos seis filhos que criara em um casamento feliz.

Entretanto, durante os dois anos de vida em comum, Menelau assistira ao ruir de todas as suas esperanças. Maria Antônia, assim que se tinha visto livre da tutela paterna, demonstrara desusado interesse pela vida da corte, mergulhando fascinada nas futilidades dos salões, prevalecendo-se da liberalidade do marido, que, cansado dessas atividades, muitas vezes não a acompanhava, deixando-a apenas com a dama de companhia.

A princípio, atribuíra esse fascínio ao deslumbramento da menina que sempre vivera reclusa na severidade dos pais, mas com o correr do tempo, conhecendo-a melhor, percebeu sua aversão por filhos, a futilidade das atitudes e a aridez do seu caráter.

Diante da frieza da esposa, que jamais tivera para com ele um gesto de afeto, Menelau fora aos poucos reduzindo suas demonstrações afetivas e, apesar de cortês e delicado, educado e afável, tornara-se frio para com ela. Vendo-lhe a rigidez da fisionomia, sentiu que a presença de sua mulher começava a irritá-lo. Fez o possível para conter-se. Foi com voz educada que respondeu:

— O que Demerval fez ou faria não me importa saber. Sempre agi de acordo com minha consciência. Ele é meu irmão e precisa de mim agora. E não é só ele. Tem uma família a zelar. Seus filhos estão ao abandono e Maria José não sabe o que fazer. Vou ficar aqui até que a situação esteja melhor e possamos levar Demerval à corte para tratamento. Você quis acompanhar-me. Não a obriguei.

Ela deu de ombros e respondeu com voz que a raiva fazia trêmula:

— Pois você está se excedendo, fez mais do que podia. Chego até a pensar que sua presença aqui deve-se mais a Maria José do que a Demerval. Os dois não se largam. Já está dando o que falar e eu não estou aqui para ser ultrajada.

Menelau ficou rubro. Tal situação jamais lhe passara pela cabeça. Era homem correto e a calúnia teve o dom de irritá-lo ainda mais. Aproximou-se de Maria Antônia com os olhos chispando de surpresa e de revolta.

— Uma infâmia dessas só pode ser gerada em uma cabeça demente como a sua.

— Pois não há outra explicação para nossa permanência neste ermo. Estou decidida a partir o quanto antes. Não suporto mais esta situação. Amanhã volto para a capital da Província e você deve decidir: ou ela ou eu!

Menelau mal acreditava no que ouvia. Era injusto e torpe. E ele não iria submeter-se aos caprichos de sua mulher, abandonando o irmão e sua família naquela situação. Só regressaria quando pudesse deixar os negócios em ordem na fazenda e levar Demerval para a cidade. Estavam em plena colheita de café e deixar a fazenda entregue à incapacidade dos negros poderia pôr tudo a perder.

— Faça o que quiser. Você já decidiu.

— Não vem comigo?

— Não. Só voltarei quando tudo aqui estiver resolvido.

— É sua última palavra?

— É.

— Quer dizer que me troca por essa mulher e sua gentalha?

Menelau procurou controlar seus ímpetos de bater-lhe. Estava no limite de sua tolerância.

— Não admito que fale assim dos meus parentes.

— Não esqueça que você escolheu. Parto amanhã. Regresso à nossa casa magoada e ferida. Meus pais vão saber disso e o seu também.

Deu-lhe as costas e retirou-se de cabeça erguida. Menelau permaneceu pensativo, procurando acalmar-se. Sentou-se colocando a cabeça entre as mãos. Sua consciência não o acusava de nada. Suas intenções eram puras e fraternas. Embora devesse respeito à sua mulher, não podia ceder aos seus caprichos e imposições.

Ficou ali largo tempo, cabeça entre as mãos, olhos perdidos no tempo. De repente, sentiu uma mãozinha quente segurando as suas, tentando descobrir-lhe o rosto.

— Tio Lau, o senhor está chorando?

Menelau olhou o rostinho delicado de Ana, em cujo olhar leu preocupação e afeto. Segurou-lhe as mãos com carinho.

— Não, minha filha. Não estou chorando.

— Mas está triste.

— Um pouco.

— Por quê?

— Por nada. Porque não tenho uma filha bonita como você.

Ela se achegou mais com os olhos brilhantes:

— Mas eu gosto muito do senhor. Não posso ficar no lugar dela até a hora em que ela chegar?

Ele riu, divertido. A candura das crianças o encantava.

— Sou um tio muito severo. Não tem medo?

Ela balançou a cabecinha aureolada por belos cabelos castanhos.

— Não. Tio Lau, conta aquela história do saci-pererê?

— Conto. Ele faz muitas diabruras.

E Menelau, colocando a menina ao colo, contou-lhe histórias que a fizeram vibrar de admiração e alegria. Quando terminou, sua irritação tinha passado. Sua mulher havia escolhido livremente. Por certo, refletiria melhor sobre suas absurdas palavras. E se resolvesse partir, paciência. Ele só iria quando tudo estivesse em ordem.

No entanto, Maria Antônia não se arrependeu. No dia seguinte, ao romper da alva, ladeada pelos dois cavalheiros, pela aia, pelo cocheiro e seu valete, partiu de volta para casa. Não se despediu de ninguém.

Maria José, preocupada, tentou saber a causa do desagrado de sua cunhada, que tolerava com educação, apesar de Maria Antônia ser malcriada, molestar os escravos, em especial Zefa, com quem implicava visivelmente. Mesmo estando irritada, Maria José procurava tratá-la bem, em atenção ao cunhado, a quem devia tantas obrigações. Vendo-a partir sozinha e visivelmente zangada, procurou-o aflita.

— D. Maria Antônia partiu hoje sem se despedir. Por acaso alguém aqui a ofendeu?

Ele fez um gesto vago.

— Peço desculpas. Ela estava com saudade da família e resolveu regressar.

— Menelau, pareceu-me que ela não estava contente em nossa casa. Posso saber o que a desagradou?

— Para dizer a verdade, tudo quanto a afasta da corte e dos salões a desagrada — desabafou ele, magoado.

— Não está sendo muito severo com ela? É natural que em sua juventude ela aprecie a beleza e os jogos dos salões.

Ele concordou.

— É natural, mas ela coloca isso acima de tudo o mais. Até dos filhos e do lar.

— Estou sendo indiscreta. Peço desculpas.

Ele estava muito amargurado. Todo sentimento represado, toda sua desilusão veio à tona.

— Você é mãe e esposa dedicada. Pode compreender como me sinto. Minha mulher recusa-se a ser mãe e prefere as futilidades da corte à vida no lar.

Maria José estava chocada. As confidências do cunhado tocavam-lhe fundo os sentimentos. Um homem tão afetuoso, tão amigo das crianças, tão delicado, casado com aquela megera. Porém não queria ofendê-lo expressando sua antipatia por Maria Antônia.

— Ontem nos desentendemos. Ela queria voltar à corte e eu pretendo ficar aqui durante mais algum tempo. Nossos negócios lá no Rio vão bem. Meu procurador cuida de tudo como se fosse eu mesmo.

— Não seria melhor regressar? Não gostaria de causar-lhe um problema familiar.

— Agora, em meio à colheita? Mais alguns dias não vão me prejudicar. Além disso, pretendo levar Demerval para tratamento.

— Já lhe causamos muitos trabalhos e aborrecimentos. Fez muito por nós. Se quiser regressar com sua esposa, saberemos compreender. Não se acanhe por isso. Demerval entenderá.

A voz dela tremia.

— E você? — indagou ele, fixando-a nos olhos. — Quer que eu parta?

Maria José desejaria dizer-lhe que não. Que sua presença inspirava-lhe confiança e bem-estar. Que tinha horror de ficar sozinha de novo, com tantos problemas a resolver. Não teve coragem. Baixou os olhos e respondeu:

— O que eu quero não importa. Você tem se sacrificado por nós e não é justo retê-lo, ainda mais contra a vontade de sua mulher.

— Olhe para mim. Diga-me com sinceridade. Estou sendo de alguma valia aqui para você? Estou conseguindo ajudar?

Nos olhos dela surgiu o brilho de uma lágrima.

— Ainda pergunta? Nem que vivamos cem anos poderemos pagar-lhe tanta dedicação e carinho.

— Muito bem. Se sou útil, é o suficiente. Esqueçamos a descortesia de D. Maria Antônia. Pensemos em cuidar das melhoras de Demerval, que é o mais importante.

Maria José comoveu-se. Tanta nobreza de alma, tanto desprendimento, tocavam-lhe fundo o coração. Jamais conhecera homem tão generoso. As crianças adoravam-no e ela se sentia bem vendo-o com elas à volta, a pequena Ana ao colo, contando histórias que todos ouviam enternecidos, beijando-os, abraçando-os com carinho.

Essa atitude a maravilhava. Demerval era pai extremoso, mas jamais permitira a seus filhos essas liberalidades. Nunca vira alguém agir assim e chegara até a temer que as crianças viessem a abusar de tanto agrado. Todavia, com surpresa, percebeu que era com prazer que atendiam a qualquer desejo do tio, obedecendo-lhe docilmente. Menelau conseguira deles muito mais atenção e obediência do que Demerval e ela com seus rigores e disciplinas.

Menelau era bom e afetuoso, mas também homem severo e de brio. Inteligente e culto, não alardeava cultura como Demerval, porém surpreendia com seus conhecimentos sempre atuais e oportunos.

Naqueles dois meses de convivência constante, Maria José aprendera a respeitar o cunhado e a acatar sua orientação.

— Está bem — concordou ela. — Mas assim que a colheita acabar e tudo estiver em ordem, voltaremos para Itu e lá procuraremos médico para Demerval. Confio em Deus que ele ficará bom.

Menelau baixou a cabeça, pensativo.

— Se ao menos ele concordasse em orar conosco! Se ele compreendesse e aceitasse a possibilidade de estar sendo vítima de magia!

Maria José sentiu um arrepio percorrer-lhe o corpo.

— Você acredita mesmo nessas coisas? Custa-me aceitar!

Ele a olhou, sério.

— Há coisas que nós não sabemos explicar, mas que nem por isso deixam de acontecer. Que outra razão haveria para a situação de Demerval? Doença não é. O médico é da roça, mas bom. Depois, Demerval sempre foi homem de vontade e de brio. Para ficar reduzido ao que está, só mesmo por ação de alguma força que não podemos controlar.

— Demerval não é homem religioso, contudo sempre foi de cumprir seus deveres com Deus, como manda a igreja, e rezava todas as noites. É homem bom e honesto. Deve ter proteção de Deus. É isso que não consigo compreender. Essa força do mal pode mais do que Deus? Se nós temos rezado todos os dias e ele não melhora, é de crer que eles, os espíritos do mal, sejam mais fortes. Neste caso, estamos à sua mercê?

Menelau suspirou fundo.

— Como eu disse, há muitas coisas que não podemos explicar ou entender mas que acontecem. O caso do mano é um deles. Não sabemos que força é essa que o subjuga dessa forma, transformando-o de homem dinâmico e ativo, atuante e lúcido, nessa figura dependente e deprimida que estamos vendo. Porém o fato de não sabermos a causa de uma coisa não significa que ela seja invencível. Deus sempre pode mais. Não existe nada que seja igual ou maior do que ele. Se isso acontecesse, então ele deixaria de ser Deus.

— O que quer dizer?

— Quero dizer que, se essa força derrubou Demerval, foi porque Deus permitiu, houve alguma razão.

— Isso me confunde. Se Deus permitiu, então ele apoiou o mal?

— De forma alguma. Mas o sofrimento, na vida, ajuda o homem a enxergar melhor a verdade, a aprender a respeitar o direito dos outros, sensibiliza. O que eu quero dizer é que Demerval pode estar sendo vítima de forças do mal que o colocaram na situação atual. Contudo, embora Deus não tenha determinado isso, deixa-o experimentar essa situação, para que ele desenvolva mais a compreensão, a paciência e tenha por algum tempo a consciência de que não é onipotente, como alardeava nos tempos de boa saúde.

Ela ficou pensativa durante alguns segundos, depois perguntou:

— Quer dizer que ele vai ficar bom?

— Espero que sim. Mas quando? Isso só Deus sabe. Provavelmente quando tiver aprendido a lição que a vida quer ensinar-lhe.

— E se ele teimar? — tornou ela angustiada, recordando o temperamento difícil do marido.

— Será pior. Por isso tento fazê-lo compreender.

— Quer dizer então que as forças do mal estão fazendo um benefício? Nesse caso eles não são culpados?

— Eu não disse isso. Quem faz o mal é sempre culpado. Se existe alguém, como eu suspeito, que está fazendo mandinga para o mano, um dia por certo será castigado. Quem semeia vento colhe tempestade; é um ditado português muito verdadeiro. Quem estiver fazendo isso está unido aos espíritos atrasados e por isso algum dia ainda vai dar-se conta do erro e sofrer. Por outro lado, Demerval talvez estivesse muito insensível, distante da realidade. Então, estava sem defesa e foi atingido.

— Isso é muito complicado. Quem garante que seja assim?

— A vida. Se você observar, vai perceber.

Maria José calou-se. Na verdade ele podia ter razão. Intimamente reconhecia que o marido era duro e obstinado. Todos deviam obedecer-lhe cegamente, e quando dispunha as coisas, não ouvia nenhum argumento ou ponderação. Apesar de penalizada, Maria José reconheceu no cunhado certa razão.

Absteve-se de comentar. Tinha vergonha. Demerval lá, doente e fraco, e ela recordando seus erros. Era covardia.

— Quando pensa que poderemos voltar à cidade? — indagou, ansiosa.

— Dentro de uma semana. Deixaremos tudo em ordem, o café ensacado, o celeiro cheio. Poderemos voltar.

Maria José suspirou.

— Quem sabe saindo daqui ele melhore.

— Pode ser. Ainda penso que deveriam ir para a Província. Na corte tudo será mais fácil. Itu não tem recursos como lá em São Paulo, onde há médicos de grande capacidade.

— E se o caso não for de médico?

— Tenho um amigo no Rio de Janeiro que entende dessas coisas. Posso mandar um correio chamando-o. Mas aqui, neste fim de mundo, tudo fica mais difícil.

— O melhor será sairmos daqui o quanto antes.

— Sairemos. Vamos trabalhar bastante e dentro de uma semana estaremos na cidade. Lá, decidiremos o que fazer, conforme estiverem as coisas. Tenho pensado muito. Talvez seja melhor irmos todos para o Rio de Janeiro.

Maria José sacudiu a cabeça negativamente.

— Espero que não. Não gostaria de incomodar D. Maria Antônia. Além disso, seria um transtorno ter que fechar a casa de novo, ir para tão longe...

— Se for preciso, nós o faremos. Não podemos deixar o mano sem socorro. A vila é tão pequena! Não creio que lá haja pessoa capacitada para atender o caso de Demerval. Em minha casa, na capital, teremos mais recursos.

— E D. Maria Antônia? Não irá gostar, com certeza.

Menelau fez gesto de enfado.

— D. Maria Antônia por certo andará muito ocupada às voltas com os salões e as modas para incomodar-se. Depois, sempre faço o que acho direito, e nesse caso não dou atenção a ninguém.

Maria José calou-se, mas no íntimo pediu a Deus para não ir. Ser hóspede de tão desagradável criatura por certo seria doloroso. Maria Antônia não suportava crianças e não tinha nenhuma consideração com Demerval, sua doença nem com a cunhada.

Ficou preocupada. Zefa percebeu e perguntou solícita:

— A sinhá anda séria. Parece que viu assombração.

— Estou preocupada.

— Com o quê?

— Com tudo. Demerval não melhora. Agora Menelau quer levar-nos todos para sua casa na capital da Província. Acha que lá há mais recursos para Demerval.

— Cruz credo, sinhá. Na casa daquela xerida.

— Não fale assim de D. Maria Antônia. É esposa do Dr. Menelau e minha cunhada. Exijo respeito.

— Mas, sinhá, ela é tão marvada! Eu num quero i pra casa dela!

— Como se negro tivesse vontade!

— Pois eu tenho, sinhá. Pra lá nóis num vamo. Vosmecê vai vê.

— Não inventa mandinga nenhuma, que Deus castiga. Está proibida de fazer qualquer coisa.

Ela deu de ombros.

— Vosmecê num acredita nessas coisa...

— Mas não quero você metida nessas tarantas. Se o Dr. Menelau sabe, vende você. Não perdoa mesmo. E aí não poderei fazer nada.

A negra deu de ombros.

— Vosmecê num fica sem sua negra. Ele num vai fazê ocê sofrê.

Maria José levantou a mão, ameaçadora.

— Some daqui, Zefa. Se me aborrece, vendo você eu mesma.

Ela saiu derrubando o beiço com certa arrogância. Maria José fez força para não rir. A pretinha intrometida tinha razão. Sabia que era estimada. Maria José nada fazia sem ela. Não suportava ver Maria Antônia maltratar sua Zefa. Essa era uma das razões pelas quais não queria ir.

Precisava rezar, pedir a Deus que a ajudasse. Se Demerval melhorasse, tudo voltaria ao normal.

Sentiu um friozinho no estômago. Tudo seria como antes. Demerval decidindo, Demerval mandando, ela tendo que obedecer. Não poderia ser diferente?

Quem sabe agora, depois de tanto sofrimento, ele estivesse mudado. Por que ele não era como Menelau? Amoroso com as crianças, apesar de enérgico; atencioso com ela, sem ser afetado; competente nos negócios, sem ser implicante e teimoso.

Menelau tinha todas as qualidades. Além do mais era um homem bonito. Muito parecido com o irmão, nos cabelos, no riso e até de corpo. Mas como podiam ser tão diferentes?

O riso franco, os olhos expressivos e até os cabelos revoltos, davam-lhe ares de menino. Era pouco mais jovem, mas Demerval aparentava ser seu pai.

Maria José sacudiu os ombros. Não queria pensar nessas coisas. Tinha pena do marido, tão indefeso e triste, reduzido àquela situação. Porém era-lhe penoso pensar que chegaria o dia da partida de Menelau. Ele preenchia as horas com mil atividades. Pensava em tudo, mas fazia com que ela participasse. Exigia-lhe opiniões, acatava-as, valorizando as que julgava boas. Ensinava-lhe sempre o que fazer, não impunha nada, pelo contrário, explicava-lhe as causas e deixava-lhe sempre a possibilidade de escolher.

Na fazenda, a jovem senhora já sabia como agir e aprendera a lidar com os negócios muito bem. Porém, à noite, após o jantar, no salão, as reuniões tinham alegria especial. As crianças participavam. Dava gosto vê-las, com o tio a mostrar-lhes gravuras, ensinando-lhes história, arte, ciências, com carinho e amor.

Era sempre a custo que eles concordavam em ir para a cama no horário estabelecido. Geralmente, Maria José, ao levar as crianças para o quarto, não mais voltava ao salão. Ia fazer companhia a Demerval, embora este pouco se importasse com sua presença. Ficava sempre dormitando e, quando instado a falar, só fazia lamentar-se indefinidamente.

Menelau tentava arrancá-lo da situação inutilmente. Recusava-se a tudo que não fosse dormir e lamentar-se.

Maria José considerava seu dever ficar ao lado do marido mesmo assim, e lá permanecia lendo, à luz do lampião, ou segurando-lhe a mão como a transmitir-lhe um pouco de coragem, de ânimo, de apoio.

Naquela noite, Maria José quase não pôde dormir. Pensamentos contraditórios invadiam-lhe a cabeça preocupada. Era muito tarde quando conseguiu conciliar o sono.

Acordou no dia seguinte com o sol alto e levantou-se de um salto. Tinha que ter saído com o cunhado e perdera a hora. Zefa, que velava acocorada a um canto do quarto, levantou-se.

— Está tarde. Preciso sair. Por que não me acordou?

— Calma, sinhá. Vosmecê teve sono agitado. Dormiu mal. Expliquei ao sinhô Menelau. Ele achô melhor vosmecê ficá descansando por hoje.

— Mas eu não gosto. Tenho o que fazer. Devia ter me chamado. Venha, quero vestir-me.

Minutos depois Maria José, já vestida, circulava pela casa, inteirando-se de tudo, dando as ordens do dia. Estava na cozinha, quando Zefa chamou-a esbaforida.

— Sinhá... acode lá na sala... o Dr. Menelau...

— O que foi, Zefa?

— Num sei não. Mas o Zé e o Biro tão trazendo ele carregado.

— Valha-me Deus! — gritou ela, empalidecendo.

Trêmula, correu para a sala enquanto Menelau, pálido e suando muito, era colocado no sofá.

— O que foi? O que aconteceu? — indagou Maria José, aflita.

— Sinhozinho caiu do cavalo.

— Vão buscar já o Dr. Amarante. Corra, pelo amor de Deus.

Enquanto o negro saiu rápido, Maria José aproximou-se do cunhado penalizada.

— Como se sente?

Ele abriu os olhos e tentou sorrir, sem muito sucesso.

— Doem-me muito as costas e a perna esquerda. Acho que está quebrada.

— O Dr. Amarante dará um jeito. Tenha calma. Zefa, vá buscar arnica.

A negra saiu correndo e logo mais voltou com o remédio.

— Beba. É remédio da roça, mas fará bem.

Menelau obedeceu. Maria José estava trêmula e aflita. O Dr. Amarante chegou meia hora depois e examinou Menelau detidamente. Depois concluiu:

— Vou enfaixar seu peito. Deve ter partido uma costela. A perna também tem que ser encanada. Está doendo muito? — indagou ele, penalizado.

— Está — gemeu Menelau.

— Vai melhorar. Beba isto — ordenou o médico, depois de preparar rapidamente uma poção.

Menelau obedeceu. O médico esperou alguns minutos e depois começou a trabalhar.

— Não será melhor transportá-lo para a cama? — sugeriu Maria José.

— Só depois de devidamente tratado. Não convém removê-lo por causa das costas.

Maria José estava pálida e trêmula. Apesar disso, ajudou no que pôde enquanto Zefa providenciava o material caseiro de que o médico precisava. Só depois de muito bem enfaixado no tórax e com a perna devidamente canalizada foi que Menelau pôde ser cuidadosamente transportado para o leito.

O médico sentou-se ao seu lado, dizendo-lhe que tudo estava bem agora. Que precisava repousar e permanecer tranqüilo, Menelau, apesar da poção calmante e do sonífero que o médico lhe dera, demorou a adormecer. Cochilava para, de repente, assustar-se e acordar. O Dr. Amarante, com paciência e calma, permaneceu ali, velando, até que o visse finalmente render-se ao sono.

Na sala, Maria José indagou aflita:

— Então, doutor, ele ficará bom?

— Creio que sim. Já sabe, deverá tomar os dois medicamentos. Por certo terá febre, não se preocupe com isso. É natural. É só não deixar subir muito. Faça compressas frias na testa e coloque um saco de areia quente nos pés. A senhora sabe como é. Se sentir dores, dê-lhe o sedativo. Amanhã ainda será penoso, mas depois tudo vai melhorar. Pela tardinha, volto por aqui, ver como passa.

— Estou aflita. Demerval continua na mesma. Agora Menelau. Parece mandinga!

O médico olhou-a sério.

— Por que diz isso?

— À toa. Nós íamos embora na semana que vem.

Maria José calou-se, acanhada. Não queria mostrar falta de confiança no Dr. Amarante. Apesar de tudo, considerava-o um excelente médico.

— Mesmo com o Sr. Demerval assim?

— É... Ele não melhora mesmo. Nós não podemos pensar em ficar aqui para sempre. Meu cunhado tem negócios na capital e eu preciso ver como vão nossas coisas na vila. Temos esperança de que, mudando de ares, voltando para casa, ele melhore.

O médico ficou pensativo, depois considerou, sério:

— Pode dizer. Com certeza querem buscar recursos na cidade. Afinal, o Sr. Demerval continua doente. É justo que procurem pelos recursos, por outros médicos. Tenho pensado muito no caso de seu marido. Parece-me muito estranho. Por que falou em mandinga?

— Por nada. Bobagem. Meu cunhado acredita nessas coisas. Disse que Demerval parece vítima de um sortilégio. Não creio nisso. Sou católica. Porém, depois do que aconteceu hoje, surgiu-me a idéia de que algo não quer que deixemos a fazenda. Parece mentira, mas Demerval ficou doente na véspera de irmos embora. E agora Menelau, quando resolvemos sair daqui, pronto, aconteceu. Sei que pode ser uma coincidência, mas é muito estranho. Às vezes, sinto como uma barreira entre nós e nossa casa na vila. Parece-me que nunca mais sairemos daqui.

O médico passou a mão pelos cabelos, pensativo. Depois ajuntou:

— É... o caso é estranho.

— O senhor acredita nessas coisas?

— Hum... D. Maria José, tenho visto coisas neste mundo de admirar. Não posso deixar de dizer que o caso do Sr. Demerval é muito especial. Fisicamente não encontro nada. Desgosto, ele não teve. Como explicar seu estado de depressão e fraqueza? Um homem dinâmico, cheio de disposição. Vontade de ferro, opinião firme. Eu diria que ele parece hipnotizado.

— Hipnotizado?

— É. Só a hipnose poderia explicar essa situação.

— Como é isso?

— Um agente, ou melhor, uma pessoa de vontade forte, domina a outra, que fica dependente, fazendo tudo que o agente ordena.

— Mas aqui não existe ninguém dominando Demerval.

— Pode ser alguém que não sabemos, que não está fisicamente aqui.

— Isso é impossível!

— Não é, D. Maria José. A ciência prova que a força do pensamento pode atuar mesmo à distância. Se a senhora pensar muito em alguma pessoa, pode fazê-la recordar sua presença, mesmo que esteja do outro lado do mundo.

— Essa teoria é estranha. Além do mais, Demerval não é pessoa impressionável. Quem poderia estar fazendo isso?

— Os negros dizem que as almas dos mortos estão à nossa volta...

— Cruz credo! O senhor, tão instruído, falando essas coisas!

— Tenho visto coisas nesta vida, D. Maria José. Acredito que as almas dos mortos podem estar ao nosso lado. Acha que depois da morte não existe vida?

— Não gosto de pensar nisso. Estas histórias de assombração são fantasias criadas pelos negros para vingarem-se dos brancos.

O médico riu divertido.

— Mas a senhora tem medo.

— Não se deve brincar com essas coisas, que merecem respeito.

— Não estou brincando. O Sr. Demerval era homem teimoso e de opinião. Dirigia os negócios com mão de ferro. Pode muito bem ter dado motivo a uma magia qualquer.

— Dr. Amarante! O senhor também?! Menelau acha isso.

— Ah! Ele entende dessas coisas?

— Um pouco. Tem um amigo na capital que sabe como tratar desses assuntos. Pretendia procurá-lo para Demerval.

— Então foi isso! — exclamou o médico. — Olhe, D. Maria José, embora não acredite, não custa tentar. Arranje aí um bom mandingueiro e vamos ver o que acontece.

— Não posso. Demerval não aprovaria. Não queria sequer ouvir falar dessas coisas.

— Ele agora não está em condições de decidir. Além do mais, a situação é séria. O Dr. Menelau está lá, todo quebrado. Esses casos podem complicar-se.

— Santo Deus! O que devo fazer? Chamar o padre?

O médico sacudiu a cabeça.

— Não acredito que padres entendam dessas coisas. O melhor seria mesmo alguém que conhecesse o assunto Esse amigo do Dr. Menelau, não viria?

— Não sei...

— Falarei com ele sobre o assunto. Veremos o que se pode fazer.

— Custa-me acreditar.

— É apenas uma hipótese. Tenho dado tratos à bola tentando explicar o caso do Sr. Demerval. Tudo quanto tentei foi inútil. Ele não melhora. Por que não buscarmos esses recursos? A magia é praticada desde que o mundo é mundo. E embora não tenhamos condições de entender, ela tem atingido as pessoas. Os negros, por sua religião, seus costumes, suas crenças, conhecem certas forças da natureza. Por que não as usariam contra os brancos que os dominam?

— Os negros devem amar seus senhores, que lhes dão tudo.

— Mas tiraram-lhes a liberdade, o direito de escolha.

— O senhor é contra a escravidão!

— Estou apenas imaginando como eles devem sentir-se.

— Bobagem. Negro é como cachorro. Tem que ser fiel ao dono. Afinal, o que seria deles sem o branco? Andariam por aí, sem eira nem beira, bebendo e vagabundeando. É o branco que os ajuda a viver. Ensina-lhes o que sabem, dá-lhes de comer, de beber.

Os olhos do médico brilharam emotivos.

— Bem se vê que a senhora não tem reparado o que vai por aí. Os negros com fome, magros, sofridos, dormindo como porcos, trabalhando de sol a sol, revoltados e infelizes.

Maria José deu de ombros.

— Pode ser. Porém não aqui. Em nossa fazenda, eles têm comida farta e casa boa. Demerval odeia miséria. Pode ser enérgico, mas não judia de ninguém. Só pune os faltosos para exemplo.

— Ainda bem. Nunca lhe ocorreu que eles são seres humanos como nós?

— Eles não são como nós. Foram criados para serem escravos. Muitos nem isso sabem ser. Não aprendem o serviço mais simples e são peso morto. Nem para venda eles prestam.

O médico olhou-a triste.

— O ser humano é muito influenciado pelo meio. Eles não têm muita chance nem condições. Mas a senhora não pode ignorar que a história mostra-nos alguns negros surpreendentemente inteligentes.

— O senhor fala dos mulatos. Misturaram-se aos brancos.

— Mesmo assim. Muitos deles superaram, em inteligência, muitos brancos.

— Estou admirada, doutor. Essas idéias nunca tinham me passado pela cabeça.

— Na verdade, D. Maria José, pouca gente pensa nelas, mas os negros sofrem e, sem poder defender-se, usam os recursos da magia, das mandingas, que conhecem muito bem. Tenho visto casos muito estranhos, que ninguém consegue explicar pelos meios normais.

— Isso não quer dizer que foi magia.

— Não obrigatoriamente. Mas, em sã consciência, o que mais poderia ser? Famílias abastadas, gente importante, fortunas sólidas, que de um dia para o outro são atingidas por uma série de desgraças que vão dizimando tudo, deixando, ao cabo de certo tempo, desolação, miséria, destruição.

— Isto é terrível. Se for verdade, eles não pensam que destruindo seus senhores estão destruindo a si mesmos? Não são os senhores que os sustentam e conduzem?

— A eles isso não importa. Querem mostrar que também têm força. Que, apesar de tudo, ainda podem fazer o que querem, que são mais fortes.

— Que barbaridade! Cuspiram no prato em que comeram!

— É só uma hipótese, lembre-se disso. Ainda assim, precisamos investigar.

— Custa-me crer!

— Apesar disso, precisamos estar alerta. Agora vou indo. Pela tardinha voltarei para ver o Dr. Menelau. Passar bem.

Depois que o médico se foi, Maria José ficou pensativa. Para ela, os negros voltarem-se contra os senhores era tremenda injustiça. Eles eram tratados com consideração em suas terras. O que mais podiam querer? Absurdo pensar em dar-lhes liberdade. Eram vagabundos e envolviam-se com facilidade em arruaças, bebidas. Sem o sinhô, o que seria deles? Por certo morreriam de fome.

Procurou esquecer o assunto e dividiu o tempo entre o marido e o cunhado, que apesar dos remédios sentiu dores e febre, requisitando atenção maior. Zefa desdobrou-se em carinhosa atenção. Apreciava muito o Dr. Menelau, que, apesar de não lhe dispensar nenhuma atenção especial, era bondoso com as crianças e com sua sinhá.

Menelau sentiu-se sensibilizado com a dedicação da escrava, que excedia a tudo quanto ele conhecia. Era por isso que a cunhada a apreciava. Zefa valia bem esse afeto.

Apesar das atenções e dos cuidados do médico, só dois dias depois Menelau começou a melhorar. As dores passaram e a febre cedeu.

O médico, satisfeito, considerou:

— Felizmente o perigo passou. Agora é questão de tempo. O senhor vai ficar bom. Deus é grande!

Maria José sorriu alegre:

— Graças ao doutor, que tem se dedicado.

— Todos têm sido muito bons comigo. Deste jeito, vou acostumar-me ao bom trato.

— Dr. Menelau, gostaria de conversar um pouco sobre um assunto muito sério que me ocorreu.

— Pode falar, doutor.

— Estivemos conversando, eu e D. Maria José, e pareceu-me estranho o que vem acontecendo aqui.

Vendo Menelau atento, continuou:

— O caso do Dr. Demerval intriga-me muito. Agora, o seu... Pode parecer coincidência, mas não acha que há alguma força misteriosa querendo mantê-los aqui?

— A cada dia que passa, tenho mais suspeitas. Na verdade, foi só marcar a nossa volta para sofrer este acidente.

— Como aconteceu? Pode falar nisso sem se molestar?

— Posso. Naquele dia, acordei meio indisposto. Sentia a cabeça um tanto atordoada, certo mal-estar no estômago. Mal tomei meu café. Mas, à medida que trabalhava, fui melhorando. Até que montei o Conde para ir à casa de Manuel verificar alguns arranjos. No caminho, o Conde assustou-se. Empinou. Apanhado de surpresa, não consegui sustentar-me na sela. Caí. Senti dor horrível nas costas e na perna, tonteei. Só acordei lá na sala.

— O Conde é um cavalo manso. Nunca derrubou ninguém. Até as crianças montam nele — esclareceu Maria José.

— O cavalo relinchou. Parece ter visto alguma coisa que o assustou — concluiu Menelau.

O Dr. Amarante permaneceu pensativo por alguns instantes. Depois perguntou:

— Não lhes parece suspeito isso?

— Tenho pensado muito em Demerval. Pode estar sendo vítima de feitiçaria. Esses negros fazem coisas, o senhor sabe...

— Não posso crer nisso — disse Maria José, sem poder conter-se. — Não é possível! Estão fantasiando. Esses pobres negros, ignorantes, incapazes! Como teriam nas mãos tal poder? Seria descrer da existência de Deus.

— Há muitas coisas que ainda não sabemos — tornou Menelau, sério. — Deus não tem nada com isso. Eles são ignorantes, mas têm lá seus conhecimentos de magia. Não devemos esquecer que vieram da

África. Assim como os índios sabem curar certas doenças e conhecem muitos segredos da mata, os negros conhecem a magia, os espíritos.

— Por que Deus permite?

— Sou homem que acredita em Deus. Tenho percebido a Divina Providência atuando, aliviando o sofrimento humano. Contudo, não consigo ainda compreender certas coisas. A senhora desculpe, D. Maria José, mas eu acho que os padres complicam muito e não explicam nada. Por isso, não creio neles nem aceito o que dizem. Nesta vida, para mim, só têm valor os fatos reais, as coisas que estão acontecendo. Deus é bom, é Pai, como eu disse, dá para sentir sua bondade ajudando as pessoas. Porém há os maus, os ambiciosos, os traidores, os mentirosos, que abusam de tudo e de todos. Eles estão espalhados por toda parte. Padres, negros, políticos, senhores, enfim, estão à nossa volta. Praticam atos perversos a toda hora. Como Deus permite, não sei, mas tem sido assim desde que o mundo é mundo. Ele deve ter suas razões, há homens que merecem — concluiu o médico.

— E quando ferem pessoas inocentes? — perguntou Maria José.

— Inocentes? Quem pode saber? A justiça de Deus não age pelas nossas cabeças. Deve saber o que está fazendo. Se Deus está no leme de tudo, se ele é perfeito, logo sua justiça também o é.

— Não posso aceitar essa loucura. Jamais vou entender como um negro ignorante pode, com sua mandinga, atingir pessoas inocentes e bondosas, como Demerval e Menelau.

Maria José sacudiu a cabeça, irritada.

Menelau interveio:

— À primeira vista, parece-nos assim. A religião nos tem ensinado isso. Porém concordo com o doutor quando diz que os fatos não podem ser ignorados. Demerval é um homem bom e eu procuro não prejudicar ninguém, entretanto estamos longe da santidade. Por que não poderíamos ser odiados por pessoas que se julgam injustiçadas?

Maria José atalhou:

— Com isso eu até concordo. O que não aceito é que eles tenham poderes para deixar Demerval no estado em que está. O seu caso foi um acidente, nada mais. Os cavalos assustam-se com facilidade, não carece dar maior importância a esse ponto.

— D. Maria José, estamos só aventando hipóteses. Claro que não afirmamos nada. Mas, como eu disse, tenho visto casos que deixaram clara a influência de magia atingindo e destruindo famílias inteiras.

— O doutor é supersticioso!

— Ao contrário. Tenho horror à superstição. Falo de certos fatos que presenciei e não pude explicar pelos meios comuns, que deixaram bem viva a participação de coisas sobrenaturais.

— Se isso fosse verdade, estaríamos à mercê deles. Que crueldade! Deus não permitiria!

— Considerações filosóficas, D. Maria José. Isso não resolve nada. O fato é que a medicina não pode explicar a doença do seu marido e não tem podido curá-lo, o que é pior. Por isso, estamos procurando outras causas. Ainda não temos certeza de nada.

Maria José suspirou nervosa. Menelau concordou:

— Penso como o senhor. Não tenho certeza de nada. No entanto, a cada dia, mais desconfio e penso nessa possibilidade.

Conversaram mais sobre o assunto e Menelau concordou em mandar um correio ao Rio de Janeiro, pedindo a seu amigo que viesse socorrê-lo com a urgência possível.

O Dr. Amarante informou-o que somente um mês depois, se tudo corresse bem, ele poderia agüentar sem prejuízo a viagem de volta.

Teriam portanto que permanecer na fazenda pelo menos durante mais um mês.

Capítulo V

Os dias que se seguiram foram tranqüilos. Menelau recuperava-se a olhos vistos e o Dr. Amarante, em sua visita diária, ia constatando a melhora.

— Se continuar assim, logo estará bom — disse um dia, muito satisfeito. — A propósito, aquele nosso caso...

— Já escrevi para meu amigo no Rio de Janeiro. Espero-o com a brevidade possível. Tenho a certeza de que nos ajudará muitíssimo. É um estudioso dessas coisas. Ademais, tem experiência. Esteve na Inglaterra, França, com estudiosos, pesquisa há vários anos.

— Estou ansioso para que Eduardo chegue. Tenho presenciado fatos estranhos que a razão não consegue explicar. Gostaria de saber o que há por trás deles. Que força é essa que atua e quais os recursos para vencê-la?

— Acredito no poder da oração.

— Eu também. Mas deve convir que isso não esclarece nada. É recurso útil, nem sempre satisfatório. Suspeito que esses fatos obedeçam a determinadas leis da vida, que os condicionam a certas circunstâncias, onde podem desenvolver-se.

— É interessante, tem lógica.

— Pelo estudo, pelo conhecimento, nós talvez possamos levar em conta esses fatores, e aí sim atuar com acerto. Não posso entender a bondade de Deus permitindo esses fatos. Há de haver uma razão justa e certa.

— E quando a descobrirmos...

— Estaremos aptos a intervir com acerto.

Sempre que se encontravam, os dois conversavam interessados, querendo entender o que estaria ocorrendo ali, com eles.

Dez dias depois do acidente, Menelau recebeu um portador com a missiva esperada. Seu amigo Eduardo recebera sua carta e pedia-lhe para aguardar mais alguns dias, enquanto desincumbia-se de atividade palaciana. Assim que terminasse o trabalho, disporia de algumas semanas. Iria vê-los na fazenda.

Menelau entusiasmou-se, dizendo a Maria José:

— Eduardo é a pessoa adequada. Você verá como é bom e inteligente. Somos amigos há longo tempo. Conheci-o em Paris, quando éramos estudantes. Ele é bacharel, como eu. Seu pai, legislador, homem de confiança do imperador, era conselheiro da corte. Mandou o filho estudar e preparar-se nas melhores escolas, dizia que para servir o Brasil. O velho confiava na glória do nosso país.

— Ele é jovem? — indagou Maria José.

— Dois anos menos do que eu. Conhecemo-nos e logo nos afeiçoamos. Não só por estarmos no estrangeiro, mas por um laço de afinidade que imediatamente estabeleceu-se entre nós. Admiro-o muito. Sem querer escandalizar você, sinto-o mais meu irmão do que Demerval. Com ele, sou mais chegado, conto-lhe minhas dúvidas e meus problemas íntimos. Compreendemo-nos.

— Um homem fino, de alta educação. Teremos condições de hospedá-lo? A fazenda não tem muito conforto.

Menelau sorriu.

— Nem pense nisso, Maria José. Eduardo é simples de maneiras. Dará mais atenção ao trato que lhe dispensaremos do que ao conforto material.

— Pensa mesmo que ele poderá ajudar-nos?

— Tenho certeza. Falava-me com entusiasmo desses assuntos. Como já disse, pesquisa há longos anos. É amigo de cientistas e estudiosos. Relatou-me casos de influência do sobrenatural que ouvi mas não quis aprofundar-me. Tenho um pouco de receio dessas coisas. Não queria envolver-me.

— E agora, por que quer mexer com esse assunto? — perguntou Maria José, temerosa.

— Não temos outro remédio. Estamos dentro de uma situação que não sabemos resolver.

Ela deu de ombros.

— Quer saber? Estão exagerando. Você e o Dr. Amarante estão vendo coisas onde não há.

— Gostaria que fosse verdade. No entanto, sinceramente, não acredito. Sinto que em tudo isso existe algo estranho. É como se uma barreira tivesse se levantado entre nós e o mundo lá fora. Sinto isso e não encontro explicação.

Maria José arrepiou-se. Não ousou confessar ao cunhado que sentia a mesma coisa. Parecia-lhe que nunca conseguiria sair da fazenda. Mudou de assunto:

— Vou preparar-lhe os aposentos. Espero que compreenda nossa vida simples.

— Não se preocupe. Ele é homem educado e muito bom.

Nos dias subseqüentes, Eduardo era assunto obrigatório das conversas deles, e tardava a chegar.

Cada ruído vindo de fora deixava-os atentos. Havia mais de quinze dias que a carta chegara e nada de Eduardo.

— Com certeza desistiu de vir — aventou Maria José, um pouco decepcionada.

— Não, isso não — reagiu Menelau. — Por certo não pôde vir antes. Aguardemos com calma.

Por fim, Eduardo chegou. Vinha coberto de poeira, barba por fazer, muito cansado. Maria José recebeu-o com alegria, embora um tanto preocupada com seu estado físico. Menelau, vendo-o, assustou-se:

— Eduardo! Venha esse abraço! Valha-me Deus, você parece que veio da guerra!

Eduardo sorriu contente:

— E venho mesmo. Foi muito difícil chegar aqui. Parece impossível que, finalmente, consegui.

— Naturalmente, você deseja tomar um banho, refazer-se, alimentar-se. Vá, depois conversaremos. Estou aflito para isso.

— Está bem. Aceito, porque estou realmente precisando. Logo mais falaremos.

Meia hora mais tarde foi que Eduardo voltou ao salão. Barbeado, limpo, muito elegante.

Maria José simpatizou com ele. Alto, rosto moreno, tinha os cabelos de um castanho dourado, contrastando com seus olhos escuros e brilhantes.

O sorriso, franco e alegre, era muito diferente do que Maria José imaginara. Tinha ares de menino quando sorria.

No salão, saboreando o café com bolinhos que Zefa preparara com carinho, Menelau tornou:

— Esperamos por você todos estes dias. Maria José chegou a pensar que não viesse.

— Tudo estava muito bem, até que decidi vir para cá. Aí começaram as dificuldades.

— Como assim?

— Assuntos que já estavam resolvidos na corte complicaram-se e tive de demorar-me mais alguns dias. Até aí não dei muita atenção ao caso, porém quando iniciei minha viagem para cá foi que as coisas começaram a acontecer. Saí do Rio de Janeiro há uma semana!

— Uma semana?!

— Sim. Uma semana. Aconteceu de tudo. Assalto na estrada. Cavalos dispararam, quebrando a roda da carruagem. Ferreiro que não queria consertá-la. Lacaios que brigaram, chegando quase a matar-se. Tudo era para que eu desistisse. Menelau, se eu não fosse tão teimoso, não estaria aqui.

— Estou pasmo! Por que tudo isso?

— É o que desejo saber. Não tenho dúvida de que algo existe. Alguém queria impedir-me de chegar.

— Talvez os mesmos que querem impedir-nos de sair daqui.

Maria José irritou-se:

— Estão fantasiando os fatos. Tudo não passa de coincidência. Pura coincidência. Qualquer um que viaje pelas nossas estradas pode ser vítima desses acontecimentos.

Eduardo olhou-a sério. Ela pôde ver que ele não tinha nada de menino naquele momento.

— Se deixar o medo dominá-la, ou se entrar no jogo deles, nunca sairá daqui.

Maria José arrepiou-se.

— Por que diz isso?

— Porque a força deles está justamente em nossa fraqueza e incredulidade. Acobertam-se fortalecendo nossas dúvidas e engrossando nossas fraquezas. Sem isso, eles por certo fracassariam.

— Como lutar com seres sobrenaturais? Como enfrentá-los sem medo? — Maria José tremia.

— Engana-se redondamente. Eles não são seres sobrenaturais. São homens. Homens como nós.

Maria José abriu a boca, sem saber o que dizer.

— São homens que viveram na Terra e hoje se encontram em outro mundo, para o qual todos iremos um dia.

— Neste caso, por que nos atacam? O que lhes fizemos? — inquiriu Maria José admirada.

— É o que pretendemos descobrir, se Deus permitir. Sabemos que, pelo fato de deixarem este mundo, eles não se modificam. São os mesmos, guardando seus afetos e suas mágoas, seus ódios e seus amores. Muitos, inconformados com as injustiças que lhes foram feitas no mundo, revoltam-se e pretendem vingar-se com as próprias mãos.

— Que horror! Deus permite isso?

— Deus não aprova a vingança nem a prática do mal. Jesus sempre ensinou o perdão das ofensas. Só Deus pode conhecer a verdade e agir com acerto. Contudo, muitos não querem ouvir. Deus deu-lhes o direito de escolher.

— Então estamos à mercê dos maus? — atalhou ela, nervosa.

— Não. Estamos à mercê dos nossos próprios atos. Podemos escolher ser bons ou maus, justos ou injustos com os outros, mas, depois de termos escolhido, teremos que suportar a reação, as conseqüências da nossa escolha. Está claro que ninguém deseja vingar-se de alguém por ter recebido um bem. Todos os que escolhem a vingança revelam falta de confiança em Deus e sua justiça, e por isso sofrerão. A senhora há de convir que eles têm seus motivos. Ninguém odeia sem provocação ou causa.

— Mas veja nosso caso. Demerval é homem de princípios duros, porém nunca fez injustiça.

— Acredito. Contudo, nem sempre nosso critério do que seja justiça é o mesmo do nosso adversário, ou o mesmo de Deus, o que é mais sério.

— Maria José, creia: Eduardo entende desses casos, não tenha medo — explicou Menelau com voz carinhosa. — Ele vai nos ajudar, estou certo. Por que teve tantas dificuldades em chegar? Por que eles se deram ao trabalho de tentar impedi-lo de vir aqui? Porque estão com medo. Compreende? Eles estão com medo de alguém que os possa descobrir e inutilizar-lhe as ações.

Maria José olhou-os com admiração. Os olhos de Eduardo tinham um brilho especial, determinado, e ela se calou. A situação era difícil e ela sabia que não tinha condições de resolvê-la. Por isso, decidiu acatar o que eles diziam. Era a única porta de saída que tinha. Estava cansada, nervosa, irritada. Queria sair daquela situação, ver Demerval com saúde.

Menelau contou ao amigo, com detalhes, o problema que os angustiava, e Eduardo ouviu atencioso. Ao final, considerou:

— Tem razão. Há em tudo uma influência estranha conduzindo os acontecimentos. Não tenho dúvidas quanto a isso. Quero visitar Demerval, observar melhor.

— Muito bem. Maria José poderá conduzi-lo ao seu quarto. Definha a olhos vistos. Vive acovardado e sonolento, abandonou tudo. Não tem nenhum interesse pela vida.

Eduardo considerou:

— É bem característico.

— Maria José o levará a ver Demerval agora.

De repente, aconteceu. Maria José sentiu uma onda de revolta dentro de si. Tinha ímpetos de expulsar Eduardo dali, de atirar-se sobre ele para empurrá-lo para fora. Tentou dominar-se, não conseguiu. Disse com raiva:

— Não levo ninguém a lugar nenhum. Fora daqui! — gritou descontrolada. — Por que vem perturbar nossa vida? O que quer aqui?

Menelau empalideceu e sentiu grande terror. Eduardo, porém, estava calmo como se nada houvesse acontecidc. Fez um gesto para Menelau, que se preparava para intervir, e respondeu seguro:

— Sou amigo da casa. Estou aqui porque fui convidado. E você, o que quer?

— Não é da sua conta! — respondeu Maria José com voz um tanto rouca.

Estava em pé, olhos fixos, rosto diferenciado. Grande palidez transformava-lhe a fisionomia.

— Escute — tornou Eduardo conciliador —, não estou contra você. Deve saber que eles são meus amigos, mas isso não impede de conhecer suas razões e ajudá-lo, se puder.

— Conversa fiada. Quem é amigo dos meus inimigos, meu inimigo é. Já estou perdendo muito tempo. O que desejo é preveni-lo. Afaste-se enquanto é tempo. Você não tem nada com isso. Não se meta onde não foi chamado. Estamos dispostos a tudo. Arrume suas coisas e dê o fora. Quanto antes, melhor. Verá que a viagem de volta será maravilhosa.

— E se não quiser ir? Afinal, acabo de chegar. Preciso descansar.

— Se não quiser, não diga que não foi avisado. Quem não está do nosso lado, é contra nós. Vá-se embora enquanto pode.

Eduardo, sério e seguro de si, respondeu:

— Não irei. Deus é meu Senhor. A ele obedeço. Não estou prejudicando você. O que tem contra esta família? O que desejam obter?

Maria José riu nervosamente, respondendo com sarcasmo:

— Não é da sua conta. Saia do caminho, já disse.

O corpo de Maria José estremeceu e teria caído se Eduardo não a tivesse amparado, deitando-a no sofá. Menelau estava pálido, o medo estampado em sua face. A cunhada parecia dormir. Eduardo, olhando para o amigo, disse:

— Não tenha medo. Agora é hora da oração. Use toda sua força mental e todo seu sentimento. Peça por esses espíritos.

Enquanto Menelau se esforçava para dominar as emoções e orar, Eduardo aproximou-se de Maria José colocando a mão em sua testa, cerrando os olhos por alguns minutos. Depois, disse com voz firme:

— D. Maria José, acorde. D. Maria José, a senhora já está bem. Tudo passou.

Ela estremeceu e foi acometida por soluços. Chorou durante alguns segundos. Eduardo, silencioso, esperou. Quando ela serenou, disse:

— Está tudo bem agora. Não tenha medo. Já passou.

Ela o fixou assustada e ansiosa:

— Sr. Eduardo, o que aconteceu?

— Acalme-se. Tudo está bem agora.

Maria José insistiu. Estava envergonhada. Lembrava-se de tudo quanto se tinha passado, ouvira as palavras que dissera, compulsivamente, sem conseguir contê-las. Aliás, na hora em que as proferira, fora dominada por grande revolta e muito ódio. Ficou completamente arrasada. Estaria enlouquecendo?

Quando se acalmou um pouco, tentou explicar:

— Peço-lhe perdão, Sr. Eduardo. Juro que esperava ansiosamente pela sua visita. Depois de Deus, o senhor é para nós a última esperança. Não posso compreender. O ódio que senti de repente... tive vontade de esmurrá-lo.

— Acredito — ajuntou Eduardo, calmo.

— Como pode ser isso? — indagou ela, aflita.

— Ela ficou possuída pelo espírito, não é? — indagou Menelau, assustado.

— É verdade. Afirmo até que não foi a primeira vez, nem será a última. A senhora é uma sensitiva. É médium. Pelo que pude observar, já deve ter tido outras manifestações como esta.

Maria José baixou a cabeça envergonhada.

— Quem lhe contou?

— Teve, não teve?

— Envergonho-me delas. Pensei que estivesse curada. Melhorei depois que Demerval adoeceu.

— Conte-nos como começou, D. Maria José. Quando aconteceu pela primeira vez?

Maria José ficou constrangida em revelar coisas de sua intimidade, mas estava muito assustada. Vendo-a interdita, Menelau interveio:

— Vamos, Maria José, conte-nos tudo, por mais estranho que possa lhe parecer. Todo detalhe é importante num caso desses. Não omita nada.

A jovem senhora sentia-se arrasada.

— Fale-me como se estivesse em um confessionário. Seja o que for, juro que nada diremos ou contaremos sobre o assunto. Só queremos encontrar solução — induziu Eduardo.

Maria José engoliu em seco, tomou coragem e, com certa dificuldade, foi contando tudo quanto havia acontecido. Foi sincera. Descreveu a rotina, o tédio, a raiva de ser obrigada a fazer algo contra sua vontade. Suas crises, a ajuda do Dr. Amarante. E que Zefa a tinha socorrido, com as rezas de Bentinho.

— Não me contou nada disso — reclamou Menelau, sentido.

— Como poderia? Não queria que pensasse mal de mim. Demerval é meu marido. Um bom marido, por sinal. Tem seus defeitos, mas eu também tenho os meus. Pensei que isso não fosse importante.

— Mas é — esclareceu Eduardo. — Num caso destes, tudo é importante. Zefa entende dessas rezas?

— Não muito. Ela é cria da casa e está comigo desde pequena. Nunca a vi metida nessas feitiçarias.

— Sei. Mas ela ajudou a senhora numa crise.

— É verdade, ela ajudou. Disse que eu precisava de reza. Que tinha espírito. Eu acho que estou perdendo a razão. Tenho medo. Estarei enlouquecendo?

Maria José estava angustiada. Eduardo sorriu com doçura.

— Não receie. A senhora está no gozo pleno da sua razão. Como eu disse, é uma sensitiva. É médium.

— O que é isso? — indagou ela, admirada.

— A senhora tem outros sentidos. Pode perceber a presença de seres do outro mundo. Entrar em comunicação com eles.

— Mas eu não quero! Tenho medo. Por favor, livre-me dessas coisas.

— Do que tem medo?

— De tudo. Se eu vir um fantasma, acho que morro.

— Não precisa ter medo — confortou Menelau. — Não vai acontecer nada de mal.

— Certamente. Acalme-se. Não verá fantasma algum. Se seu marido viajasse para outro país, muito distante, e depois de algum tempo quisesse escrever-lhe ou mandar notícias, mas não houvesse mensageiro nem correio e ele ficasse tão preocupado que pensasse com muita força na senhora, e se pusesse tal empenho que, apesar de haver uma barreira entre os dois, de repente ele conseguisse mandar seu pensamento e a senhora o sentisse, teria medo?

— Claro que não. Será Demerval e estará vivo.

— Pois os espíritos também. São homens que já viveram no mundo. Morreram seus corpos, mas eles continuam vivendo, com um corpo diferente, em outro mundo. Querem comunicar-se com os que ficaram. Como há uma barreira e não têm outro meio, eles procuram expressar-se pela força do pensamento.

— É difícil crer.

— Mas é verdade. Há pessoas que são capazes de sentir esse pensamento, suas idéias, seus desejos, de sentir-se como se fossem eles.

— São os sensitivos? — indagou Menelau, interessado.

— São. Eles possuem condições de perceber esses espíritos e chegam a expressar-se obedecendo ao desejo deles, que assim podem manifestar-se no nosso mundo.

— Por que esse desejo do mal? Por que esse ódio? Não serão eles espíritos das trevas? — indagou Maria José, atemorizada.

— São homens, não se esqueça disso. Também entre nós há homens bons e maus, benfeitores e infelizes, revoltados e ignorantes. Quando morrem, deixam o corpo de carne, mas continuam sendo o que sempre foram. A morte não lhes muda o caráter. Só muda seu mundo, sua vida. Os afetos e os rancores permanecem. Alguns, que se julgam injustiçados, às vezes desejam vingar-se.

— E Deus, por que permite tal coisa? Não pune sempre o mal? — perguntou Maria José.

— Deus é Pai justo e amoroso. Respeita a escolha de cada um e espera que cada um compreenda a verdade.

— E se ele insistir no mal?

— Nesse caso, dia virá em que pelas leis de Deus ele será compelido a perceber seus erros e arrepender-se.

— Acredita mesmo nisso?

— Acredito — tornou Eduardo com segurança. — Ainda tem medo?

— Um pouco — considerou ela. — Tudo me parece tão estranho!

— Com o tempo perceberá que estou dizendo a verdade.

— Ainda assim, gostaria de livrar-me dessas coisas. Não é possível dar um jeito nisso?

Ele a olhou sério e respondeu com voz firme:

— A senhora escolheu isso em vidas passadas. Ser sensitivo não é um mal, mas um bem. É perceber onde os outros estão indiferentes, é enxergar em meio aos cegos, é ouvir em meio aos surdos, é ter mais do que a maioria. Não acha que, ao invés de reclamar, deveria agradecer a Deus essa dádiva e colocá-la a serviço do bem?

Para Maria José essas palavras pareciam estranhas, e ela não conseguiu entendê-las bem. Entretanto, alguma coisa, lá dentro do seu ser, acordou. Uma força nova, algo assim como uma sensação de confiança, e ela sentiu uma onda de paz descer sobre o seu coração. Suspirou fundo.

— Está bem? — indagou Menelau.

— Muito bem — respondeu ela. — Parece que eu estava preocupada demais. Voltaremos a conversar sobre isso.

— Por certo — tornou Eduardo, com satisfação. — Agora, vamos ver Demerval.

— Ajude-me a levantar — pediu Menelau. — Também quero ir.

Quando entraram no quarto, Demerval remexia-se no leito e Zefa tentava acalmá-lo.

— A sinhá chegou.

— O que foi, Zefa? — inquiriu Maria José.

— O sinhozinho ficô agitado, chamava vosmecê. Eu tava dizendo que vosmecê já aí vinha.

A negra deslizou pelo aposento olhando curiosa para o recém-vindo. Bentinho tinha garantido que ela estava bem cercada. Não havia o que temer. Ninguém iria descobrir. Tinha pedido para Bentinho ajudar a sinhá e o Dr. Menelau. Bentinho dizia que tudo estava certo. Tudo era para o bem da sua sinhá. Ele sabia o que estava fazendo. Tudo quanto ele falava dava certo. Por isso, estava tranqüila. Afinal, o que queria mesmo era a felicidade da sua sinhá. Reconhecia que ela estava preocupada, porém muito mais livre e feliz.

Apreciava sinhozinho Menelau. Bem que ele podia ser seu patrão. Tão educado, tão bom com as crianças, tão atencioso com a sinhá.

Eduardo olhou para Maria José e disse:

— Ela pode sair por agora, enquanto estamos aqui.

Zefa não gostou, mas Maria José ordenou:

— Saia, Zefa. Se precisar, eu chamo.

A negra saiu, lábios esticados num muxoxo ofendido. Quando ela fechou a porta, Maria José comentou:

— Essa negra é impossível! Viram a cara dela?

— Nosso assunto é melhor ser tratado sem a presença de ninguém. É preciso ser discreto.

— Compreendo — respondeu ela. — Embora Zefa seja insignificante. Sempre sabe de tudo que se passa ao meu redor.

Eduardo objetou:

— Neste caso, peço-lhe para não comentar nada com ela.

— Não vejo por quê. Zefa é-me muito fiel. É capaz de dar sua vida por mim. Disso tenho certeza. Já provou sua dedicação muitas vezes.

— Não estou duvidando dela — esclareceu Eduardo, conciliador. — Só que, por favor, é muito importante que, além de nós três, ninguém mais saiba o que se passa, ou o que pensamos fazer.

Demerval remexeu-se no leito.

— Maria José — gemeu ele, com voz baixa. — Onde estava? Senti-me mal ainda há pouco. Pensei morrer. Por que me abandonou? Está cansada de mim?

A jovem senhora inclinou-se sobre o leito, tomando entre as suas as mãos do marido.

— Não diga isso. Você não me cansará nunca. Vamos, acalme-se. Estou aqui e não vou sair mais. Estava recebendo o Sr. Eduardo. Veja, Demerval, ele veio para nos ajudar. É amigo de Menelau. Com a ajuda de Deus, você vai sarar.

Ele abriu os olhos e fixou os dois homens com indiferença.

— Não me deixe, Maria José. Não saia daqui. Tenho medo.

Antes que ela respondesse, Eduardo considerou:

— De que tem medo, Sr. Demerval?

Ele pareceu nem ouvir. Eduardo chegou mais perto e repetiu com voz enérgica:

— De que tem medo?

Demerval olhou-o um pouco mais, fazendo esforço para entender o que ele dizia. Eduardo repetiu:

— De que tem medo?

— Não sei bem. Estou mal, acho que vou morrer. Tenho pouco tempo de vida. Não quero ficar sozinho.

— O senhor não está doente, não vai morrer tão cedo.

Demerval parecia muito cansado, respondeu com voz fraca:

— O médico não consegue curar-me. Estou cada vez pior. Minha doença é grave. Talvez ele até já saiba disso e não queira dizer. Minhas forças estão indo embora. Estou cada vez pior.

— Vim para ajudá-lo. Sei o que se passa com o senhor. Se me ajudar, dentro de pouco tempo, estará curado.

— Ah! Quem dera! — respondeu Demerval, com voz fraca. — Se eu pudesse acreditar...

— Pois acredite. Vamos começar já.

Eduardo pediu a Menelau que se sentasse em uma cadeira ao lado da cama e a Maria José que continuasse segurando as mãos do marido. Postou-se na cabeceira do enfermo e, com a mão direita espalmada sobre sua testa, pediu:

— Pense em Deus, Sr. Demerval. Ele é nosso maior médico. Por certo irá nos ajudar nesta hora. Vamos, procure tirar da sua cabeça os pensamentos tristes. Lembre-se de quando estava com saúde e bem-disposto. É assim que deve pensar, sempre: que está bem, que tem saúde. Ajude-me, Sr. Demerval. O senhor pode.

Eduardo, cuja voz parecia modificada, orou sentidamente, pedindo a ajuda para o enfermo, que, de repente, começou a soluçar.

Maria José, preocupada, quis intervir; porém, a um gesto de Eduardo, calou-se.

— Continue segurando suas mãos, D. Maria José. Ore, por favor.

A jovem senhora obedeceu.

Demerval soluçava sentidamente. Eduardo orava, passando as mãos sobre a cabeça dele com muito carinho.

Aos poucos, ele foi serenando e adormeceu. Continuaram em prece por mais alguns segundos e depois Eduardo, com um gesto, chamou os dois para a saleta ao lado. Demerval continuava adormecido.

Maria José comentou:

— Desde que adoeceu, ele nunca dormiu sem soporífero. Passa as noites insone, gemendo na cama.

— Agora ele está dormindo e garanto que esse sono lhe fará muito bem.

— E então? — perguntou Menelau, interessado. — O que acha?

— Estamos ainda no início. É claro que existe uma influência negativa, talvez de espíritos inimigos. Porém, conto despertar em Demerval o desejo de reagir e a confiança em sua recuperação. Isso é muito importante para a solução do caso. Conto com a ajuda de vocês. Quero otimismo, oração e fé. Ninguém pode mais do que Deus.

— Ele vai ficar bom? — inquiriu Maria José.

— Estamos tentando. Não depende só de nós. Depende dele também e da profundidade de suas ligações com esses espíritos.

— Ele está ligado com eles? Ele não sabe nada dessas coisas. Não acredita nelas!

— O que não impede coisa alguma. Sua ligação com esses espíritos deve ter origem em outras vidas, se é que não foi nesta mesmo.

— Outras vidas? Como?

— Antes desta. Não acredita em reencarnação? Não sabe que antes desta tivemos outras vidas na Terra?

— Acho tão difícil! Será possível?

— Claro. A desigualdade social, moral e até intelectual revela essa verdade. Se todos fomos criados iguais, como nos tornamos tão diferentes uns dos outros?

— Vivendo outras vidas — concordou Menelau, interessado.

— Isso mesmo.

— Para quê? — indagou Maria José.

— Para aprender mais, até nos tornarmos experientes, sábios, felizes, para podermos viver no reino de Deus.

— Tudo me parece tão incrível!

— Pense e verá que não pode ser diferente. Há muita aparente injustiça no mundo, dando impressão de que alguns são mais favorecidos do que outros. Contudo, Deus é justo, todos devem ter as mesmas oportunidades, sem preferências.

— Pensando bem, o mundo é bem ingrato — fez ela, pensativa.

— Se pensar que nós vivemos apenas uma vez na Terra, fica impossível entender a justiça de Deus. Entretanto, se pensar que todos fomos criados iguais e que estagiamos na Terra, como numa escola, aprendendo a viver no bem, tantas vezes quantas forem necessárias ao nosso desenvolvimento espiritual, ficará mais fácil. Os que sabem menos, os mais atrasados, ainda sofrem porque são inexperientes. Os mais adiantados são melhores, viveram mais tempo. É questão de idade e de escolha. Nosso espírito é eterno e Deus nos dá tempo para aprender. Todos erramos por não saber ainda viver melhor. Porém a vida reage aos nossos atos, e assim vamos aprendendo a respeitar as leis de Deus. Elas cuidam do nosso bem.

— Nunca ouvi falar nisso! — tornou Maria José, admirada.

— Pois é verdade. Procure observar as pessoas, os fatos, e perceberá que existem coisas que só a reencarnação pode explicar.

— O caso de Demerval pode ser um deles? — tornou Menelau, sério.

— Por certo — respondeu Eduardo.

— Nesse caso não se trata de bruxaria? — continuou Menelau.

— Mesmo nos casos de mandinga, há sempre as ligações de vidas passadas. Elas podem evidenciar algo que estava ainda por vir a ser. Podem acordar os inimigos da pessoa visada e utilizá-los na conquista do seu objetivo.

Maria José suspirou nervosa.

— Custa-me crer. Parece-me fantástico. Não será tudo fruto de imaginação? Ter vivido outras vidas, ter inimigos que querem vingar-se. Não é injusto isso? Se tivéssemos vivido outras vidas, por certo nos lembraríamos delas.

— Engana-se, D. Maria José. Deus nos abençoa com o esquecimento para que o perdão nos seja mais fácil. Às vezes, ele coloca um inimigo de outras vidas dentro do mesmo lar, como filho, para que os dois aprendam a se gostar e o ódio desapareça. Nunca ouviu dizer de filhos que odeiam o pai ou até a mãe?

— Então é isso? — Menelau estava entusiasmado.

— Justamente. Esse ódio não se explica. A não ser pela existência de outras vidas, onde ele teria se originado?

Maria José ficou muda. Seria verdade?

— Então o caso de Demerval... — disse ela.

— Deve haver inimigos de vidas passadas.

— O que faremos? Não lhe parece injustiça que agora, quando ele não consegue lembrar-se daqueles tempos e não pode defender-se, eles venham subjugá-lo?

— À primeira vista, pode parecer. Mas garanto que, se Demerval quiser, poderá lutar e resolver essa pendência. Deus permite que inimigos se reencontrem sempre para que o desentendimento possa ser resolvido. E ele só se resolverá se as partes interessadas quiserem.

— Demerval não entende nada disso. Como poderá ajudar?

— Não subestime a capacidade de seu marido. Ele é um espírito, antes de tudo, possui os recursos naturais de defesa. Quem lhe garante que, no íntimo, ele saiba da presença dos seus inimigos e que o medo seja justamente a consciência de sua culpa? Nesses casos, todavia, cumpre-nos ajudar sem julgar. Não temos meios para avaliar as origens do problema ou sua profundidade. Compete-nos ajudá-los como pudermos. Se ele merecer, Deus faz o resto.

— Quer dizer que não tem certeza se ele vai sarar?

— Confio em Deus. Por certo nos uniu a todos nessa hora para uma tentativa de ajuda. Contudo, há o livre-arbítrio dos envolvidos.

Vamos tentar convencê-los do bem, mas a escolha é deles. Digamos que Demerval tem muita chance de ficar curado, se quiser, se lutar, se perseverar.

Maria José suspirou.

— Deus o ouça!

— Ajude-nos com suas orações.

Maria José concordou. Enquanto ela ia sentar-se ao lado de Demerval, na vigília cuidadosa, os dois amigos retiraram-se para conversar.

Capítulo VI

Demerval dormiu durante horas. Ao acordar, estava melhor. Bebeu leite, comeu rosquinhas com mais disposição. Maria José não cabia em si de contente e Zefa olhava, dissimulando sua preocupação.

— Vejo que está melhor — comentou Maria José, olhando para o marido.

Demerval olhou-a. Sentia-se mais calmo.

— Consegui dormir. Estava precisando. Porém ainda estou muito fraco.

— É natural — atalhou ela, com satisfação. — Você está de cama há muito tempo. A melhora deve vir devagar.

— Não tomei remédio algum. Como posso melhorar?

— Deus é grande. Tanto que está ajudando.

Demerval permaneceu indiferente.

— O Sr. Eduardo, amigo de Menelau, veio para curá-lo. Você vai ficar bom.

— Não creio. Estou muito mal — gemeu ele.

— Estava. Agora já começou a melhorar. Vamos, não se entregue tanto. Até parece que você não quer sarar!

Demerval gemeu:

— Quem dera!

— Então ajude no tratamento. Confiança em Deus, oração, otimismo. Lembra-se de quando estava com saúde? Não existia homem mais forte do que você.

— Bons tempos, aqueles!

— Tudo voltará a ser como antes — disse ela, com voz firme.

No fundo do seu coração, não gostava de recordar-se daqueles tempos. Não se acostumaria de novo à rotina de Demerval. Entretanto, tinha que fazê-lo pensar na saúde. Eduardo a tinha orientado.

Zefa olhava, acocorada em um canto do quarto. Pensava: "Se depender de mim, o sinhozinho não volta mais a ser como era".

Eduardo ficou satisfeito com a melhora de Demerval. Estabeleceu como tratamento, duas vezes ao dia, pela manhã e à noite, uma reunião deles para orar por Demerval, como da primeira vez.

Zefa, sempre colocada para fora nessas horas, não se conformava em ser excluída dessas reuniões, sem saber o que se passava lá dentro.

Bentinho tinha lhe dito que eles rezavam pelo doente, mas que nem toda reza do mundo poderia livrar Demerval. Ela confiava nele. Não gostava do Sr. Eduardo. Por causa dele sua sinhá a tinha colocado de lado. Ele precisava ir embora o quanto antes.

Com essas preces, quando Maria José segurava as mãos do marido e os outros dois oravam, Eduardo com as mãos estendidas sobre Demerval, este estava melhorando.

Para Maria José essas reuniões eram penosas, porquanto muitas vezes era acometida de sensações desagradáveis. Medo, pavor, vontade de sair correndo, mal-estar, ódio.

Nem sempre conseguia dominar-se, e a uma ordem de Eduardo cedia aos impulsos, falando coisas, como se fosse outra pessoa, sofrendo, chorando. Eduardo conversava, esclarecia, apaziguava e, aos poucos, ela voltava ao natural.

— O que é esquisito — comentava ela, depois — é que, quando saímos daqui, sinto-me leve, muito bem-disposta. Como se nada tivesse acontecido! Como pode ser? Há alguns instantes, eu estava a ponto de morrer!

— É assim mesmo. A senhora está bem, nunca esteve mal. Nesses momentos, reflete apenas o que esses espíritos sofrem. Assim que eles se vão, tudo passa. Não há nada de mais.

Ela sacudia a cabeça, admirada. Tinha que admitir que realmente havia uma influência estranha à sua vontade.

Contudo, era-lhe difícil aceitar a presença de espíritos que, segundo Eduardo, não eram malignos. Simplesmente eram pessoas que, como eles, tinham vivido no mundo e agora, apesar de mortos, continuavam a sofrer e influenciar os vivos.

E Deus, onde ficava nisso? Por que consentia?

Eduardo, com paciência, esclarecia-lhe as dúvidas.

— O fato de terem partido do mundo não os torna muito diferentes do que eram. Se a senhora morresse amanhã, de repente, como se sentiria?

Maria José arrepiou-se:

— Cruz credo! Nem quero pensar.

— Por certo continuaria a preocupar-se com a saúde do Sr. Demerval, com a felicidade de seus filhos e teria saudade. Teria dificuldade de ir-se embora para uma vida nova, deixando aqui tantos interesses.

— É verdade — concordou ela. — Não tinha pensado nisso!

— Continuaria sendo a mesma pessoa. Com seus afetos e suas antipatias. Tal qual eles. Levando-se em conta que muitos escravos morrem odiando o cativeiro, o senhor, é de se esperar que alguns desejem desforra.

— Que horror! Não é justo! Ficamos à mercê desses ignorantes!

— São seres humanos — esclareceu Eduardo, com voz tranqüila. — Espíritos iguais a nós. Com os mesmos direitos diante de Deus.

— Isso não — rebateu ela. — Deus os colocou em nosso caminho para servir. Há os que nascem para mandar e os que vieram para obedecer. Deus fez o mundo assim.

— Não foi Deus quem fez isso, mas o homem — interveio Menelau, com seriedade.

— É verdade. O homem é que sempre abusa do poder e escravizou esse povo — arrematou Eduardo.

— Não fomos nós quem fizemos isso. Desde que nascemos já era assim. Que culpa temos?

— Não se trata de culpa, mas de responsabilidade. Se assumimos o papel de donos e condutores desses homens, temos o dever de transformá-los em homens de bem.

Maria José deu de ombros.

— Isso é que não entendo. Esses ignorantes, sem inteligência nem nada, ingratos e rebeldes, que nos têm causado desgostos e preocupações, como fazer deles homens de bem? Eles não têm capacidade.

— Da maneira como estão sendo tratados, como animais, sem sentimentos ou inteligência, por certo se tornam limitados e incapazes, mas isso é ainda conseqüência do que os homens fizeram com eles. Onde são tratados com respeito, eles demonstram habilidade, inteligência, caráter, como qualquer um de nós.

Maria José baixou a cabeça, pensativa. Depois disse:

— Demerval sempre foi severo, nunca mau. Só dava castigo justo e merecido.

Eduardo respondeu:

— Para a senhora. Mas o que pensaria o que recebeu o castigo? Aceitaria? Não guardaria raiva, rancor? Não pense que, por serem escravos, eles não tenham orgulho. Esse sentimento é muito forte em cada um de nós, independentemente da posição que possamos ocupar. O orgulho ferido é sempre um estopim perigoso.

— O que quer dizer?

— Que o espírito de um escravo que morreu revoltado com seu dono pode pensar em vingança. Tenho visto alguns casos muito dolorosos e com os quais nada pude fazer. Orar, orar muito e esperar que Deus decida, uma vez que Sua justiça atua sempre e ninguém sofre sem necessidade. Ou é porque precisa aprender ou é porque, além disso, precisa expiar.

Maria José ficou pensativa. Reconhecia que Demerval era irascível, teimoso, embora ela procurasse justificativas para seu comportamento. Tratava seus escravos com rudeza e altivez, e se o que Eduardo estava dizendo fosse verdade, haveria muitos deles querendo vingar-se. Aflita, perguntou:

— E se o caso de Demerval for um desses? E se ele não puder curar-se?

Eduardo sorriu calmo:

— Não nego que há influência de espíritos vingativos, porém, no caso dele, deve haver algo mais. Depois, sua melhora foi evidente. Acho até que poderia ficar completamente bom.

— O que pode haver mais?

Eduardo demorou um pouco para responder:

— Por enquanto, estou observando. Mas há uma força que me parece ser de pessoas vivas.

— Como assim? — indagou Menelau, interessado.

— Sim. Pessoas interessadas em mantê-lo na fazenda e na cama.

— Como pode ser isso? Quem lucraria com uma situação dessas?

Maria José corou.

Estaria prejudicando o marido? Sentia que não gostaria de voltar à antiga vida, embora desejasse a cura de Demerval.

— É isso que tento descobrir. Sinto uma força contrária muito forte quando mentalizo a cura de Demerval. Como se outras pessoas, assim como nós oramos pedindo a cura, orassem pedindo a morte.

— Como sabe que não são espíritos? — fez Menelau.

— A energia é diferente. Alguém de pensamento forte e firme está dirigindo tudo, e esse alguém está ainda na carne. Por isso é que peço segredo dos nossos trabalhos.

Maria José levantou os olhos cheios de lágrimas:

— Poderia ser eu? — indagou, assustada.

Eduardo fixou-a firme e Menelau, surpreendido, abraçou-a como querendo protegê-la.

— Por que diz isso? — perguntou Eduardo.

— Porque eu quero que ele se cure, mas odeio a vida que ele me fazia levar. Sua rotina, seu modo de ser, sempre rígido e formal. Quero que ele se cure, mas também quero ser livre para escolher como gastar meu tempo.

Maria José chorava desconsolada. Menelau abraçava-a preocupado, sem saber o que dizer.

Eduardo esclareceu:

— Louvo sua honestidade, mas a senhora não deseja vê-lo doente. Seu caráter reto não aceitaria uma situação dessas. Se dependesse da senhora, ele já estaria bom.

— É verdade — gemeu ela. — Dói-me pensar que, mesmo sem querer, eu possa prejudicá-lo, pensando em sua rotina e seu modo de ser.

Eduardo abanou a cabeça.

— Não se torture com esses pensamentos. Seus sentimentos são bons e não tem culpa de nada. Tenho pensado nessa sua mucama.

— Zefa?

— Sim. Ela me parece voluntariosa o bastante para tramar alguma coisa...

— Não acredito. Ela fala muito, mas é bem dedicada. Tem sido incansável para cuidar de Demerval. Ela é muito fiel.

— Mas anda metida em rezas com aquele negro feiticeiro... — concluiu Menelau.

— É isso que pretendo averiguar. Ela pode estar sendo agente, na melhor intenção.

— Não creio — defendeu Maria José. — Coitada dela! Em todo caso, vou proibi-la de ver aquele negro. Deixem comigo.

— De modo algum. Peço-lhe para não lhe dizer nada, por favor! — pediu Eduardo, preocupado. — Se ela for inocente, como supõe, não deve sofrer essa injúria. Se for culpada, acabarei descobrindo. Não vamos criar outro problema. Esqueça o que eu disse, D. Maria José. Pode ficar certa de que, se eu descobrir alguma coisa, informarei primeiro à senhora.

— Verá que tenho razão. Zefa é cria da casa, só faz o que eu quero ou falo.

— Melhor assim. Por favor, não lhe diga nada, por enquanto. É importante para o sucesso do meu trabalho.

— Está bem — concordou ela. — Quero ajudar. Farei o que me pede.

— É melhor assim.

Zefa, porém, não estava tranqüila. Não gostava de se ver alijada da intimidade da sua sinhá. Percebia que, a cada dia, o sinhozinho estava melhor.

Precisava tomar uma providência mais séria, afastar o Sr. Eduardo da fazenda. Só se sentiria bem quando ele tivesse ido embora.

À noite, esperou que todos dormissem e dirigiu-se à casa de Bentinho. O negro recebeu-a com agrado.

— Tava pensando n'ocê. Sentindo sua falta.

Ela nem ligou, foi logo ao assunto do seu interesse:

— Vim aqui porque ocê tem que fazê aquele seu Eduardo i embora o quanto antes. Ele tá desconfiado. Eu sinto. Fica lá no quarto com a sinhazinha e o sinhô Menelau e num deixa eu ficá. Fico no canto, pra vê se eles esquece de mim, mas qual, ele sempre alembra de mandá eu saí. Depois, sua reza num tá boa: o sinhozinho tá bem melhor. Já come, já dorme e, se vai assim, logo vai ficá curado.

Bentinho apertou os olhos nos quais luziu uma chama orgulhosa.

— Ocê tá sendo ingrata. Por enquanto, tudo vai indo bem. Num tem do que ficá com medo. Mas se ocê qué, vô dá um arrocho neles. Ocê vai vê como Bentinho pode e é mais forte do que eles. Ocê tem medo de reza de branco? Alguma vez isso deu resultado?

Havia muito desprezo em sua voz. Zefa fez um muxoxo dengoso:

— Isso eu num sei. Só sei que se ocê tem força é hora de mostrá.

Ele se aproximou e abraçou-a com força:

— Ocê vai vê. Por ocê eu faço tudo. Fica hoje comigo aqui e amanhã ocê vai vê.

— Só se me garanti que sinhô Eduardo vai embora.

— Fica comigo e deixa o resto por minha conta.

Os olhos dele brilhavam de cobiça. Zefa sentiu-se envaidecida. Um negro com tanto poder fazia tudo por ela. Riu satisfeita e ficou. Só saiu de lá quando o dia ia amanhecer.

— Quero só vê se ocê é forte mesmo — desafiou ela.

— Só quero um ou dois dia pra mostrá...

A negra riu, satisfeita. Sua sinhá nunca mais teria que obedecer ao marido. Estava salva!

O dia seguinte decorreu sem novidades e Demerval melhorava lenta mas seguramente.

Maria José estava esperançosa e Menelau já estava bem melhor da perna. O clima da casa estava mais alegre. Zefa aguardava, procurando disfarçar a impaciência.

Três dias passaram sem que nada acontecesse. A negra estava preocupada. Foi na tarde do terceiro dia que um portador empoeirado, cansado, chegou à fazenda.

— Vim procurar sinhô Menelau. Da parte de D. Maria Antônia.

Foi imediatamente conduzido à presença de Menelau, a quem entregou uma carta. Ele a abriu e, à medida que lia, seu rosto ia empalidecendo. Preocupada, Maria José perguntou:

— Más notícias?

— Sim. Maria Antônia está doente e muito mal. Pede meu regresso imediato. Quer ver-me pela última vez!

— Valha-me Deus! — balbuciou Maria José, assustada.

Menelau voltou-se para o mensageiro, que era servo de sua casa:

— O que aconteceu?

— D. Maria Antônia andava muito triste ultimamente. Foi acometida de uma febre e está mal.

— E o médico, o que disse?

— Que ela tem pouco tempo de vida. Portanto, senhor, se quer vê-la com vida, deve apressar-se!

Menelau estava pálido. Tinha deveres a cumprir ao lado da esposa, precisava partir. Por outro lado, como deixar Demerval, que apenas começava a melhorar? Eduardo olhava-o, pensativo.

— Preciso ir — murmurou Menelau, triste. — Minha perna ainda está na tala. Como fazer?

— Daremos um jeito — tornou Maria José. — Você vai em nossa carruagem.

— Você pode precisar dela!

— Não importa. Vá e mande-a de volta com notícias.

Menelau estava inquieto, queria partir imediatamente. Porém o mensageiro estava cansado e com fome.

— Não convém ir durante a noite — aconselhou Eduardo. — Nada vai acontecer a D. Maria Antônia. Sinto isso.

— Não quero chegar tarde demais — gemeu ele, preocupado.

Eduardo olhou-o sério:

— Tem tempo de dormir esta noite. Amanhã, ao raiar do dia, poderá partir. Garanto que vai chegar a tempo.

— Confio em você — tornou ele. — Faço o que me aconselha, apesar da minha ansiedade.

Maria José arrumou os pertences do cunhado com o coração partido. Sentia por ele grande afeto. Sem seu apoio, o que teria sido de sua vida naqueles dias tristes? As crianças choravam, não querendo que o tio partisse.

À noite, no quarto de Demerval, a prece foi triste e chorosa. Maria José sentia-se angustiada, temerosa, não queria que ele fosse, mas reconhecia que não tinha o direito de abusar mais da sua bondade. Maria Antônia estava mal, chamava-o, ele precisava ir. Se ela morresse sem vê-lo, sentiria remorsos. Fora para socorrer Demerval e ela própria que ele se afastara da esposa. Contudo, sentia o coração apertado pensando na separação.

Mais tarde, no leito, Maria José não conseguiu conciliar o sono. Embora Menelau houvesse prometido voltar assim que pudesse, temia que não fosse possível. Enquanto sua esposa estivesse doente, ele deveria ficar com ela. E se ela demorasse muito a sarar? Talvez ele nem voltasse mais. Olhou para Demerval, que dormia ressonando placidamente. Agitada, levantou-se. Sentia o coração pesado, e os seus pensamentos estavam tumultuados.

Menelau havia sido tão bom, tão amigo, tão delicado! Agora ia embora. Como ficariam as coisas dali por diante? Teve vontade de chorar. Sentia-se infeliz e desamparada. Com medo de que Demerval acordasse, saiu do quarto, aflita, inquieta, desesperada.

A noite estava abafada, quente. Foi até a varanda, respirando fundo, encostou-se no parapeito e chorou sentidamente.

— Maria José!

Menelau estava ali, apoiado nas muletas que haviam conseguido para ajudá-lo na viagem.

Ela o olhou por entre as lágrimas e, sem poder conter-se, correu para ele, abraçando-o com força.

Ele estremeceu e apertou-a de encontro ao peito, beijando-lhe as faces, desesperado.

— Não vá embora — pediu ela.

— Deus sabe como eu queria ficar — respondeu trêmulo, segurando a muleta com uma das mãos e com a outra apertando-a de encontro ao peito.

— Não posso ficar aqui sem vê-lo! Não suportaria esta vida sem você.

Menelau foi dominado por forte emoção. Sentiu que amava Maria José como nunca tinha amado ninguém.

Ele também não havia conseguido dormir, angustiado com a partida. Intimamente, tentara encobrir seus sentimentos até aquele instante. Porém, vendo-a chorar suplicando que ele ficasse, teve certeza de que a amava. Certeza e dor ao mesmo tempo. Esse amor proibido era mais um motivo para partir.

Maria José soluçava e estremecia em seus braços numa crise que não podia dominar.

— Menelau, fique comigo. Não posso ficar sem você!

Fitando seus olhos úmidos, ele não resistiu. Beijou-lhe os lábios ardentemente. Entregaram-se a esse beijo esquecidos do mundo. Maria José sentiu-se morrer. Jamais sentira tanta emoção. Não queria que aquele momento acabasse.

Foi ele quem reagiu primeiro. Com dificuldade afastou-a e, pegando a outra muleta, saiu o mais rápido que pôde, recolhendo-se em seus aposentos.

Maria José esforçou-se para recobrar a calma. Sentia a cabeça escaldante. Que emoção era essa que tomava conta dela desse jeito? Estaria apaixonada pelo cunhado a esse ponto?

Ele iria embora e talvez nem voltasse mais. Depois do que acontecera entre eles, por certo se afastaria para sempre. Tudo estaria mesmo acontecendo ou ela estava sonhando?

Sentia-se confusa, infeliz. Desejou esclarecer tudo. Decidida, foi procurar Menelau.

Bateu à porta. Quando ele abriu, vendo-a na soleira, não soube o que dizer.

— Posso entrar? Preciso conversar com você.

— Claro — respondeu ele, com voz insegura.

— O que está nos acontecendo? Estaremos enlouquecendo?

Sem a olhar nos olhos, ele respondeu:

— Queremo-nos bem. A convivência, a afinidade, tudo despertou em nós esse afeto.

— Menelau, juro que não tinha percebido antes. Mas agora que vai partir, talvez para sempre, fiquei desesperada.

— Está confundindo seus sentimentos. Sabe que sou seu amigo e que a estimo. Confunde gratidão com amor. Depois que eu for embora, vai compreender melhor.

Maria José sacudiu a cabeça em negativa e aproximou-se mais dele, obrigando-o a olhá-la de frente.

— Diga-me que o que aconteceu há pouco foi ocasional. Que não tem amor. Que qualquer mulher em meu lugar lhe despertaria a mesma emoção. Diga com franqueza.

Fixando o rosto apaixonado tão próximo ao seu, vendo-a palpitante de emoção, Menelau não resistiu e abraçou-a com força, dizendo desesperado ao seu ouvido:

— Eu a amo, Maria José. Você é a mulher com a qual eu sonhei minha vida inteira. Sei agora que esse sentimento é mais forte do que eu, do que tudo.

Beijou-a com ardor e desespero. Esquecidos do mundo e de todos, entregaram-se àqueles instantes de amor e emoção. Foi a custo que Maria José separou-se dele uma hora depois.

— Isto não deveria ter acontecido — recriminou-se ele.

— Agora você não vai mais voltar e eu vou morrer de saudade.

Ele a abraçou comovido.

— Deus sabe como me sinto. Jamais esquecerei esta noite. Para mim, ela será eterna.

— Não vou suportar sua ausência.

— Agora não suportaria minha presença.

— Não diga isso — fez ela, estremecendo.

— O amor não foi nossa culpa, aconteceu. Porém o dever, nós dois sabemos.

Ela suspirou fundo.

— Tem razão. Eu sei. Apesar disso, nunca o esquecerei, aconteça o que acontecer. Depois do que houve, você não pensa em voltar aqui.

— Quero ter notícias de Demerval e das crianças. Desejo-lhe toda a felicidade do mundo — murmurou ele, com dificuldade.

Maria José abraçou-o em desespero.

— Não suporto a idéia de vê-lo partir — soluçou. — O que será de mim agora? Como viver ao lado de Demerval sem amor, carregando este doloroso segredo no coração?

Menelau apertou-a contra o peito. Por alguns minutos ficaram assim, coração batendo forte, num misto de adoração e de dor. Delicadamente Menelau afastou-a de si, dizendo:

— Não se desespere. Precisamos ser fortes. Deus sabe como eu gostaria que as coisas não fossem como são. Contudo, não nos resta outro recurso senão a separação. Demerval precisa de nós. E neste mundo, por vezes, a vida tem situações inesperadas. Estamos aqui, nos amamos, mas sabemos que esse amor é impossível. Aconteceu... precisamos esquecer. Se eu ficar perto de você, não terei forças para dominar-me, tal como nesta noite. Parto levando comigo estes momentos inesquecíveis que me alimentarão enquanto eu viver. Jamais a esquecerei.

Jamais! Amo meu irmão. Vendo-o doente e debilitado, confiante e fraco, sinto-me culpado de não me ter controlado, deveria ter evitado o que aconteceu. Daqui para a frente, viverei entre o seu amor que não busquei mas que despontou forte dentro de mim e meu dever de irmão, de homem, de amigo. Pode compreender-me?

— Posso — respondeu Maria José, sacudindo a cabeça tristemente. — Jamais traí Demerval, nem em pensamento. Sinto a mesma coisa que você. Sei que precisamos nos separar. Porém, ah, como dói esta separação!

Menelau suspirou fundo.

— Dói, dói muito!

— Adeus — disse ela, num soluço.

— Adeus!

Maria José foi até a porta para sair, olhou para ele e num impulso abraçou-o com força, enquanto dizia:

— Eu o amo! Dê-me um último beijo. É o adeus!

Menelau apertou-a nos braços, beijando-lhe os lábios ardentemente com alma e carinho. Quando se separaram, ela disse:

— Guarde este beijo como lembrança e, apesar de tudo, guarde-me em seu coração. Não o esquecerei nunca!

— Eu também. Será nosso segredo para sempre.

— Adeus! — suspirou ela, afastando-se pesarosa.

— Adeus! — disse ele, com suavidade.

Temendo fraquejar, ela saiu quase correndo. A casa estava silenciosa. Foi até a varanda, respirou profundamente o ar fresco da madrugada. Depois, foi para o quarto. Apesar da tristeza que sentia, a sensação de solidão havia passado.

Demerval dormia tranqüilo. Maria José deitou-se e, cansada, adormeceu. Menelau fechou a porta do quarto e sentou-se no leito, trêmulo de emoção. Que mulher! Sensível, linda, ardente e apaixonada! Não se pôde furtar ao confronto com a esposa, sempre fria, distante, fútil. Por que ela era mulher do seu irmão? Não fora esse detalhe e ele fugiria com ela, assumiria esse amor para o resto da vida, criaria os sobrinhos, que adorava. Porém sua cunhada deveria ser sagrada. Não queria trair o próprio irmão.

Guardaria a lembrança daquela noite como a mais bela de sua vida. Dali para a frente, procuraria encontrar forças para afastar-se dela, não a ver nunca mais. Se ficasse a seu lado, sabia que não conseguiria resistir.

Deitou-se mas não conseguiu conciliar o sono. Sentia na boca o gosto daqueles beijos, no coração o calor daqueles momentos inesquecíveis. Com o tempo conseguiria esquecer?

Remexeu-se no leito agitado e pouco dormiu até o amanhecer. Levantou-se, chamou o criado e tudo já estava preparado para a viagem. Eduardo apareceu.

— Não precisava levantar tão cedo! — considerou Menelau.

— Queria abraçá-lo ainda uma vez. Deus o acompanhe. Ficarei aqui mais algum tempo. Quero ver se consigo levá-los de volta à vila.

Menelau apertou a mão do amigo com vigor.

— Confio em você. Sei que não poderei voltar por agora e deixo-os em suas mãos. Deus sabe como eu gostaria de ficar!

Eduardo olhou-o sério.

— Você não pode. Paciência. Deus faz tudo certo.

— Tem razão — concordou Menelau. Fundo suspiro escapou-se-lhe do peito. — Parto confortado porque você está aqui. Demerval vai ficar bom!

— Se Deus quiser. Farei o que puder — disse, com um sorriso.

— Agradeço-lhe de coração. Se um dia precisar de mim, terei gosto em servi-lo.

Abraçaram-se com sinceridade. Menelau tinha lágrimas nos olhos quando, instalado na carruagem, acenou para o amigo, dando ordens ao cocheiro para seguir.

Eduardo ficou parado, olhando pensativo, escutando o ruído dos cascos dos animais e das rodas na estrada, até a carruagem desaparecer. Depois, olhou o céu do novo dia que se avizinhava e, pensando no amigo, naquela família, sentiu vontade de orar.

Sentou-se na varanda e, levantando os olhos para o céu que começava a clarear, levou seu pensamento a Deus e começou a rezar.

Capítulo VII

Nos dias que se seguiram, Eduardo continuou a assistir Demerval, junto com Maria José. Sem o concurso de Menelau, a luta requeria maior esforço. Todavia, confiava em Deus.

Demerval sentia-se melhor. Dormia mais calmo, conversava mais e os períodos de prostração eram menos constantes e mais breves. Apesar disso, Eduardo percebia que a situação arrastava-se. Se fosse na Província, tudo seria mais fácil. Lá dispunha de amigos médiuns que o ajudariam. Ali, só podia dispor de Maria José, que, apesar de sensível, desconhecia esses fenômenos. Sempre que se oferecia ocasião, orientava-a. Entretanto, sentia que precisava de mais. O que fazer? Não tinha outro recurso senão pedir. Orou e pediu a Deus que o conduzisse, inspirando-o e mostrando-lhe o que fazer para ajudar Demerval.

Uma tarde, quando oravam no quarto de Demerval, enquanto ele recaía no sono costumeiro, Maria José estremeceu. Seu rosto transformou-se em expressão serena, os lábios abriram-se em doce sorriso. Olhos cerrados e com voz um pouco modificada, ela começou:

— Deus vos guarde. Continuemos em oração. Nosso doente está sob a assistência de Jesus e seus mensageiros. Guardemos o coração em paz. Você tem indagado qual o melhor meio de ampliar os recursos de auxílio. Se quer aliados, deve conquistá-los com amor. Aprenda que só os laços da compreensão e da amizade, da simpatia, aconchegam novas forças, ampliando nossos recursos. Medite e encontrará a resposta que procura. Esteja atento e Deus mostrará o caminho. Jesus esteja com todos.

O silêncio se fez enquanto o ambiente permanecia agradável e calmo. Maria José perguntou:

— Por que hoje foi diferente?

— Sente-se bem?

— Muito bem. Parece que ainda estou flutuando. Não queria que esta sensação terminasse. Nunca me senti tão bem! O que mudou?

— Ao invés de se aproximarem de você espíritos infelizes, hoje veio um espírito iluminado.

Ela estremeceu.

— Iluminado?

— Sim, um espírito bom. Um anjo da guarda.

— Será? Não tenho santidade para isso...

Seu rosto coloriu-se de rubor, lembrando-se de Menelau.

— Nenhum de nós ainda tem. Acredita que, por isso, Deus nos deixaria órfãos? Sua misericórdia é tão grande que permite o auxílio deles sempre.

Ela estava impressionada.

— Agradeçamos a Deus por essa ajuda — aconselhou Eduardo, comovido.

Maria José curvou a cabeça e começou a orar.

Quando deixaram o quarto, Zefa estava no corredor. A negra não via Eduardo com bons olhos. Naquele instante, ele percebeu que ali poderia estar a causa da mensagem. Como não pensara nisso antes? Ela o odiava por excluí-la do convívio habitual com a sinhá, tinha isso como descaso. Para ele, era como se ela não existisse. Maria José exaltava-lhe as qualidades, por que não torná-la uma aliada?

No dia imediato, na hora da prece no quarto, quando a negra já ia saindo, ele comentou:

— Hoje você fica. Como sinhozinho Menelau não está, precisamos de mais alguém. Vai nos ajudar a rezar pelo seu sinhô.

Zefa ficou de pernas bambas. Não esperava. Se por um lado se sentia valorizada e aceita, o que lhe alimentava a vaidade, por outro, teve medo. E se descobrissem tudo? O primeiro impulso foi de fugir.

— Num sô de valia... — murmurou humilde.

— Mas quer bem a sua sinhá — tornou Eduardo, com voz firme.

— Isso sim. A sinhá bem sabe.

— Então deve querer que seu sinhô fique bom, para que tudo volte a ficar em paz.

A negra não pestanejou:

— Claro, sinhô Eduardo. Quero vê a sinhá feliz.

— Ela não pode ser feliz enquanto ele não estiver bem.

A negra fez um muxoxo. Porém disse cordata:

— Sim, sinhô.

— Venha sentar-se aqui nesta cadeira ao lado da cama.

Apesar do medo, a negra estava agradavelmente surpreendida. Na cadeira, feito branco! Temerosa, acocorou-se aos pés da cama dizendo:

— Sinhô Eduardo, me perdoe, mas eu num tenho jeito. Aqui mesmo tá bem.

Eduardo olhou para Maria José, que estava admirada, e ela compreendeu seu olhar:

— Venha, Zefa. Sinhô Eduardo disse, obedeça.

Ele lhe tomou a mão e, com delicadeza, sentou-a na cadeira. A negra, tensa porém radiante, sentou-se na pontinha, olhos brilhantes, emocionada. Depois dos três acomodados, Eduardo fez uma prece e pediu pela saúde de Demerval.

— Vamos, Zefa — ordenou ele. — Pense em Deus e ore por ele.

Zefa fechou os olhos e mexia os lábios rezando. Maria José sentiu vontade de rir, porém dominou-se. A negra pensava: "Vô fingi que tô rezando. Num quero que o sinhô fique bom de novo. Vai judiá da minha sinhá".

Eduardo estava um pouco pálido. Sentiu certo mal-estar. Demerval agitou-se no leito, abriu os olhos admirado com a cena que presenciava. Apesar de sentir-se indisposto, Eduardo orou sentidamente, pedindo a ajuda de Deus para o enfermo e também para todos eles. Em seguida, começou a falar em perdão, da justiça de Deus, que responde a todos os nossos atos e conhece todos os nossos pensamentos.

Zefa estava séria, e seu rosto, impenetrável. Eduardo continuou:

— Quantas vezes erramos pensando em fazer o bem e em ajudar alguém? Perdoa-nos, Senhor, pelos nossos enganos e ajuda-nos a encontrar o caminho certo.

A partir daquele dia, Zefa era sempre convidada a participar da oração. Eduardo, aos poucos, foi mudando seu comportamento para com ela. Afinal, por que exigir dela uma compreensão maior? Era ignorante, porém muito dedicada a sua sinhá.

Passou a tratá-la com mais atenção, elogiava-lhe a roupa sempre impecável, a maneira como cuidava das coisas da sua sinhá e, com o tempo, a negra foi perdendo a inibição.

Quando se reuniam para orar, Eduardo falava longamente sobre o perdão, a responsabilidade sobre nossos atos, a justiça de Deus.

Certa tarde, estavam no quarto como de costume. Demerval, calmo, humilde, sentia-se esperançoso. Apesar de ser homem pouco afeito a qualquer crença, além do cerimonial litúrgico a que comparecia socialmente quando na Província, tinha percebido o quanto aquelas orações o beneficiavam, acalmando-o, dando-lhe forças e ajudando-o.

Todos oravam silenciosos. Zefa, ao invés de orar pelo sinhô, a quem não apreciava, fazia-o pela sua sinhá, pedindo a Deus pela sua felicidade. Essa oração a negra fazia com muita sinceridade. Foi então que, de repente, Maria José foi como que jogada ao chão com a rapidez de um raio. Zefa estremeceu, ia gritar, enquanto Demerval, assustado, tentava levantar-se para socorrer a esposa.

— Ninguém se mexe — tornou Eduardo, com voz autoritária. — Não tenham medo. Orem muito a Deus. Dou minha palavra de que nada de mal vai acontecer com D. Maria José.

Os dois, trêmulos de medo, começaram a orar, chamando todos os santos da sua devoção. Eduardo aproximou-se da jovem senhora, que grunhia estirada no tapete.

— Preciso de pensamento firme em Deus agora — pediu Eduardo, enquanto espalmava a mão sobre a testa de Maria José.

Esta remexeu-se soltando alguns grunhidos.

Eduardo, um pouco pálido pelo esforço que fazia, ordenou com voz segura:

— O que você quer? É causador de tudo quanto tem acontecido aqui. Por que está agindo assim?

Nenhuma resposta.

Eduardo prosseguiu:

— Não teme a hora da justiça divina? Não sabe que Deus está vendo tudo quanto você faz e por certo não irá livrá-lo quando toda essa carga negativa voltar para você?

Maria José, pálida, parecia estar passando mal. Murmurou com raiva:

— Eu sô mais forte. Ninguém vai podê mais do que eu.

— Deus pode — respondeu Eduardo, enérgico. — Ele está nos socorrendo nesta hora.

— Ocês me prenderam — reclamou Maria José, com dificuldade.

— Não fomos nós, mas os espíritos do Senhor. Chega de causar mal. Se não atender nossos avisos, por certo seus sofrimentos serão piores. Você está mexendo com as forças da vida, brincando com elas conforme seus caprichos. Agora, acabou. Ou ajuda sua vítima para que ele melhore de vez, ou será levado definitivamente.

— Num quero morrê! Pelo amor de Deus. Quero voltá pro meu corpo. Chega! Num me atormentem mais!

— Não o queremos mal. Mas aviso-o que, se continuar agindo como até aqui, sua vida não valerá mais nada.

— Nunca ninguém me venceu.

— O bem e a justiça sempre vencem. Deus comanda. A vitória do mal é momentânea.

Maria José chorava estirada no solo. Sua voz estava modificada. Zefa estava apavorada. Nunca pensara em prejudicar a sinhá. Agora ela estava lá, no chão, estrebuchando.

— Vamos — pediu Eduardo. — Ajude nosso doente. Tire todas as energias doentias que você colocou nele. Acorde-o definitivamente. Pare de hipnotizá-lo.

— Num posso perdê esta luta — gemeu Maria José, agoniada.

— Você não vai perder, mas ganhar. A bondade de Deus permite, nesta hora, que você recomponha o que destruiu, antes que tudo volte pela reação natural e o faça sofrer muito. Vamos, ajude Demerval, agora.

— Vosmecê qué me destruí! Se ele ficá bom, vai embora, leva minha negra com eles. Eu quero ela. Se me deixarem ela, faço tudo.

— Não temos acordo a fazer. O melhor é você cuidar da sua própria vida. Se ama essa mulher e a quer, por que não procura consegui-la de forma mais decente?

— Ela nem me queria. Se eu num mostrá minha força, ela vai me deixá. Depois, a sinhá vai embora e ela não deixa a sinhá nem morta.

Zefa, assustada, começou a tremer. Aquela era um mandinga braba. Como? Olhava para sua sinhá e sem entender via a cara de Bentinho. Não se conteve. Deu para soluçar e gritar, aflita:

— Perdão, minha sinhá, perdão! Deus do céu, num me castigue! Cura minha sinhá e eu juro que nunca mais quero vê essas feitiçaria.

— Fique calada, Zefa. Se quer ajudar sua sinhá, ore por ela. Vamos. Já disse que ela ficará boa.

A negra, beiço trêmulo e contendo os soluços, voltou a rezar. Eduardo pediu:

— Limpe este lar e prometa que vai nos deixar em paz.

Maria José, com voz rouca, respondeu:

— Eu faço. Pelo amor de Deus! Num quero morrê, quero voltá pro meu corpo. Num quero morrê. Tá cheio de gente querendo me pegá.

— Ouça meu conselho. Não seja mandingueiro. Use suas rezas só para curar e ajudar os que sofrem e Deus o abençoará.

— Pronto. Já chamei meus home e tudo tá desfeito. Deixe eu i, pelo amor de Deus.

— Prometa que não voltará a prejudicar ninguém.

— Prometo. Prometo. Num quero morrê!

— Deus o ajude — disse Eduardo. — Vamos rezar por ele, sem mágoa ou rancor — pediu aos presentes.

Maria José estremeceu violentamente e depois serenou, parecendo adormecida. Eduardo agradeceu a Deus a ajuda daquela hora e depois, aproximando-se da jovem senhora, chamou:

— D. Maria José, acorde! Tudo passou.

Fundo suspiro saiu-lhe dos lábios.

— Está tudo bem agora, acorde.

Ela abriu os olhos e começou a soluçar. Eduardo ajudou-a a levantar-se e colocou-a numa cadeira. Zefa arrastou-se a seus pés, chorando em desespero.

— Perdão, sinhá, perdão! Juro que num mexo mais com essas coisa. Se a sinhá morrê, quero morrê também.

— Calma — pediu Eduardo. — Ninguém vai morrer. Tudo está bem agora. Tudo vai dar certo. O Sr. Demerval vai ficar bom, com a graça de Deus.

Demerval olhava-os assustado.

— O que aconteceu aqui? — indagou com voz enérgica.

— Por agora deve bastar-lhe sua melhora, Sr. Demerval — respondeu Eduardo, demonstrando energia. — Acalme-se, D. Maria José. Tudo já passou.

— O que foi? Vi o que aconteceu, mas não podia evitar. Vi caras de negros, cenas de bruxaria, tudo. Pensei que fosse morrer, sentia medo de não voltar ao corpo.

— Esqueça isso agora. Agradeçamos a ajuda de Deus.

— Por que me pede perdão? — inquiriu ela, fixando a negra, que ainda soluçava. — O que foi que você fez?

— Deixe isso por ora — pediu Eduardo. — Não chore, Zefa. Acredito em você. Penso que ganhou lição. Agradeça também a Deus e, daqui para a frente, procure cumprir o que disse.

Demerval estava inquieto. Queria levantar-se. Por que continuar deitado ali, com tanto serviço a fazer?

Eduardo considerou:

— O senhor estava doente. Agora melhorou, mas não convém abusar. Levante-se por meia hora, fique sentado em uma poltrona. É só o que aconselho a fazer por hoje.

— O senhor é médico? — indagou ele, sério.

— Não. Mas da sua doença, eu entendo.

Maria José, mais calma, esclareceu.

— O Sr. Eduardo é amigo de Menelau e veio da Província para tratar de você. Não se lembra?

— Certo, por certo. Agradeço-lhe — respondeu ele, com cortesia. — Pode explicar-me o que presenciei aqui?

— Certamente, Sr. Demerval. Mas não agora. Todos precisamos de refazimento. Voltaremos ao assunto.

Zefa soluçava sentidamente. Eduardo, condoído, alisou-lhe a carapinha com carinho.

— Acalme-se. Vamos sair daqui. Precisamos conversar.

Por entre lágrimas, Zefa olhou para sua sinhá, que consentiu.

— Vá, Zefa. Acompanhe o Sr. Eduardo.

Quando saíam, ainda ouviram Demerval:

— Por que chora esta negra? Você pode explicar-me?

Maria José fixou o marido. Sem dúvida, ele estava melhor. O mesmo olhar de outros tempos, a mesma maneira de falar. Parecia-lhe nunca haver adoecido. Contudo, ela havia mudado. Não era mais submissa. Desejava vê-lo curado, mas não que tudo voltasse a ser como antes. Enérgica, respondeu:

— O Sr. Eduardo nos explicará, depois. Você deve levantar-se para ficar sentado na cadeira durante meia hora. Não foi o que ele disse?

Ele a olhou como se a estivesse vendo pela primeira vez.

— Por que me trata como a uma criança?

— Você esteve doente durante muito tempo. Aprendi a resolver os problemas da família. Devemos seguir as instruções do Sr. Eduardo, que tanto tem feito em nosso favor. É só isso.

Fundo suspiro escapou do peito de Demerval. Sentia-se ainda fraco, não queria discutir. Nem sequer percebeu que, dali para a frente, sua vida em família iria se modificar.

Eduardo foi para seu quarto seguido por Zefa, chorosa. Uma vez lá, olhou-a sério e convidou:

— Agora pode contar tudo.

A negra recomeçou a soluçar.

— Tô arrependida. Sempre quis o bem da minha sinhá!

— O que você fez?

— Sinhozinho Demerval era muito ruim pra ela. Sinhazinha sofria, vivia chorando escondido. Aí, fui falá com o Bentinho. Ele me disse que tinha muito poder. E tinha mesmo. Levei uma camisa do sinhô e ele mandingô ela...

A negra parou, trêmula de medo.

— Tô contando tudinho porque num quero vê a sinhá sofrê daquele jeito. Juro que eu num sabia que isso ia acontecê.

— Continue, e depois?

A negra contou tudo quanto sabia e, ao término, atirou-se aos pés de Eduardo, chorando.

— Sinhô Eduardo, tô arrependida. Num quero vê mais aquele negro feiticeiro. Vossa magia é mais forte do que a dele. Cruz credo! Me ajuda. Se sinhozinho sabe, me mata! Pode até mandá matá o Bentinho — ela soluçava. — Tem piedade. Minha sinhá num vai mais querê sabê de mim. Sem ela, eu morro. Se num pudé segui com minha sinhá, me mato. Me ajude sinhozinho. Juro que num faço mais! Eu esconjuro. Nunca mais quero me metê nessas coisa.

Eduardo olhou-a com energia.

— Pare de chorar e escute. Pare, vamos!

Ela se esforçou e parou de chorar, os beiços tremendo.

— Levante-se daí, olhe para mim.

A negra obedeceu. Levantou para ele os olhos úmidos e assustados. Eduardo disse, com voz firme:

— Você sabe que agiu mal e que nós nunca devemos prejudicar ninguém?

A negra tremia, apavorada. Baixou os olhos. Eduardo exigiu:

— Olhe para mim. Você sabe o que fez?

— Sei — gemeu ela. — Mas eu num sabia o que a mandinga podia fazê. Pensei até que nem pegasse.

— Mas pegou. Quero que saiba que podia ter matado seu sinhô! Se isso houvesse acontecido, você seria uma assassina diante de Deus. Sua sinhá não ia querer ficar com você depois disso.

— Eu num queria matá ninguém — gemeu ela.

— Muitos dizem isso, mas não hesitam em mexer com certas forças e certos espíritos ainda primitivos para conseguir impor sua vontade aos outros. Depois, diante das conseqüências dolorosas, declaram-se ignorantes. Aprenda, Zefa, que não se deve mexer com coisas que não se conhece, nem querer conduzir a vida dos outros, utilizando-as.

A negra voltou a soluçar.

— Sinhô, tô arrependida. Juro. Se minha sinhá não me quisé mais, eu me mato! Me ajude, pelo amor de Deus!

Eduardo olhou-a fixamente:

— Está dizendo a verdade? Arrependeu-se mesmo do que fez? Sabe o perigo que todos correram com essas mandingas?

— Sei. Cruz credo! Num mexo com isso nunca mais. Num quero que a sinhá me mande embora.

Eduardo adoçou um pouco a voz.

— Vou ver o que posso fazer. Você traiu a confiança de sua sinhá. Agora ela pode não querer mais você.

A negra torcia as mãos, em desespero.

— Sinhozinho, pelo amor de Deus, me ajuda! Juro que nunca mais desobedeço a sinhá. Nunca mais quero vê o Bentinho.

Eduardo considerou:

— Acalme-se. Vou tentar ajudar. Volte aos seus afazeres.

— Num consigo fazê nada antes da sinhá me perdoá — gemeu ela.

— Você é quem sabe. Vou conversar com D. Maria José.

Só à noite foi que Maria José deixou o quarto do marido.

— Como está ele? — perguntou Eduardo, assim que a viu.

— Melhor do que eu esperava. Apesar de um pouco fraco, está voltando ao seu natural.

— Isso a irrita?

— Só um pouco... — ela corou.

— Compreendo — fez ele, com suavidade.

— Estou contente com a melhora dele, mas, ao mesmo tempo, não posso aceitar que ele volte a ser como antigamente. Eu mudei muito, Sr. Eduardo.

— Diga-lhe isso, D. Maria José, sem medo. É um direito seu.

— É o que pretendo fazer — afirmou ela, decidida.

Eduardo relatou-lhe toda a história e a jovem senhora estava boquiaberta. Zefa! Como a enganara! Eduardo concluiu:

— A senhora pense o que quer fazer com ela. Essa pobre criatura a quer acima de tudo no mundo.

— Não posso entender. Se me é dedicada, por que fez tudo isso?

— A senhora sofria. Ela, em sua forma de ver, em sua ignorância, quis fazer alguma coisa para ajudar.

— E causou tantos sofrimentos! Nunca mais quero ver essa negra traidora.

— Pense bem, D. Maria José. Ela fez tudo porque a quer muito.

— Não posso mais confiar nela. Quem me garante que amanhã ela não venha a fazer coisa pior?

— A lição foi boa, eu acredito.

— Vejo que não aprova minha atitude. Sou justa.

— Não lhe nego o direito à indignação. O que ela fez foi injustificável. Porém é uma pessoa ignorante. Pensava até estar lhe fazendo um bem.

— Isso não impede que eu não confie mais nela.

— É um direito seu. Contudo, todos nós somos passíveis de erros. Quem de nós pode atirar a primeira pedra?

Maria José enrubesceu. Eduardo teria desconfiado dela com Menelau? Ele, porém, prosseguiu sereno:

— Deus sempre nos ajuda, apesar disso.

Vencida, Maria José perguntou:

— O que me aconselha?

— Que a perdoe. Zefa a estima muito. A senhora pode ajudá-la a enxergar melhor as coisas, ensinando-lhe a respeitar os sentimentos alheios. Não devemos esquecer que os escravos são seres humanos e que, se nos servem no dia-a-dia, temos o dever de ensinar-lhes o que não sabem. Creio que, depois de hoje, nunca mais ela se atreverá a fazer nada escondido.

Maria José sorriu. A raiva tinha passado.

— Faço idéia do susto daquela safada quando aconteceu aquilo. Pode explicar-me o que houve?

— Deus nos ajudou. Nossas preces movimentaram os espíritos do bem. A princípio envolveram Bentinho, inspirando-lhe bons pensamentos. Como ele persistisse, resolveram dar-lhe uma lição.

— Como assim?

— Tiraram seu espírito do corpo e ligaram-no à senhora.

— Como pode ser isso?

— A única diferença que existe entre nós e os espíritos desencarnados é que eles já não têm o corpo de carne. No mais, somos iguais.

— E então...

— Afastaram o espírito de Bentinho do corpo e pudemos conversar com ele, fazendo-o compreender que agia errado.

— Não seria mais simples se fôssemos falar com ele pessoalmente?

— Não. Primeiro, não sabíamos o que estava acontecendo. Depois, se ele nos ouviria. O susto foi grande. Nessas circunstâncias o espírito acredita que pode morrer. Sente-se preso e teme ser impedido de voltar ao corpo.

— Que estranho! Por isso senti tanto medo de morrer! Era ele?

— Por certo. Mancomunado com espíritos iguais a ele, acreditava-se dono da situação. Porém, ao perceber que estava sob ação de forças superiores a pedir-lhe contas de seus atos, compreendeu o quanto estivera iludido.

— O que faremos com ele?

— Lembre-se do que disse sabiamente aquele orientador que veio nos confortar. Que era preciso somar forças, conquistar simpatias, não fazer inimigos. O perdão é bênção que podemos dispensar com segurança.

— E se ele voltar a mexer com as bruxarias?

— Se me permite, gostaria de sugerir que, ao invés de castigá-lo, procure trazê-lo para mais perto.

— Como?!

— Está claro que ele conhece os segredos da magia e tem mediunidade acentuada. É próprio do seu espírito. Para termos a certeza de que ele não mais prejudicará ninguém, o melhor será ensiná-lo a ajudar os outros.

— Não entendo.

— Que Bentinho use seu magnetismo para ajudar de verdade. Para curar doenças, aliviar o sofrimento humano.

— Acha isso possível? Como confiar nele?

— Valorizando o que ele apresenta de bom. Amanhã irei ter com ele. Vou conhecê-lo. Conversaremos. Depois, lhe direi exatamente o que seria indicado.

Maria José considerou:

— E Demerval? Não vai concordar. Ele vai querer bani-los para sempre.

— D. Maria José, a vingança não é indicada. A punição pertence a Deus. Conversarei com o Sr. Demerval. A ele deve bastar a cura, para que não lhe aconteça coisa pior.

— Ele pode voltar a piorar?

— Claro. Se a mandinga de Zefa e de Bentinho "pegou" nele, foi porque seu padrão emocional, mental, espiritual permitiu. Se cada bruxaria que fosse feita nas senzalas pegasse, não haveria mais branco que tivesse saúde.

— Quer dizer que a culpa não é só deles?

— Não se trata de culpa, mas da posição de cada um diante das leis da Justiça Divina. Todos nós temos contas a acertar com ela, sejam atuais ou de vidas passadas. E, às vezes, uma mandinga como a que fizeram pode acionar o processo.

— É complicado — considerou ela.

— É. E é por isso que não devemos julgar. Corremos o risco de errar ainda mais. O perdão é sempre mais acertado. Depois, se fazemos dos nossos inimigos amigos, nunca mais nos farão mal.

— Não tinha pensado nisso!

— Deixe o Sr. Demerval comigo. Só lhe peço que perdoe os dois faltosos. Ajudará a consolidação da cura do Sr. Demerval. Falarei a Bentinho e veremos o que fazer.

— Está bem, Sr. Eduardo. Farei como diz. Não sei como agradecer o que tem feito por nós.

Eduardo abanou a cabeça.

— Gosto quando posso ser útil. Não deve agradecer senão a Deus. Devemos convir que Ele dispôs tudo para nós. Quero apenas a sua amizade e a da sua família. Sinto-me feliz assim.

— Por isso Menelau o estima tanto. Deus o abençoe.

Eduardo sorriu contente.

No dia imediato, levantou-se cedo e saiu à procura de Bentinho. Zefa conduziu-o à cabana e disse, amuada:

— É ali, sinhô Eduardo. Num quero nem vê a cara daquele negro feiticeiro.

— Pode voltar, eu falo com ele.

Aproximando-se da cabana, Eduardo chamou:

— Bentinho! Bentinho!

Estava tudo fechado. A porta, a pequena janela.

Eduardo bateu palmas:

— Ó de casa! Sei que você está aí. Abra a porta.

Devagar, a porta da tapera humilde se abriu e a cara assustada de Bentinho apontou. Vendo Eduardo, abriu e saiu em atitude humilde.

— Você é Bentinho.

— Sim, sinhô.

— Precisamos conversar.

O negro olhou-o temeroso. Com certeza, Zefa tinha dado com a língua nos dentes. Fez-se de desentendido.

— O que deseja de mim, sinhô?

— Conversar. Sei que você não tem passado muito bem esses dias. Para dizer melhor, de ontem para cá.

O negro olhou-o admirado.

— Quem disse essas mentira?

— Você mesmo disse. Não se lembra?

O outro olhou-o assustado.

— Nunca conversei com sinhozinho.

— Você nem me viu, estava com medo de morrer. Sabe que isso podia ter acontecido? Se você não voltasse para o corpo, ele morreria e você iria ajustar as contas com todos seus inimigos que o esperam lá, do outro lado, além da morte.

O negro começou a tremer. Olhou Eduardo com olhos arregalados. Que feiticeiro era aquele que tinha tanto poder? Como ele poderia saber daquele pesadelo horrível que o estava atormentando e do medo de morrer que ele tinha? Das vozes dos seus inimigos que ouvia ao seu redor? Zefa não poderia ter lhe contado isso. Ela não sabia.

Depois daquele pesadelo terrível em que tinha sido julgado em um tribunal onde lhe pediam contas de seus atos e onde ele temeu estar morto, não tinha mais conseguido dormir.

Todas as vezes que, vencido pelo sono, fechava os olhos, via as caras das pessoas que tinha envolvido em suas bruxarias, algumas exigindo-lhe contas, outras ameaçando-o. Apavorado, fechara-se em sua cabana sem querer sair.

— Sei o que está acontecendo com você — tornou Eduardo. — Vim para ajudar.

O negro olhou-o, admirado. A troco de quê?

Desconfiado, retrucou:

— Sinhozinho nem me conhece. Ajudá o quê?

— Vamos nos sentar. Ande.

Bentinho pegou dois caixotes que serviam de banco na tosca tapera e colocou-os sob uma árvore, conforme Eduardo pediu. Acomodados, este começou:

— Sei o que lhe aconteceu ontem e sei o que está acontecendo agora. Não adianta disfarçar. Sei de tudo.

— Tudo o quê? — fez Bentinho, tentando ganhar tempo.

— Vim conversar com você porque, apesar do que tem feito, das mandingas que fez para o Sr. Demerval adoecer, não gostaria de ir embora sem acabar o que comecei.

— Zefa é mentirosa. Eu num fiz nada.

— Não foi Zefa quem contou, foi você mesmo.

— Eu?!

— Você. Não se lembra do seu sonho?

O negro ficou desfigurado.

— Sinhozinho. Eu num fiz nada. Se o sinhô Demerval soubé dessa história, manda me matá!

— Você sabe bem o que fez?

— Eu só queria Zefa pra mim. Vivo sozinho e sô louco por causa daquela marvada.

— Não teria sido melhor pedi-la para D. Maria José? Sabe que sua sinhá a quer muito bem.

— Ela num ia deixá, sô negro ignorante. Se eu fosse letrado, como o Tomé, eu podia trabaiá na casa-grande e Zefa ia me querê. Mas eu nunca fui aprendê as letra e só sei mexê com as erva do mato. Minha mãe me ensinô.

— Você não mexe só com as ervas. Você mexe com os espíritos dos que morreram.

O negro começou a tremer novamente.

— É mentira.

— Bentinho, vim como amigo. Quero ajudá-lo. Se quer mentir, enganar, então deixo você aí, para se entender com sinhô Demerval.

— Por favor, sinhô Eduardo. Perdão. Sei que sua magia é maior que a minha. Me ajude. Tô perdido. Se sinhozinho descobre, me mata; se eu morrê, tem aqueles espírito querendo me pegá. Me ajude, por favor!

— Agora você começa a falar de coração. Sabe que sinhô Demerval poderia ter morrido?

— Eu num queria matá. Era só pra ele ficá na cama e a sinhá se livrá dele. Depois, ele queria i embora e eu queria a Zefa aqui comigo. Por causa da magia, ela me admirava. Ficô comigo e eu tô cada vez mais louco por ela!

— Você está mesmo muito atrapalhado.

— Tô. Tô perdido. Pensei até em fugi daqui, de i pro quilombo do Tombo, mas a diaba da Zefa me enfeitiçô. Aquela negra marvada.

— Fugir não vai ajudar você a encontrar paz. Você nem consegue dormir. Onde estiver, esses perseguidores vão atrás.

— Que Nosso Sinhô meu ajude! Tô cansado de verdade. Duas noite sem pregá os óio. Foi sua magia. É mais forte do que a minha.

— Sabe por quê?

— Não. Num conheço essa.

— É a magia do bem. É não fazer mal a ninguém. É ajudar com amor aos que sofrem e precisam, sem querer nada em troca.

— Só isso??!

— Tudo isso. É a mais forte magia que existe. É Deus que manda seus servos para nos ajudar, sempre que queremos o bem das pessoas.

— Isso é muito demorado. Nunca deu resultado pra mim.

— Porque você nunca desejou de verdade as coisas boas. Nem sempre o que queremos e nos parece ser bom é bom aos olhos de Deus. Só quando ele aprova nossos atos é que vem em nosso auxílio.

O negro abanou a cabeça, admirado. Diante de Eduardo sentia-se respeitoso, humilde. Ele tinha demonstrado conhecer mais sobre magia do que ele próprio.

Sentia a força da magia branca pela primeira vez e estava assustado. Ela não só havia anulado todos os seus esforços, como lhe mostrara muitas coisas novas que o atemorizavam.

— Você achou mais fácil misturar-se aos espíritos ainda muito presos à vida na Terra, utilizando-os para conseguir arranjos e favores, sem pensar que, acima de tudo, existe a justiça de Deus, que um dia vai pedir-lhe contas de tudo isso. Você os ajudou a manterem-se ignorantes, deu-lhes oferendas macabras, pinga, fumo, e não percebeu que os carrega a seu lado, tirando suas energias e explorando também suas forças. Você fez pacto com eles e agora esse compromisso vai ser pesado em sua vida.

— Eu deixo eles em paz. Num mexo mais com essas coisa. Minha mãe me ensinô pra eu me defendê dos sinhozinho branco. Bentinho nunca foi pro tronco. Quando sinhô tá bravo, mesmo que eu teja perto, ele num consegue me vê. Esses espírito me protege.

— Protegem, mas usam suas energias. Comem, bebem, dormem, tudo com você. Não sabe disso?

— Sei, mas acho que me protegem.

— Isso afasta os espíritos bons do seu caminho. Você faz o que eles querem; eles, os espíritos atrasados, fazem o que você quer. Tudo vai assim até quando Deus permite. Chega sempre uma hora em que Deus determina que isso precisa mudar. Vocês precisam melhorar, então acontece o que aconteceu. Levaram seu espírito para perceber o mal que estava fazendo.

— Foi isso? — perguntou Bentinho, arrepiado.

— Foi, Bentinho. Tudo que nós fazemos, mesmo que seja contra os desígnios de Deus, está sendo visto pelos espíritos superiores. Condoídos da sua situação, eles quiseram mostrar-lhe a verdade e ajudar o sinhô Demerval, que mereceu essa cura. Foi um aviso de que o seu tempo acabou. Ou você muda, deixa de fazer mal e passa a fazer o bem, ou sua situação vai ficar cada vez pior. Você vai ter que aprender a lição.

Bentinho suava.

— Sinhozinho, me ajude. Tô com medo. Num quero fazê nada de mal. Mas ainda num sei o que fazê. Nunca mais mexo com essas coisa.

— Você tem o dom da mediunidade, Bentinho. Conhece as forças da natureza, sabe como mexer com os espíritos, parar agora você não saberia. Por que não usa isso tudo só para o bem? Por que não alivia as dores dos que sofrem, curando as doenças com a ajuda de Deus?

— Sinhozinho acha que eu posso? Deus vai ajudá um pobre negro ignorante e marvado como eu?

— Se você quiser ser bom, ajudar os que estão em sofrimento sem querer nenhuma paga, garanto que Deus vai ajudar. Você pode.

Os olhos do negro brilharam.

— Sinhozinho Eduardo me ensina suas magia branca?

— Ensino — tornou Eduardo, com ar bondoso.

— Mas num adianta. Pobre de mim. Sinhô Demerval vai me mandá matá. Se ele descobre o que eu fiz! É melhor eu fugi daqui o quanto antes.

— Gostaria que ficasse. Não quer o amor de Zefa?

Bentinho suspirou.

— Quem dera! Ela num vai mais querê sabê de mim.

— Não sei, não. Confia em mim?

O negro olhou-o nos olhos. Eduardo sustentou o olhar.

— Confio, sim — disse. — De hoje em diante, o que o sinhô dissé, eu faço.

— Muito bem. Então não faça nada por enquanto. Vim para ajudar. Amanhã cedo, virei aqui e decidiremos. Não quero que lhe aconteça nada de mal.

O negro apanhou as mãos de Eduardo e tentou beijá-las. Eduardo procurou retirá-las.

— Não faça isso — pediu.

O negro atirou-se a seus pés. Lágrimas vieram-lhe aos olhos. Soluçando, disse com voz entrecortada:

— Sinhô Eduardo é um santo. Eu sô peste ruim, num mereço. Sô negro pesteado, marvado, mereço sê castigado.

Eduardo, comovido, alisou-lhe a cabeça.

— É, de fato você não merece nada de bom. O que fez foi muito grave. Porém, se está arrependido, se quer se modificar, eu estou aqui para dar-lhe a mão.

O negro soluçou ainda mais. Nunca ninguém havia lhe falado assim, alisado sua cabeça. Nem sua mãe, mulher dura e sofrida. Toda sua emotividade veio à tona.

— Sinhô, sô seu escravo daqui pra frente. Tô muito arrependido do que fiz, tô disposto a fazê o que me mandá.

Eduardo forçou-o a levantar-se.

— Sente-se aqui — disse, indicando o tosco banco de caixote. Bentinho sentou-se e o senhor, por sua vez, continuou: — Vamos orar. Agradecer a Deus o início da nossa amizade, Bentinho.

Comovido e trêmulo, Bentinho repetiu palavra por palavra o que Eduardo dizia, com voz comovida, e começou a aprender verdadeiramente a orar.

Capítulo VIII

Eduardo regressou à casa-grande pensativo. Aquele escravo, apesar do que fizera, tocara-lhe o coração. Se estivesse no lugar dele, sem cultura, sem ninguém, pressionado, condenado ao cativeiro, não teria agido da mesma forma?

Chegando na casa, notou desusado movimento. Não havia a costumeira calma. Zefa passou nervosa e Eduardo indagou:

— O que está havendo?

— Nada não, sinhô. Só sinhozinho Demerval que tá igualzinho era antes.

— Como assim?

— Tá brabo e deu uma briga comigo por causa do almoço que atrasô meia hora.

Eduardo disse, calmo:

— Vou falar com ele.

A negra tremia.

— Sinhozinho, se ele descobre tudo, tô perdida. É melhor morrê.

— Não dramatize. Vou falar com ele. Não acha melhor rezar?

— Rezá?

— Claro. O que seu sinhô precisa é de ajuda, de reza, não de raiva e de medo.

— Cruz credo, sinhô! Eu num tava pensando nisso.

— Estava, sim. Está com medo do que fez, sabe que foi errado, mas está com muita raiva dele. Se quer ganhar essa luta, viver melhor e em paz, aprenda a rezar por ele. Não vê que é quem mais precisa?

— Sim, sinhô.

— Confie em Deus! Bentinho se arrependeu e dispôs-se a mudar.

— Num quero mais sabê daquele traste.

Eduardo sorriu.

— Você é quem sabe. Ele está sofrendo por sua causa.

Ela sacudiu os ombros.

— Vai ficá lá, eu num vô mais vê ele.

— D. Maria José está no quarto do sinhô?

— Tá, sim. Pobrezinha, vai sofrê tudo de novo.

— Não diga isso. Não acha que sinhô Demerval pode mudar?

— Não. Ele tá lá que só Deus sabe. Igualzinho ao que era. Num adiantô nada.

Eduardo dirigiu-se ao quarto de Demerval e bateu na porta. Uma escrava veio abrir. Maria José aproximou-se.

— Pode entrar, Sr. Eduardo. Veio em boa hora.

— Posso ver o Sr. Demerval?

— Claro. Vamos entrar.

Demerval estava sentado em uma poltrona confortável tendo à sua frente um banquinho em que descansava os pés, com muito boa aparência. Vendo-o entrar, olhou-o curioso, dizendo polidamente:

— Acomode-se, Sr. Eduardo, por favor.

Eduardo sentou-se, acomodou-se em outra poltrona ao lado do enfermo.

— Está com ótima aparência — disse, bem-humorado.

— Quase bom, Sr. Eduardo. Não fora esses pequenos dissabores caseiros, talvez estivesse melhor.

— Dissabores caseiros?

— Sim. O senhor sabe, quando adoeci, tudo aqui ficou abandonado. As coisas se conturbaram, relaxaram, e agora preciso recolocar tudo nos devidos lugares. Vai dar-me trabalho, mas o que fazer? É preciso assumir a família.

— O senhor não precisa preocupar-se — garantiu Eduardo. — Por aqui tudo vai muito bem.

— O senhor é muito amável! Vê-se em tudo a diferença.

Eduardo fez um gesto para Maria José, que se adiantou:

— Vou dar algumas providências, aproveitando a bondade do Sr. Eduardo fazendo-lhe companhia.

— O que vai fazer? Espero que hoje nada mais atrase e que as coisas melhorem.

A expressão do rosto de Maria José endureceu.

— O que vou fazer eu sei. Tenho feito tudo sozinha e as coisas estão indo muito bem. Nada tem faltado a você, a não ser calma e boa vontade.

Ela saiu apressada e Demerval desabafou:

— Veja, Sr. Eduardo, como ela me trata. Não é mais a esposa dócil e obediente. Recusa-se a atender ao que digo. Não vejo a hora de levantar-me para tomar as rédeas de tudo.

— Para quê? — indagou Eduardo, calmo.

— Para quê? Para pôr tudo na devida ordem. Para manter nossa rotina, para dirigir tudo.

— O senhor não deve fazer isso assim.

O outro admirou-se:

— Por quê?

— Porque senão corre o risco de piorar.

— De novo? — indagou ele apavorado.

— É o que lhe digo. Seu caso precisa ser examinado. O senhor sempre impôs sua vontade.

— É verdade. Sempre mandei e fui obedecido.

— Mas a que preço?

— Não estou entendendo. O que faço é sempre visando o benefício da minha família. É para o bem deles que eu exijo esta ou aquela disciplina. Para ensiná-los a viver bem.

— Permita que lhe diga que sua imposição tem feito infelizes todos os que estão à sua volta.

Demerval enrubesceu. Não admitia ser advertido. Conteve-se, porém. Eduardo inspirava-lhe certo receio, ele parecia ser dotado de poderes sobrenaturais. Contudo, não podia deixar de reagir. Disse com voz lamentosa:

— O senhor me acusa? Eu, torná-los infelizes? Eu, que não tenho feito outra coisa na vida senão viver para eles?

Eduardo olhou-o firme nos olhos enquanto dizia:

— Será que foi unicamente por isso que sempre exigiu deles um comportamento acima de suas forças?

— Nunca exigi nada que não fosse possível fazer. Eu também me incluo.

— Certo, porém impõe sua vontade. D. Maria José nem sequer pode escolher como gastar seu tempo. Acha justo isso? Agindo assim pensa realmente na felicidade deles ou na sua? No orgulho de dirigir e de mandar, de fazer apenas o que o senhor quer, sem pensar que os outros podem querer agir de forma diferente?

Demerval ficou furioso, mas não queria indispor-se com Eduardo.

— Ofende-me — disse, com ar sentido.

— Não tenho essa intenção, Sr. Demerval. Quero apenas que recupere sua saúde sem que lhe aconteça coisa pior.

— Como assim? — indagou ele, assustado.

— Criar inimigos não é de bom alvitre. Os ditadores acabam odiados. O senhor pode piorar de novo.

— Afinal, Sr. Eduardo, que doença eu tenho? Até agora não consegui descobrir.

— O senhor foi acometido de um ataque de bruxaria.

Em outros tempos Demerval teria rido. Agora estava muito assustado para isso. Um frio correu-lhe pela espinha.

— Não acredito nessas coisas — disse, irritado.

— O que não adiantou nada. Pegaram-no assim mesmo. E sabe por quê?

Demerval abanou a cabeça. Eduardo prosseguiu:

— Porque deu chance. Sua maneira de ser, de agir, criou um círculo de antipatia ao seu redor e isso permitiu que eles o agarrassem.

— Não é possível! Deus não permitiria!

— Foi o que aconteceu. Deve lembrar-se de que só melhorou depois que D. Maria José foi envolvida pelo espírito que o estava atingindo e ele foi convencido a desistir. Não a viu estendida no chão?

Demerval estava boquiaberto.

— O que Maria José tem a ver com isso? Por acaso ela me odeia?

Eduardo abanou a cabeça.

— Não diga isso! É uma injustiça. D. Maria José é uma mulher extraordinária. Tem sido muito dedicada. Quase não saiu da sua cabeceira, rezando pelo senhor. E é inteligente também. Há que ver a fazenda, que linda está. Tem comandado tudo com muito zelo e todos a respeitam e amam. O senhor tem uma esposa admirável!

Demerval corou de prazer, porém objetou:

— Ela está diferente. Responde-me. Recusa-se a obedecer.

— Claro. O senhor está sendo injusto com ela. Durante estes meses ela foi competente para dirigir tudo, não vai aceitar mais suas ordens como antes. Por que não experimenta trocar idéias com ela, sem ordenar nada?

— E minha autoridade de marido?

— De que lhe serve ela? Tem lhe trazido alguma alegria?

Demerval sentia-se aturdido.

— O senhor a defende. Está do seu lado — reclamou ele.

— Estou do lado dos dois. Gostaria de vê-los felizes. Isso só acontecerá se o senhor modificar seu modo de agir.

— E se eu não quiser? — indagou ele, teimoso.

— Então não respondo pela sua cura. Como pode estar bem espiritualmente, se mergulha em energias negativas irritando os outros para satisfazer seus desejos?

— Acha que gosto de contrariá-los? E a disciplina?

— Não deve ser imposta pela força. Verá que tudo irá muito melhor com compreensão e tolerância.

— O trabalho ficará prejudicado. Não posso deixar todo o pessoal à vontade.

— Está claro que a organização da fazenda precisa ser mantida. Mas com atitudes adultas, em que não falte o entendimento na hora certa.

— Não posso concordar.

— É pena, Sr. Demerval. Isso o deixa muito vulnerável ao ataque de espíritos perturbados e doentes.

Demerval sentiu um arrepio percorrer-lhe o corpo.

— Custa-me crer numa coisa destas. Se não fosse dita pelo senhor, a quem considero muito e a quem tanto devemos, nem ouviria.

— Deve acreditar. Quando fazemos inimigos, nos cercamos de forças destrutivas e favorecemos o envolvimento deles.

— O senhor falou em bruxaria. Quem fez?

— Isso não é importante. Quando estamos irritados e queixosos, quando exigimos muito e damos pouco, somos um ímã natural para esses espíritos. Embora possa não acreditar, os espíritos estão ao nosso redor, vivendo e convivendo conosco. Não os iluminados, claro, que vêm aqui apenas para nos ajudar, mas os que viveram neste mundo descrentes e apegados às coisas terrenas, às paixões e que não querem afastar-se. Utilizam-se de nós para suprir suas necessidades.

— O que me diz é assombroso! Assombroso e desagradável. Por que Deus permite tanta injustiça?

— Injustiça por quê? Eles são gente e guardam seus anseios e suas paixões tanto quanto nós. Querem ficar por aqui, recusam-se a sair, mesmo sabendo que seus corpos já morreram. Unem-se de acordo com suas antipatias ou simpatias e representam uma força da própria vida.

— Como podemos nos defender deles?

— Unindo-nos com Deus, não só pela prece como principalmente pelo sentimento. É conquistando a simpatia dos espíritos superiores que estaremos mais protegidos. Nós só conseguiremos isso pelo nosso comportamento. Fazendo todo o bem possível, procurando ser justos, sinceros.

— Isso eu sou. Jamais cometi uma injustiça — sentenciou Demerval, orgulhoso.

— Tem certeza? Não é o que tenho ouvido contar aí fora, nem o que pude perceber.

— Novamente me ofende.

— Não tenho essa intenção. Sei que é um homem honesto, sincero e pretende o melhor. Contudo, seus métodos são inadequados e, por isso, é obedecido pelo pavor, pelo medo. Como as pessoas não podem perceber sua intenção, é odiado.

Demerval sentia-se magoado, sua vaidade ferida.

— Queixaram-se de mim. Quem? Minha mulher? Meus filhos? Meus escravos?

— Não se trata disso. O que desejo que perceba é que, embora pensando ser justo, tem cometido injustiças. Apesar da boa intenção, tem arranjado inimigos entre os escravos, feito sua família sentir-se infeliz. Não foram eles que se queixaram, mas eu que notei.

Demerval abaixou a cabeça, desanimado. Doía-lhe ouvir isso. Eduardo continuou:

— Vai dizer-me que nunca percebeu o quanto sua esposa odiava ler versos em francês?

— Sei que ela não os apreciava, mas estava velando pela cultura familiar.

— E criando antipatia, sofrimento nos outros. Acha justo?

— O que tem isso a ver com a bruxaria? Por acaso minha mulher foi capaz de fazer isso?

— Não cometa a injustiça de, sequer, pensar nisso, Sr. Demerval. Ela seria incapaz!

— Então?

— O senhor, com suas exigências, criou ambiente de hostilidade, enquanto D. Maria José, dedicada, boa mãe e esposa, é adorada por todos. Acha que, se tivessem que escolher, ficariam do seu lado?

— Sempre tratei muito bem minha mulher. Bem demais, eu acho.

— Digamos que bem a seu modo, impondo-lhe suas vontades a ponto de fazê-la adoecer.

— A doença de Maria José não tem nada a ver com isso...

— Só tem. Ela não agüentava mais a rotina e a vida que levavam. Está claro que os escravos que a estimavam doeram-se por ela.

— Foram eles que me fizeram a bruxaria.

— Pode ser — concordou Eduardo. — Há de convir que, como seres humanos, eles reagem como qualquer de nós. Ou pensa que eles não são gente?

— São gente, sim, mas sem inteligência e direção. Eles precisam de comando.

— São seres humanos, repito, como nós. Precisam de comando porque estão reduzidos a homens sem vontade ou escolha.

— O senhor é abolicionista!

— Sou. Não é isso o que importa agora. Quero que perceba que, feridos e magoados, muitos se defendem apelando para a magia. Isso é comum nas crenças africanas.

— Mal-agradecidos. Cuspindo no prato em que comeram.

— Defesa, Sr. Demerval, simples defesa. Já que não podem vencer uma luta frente a frente, chamam seus santos e seus espíritos amigos para ajudá-los. Se estivéssemos no lugar deles, talvez fizéssemos o mesmo.

— Ingratos! Traidores!

— Mas se o senhor não acredita...

— Acreditar, não acredito. O que eu tive foi muito esquisito. Pode mesmo ter sido bruxaria?

— Só foi, Sr. Demerval.

— Ah! Se eu pego o malvado! Mando matar à vista de todos.

Eduardo sacudiu a cabeça.

— E aí vai conquistar mais raiva e mais ódio. Não entende que essa é a força deles? Não pode impedi-los.

Demerval recostou-se na cadeira, preocupado.

— Devo ficar à mercê deles? Como Deus pode permitir?

— Lembre-se de que Jesus, quando curava, aconselhava as pessoas a se modificarem para que não lhes acontecesse coisa pior.

— Estou arrasado. Desse jeito, estou perdido.

— A sua defesa é um direito sagrado.

— Como?

— O mais seguro é criar um ambiente amigo ao seu redor.

— Vão dizer que estou com medo — disse Demerval, irritado.

— Não. O senhor não vai perder sua dignidade, nem descer do seu lugar de chefe desta casa. Mas pode ser um chefe compreensivo, que aprenda a conviver com os outros e possa dar-lhes um pouco mais de paz. Verá como eles trabalharão melhor e sua vida voltará ao equilíbrio.

Demerval, sério, pensativo, depois perguntou:

— E se eu não quiser?

— Nesse caso, só Deus sabe o que pode lhe acontecer.

Demerval olhou-o desesperado.

— Sinto-me acuado. Pelo visto, agora estou sendo pressionado. Tenho que mudar, fingir ser o que não sou.

— Se isso lhe é tão desagradável, por que o exige dos outros?

Demerval abriu a boca, mas não conseguiu responder. Sentia-se irritado, nervoso, sem saber o que dizer.

— Pense no que eu disse. Pode crer que falo com sinceridade. Estou realmente interessado não apenas na sua melhora mas na sua cura completa. Tudo está em suas mãos. A verdade às vezes dói, mas sempre ajuda a viver melhor.

Demerval abaixou a cabeça. Subitamente sentiu-se deprimido.

— Não sabia que estava fazendo mal aos meus. Custa-me crer. Como vamos viver sem organização?

— Não se posicione como uma vítima, que o senhor nunca foi e não é, nem seja radical. Se falei em transigir, ser tolerante, não foi para largar tudo. Contudo, nestes meses que o senhor esteve afastado da direção, D. Maria José lutou muito, aprendeu. Menelau ensinou-a a conhecer os negócios. Ela fez tudo muito bem. As coisas estão indo otimamente na fazenda. Sua mulher tem pulso, precisa vê-la vistoriando a plantação, cuidando de tudo. Conquistou o respeito e a estima de todos, que trabalham felizes para ela. Na verdade, ninguém poderia prever quando o senhor iria melhorar. Agora, seria justo que a tratasse com igualdade, ao invés de dar-lhe ordens, como a uma criada.

Demerval enrubesceu:

— Não é bem assim. Claro que ela é minha mulher.

— Quando entrei aqui, o senhor falava com ela como a uma serva. Dava-lhe ordens.

— Não tenho culpa de ela ser mulher. A mulher deve obedecer ao marido.

— Esse tempo está passando, felizmente. A mulher é igual a nós. Em muitos casos, é superior em dedicação, abnegação, fidelidade.

— O senhor pretende me ferir.

— Em absoluto. Ficarei feliz se perceber a verdade. Sua esposa é sua companheira. Deve-lhe muito esforço, abnegação.

— Sei o quanto é dedicada.

— Peço-lhe que seja justo com ela. Pense nisso.

Demerval baixou a cabeça, triste. Eduardo retirou-se. Naquele dia, quase não tocou nos alimentos, porém não reclamou de nada. Preocupada, Maria José falou com Eduardo, que respondeu:

— Deixe-o. Está querendo provocar piedade. Enquanto isso, vai pensando no que eu disse. Não esqueça a prece e proceda com ele como se nada notasse.

— Está bem — concordou Maria José.

Estava exausta, triste. Não podia evitar de comparar Demerval com Menelau. A diferença era enorme. Por que não tinha conhecido Menelau antes do marido? Lembrando-se do cunhado, seu coração batia mais forte e a saudade doía. Vendo o marido tão irascível, não sentia remorso pelo que tinha acontecido. Não haviam planejado nada. Acontecera. Fora uma atração tão forte que eles não resistiram.

Agora, nunca mais veria Menelau. Sabia que ele não se aproximaria deles depois do que acontecera. Maria José sentia vontade de chorar. Só a presença dos filhos a confortava. Sua paciência com o marido se limitara. Nunca mais se sujeitaria à sua tirania.

Capítulo IX

Menelau deixou a fazenda com o coração partido. Sentia que amava Maria José e esse amor enchia-o de remorsos. Jamais pensara em tirar proveito da situação. Seu irmão no leito, indefeso, ele se arrependia de haver cedido ao afeto que a cunhada lhe inspirara.

Que mulher! Aqueles meses de estreita convivência fizeram-no admirá-la profundamente. Bela, inteligente, digna. Por que não a conhecera antes de Demerval? Teriam sido muito felizes juntos. Lembrou-se de Maria Antônia, suspirou fundo. Que diferença! Sua mulher era fútil, pretensiosa, dura, exigente, áspera. Não possuía nenhuma das qualidades que ele desejava numa mulher. Triste destino o deles: viverem juntos sem se apreciarem. O entusiasmo dos primeiros tempos passara depressa. Contudo, reconhecia seus deveres para com ela. Era sua esposa, estava doente. Por outro lado, não poderia ficar na fazenda depois do que acontecera. Tinha medo de não resistir aos encantos de Maria José, ela era mulher de seu irmão.

Se tivesse ficado, a situação seria insustentável. Eles não haviam premeditado nada. Isso atenuava-lhe os remorsos. Todavia, conviver com ela depois disso, controlando as emoções, seria forte demais para ele.

Gostaria de ter deixado a fazenda somente quando o irmão estivesse melhor, mas isso também era problemático. Ninguém sabia quando ele melhoraria. Eduardo estava lá, confiava nele. Sabia que faria tudo para ajudá-los.

Por outro lado, sentia que cumprira seu dever orientando a sua cunhada na direção dos negócios. Estava satisfeito: ela realmente revelara-se excelente administradora. Este detalhe aumentava a admiração de Menelau, contrastando com Maria Antônia, incapaz de ver além das futilidades de salão.

Apesar do seu propósito de não voltar a vê-la, Menelau não conseguia esquecer aquela noite. O desejo de rever a cunhada, o gosto de seus lábios queimavam-no e ele sentia o quanto a amava. Esse segredo, ninguém além dela saberia. As lembranças morreriam com ele, porém a recordação doce daqueles momentos dar-lhe-ia força para suportar a vida sem ela.

Foi cansado e abatido que chegou a sua casa no Rio de Janeiro. Uma bela e solarenga casa, com cavalariças, senzala e lindo jardim, situada em aristocrático bairro. Saltou da carruagem na entrada principal e foi logo perguntando pela esposa.

Informado de que ela estava em seus aposentos, dirigiu-se para lá com certa ansiedade. Bateu delicadamente e entrou. Sentada em um divã, cheia de laços e fitas, em seu *néglîgé*, Maria Antônia escolhia algumas flores com jóias que deveria usar num próximo sarau, discutindo os detalhes com o joalheiro. Vendo-o, despediu o homem.

— Agora pode ir. Amanhã cedo quero ver as provas.

O homem recolheu seus pertences rapidamente e, curvando-se, retirou-se. Menelau mal continha a irritação. A esposa parecia-lhe melhor do que nunca. Ela se levantou, dirigindo-se a ele com voz amável:

— Que bom ver você, meu querido! Finalmente resolveu retornar às suas obrigações!

Menelau, fingindo não ver a mão que ela lhe estendia para o beijo de praxe, disse mal-humorado:

— Recebi um recado que você estava mal. Por isso vim.

— Sim, é verdade. Estive à morte, mas já me recuperei. Não está contente?

Ela mentia, claro. Menelau percebia com raiva que ela lhe armara uma cilada. Vendo-lhe a fisionomia séria, ela continuou com certa ironia:

— Preferia que eu estivesse mal, com certeza. Não o alegra eu haver melhorado?

— Claro — disse ele, mal-humorado. — Se eu acreditasse na sua enfermidade. Não precisava enganar-me.

Ela deu de ombros.

— Cansei-me de parecer viúva. De ir só a toda parte, de explicar que meu marido abandonou o lar por causa dos seus parentes.

— Está sendo injusta. Viu o estado de Demerval.

— Ele tem mulher que cuide dele. Você não pode deixar nossos negócios por causa deles.

— Nossos negócios vão muito bem nas mãos do Dr. Afonso. Não há com o que se preocupar.

— Cansei-me. Cansei-me de parecer viúva. Você me fazia falta. Para isso me casei.

Se ela houvesse dito que sentia saudade ou lhe demonstrasse alguma afeição, Menelau teria sido mais atencioso. Mas ela deixara claro que desejava a presença do marido apenas como um complemento social. Ele fez silêncio para não ter que ser desagradável. Ela prosseguiu:

— Se eu tivesse deixado, talvez você ficasse por lá para sempre. Eles vão se arranjar muito bem sem você, verá.

— Sei cuidar dos meus deveres sem sua interferência — respondeu, contendo a irritação.

— Não parece. Amanhã teremos uma recepção em casa do Visconde de Maricá e espero que você me acompanhe.

Menelau estava cansado e aborrecido. Não querendo alongar a discussão, respondeu:

— Vou pensar. Agora, preciso banhar-me e descansar.

Ela o olhou com um brilho vitorioso no olhar. Menelau, resignado, dirigiu-se aos seus aposentos. Sua mulher era sua cruz, o que fazer? Não encontrava nenhum prazer nessas reuniões em sociedade, onde havia muitos mexericos, muita falsidade e muita ostentação. Ao mesmo tempo, reconhecia que Maria Antônia era jovem e gostava desses lugares. Não estaria sendo rigoroso demais com ela?

Já que precisava viver em sua companhia e resolvera esforçar-se para melhorar seu relacionamento com ela, esquecer Maria José, talvez fosse melhor não contrariá-la. Acompanhando-a às festas das quais tanto gostava, talvez pudessem viver em paz. Sentia-se culpado pelo amor que nutria pela cunhada. Queria aproximar-se de Maria Antônia. Ela era sua esposa e, embora fosse fútil, vaidosa, pretensiosa, merecia toda sua atenção pela moral inatacável. Decidiu ir à festa. Poderia, quem sabe, rever alguns amigos.

Na noite seguinte, Menelau, em traje de gala, acompanhou a esposa à casa do Visconde de Maricá. Maria Antônia estava muito bem vestida, empoada, ostentando lindas jóias. Menelau, vendo-a sorrir com galanteria aos cumprimentos que recebia, pensou: "É como uma criança. Preciso ter paciência com ela".

A recepção estava como sempre. Animada, discutiam-se as notícias palacianas, os problemas políticos, as peças dos teatros e a vida alheia. Menelau conversou com amigos e fez o possível para distrair-se, porém aborrecia-se. Ao contrário de Maria Antônia, que, como sempre, monopolizava atenções conservando uma roda de pessoas conversando animadamente.

Menelau queria retirar-se, mas, vendo a esposa tão satisfeita, resolveu dar-lhe mais tempo. Sentou-se na varanda, saboreando um cálice de licor de amora. Seu pensamento fugiu para a fazenda, as crianças que ele amava muito e Maria José. Suspirou fundo. Saudade imensa o acometeu. Quando colocou a mão no bolso, percebeu que havia algo dentro dele. Intrigado, verificou que era uma carta. Não estava ali quando se vestira. Quem a teria colocado? Abriu e leu. À medida que lia, seu rosto foi se avermelhando. Dizia o seguinte:

"Sr. Menelau. Enquanto o gato não está em casa, os ratos passeiam e vivem à larga. Quem tem mulher moça, é bom vigiar! Quem será o homem que tem sido visto sair às escuras dos aposentos de sua mulher? Não acredito que seja o senhor, tão oculto e tão a medo. Cuidado. O marido é sempre o último a saber!"

Menelau amassou a carta com raiva, atirando-a longe. Tanta maledicência enojava-o. O covarde não tivera a coragem de assinar ou de dizer-lhe o insulto cara a cara. Pusera-lhe no bolso, disfarçadamente, a carta anônima.

Não julgava Maria Antônia capaz de tanta baixeza. Ou seria? Pálido, inquieto, Menelau ficou sem vontade de permanecer ali. E se fosse verdade? E se estivesse fazendo papel de imbecil?

Nervoso, irritado, lutou para acalmar-se pensando que não devia dar crédito àquela carta vergonhosa.

Entretanto, uma suspeita nasceu dentro dele. E se fosse mesmo verdade? E se Maria Antônia tivesse um amante? Não a sabia muito ardente, porém o despeito, a raiva eram nela muito fortes. E se quisesse vingar-se dele pelo descaso e pela ausência?

Isso ele não se sentia com forças para tolerar. A traição, não. Se fosse verdade, tomaria providências.

De todas as maneiras, precisava ir embora dali. De repente pareceu-lhe que todos sabiam e só ele desconhecia.

Aproximou-se de Maria Antônia, tão à vontade no meio de uma roda de amigos, e reparou, indignado, que ali não havia nenhuma mulher. Disfarçadamente disse-lhe, com raiva:

— Chega agora. Vamos embora. Não suporto mais esta comédia.

Vendo-lhe a fisionomia perturbada, ela percebeu seu descontrole. Pediu licença, despediu-se dos donos da casa, porém ficou muito contrariada. Na carruagem de volta, perguntou, com raiva:

— Por que tivemos que sair assim, tão de repente, de um local tão agradável? Eu estava adorando. Esperei por esta recepção muito tempo. Preparei-me, estava em pleno sucesso. Por certo é isso que o desagrada. Por acaso você deseja que eu esteja sempre triste?

Menelau, ainda preocupado, olhou-a e respondeu simplesmente:

— Não gostei de lá. E você, por incrível que pareça, só tem amigos entre os cavalheiros!

Ela se irritou ainda mais.

— O que quer insinuar? Por acaso deverei faltar com os deveres da boa educação? Aqueles senhores conversavam e havia outras mulheres. Elas se foram afastando e acabei ficando só. Não o sabia ciumento!

— E não o sou! — esclareceu Menelau com raiva. — É meu desejo preveni-la de que, se a apanho em adultério, vai arrepender-se por toda a vida!

Ela empalideceu e seus olhos faiscavam de raiva.

— Isso é desculpa para você me recusar os prazeres da corte! Mas não vai conseguir afastar-me dos salões. Nunca!

Menelau calou-se. Não tinha certeza de nada. A lembrança da carta queimava-lhe os pensamentos. Que fazer? E se fosse calúnia? E se Maria Antônia fosse inocente? Sabia que sua mulher não era apreciada pelas outras mulheres, que não lhe toleravam o temperamento irascível e exigente. Reconhecia que a carta poderia ter sido escrita por uma das suas inimigas. Alguém que não a suportasse e tivesse querido vingar-se. Por outro lado, não lhe agradara observar que Maria Antônia gostava da companhia masculina. Não possuía nenhuma amiga.

Menelau sentiu-se atormentado pela dúvida. Se estava disposto a tolerar as futilidades de sua mulher, não queria transigir com a moral. Lembrou-se de Maria José e estremeceu. Ele tinha traído, mas sem premeditar. Não enganara a mulher deliberadamente. Acontecera e pronto. Sentiu saudade de Maria José.

Por outro lado, ele havia deixado a jovem esposa sozinha durante muito tempo. Não teria contribuído para que ela procurasse afeto ou fosse envolvida por alguém?

Menelau acusava-se ao mesmo tempo que reconhecia em Maria Antônia o amor às futilidades, às ilusões e às aparências.

Sua cabeça escaldava e mal conseguia dormir. Pretendia observar a esposa. Estremecia ao pensar que ela o pudesse estar traindo.

Nos dias que se seguiram, a situação não se modificou. Por mais que a observasse, Menelau nada descobriu, além da sua vaidosa futilidade, do seu orgulho.

Maria Antônia só se preocupava em brilhar e em ofuscar as outras mulheres com o sucesso de sua presença.

Em vão Menelau tentava conversar com ela sobre outros interesses, entretê-la de outra forma, manter com ela assuntos mais sérios.

Maria Antônia não respondia nem participava, a não ser quando se falasse sobre moda, intrigas sociais ou as novidades dos teatros. Quanto a filhos, detestava que se lhe falasse sobre isso. Era desagradável deformar o corpo e ter que suportar crianças, que lhe tirariam o sossego.

Menelau, triste, recordava-se mais de Maria José, dos sobrinhos e da família do irmão, que gostaria que fosse a sua. Dessa forma, por mais que tentasse aproximar-se de sua mulher, não conseguia afinar-se com ela. Ele que tinha, a princípio, o desejo de viver bem com a esposa, passou sem perceber a distanciar-se dela cada vez mais.

Notou que ela se abalava pouco com suas ausências, tendo sempre uma recepção, um sarau, um teatro para ir. Fazia-se acompanhar de uma senhora da nobreza que empobrecera e a quem ela pagava regiamente. Contava assim tapar a boca aos maldizentes. Assim, ia a toda parte com Adelaide, que gozava de reputação ilibada e era muito bem vista na corte.

Menelau via com bons olhos essa dama de companhia que lhe oferecia a oportunidade de não acompanhar a esposa, só comparecendo a lugares e ocasiões dos quais não podia absolutamente esquivar-se.

Entretinha-se com os livros, gostava de andar a pé pelos campos, assistir a concertos, aos quais Maria Antônia não ia, e, aos poucos, passou a viver completamente à parte da esposa.

Três meses depois de ter regressado foi que recebeu a visita de Eduardo. Emocionado, fê-lo entrar em seu gabinete e depois de abraçá-lo quis saber de tudo.

— As coisas estão melhores — declarou ele, satisfeito. — Seu irmão e a família já retornaram à Província e eu achei que era tempo de deixá-los sozinhos.

— Você conseguiu! Conta-me, como está Demerval?

— Melhor, embora seja muito teimoso.

— Quero saber de tudo. Como conseguiu a melhora? Descobriu a causa do problema?

— Em parte. Seu irmão foi mandingado e muito bem.

Eduardo relatou sua experiência com Zefa e Bentinho.

— Bem que eu desconfiava daquela negra! Maria José vendeu-a?

Eduardo fez ligeira pausa, depois esclareceu:

— Não sejamos injustos. Há que considerar seus motivos. Ela agiu assim impulsionada pelo apego que tem à sua sinhá. Acreditava estar lhe fazendo um bem.

— Você a defende?

— A escrava é mulher ignorante mas boa e fiel à sua dona. Todos podemos nos enganar, e ela se enganou. Demerval tem a sua parcela de responsabilidade. Era intolerante ao extremo. Ela desejou apenas que ele mudasse.

— E Bentinho?

— Fez isso por amor. Gosta de Zefa e queria ser importante diante dela. Usou seus conhecimentos, seus dons de mediunidade para conquistá-la. A ele só interessava o amor de Zefa.

— Negro safado. Quase matou meu irmão!

— Menelau, as coisas não são bem assim. Você acredita que Deus permitiria que uma pessoa tão ignorante tivesse tal poder?

— Então não entendo.

— Ele só conseguiu derrubar e atingir Demerval porque este estava dando chance com seu comportamento. Mostrava-se intolerante, exigente, tornou-se antipático até aos seus familiares. Isso o enfraqueceu, permitindo que espíritos perturbadores o envolvessem. Se ele procedesse diferentemente, nenhuma mandinga o teria prejudicado. Não defendo Bentinho, que abusou de sua capacidade de lidar com as forças da vida, mas, ao mesmo tempo, reconheço que ele só foi bem-sucedido porque Demerval permitiu.

— O assunto é mais complexo do que parece.

— Claro.

— E como ficou?

— Ficou que expliquei tudo a Demerval. Ele precisava saber. Assim que se sentiu melhor, voltou a agir como antes.

— O mal-agradecido...

— Queria mandar em tudo, exigir, coordenar, e fui obrigado a ser duro com ele.

— No que fez muito bem.

— Se Demerval não modificasse seu modo de agir, por certo ficaria doente de novo. Aí, ninguém sabe o que aconteceria. A custo fi-lo entender que a melhor maneira de eliminar um inimigo é fazer dele um amigo.

— Demerval aceitou isso?

— A princípio, não. Depois acabou compreendendo. Tratou de ser melhor com a esposa. Ela também mudou muito e já não aceita voltar à situação antiga. Agora, ele a respeita, depois de ter visto como ela administrou a fazenda durante sua doença.

— Ele já está bem?

— Não de todo. Compreendo isso. Se ele vier a sarar logo, por certo esquecerá o que passou e voltará ao procedimento anterior. Ao passo que, se ele, de vez em quando, sentir-se indisposto, isso o fará lembrar-se do que aconteceu e procurará moderar-se. Ninguém muda de um dia para o outro. O processo é lento. Sua cura definitiva está dependendo dessa mudança.

— É incrível!

— É. A vida ensina o que é preciso.

— Quer dizer que Zefa continuou lá?

— Sim. Dei-lhe um bom susto, mostrei-lhe que estava errada. E ela se arrependeu. Vendo que seu patrão trata melhor sua sinhá, está mais calma.

— E Bentinho?

— Com Bentinho eu ainda não consegui o que pretendia. Gostaria que ele pudesse morar com Zefa, por quem é apaixonado. Queria voltar à Província a todo custo por causa dela. Demerval foi intransigente. Não quis atender-me, mas Maria José prometeu ajudar-me. O melhor seria levar o negro junto para a Província e ensiná-lo boas coisas. É inteligente e por Zefa fará qualquer coisa. Se Demerval permitir que ele viva com ela na casa da Província, por certo terá ganho sua amizade para sempre. Depois, ele tem percepções, é médium curador. Bem apoiado, ele poderá fazer muito bem às pessoas.

— Acredita nisso?

— Acredito. Zefa já o perdoou e estava com os olhos vermelhos de tanto chorar no dia da partida. Bentinho pediu perdão a Maria José, e ela implorou para levá-lo junto. Demerval não deixou. Ela lhe garantiu que tudo fará para buscá-lo antes de as crianças nascerem.

— Crianças?

— Esqueci de dizer que Zefa também está grávida.

— Também?

— Sim. Maria José espera um filho.

Menelau abalou-se.

— Ela está bem?

— D. Maria José é uma mulher forte. Está firme no posto. Agora que sentiu o prazer da liberdade, não será mais tão submissa às implicâncias do marido.

O coração de Menelau batia forte. Um filho! Seria de Demerval ou...

— Para quando será a criança?

— Não sei bem. O curioso é que as duas estão grávidas ao mesmo tempo. Demerval melhor faria se deixasse Bentinho ir junto. O pobre-diabo estava desesperado.

— É uma crueldade separar o pai do filho — reconheceu Menelau. Deixara uma semente em Maria José. Teria germinado? Desejou estar perto dela, perguntar-lhe a verdade. Como saber? O filho poderia ser de Demerval.

— Você se emocionou — disse Eduardo.

— As notícias de nascimento sempre me emocionam. Seria o homem mais feliz se tivesse um filho. Maria Antônia não aceita a idéia. Odeia crianças. Estou condenado a viver em solidão toda minha vida.

Eduardo olhou-o firme nos olhos e respondeu:

— Quando fazemos o melhor, quando nos esforçamos para ser honestos e cumprimos nosso dever, Deus faz o resto.

— O que quer dizer?

— Que confie nos desígnios de Deus. Ele nunca erra. Se não lhe deu filhos até agora, alguma razão deve haver. Um dia, quando for possível, por certo esse desejo será realidade. Tudo quanto Deus faz é bom. Ele sempre faz o melhor.

— Quer dizer que eu não ter filhos é um bem?

— Não. Quero dizer que, se ainda não os tem, é porque não é o melhor momento para isso. As coisas vêm na hora certa. Por isso é bom sermos pacientes e entendermos o que a vida quer de nós.

— Talvez eu ainda não mereça. Você pode ter razão. O jeito é saber esperar.

Entretanto, no coração de Menelau cantava uma esperança, na qual ele não ousava acreditar, mas que era suficiente para embalar-lhe o sonho e aquecer-lhe o coração.

Maria José deu à luz em setembro a um belo menino e Demerval sentiu-se muito orgulhoso. Ter mais um filho significava que ele estava forte e bem de saúde, apesar dos achaques que o acometiam de vez em quando. Acercando-se do leito, olhando o pequeno ser que dormia ao lado de Maria José, disse, embevecido:

— Estou feliz, Maria José. Você me deu mais um filho. Escolha um presente, que eu darei. Uma jóia, algo que fique na lembrança deste dia feliz de nossas vidas.

Maria José olhou-o com olhos brilhantes e pediu:

— Você sabe que Zefa espera um filho por estes dias. Quero que ela seja feliz. A coitada vive chorando.

— Chora porque é teimosa. Ela precisa esquecer aquele negro atrevido.

— Depois que você adoeceu, sofri muito. Dói-me pensar que eu podia agora estar só, se sua doença piorasse. Se posso pedir algo a você que me dê alegria, quero que mande buscar Bentinho para viver com Zefa. Ele é pai e quer ver o filho nascer.

Demerval abanou a cabeça:

— O que me pede é difícil. Não posso me esquecer de que aquele negro é mandingueiro. Deve dar graças a Deus de eu não tê-lo posto a ferros. Estou sendo bom com ele até demais em atenção a você e ao Sr. Eduardo.

— Quero que o mande buscar. Tê-lo como inimigo é pior. Não sei o que ele poderá fazer em seu desespero. Se você quer me dar algo, que seja isso. Tenho o direito de pedir. Quero Bentinho aqui quando o filho de Zefa nascer.

Demerval resmungou, discutiu e por fim acabou concordando. Não queria negar o desejo da mulher naquela hora. Mandou buscar Bentinho.

O negro chegou dois dias depois e, assim que viu Maria José, atirou-se a seus pés, beijando-lhe a barra da saia.

— Sinhá! De hoje em diante sô vosso servidor até morrê!

Zefa estava radiante.

— Levante-se, Bentinho — disse Maria José, tentando sorrir, emocionada. — Deixe disso. Quero que cuide bem da obrigação. Vai aprender serviço aqui dentro de casa, comer com Zefa na cozinha. Vou dar para vocês um quarto para morarem sozinhos. Já mandei uma cama e uns arranjos. Estou fazendo isso porque gosto de Zefa e essa peste gosta de você. Mas quero tudo bem limpo e serviço bem-feito. Tem que ir ao mercado, cuidar dos cavalos. Zefa ensina tudo. Vão morar juntos e você vai cuidar muito bem dela e do filho que vai chegar.

Bentinho chorava de emoção. Tinha se levantado, mas atirou-se de novo ao chão.

— Perdão, sinhá! Negro foi muito marvado e sinhá é uma santa!

— Quero ver como você vai se portar. Se fizer tudo direito, vai ter família e mulher, eu prometo.

Foi com imensa alegria que Maria José os viu afastarem-se. Zefa estava feliz, ocupada em ajeitar o pequeno quarto ao lado das cavalariças em que iriam morar.

Demerval, vendo a alegria da esposa, tornou:

— Espero nunca me arrepender desta concessão.

— Eles estão felizes e serão fiéis pelo resto da vida! Afinal, são gente. Amam, choram, sofrem, como nós.

— Você está sentimental. Eles não são como nós, são como animais, precisam de pulso e de orientação.

— Pode ser. Mas Zefa é como da família. Quero vê-la contente.

Demerval deu de ombros.

— Se é assim, então está bem. Espero nunca me arrepender desta fraqueza.

Nos dias que se seguiram, Maria José comprovou a boa vontade de Bentinho. Estava feliz e tudo fazia para agradar.

A criança de Zefa nasceu três semanas depois. Uma linda menina, forte e gulosa, que fez Bentinho se emocionar. Maria José tomou-se logo de amores pela criança, dando-lhe roupas e zelando pelo seu bem-estar. Zefa sentia-se muito feliz.

Demerval, apesar de não aprovar essas intimidades, gostava de ver Maria José contente. Tinha notado que ela, às vezes, ficava triste e pensativa.

Demerval receava adoecer novamente. Sua saúde nunca mais havia sido a mesma. Acreditava que, a despeito do que lhe haviam dito, ele era portador de moléstia difícil, que de vez em quando o enfraquecia, deprimia e assustava.

Nessas horas, procurava pela esposa e apoiava-se nela, que durante a sua doença se mostrara tão forte e conduzira tudo sozinha. Não queria aborrecê-la. Se ela adoecesse também, o que seria deles? Por essa razão, vê-la contente o alegrava, pouco lhe importando os escravos.

Foi com prazer que receberam a visita de Eduardo. Ele ficou satisfeito vendo Bentinho muito diferente do que fora, falando da sinhá com respeito e adoração.

Eduardo conversava alegremente, e Maria José, embora ansiosa por saber de Menelau, não se animava a perguntar. Até que arriscou:

— D. Maria Antônia já recuperou a saúde?

— Está tão bem que nem parece haver estado doente.

— Antes assim — considerou Demerval, educadamente.

— E Menelau?

— Passa bem. Tem trabalhado muito.

— Esse meu irmão está se revelando. É mais jovem do que eu e eu temia pelas suas idéias de modernismo. Não concordo com sua maneira de ser.

— Não diga isso, Demerval — disse Maria José, a custo contendo a irritação. — Ele é muito capaz. Foi de uma dedicação muito grande. Devemos-lhe favores que nada poderá pagar.

— Quanto a isso, reconheço. Veio e tentou ajudar-me. Entretanto, não concordo com suas idéias.

— Ele me ensinou tudo quanto sei. Sou-lhe muito grata. Jamais esquecerei o que fez por nós. Chegou a desentender-se com a esposa para ficar aqui, em detrimento de seus próprios interesses e negócios na capital da Província. Você teria feito isso por ele?

Apanhado de surpresa, Demerval não soube o que responder. Depois de alguns instantes, disse:

— Não sou ingrato. Sei o que ele fez por mim. Mas ele é diferente e eu não aceito sua forma de pensar. Ele me surpreendeu, é inteligente, porém desperdiça seus talentos.

Maria José a custo dominou-se. Decidiu mudar de assunto. Teve vontade de gritar que preferia Menelau e gostaria que o marido fosse igual a ele. Contudo, nada disse.

Naquela tarde, a saudade de Menelau, de seu sorriso amigo, seu ar alegre, sua voz serena, surgiu forte. Maria José lutou para esquecer esses pensamentos, porém a lembrança daquela noite de amor não lhe saía da mente e ela procurava conter-se para não dar a perceber o que lhe ia na alma. Ah, se ele soubesse! Se ele soubesse que o pequeno Romualdo era seu filho! Esse era o seu segredo, que deveria levar até a hora da morte. Ninguém jamais saberia. Criá-lo seria para ela uma alegria. Saber que ele deixara nela sua marca, um pedaço do seu amor!

Eduardo, entretanto, conversava longamente com Demerval, interessado em informar-se sobre sua saúde. À tarde, a sós na varanda, Demerval confidenciou-lhe:

— Apesar de melhor, nunca mais fiquei bom como antes.

— O que sente?

— Há momentos em que estou muito bem, porém, de repente, sinto depressão, tristeza, medo, e então a fraqueza volta. Nessa hora, tenho receio de adoecer outra vez. Sinto-me sem energia e em minha casa não tenho conseguido impor mais minha autoridade.

— Gostaria que tudo voltasse a ser como antigamente?

— Gostaria. Tudo andava em ordem e a rotina era perfeita.

— Mesmo que sua família não se sentisse feliz?

— Está enganado. Minha família era feliz — disse Demerval, com orgulho.

— Menos do que agora. Seus filhos estão alegres, falantes, D. Maria José muito mais feliz. E pelo que pude perceber, as coisas nesta casa estão na mais perfeita ordem. É uma casa bem administrada.

— Não como deveria. Maria José tem momentos de tristeza em que me parece muito sofredora.

— Todas as pessoas têm seus momentos de humor. Quem não se sente triste de vez em quando? Agora ela é mais firme, mais atuante. É mulher de fibra, Sr. Demerval.

— Eu sei. Mas há momentos em que me sinto incapaz de conduzir as coisas e isso me preocupa. Sempre fui homem de vontade forte. Agora não consigo melhorar definitivamente.

— Mas o senhor está muito melhor! A cada dia aprende mais.

— Não é isso o que eu sinto.

— É porque não está percebendo. Note que, hoje, o senhor está mais sensível, mais humano.

— Estou mais fraco.

— Engano seu. A imposição jamais representou a verdadeira força. É apenas o forte subjugando o fraco. Somos todos iguais em direitos perante Deus. A vida exige isso de nós: que respeitemos os direitos dos outros e sua liberdade.

— Deus é autoritário. Impõe suas determinações contra nossa vontade.

— Engano seu, Sr. Demerval. Deus nos permite sempre optar. É claro que cada ato nosso, cada ação que resultou da nossa atitude, da nossa escolha, provoca uma reação e essa é determinada pelos nossos atos, não por Deus.

— Estranha filosofia.

— Não é filosofia. É verdade.

— No meu caso...

— No seu caso a doença veio para modificar sua maneira de ser. Para mostrar-lhe que tudo pode ser diferente. Que não há necessidade de impor rotinas aos outros porque eles podem conduzir-se sozinhos. Diante de Deus, cada um é responsável pelo que faz.

— Isso é o abuso da liberdade! Como deixar a esposa e os filhos sem apoio?

— Isso não significa deixar sem apoio mas também não nos autoriza a querer conduzi-los pela mão, fazendo tudo por eles, da nossa maneira, impondo-lhes nosso modo de ser.

— E a autoridade do chefe? Como fica?

— Por conta do exemplo e da dignidade. O bom exemplo e a dignidade são os melhores meios de indução ao bom comportamento. Muitos de nós esquecemos as palavras que ouvimos dos outros, mas nos lembramos inúmeras vezes dos fatos e das atitudes que tiveram.

— Recuso-me a concordar com esse excesso de liberdade! Desse jeito, aonde irão nosso valores?

— Nossos valores serão enriquecidos. Se o senhor, ao invés de impor suas idéias, antes as expusesse a D. Maria José, ouvindo-lhe um parecer, perceberia ângulos em que jamais pensou e elas ganhariam força, realismo. Se seus filhos, já mais adultos, fossem também ouvidos, veria como o resultado seria maravilhoso. Cada cabeça, cada pessoa, vê as coisas por um ângulo particular. Juntos, por certo, perceberiam melhor e agiriam dentro da mais objetiva realidade.

— E minha autoridade? E minha condição de pai de família com a obrigação de decidir as questões?

— Ficariam em sua verdadeira posição, na maturidade e no bom senso, para, de todas as idéias, extrair a melhor, a mais prudente, a mais útil, a mais acertada. Não pode negar que, depois de todos opinarem livremente, o senhor teria uma visão maior do assunto. Não subestime sua mulher nem seus filhos, apesar de crianças. Todos sempre poderão contribuir para enriquecer sua experiência. São pessoas e cada uma tem sua maneira particular de ver.

— O que diz é assombroso! O que tem tudo isso a ver com minha doença?

— Seu estado doentio vem da necessidade que a vida tem de romper seus preconceitos e mostrar-lhe a realidade. Sempre que quiser voltar à situação antiga de autoridade, a vida vai lhe cobrar, a doença aparece, como a dizer-lhe da precariedade da saúde e que a verdadeira força não se encontra na imposição. É o orgulho que nos cega, e a vida sempre fere os orgulhosos para fazê-los enxergar a verdade. O senhor está muito melhor. Antigamente nem sequer discutiria este assunto comigo.

— É verdade. Reconheço isso.

— Pois então. Tenha coragem para mudar e perceberá que sua esposa é pessoa capaz e inteligente e tem feito muito pela família.

— Eu sei. Jamais pensei que ela pudesse. Era tão dócil, jamais discordava de uma opinião minha. Agora, está diferente. Faz tudo sem me consultar.

— Habituou-se quando da sua doença. No entanto, se ela faz tudo bem, melhor para o senhor. Pode descansar mais, refazer-se.

— Sinto-me humilhado.

— Para que tanto orgulho? De que lhe serve? Se D. Maria José fosse incapaz, como estariam as coisas?

— É verdade. Porém sinto-me inútil.

— Procure cooperar. Estou certo de que, se deixar de lado a imposição, tudo será mais fácil.

Demerval suspirou fundo.

— Sentir-me-ei envergonhado.

— Estou certo de que não. Sua experiência, sua capacidade serão apreciadas. D. Maria José as aceitará de bom grado.

— A que ponto cheguei! — disse ele, amargurado.

— Não se lamente. Deus faz tudo certo. Se fizer o que lhe digo, garanto que se sentirá melhor.

— Não sei, vou pensar. Não sei fazer o que me diz.

— Claro que sabe. Vai melhorar muito se fizer isso.

— Vou tentar.

E, realmente, ele tentou. A custo sofreava seus ímpetos de autoridade procurando não impor nada. Era-lhe muito difícil. Maria José, instruída por Eduardo, procurava ajudá-lo, dando-lhe chance de opinar, embora nem sempre fizesse o que ele dizia. Era uma luta em que eles se submetiam em favor da harmonia doméstica.

Eduardo preparou-se para partir. Ia satisfeito. A situação daquele lar ia melhorando. Na véspera da sua partida, Maria José procurou-o, comovida.

— Sr. Eduardo! Muito obrigada por tudo quanto o senhor tem feito por nós.

— A luta é de cada um. Apenas lhes mostrei isso.

— Gostaria que agradecesse a Menelau em nome de todos nós e lhe entregasse esse retrato como lembrança e nossa saudade.

Maria José desembrulhou o pacote que trazia, mostrando a família reunida, pintada delicadamente sobre uma madeira oval. O pequeno Romualdo ao colo de Maria José.

— É um lindo trabalho. Ele vai apreciar muito.

— Desejamos mostrar nossa gratidão.

— Estou certo de que lhe agradará. Sentia-se muito saudoso de todos. Ele adora família, crianças, mas até agora D. Maria Antônia não deseja ter filhos.

— É pena. Diga-lhe que todos sentimos muito sua falta.

— Direi, D. Maria José.

Maria José a custo dominava a emoção. Sentia ímpetos de escrever-lhe, vontade de contar-lhe seu segredo. Dominou-se. De que lhe adiantaria? Menelau era um sonho impossível e devia procurar apagá-lo do seu coração.

Eduardo despediu-se de todos com alegria. Zefa preparou ela mesma uma galinha bem gorda para ele comer em viagem e Bentinho beijou-lhe as mãos com devotamento na hora da partida. Maria José tinha lágrimas nos olhos.

— Deus o abençoe — disse, comovida.

A carruagem partiu e ela ficou na varanda, olhando a poeira, com o coração partido. O retrato da família e de Romualdo diria alguma coisa a Menelau? Por certo ele se recordaria daquela noite. Compreenderia? Para ela esse segredo, esse amor representavam sua força, sua alegria, de onde tirava energias para as lutas do dia-a-dia. Ela nunca haveria de esquecer.

Capítulo X

A tarde estava quente e o mormaço incomodava. Menelau, sentado em seu escritório, escrivaninha aberta e muitos papéis à sua frente, lia pálido e contrafeito. Amassou o papel com raiva e arremessou-o ao cesto. Essa situação não poderia continuar. Era a terceira carta anônima que recebia e isso irritava-o intensamente.

Levantou-se e encaminhou-se até o console que guarnecia um dos cantos da sala. Olhou o retrato de Demerval e família que Eduardo lhe entregara como lembrança de Maria José. Fundo suspiro escapou-se-lhe do peito. A saudade doía-lhe.

Olhou, como de costume, o bebê no colo de Maria José e seu coração bateu forte. Seria seu filho? Esta pergunta queimava-lhe o peito, mas, apesar disso, não tivera coragem para voltar a vê-los. Partira da fazenda havia dois anos, porém considerava aqueles tempos como os melhores de sua vida.

O amor dos sobrinhos, a vida em família, a presença da cunhada, era tudo quanto sonhava ter obtido na vida. Contudo, apesar disso, não pretendia perturbar a felicidade do irmão, a quem desejava, sinceramente, pudesse viver bem com a família.

No entanto, sua situação com Maria Antônia piorava dia a dia. Eles mal se toleravam. Menelau esforçava-se para compreender a esposa, porém esta mostrava-se mais fútil a cada dia e seus caprichos tinham o dom de irritá-lo. Negava-se a alimentá-los. Quanto a ter filhos, ela se conservava irredutível. Não queria sequer pensar no assunto, e quando Menelau tentava falar-lhe de seu velho sonho e da necessidade de um herdeiro, ela se encolerizava dizendo que em hipótese alguma iria deformar seu corpo.

Menelau procurava conformar-se, porém um tédio imenso tomava conta dele. Estava perdendo o gosto pela vida, tornando-se indiferente e triste. Já não sorria como antes e evitava a esposa sempre que podia. Eram como dois estranhos vivendo juntos. O pouco tempo que desfrutavam em comum transformava-se sempre em um amontoado de queixas recíprocas das quais Maria Antônia saía mais irritada e Menelau mais triste.

Preocupado com o amigo, Eduardo visitava-o amiúde tentando fazê-lo interessar-se por outros assuntos, percebendo que, no momento, nada podia fazer para ajudá-lo. A princípio ele demonstrava pouco interesse, mas aos poucos foi tomando gosto pela leitura dos assuntos psíquicos e pelas pesquisas de Eduardo realizadas em sessões espíritas, na residência de um amigo, as quais passou a freqüentar.

Apesar de sua situação familiar ser a mesma, Menelau agora já podia compreender melhor os problemas de sua mulher, evitando agravá-los ainda mais. Porém, quando tudo estava calmo, eis que uma nova carta anônima o desequilibrava. Percebia as futilidades de Maria Antônia, contudo não a julgava leviana a esse ponto.

Nas intrigas da corte, onde ela era figura assídua e destacada, havia sempre muita inveja, muita maldade e até rivalidade. Conhecia mulheres que disputavam seriamente um lugar de destaque com a família imperial, usando para esse fim de todas as armas. Era possível que Maria Antônia estivesse sendo vítima dessas intrigas de salão.

Mas, ao mesmo tempo, uma dúvida, um receio, uma indagação: e se fosse verdade? E se Maria Antônia se apaixonasse por um daqueles peralvilhos empoados dos salões? Ela era jovem e fútil, isso poderia estar acontecendo.

Irritado, Menelau caminhou nervoso pela sala. Não conseguira trabalhar. Nos últimos tempos abrira o escritório para negociar exportando seus produtos, vendendo-os ou trocando-os com os estrangeiros, sempre com muito sucesso. Progredira financeiramente. Dedicava-se ao trabalho para ocupar-se ao máximo. Naquele dia não se sentia em condições de fazer nada.

Resolveu sair. Não suportava mais. Precisava ver Eduardo, desabafar. Procurou o amigo, que o recebeu com deferência. Observando-lhe o ar preocupado, perguntou atencioso:

— Não está bem. Aqui, a esta hora... aconteceu alguma coisa?

— Aconteceu.

E Menelau, sentado em frente ao amigo, abriu seu coração.

— Sei que não se deve dar crédito a cartas anônimas, mas por outro lado sinto-me desconfiado e triste. O que fazer? E se for verdade mesmo? E se Maria Antônia for culpada?

— Calma, Menelau. Não perca a cabeça. O desespero não solucionará o assunto. Infelizmente você não tem afinidades com D. Maria Antônia. Na verdade, o que não é bom é estarem sempre tão distantes um do outro. É claro que quem escreve conta com isso. Deve saber que vocês não se dão bem. Por que não tenta aproximar-se mais de D. Maria Antônia? Poderia ajudá-la a que viesse a interessar-se também por outros assuntos.

Menelau suspirou:

— Eu tentei. Deus sabe que tentei. Mas ela se recusa a ouvir-me. Ou faço-lhe todos os caprichos e vontades ou não me dá ouvidos.

— Você deve ser paciente. D. Maria Antônia é pessoa fascinada com o barulho dos salões. Vai desiludir-se, fatalmente. Um dia compreenderá a verdade.

— Tento ajudar, mas é difícil. Parece-me vê-la caminhar para o abismo com alegria e obstinação. Sei que um dia se desiludirá, pois o que é falso sempre acaba, mas quando? Sinceramente, não me agrada essa suspeita vil.

— O que pensa fazer?

— Ainda não sei. Posso impor-me como marido proibindo-a de sair sem ser em minha companhia. Isso me obrigaria a acompanhá-la por toda parte, o que é para mim um grande sacrifício.

Eduardo levantou-se e, aproximando-se do amigo, pediu:

— Venha comigo esta noite à casa do Sr. Sampaio. Você fica desde já, janta comigo, depois iremos até lá.

Menelau levantou-se indeciso.

— Não sei. Afinal o problema é meu e de Maria Antônia. Ninguém poderá mudar as coisas, isto é, não há ajuda espiritual capaz de nos fazer diferentes do que somos.

— É verdade. Contudo, a prece, a ajuda dos espíritos bons poderão sempre nos acalmar, aclarando-nos as idéias e ajudando-nos a ver melhor. Está decidido. Você fica e vamos juntos.

Menelau concordou. Se fosse para casa, irritado como estava, poderia ter uma cena com a mulher e não queria isso. Precisava mesmo acalmar-se.

Eduardo procurou ajudar o amigo tentando fazê-lo interessar-se por outras coisas.

— Tem recebido notícias de Demerval? — indagou, amável.

— Poucas. Já faz algum tempo que ele não me escreve. Aliás, Demerval nunca foi muito comunicativo comigo.

— Eu tenho boas notícias. De quando em quando D. Maria José me escreve para contar como estão. Respondo com alegria. Mulher extraordinária, a sua cunhada. Admiro-a muito.

Menelau corou de prazer. Maria José era sua deusa. Sua mulher ideal.

— Eu também a admiro. Como vão eles?

Vendo-o interessado, Eduardo foi até sua escrivaninha e voltou com uma carta entre os dedos.

— Leia-a. Chegou ontem.

Menelau apanhou o papel, emocionado. Conhecia muito bem aquela letra. Maria José informava sobre Demerval, relatando suas lutas. Era-lhe difícil aceitar novamente a direção do marido, mesmo nos negócios, porquanto havia muitos pontos com que ela não concordava. Achava suas idéias fora de propósito. Reconhecia ser correto que ele voltasse a dirigir os negócios, a fazenda, já que estava melhor. Pedia a Eduardo que a aconselhasse e dizia:

"Lamento que ele não seja como Menelau. Nós quase nunca discordávamos, mas quando isso ocorria, ele sempre me explicava o porquê. Demerval irrita-se e nem sequer aceita minha opinião. Está sendo difícil para mim. Já não suporto mais ser apenas a mulher, dona de casa, cujos serviços os escravos fazem muito bem. Estarei sendo considerada igual a eles?

"Ajude-me, Sr. Eduardo, por favor. Está muito difícil suportar isso e só a presença de meus filhos me traz alegria e conforto. Romualdo é meu enlevo. Cada dia que passa mais me apego a ele como razão maior da minha vida".

E terminava agradecendo a ajuda e pedindo resposta breve. Menelau tinha lágrimas nos olhos.

— Você os quer muito, não?

— Muito. Gostaria de conhecer o pequenino.

— É um belo menino.

Eduardo dirigiu-se a outra sala e voltou com um pequeno quadro oval que entregou a Menelau.

— Veja. Recebi essa pintura junto com a carta.

Emocionado, Menelau segurou o pequeno quadro em que havia pintado o rosto de uma criança. Suas mãos tremiam enquanto fixava o rostinho redondo e corado do menino.

— Gostaria de possuir uma. Pena que eles não me mandaram.

— Pode guardar esta. Sei que D. Maria José não se ofenderá.

Menelau não podia desviar os olhos do retrato. Mil pensamentos passavam-lhe pela mente. Seria seu filho? Sentia-se sufocar. Ardia de desejo de perguntar isso à cunhada. Mas como?

— Você está emocionado! Gostaria de ter um filho.

— É um grande sonho que jamais realizarei.

Os dois continuaram conversando e Menelau sentia-se mais calmo. Seu rosto guardava mais paz e, de quando em vez, fixava o rostinho delicado do menino.

À noite, Eduardo e Menelau dirigiram-se à casa do Sr. Sampaio para a sessão. Eram cinco pessoas: o casal, a jovem filha, que era a médium, e os dois visitantes.

No momento da reunião, sentados ao redor da mesa, Menelau sentiu-se tomado de intensa emoção. Toda dor, angústia, tristeza que o amarguravam, e que durante tanto tempo reprimira, reapareceram, tomaram corpo, sufocando-o. Na obscuridade da sala, lágrimas lhe fluíram dos olhos qual catadupas desordenadas. Deixou-as correr livremente, e quando serenou um pouco, murmurou ardente prece. Sentia necessidade de conforto, de força, de esperança.

Nessa hora a jovem médium foi sacudida por um frêmito que lhe acelerou a respiração. A atmosfera era diferente, como que modificada por uma aragem fresca, agradável.

Menelau não saberia dizer o que se passava dentro dele. Um misto de alegria e dor, serenidade e ânsia, fazendo-o pressentir que iria acontecer alguma coisa.

A jovem suspirou e disse com emoção:

— Menelau, meu filho.

Admirado, ele colocou toda a atenção em escutar. Ela prosseguiu:

— Vim abraçá-lo. Finalmente posso falar de novo com você. Sei que me atenderá.

Menelau tremia emocionado. Sua mãe! Seria mesmo ela?

A jovem médium continuou:

— Quanta saudade, meu querido Lelo! Quanto esperei por este dia!

Menelau não teve mais dúvida. Era ela! Só ela o chamava por esse apelido, que há muitos anos não ouvia.

— Mãe! — disse ele, com emoção. — Quisera ser menino de novo para correr para os seus braços! Que saudade!

— Vim para dizer-lhe que não desanime. Na Terra, todos temos nossos deveres a cumprir. Procure cumprir os seus até o fim. Sei o que lhe custará.

— Sabe? Por acaso conhece o que vai ser de mim?

— Posso ler seu coração como um livro aberto. Compreendo sua dor. Contudo, você tem um trabalho a executar, um compromisso a cumprir. Não se deixe abater. Lembre-se sempre de que Deus não nos abandona nunca. Ore com fé. Tenho seguido de perto sua vida. Não se faça de fraco na hora de ser provada sua força. Siga confiante. Você há de vencer!

Menelau pensou em Maria Antônia e nas cartas infamantes. Não se sentiu com coragem de perguntar. A jovem médium, contudo, depois de ligeira tosse continuou:

— Lelo, não se atormente. Deixe a infâmia por conta de quem a pratica, não desça até ela. Deus tudo vê. Guarda seu coração em paz.

— O que deverei fazer?

— Orar, confiar e esperar, sejam quais forem os acontecimentos. Cultive a fé e a coragem e deixe a Deus o julgamento e a ação. Lembre-se também de que eu estarei sempre com você. Ligue-se comigo pela prece e farei tudo para ajudá-lo. Coragem. Agora preciso ir.

Menelau sentiu-se agradecido.

— Deus a abençoe — disse.

— Obrigada, meu filho. Não se esqueça do que eu disse. Coragem. O dever acima de tudo. Deus o guarde.

Fundo suspiro escapou do peito da jovem e depois ela se calou. Menelau sentia-se emocionado. O espírito de sua mãe estivera ali, falara com ele! Não alimentava nenhuma dúvida. Além do apelido já esquecido, a tosse um tanto seca que a acompanhara durante sua doença até a morte. Como duvidar? Sentia-se calmo. Ela lhe infundira esperança e serenidade. Recordara-lhe o dever para com a esposa e o exortara a esquecer a calúnia.

Outro espírito ainda trouxe orientação e palavras consoladoras aos presentes, e depois de mais meia hora foi encerrada a sessão.

Menelau, mais animado, não pôde sopitar o entusiasmo. Sua querida mãe estivera ali. Não estava mais sozinho. Dali para a frente, encontraria disposição para lutar.

A partir daquela noite, Menelau tornou-se um assíduo freqüentador das sessões na casa do Sr. Sampaio e um estudioso de *O Livro dos Espíritos*. Eduardo recebera da França o original e se comprazia em traduzi-lo para os estudos com os amigos.

Menelau foi, aos poucos, se sentindo mais sereno. O espírito de D. Agnes, sua mãe, várias vezes se comunicara pedindo-lhe paciência para com Maria Antônia.

Certa vez, dissera-lhe:

— Pense nela como em uma filha muito querida que você, com seu amor, precisa conduzir, orientar e despertar para os verdadeiros valores da vida. Que ela seja a filha que você não teve.

Menelau aceitava e procurava olhar a esposa como uma mulher inexperiente. Tentava aproximar-se mais, procurando despertar-lhe o gosto por outras coisas, pela arte, pela boa música, pela leitura. Inútil, porém. Maria Antônia só tinha olhos para as atividades sociais, achando maçantes outras atividades que não as palacianas.

Uma noite, os dois estavam sentados na sala quando a sineta da porta se fez ouvir. Logo um cavalheiro, pedindo licença, foi introduzido pela mucama.

— Tenho uma mensagem urgente pro meu sinhô.

Maria Antônia, curiosa, olhou para o mensageiro enquanto Menelau, já em pé, perguntou:

— De onde vem? O que o traz?

— Mensagem do imperador.

Menelau admirou-se:

— De Sua Majestade? Deixe-me ver.

Apanhou com surpresa o envelope que lhe era estendido. Não mantinha laços de ligação com a corte, além dos protocolares.

Maria Antônia olhava com o rosto corado de emoção.

— Sua Majestade deseja resposta urgente.

Menelau abriu o envelope e leu. Era um chamado a que se apresentasse em palácio na manhã seguinte, às nove horas, para uma audiência direta com o imperador.

Intrigado, Menelau curvou-se e respondeu:

— Diga a Sua Majestade que estou honrado com o convite. Estarei lá na hora certa. Quer por escrito?

— Não é necessário. Vossa resposta será dada. Boas noites.

— Boas noites — respondeu Menelau.

Assim que ele se foi, Maria Antônia, olhos brilhantes de emoção, aproximou-se do marido.

— O imperador o chama! É sua grande chance! Se conseguir agradá-lo, nossa posição pode melhorar! Será a glória.

— Não espere muito. Não sabemos ao que me chama.

— Claro que para algum encargo de responsabilidade.

— Gostaria de servir ao meu país. Entretanto, não sei se poderei aceitar... Afinal, temos os nossos negócios.

— Que poderão ficar nas mãos dos seus auxiliares.

— Nem sequer sei ao que me chama Sua Majestade.

— Prometa que você aceitará o que ele quiser.

— Não sei. Como posso prometer?

— Em todo caso, é emocionante.

Menelau riu do entusiasmo da mulher. Não pôde evitar a curiosidade. Afinal, o que o imperador poderia querer?

No dia imediato, um quarto antes da hora marcada, Menelau estava presente na ante-sala do palácio. D. Pedro II era rigoroso no horário. Levantava-se muito cedo e não tolerava atrasos. Menelau foi introduzido na antecâmara e, um minuto antes de bater as nove horas, já estava diante da mesa lindamente lavrada do imperador.

Emocionado, fitando-lhe o rosto sério e a barba grisalha, curvou-se reverente, saudando-o e colocando-se à sua disposição.

D. Pedro olhou-o bem de frente apertando um pouco os olhos, num jeito muito seu. Menelau sustentou o olhar e esperou.

O imperador começou:

— O senhor é o Dr. Menelau Graciano Coutinho?

— Sim, Majestade.

— Muito bem. Fui informado de que o senhor é bacharel e estudou na Sorbonne.

— Sim, Majestade.

— Preciso de um homem de confiança para uma tarefa de responsabilidade. O senhor não ignora que tenho no reino muitos cavalheiros que se sentiriam honrados com meu convite. No entanto, eu preciso de alguém que não seja conhecido nos meios diplomáticos. Indicaram-me seu nome. O Visconde de Abaeté garantiu-me que o senhor preenche todas as condições.

Menelau curvou-se, agradecendo. O imperador cofiou a barba pensativo, depois disse:

— O senhor fala outros idiomas além do francês?

— Espanhol e inglês, Majestade.

— Ótimo. A missão que desejo confiar-lhe é sigilosa e de grande interesse para o Brasil. Estaria disposto a deixar seus negócios e sair do país por algum tempo?

Menelau olhou-o, curioso. Sua figura nobre impressionava e mais ainda o que ele representava como chefe supremo do país. Menelau não pensara em deixar seus negócios, que iam muito bem, mas olhando aquele homem sério, que o encarava e solicitava sua opinião quando dispunha de poderes para ordenar, respondeu:

— Vossa Majestade acredita que eu possa desempenhar a missão que deseja?

D. Pedro olhou-o firme:

— Penso que sim.

— Então aceito. Se puder servir Vossa Majestade e o Brasil, ficarei satisfeito.

— Muito bem. Não se arrependerá de sua dedicação.

O imperador agitou a sineta e logo seu oficial de gabinete apareceu solícito.

— Vá à sala nobre e diga ao Visconde de Grajaú que venha até aqui.

Dentro de alguns instantes o visconde deu entrada na sala. Era um homem alto, forte, de meia idade, suíças e um pouco calvo. Fisionomia séria e interessada. Fechada a porta, D. Pedro foi logo dizendo:

— Eis aqui o Sr. Menelau. Está disposto a aceitar a incumbência. Podemos tentar.

Menelau curvou-se atencioso ao cumprimento do visconde. Ele era um homem muito respeitado, que privava da intimidade do imperador. Possuía cultura invulgar e era um dos conselheiros do império. Menelau sentiu-se honrado em conhecê-lo e ainda mais daquela forma.

— Podem sair agora — disse D. Pedro. — Coloque-o a par de tudo, visconde. Quero vê-lo novamente antes de partir, para acertar com ele alguns detalhes.

O visconde concordou e Menelau curvou-se em despedida, dizendo ao imperador:

— Majestade, farei tudo para corresponder à confiança que deposita em mim. Deus salve Vossa Majestade.

D. Pedro assentiu com a cabeça e em seus olhos lúcidos havia um brilho de emoção. Menelau afastou-se, cativado. D. Pedro acabava de conquistar-lhe a amizade e o respeito para sempre.

O visconde levou-o para pequena sala, onde fechou as portas e convidou-o a sentar-se. Menelau sentia-se curioso.

— O senhor tem muitos amigos que o estimam e respeitam — disse ele. — Fale-me um pouco sobre sua estada no exterior. O senhor bacharelou-se na França, pois não?

Menelau percebeu que ele desejava conhecê-lo melhor. Achou natural. Por isso, falou de sua vida com sinceridade, de suas aspirações e de suas ocupações atuais. Conversaram durante meia hora e o visconde trocou idéias com ele sobre vários assuntos, principalmente sobre política. Menelau, apesar de curioso, entregou-se ao prazer daquela palestra inteligente e agradável. O visconde era objetivo, arguto, franco. A certa altura, disse:

— O senhor é abolicionista?

Menelau sustentou-lhe o olhar, que parecia querer devassar-lhe o íntimo do ser. Alçou a cabeça e respondeu:

— Sou. Não há neste país homem livre e de consciência que não reconheça a necessidade da abolição.

— Hum... — fez ele, pensativo. — Está participando de alguns dos movimentos de classe para este fim?

— Não, confesso que não. Tenho acompanhado os debates com simpatia pela abolição, mas não tive chance senão de alforriar alguns negros de nossa propriedade.

— O que vou lhe dizer deve ser guardado entre nós. É segredo de Estado. Aliás, quero sua palavra de que nada do que dissermos aqui vai transpirar. É condição do nosso acordo.

— Tem minha palavra — disse Menelau, sério.

— Muito bem. Há muito que o imperador deseja acabar com a escravidão. Entretanto, estamos informados pelo serviço secreto que, assim que ele assinar essa lei, será esmagado pela força republicana.

— Não é justo — disse Menelau, a quem a figura do imperador inspirava respeito e gratidão. — O que D. Pedro tem feito pelo Brasil, nenhum governo republicano conseguirá fazer.

— Folgo em saber que defende a monarquia.

— Acredito mais adequado confiar em um homem que por toda sua vida aprendeu a governar do que aceitar o governo de alguém sem experiência, que governará por um período curto. Depois, temos o Parlamento, onde o povo tem seus representantes e participa do governo.

— Concordo plenamente. Contudo, estamos informados de que há um grupo de republicanos, sustentado por uma potência estrangeira, interessado em derrubar o império. O ouro tem corrido a soldo dos inimigos do trono e Sua Majestade já sabe que há uma infiltração de idéias republicanas que corrompem a mocidade nas universidades. Sua Majestade acredita que, na França, reúne-se um grupo poderoso que comanda a agitação, interessado no Brasil. Se não podem dominar pelas armas, querem o domínio econômico, explorando nossas riquezas. O império tem se empenhado em desenvolver nossas próprias forças, lutando para evitar, na medida do possível, o domínio do poderio econômico estrangeiro. Sua Majestade acredita ser melhor para o Brasil caminhar devagar do que sofrer a exploração de suas riquezas por países interessados apenas em satisfazer seus próprios interesses.

— O senhor acredita que a França seja esse país?

— Não sabemos. Temos quase certeza de que o movimento parte de lá. Mas quais os países ou o país que está financiando, ainda não sabemos.

— Em que isso impede a abolição?

— Não compreende? A escravidão tornou-se a base econômica do nosso país, essencialmente agrícola. Fortunas encontram-se concentradas no braço escravo. As modificações vão remexer a fundo os costumes e modificar a estrutura da nossa base econômica. Essa mudança vem sendo lenta, e o imperador gostaria já de ter abolido a mancha da escravidão que obscurece o país. D. Pedro há muito tempo vem recebendo apelos nesse sentido de todos os seus amigos do outro lado do mundo. Homens de ciência, de cultura, humanistas, e ele gostaria realmente de responder à altura. Porém, guarda a certeza de que, se atender a esse apelo, seu trono cairá.

— Não é possível!

— É verdade. Contudo, acreditamos que se conseguirmos descobrir a sede do inimigo, que se oculta na espionagem e age na sombra, poderemos atravessar esta crise, decretar a abolição, e o trono sairá fortalecido. É para isso que precisamos do senhor.

— Pensa que poderei ajudar?

— Confiamos que sim. O senhor viajará para a França, como se fosse reativar seus estudos, e lá verificará se nossas desconfianças se concretizam. Ninguém deverá saber ao que vai, sob hipótese alguma. Daremos endereços e nomes que servirão como base para suas investigações. Teremos um código para nossas comunicações. Tudo já está preparado. Temos pessoas que irão ajudá-lo em suas dificuldades. Não se esqueça de que nos deu sua palavra de que ninguém saberá o que conversamos aqui. Nem sua família poderá saber.

Menelau concordou, excitado. Era uma nova aventura e ele não queria recusar. Depois, como dizer não ao imperador que o convocara a servir o país, em um gesto de confiança e de seriedade?

Menelau saiu dali preocupado. O navio zarparia dentro de dois dias e ele deveria embarcar nele rumo a Paris. Tinha que ultimar negócios, cuidar de sua casa, porque não sabia quando iria voltar.

Foi decepcionada que Maria Antônia ouviu do marido que o imperador o convidara interessado em um carregamento de cana que deveria seguir para a Europa.

— Ele me olhou e encaminhou-me para o ministro das Finanças, com o qual fizemos um negócio. Foi só — explicou ele para a esposa.

Não lhe contou a próxima viagem, para que ela não desconfiasse. Naquela noite procurou Eduardo, em quem confiava seriamente. Não pôde ocultar-lhe a verdade.

— Vou para uma empresa que poderá tornar-se perigosa. Se algo me acontecer, se eu não voltar, quero que cuide de Maria Antônia. Vou instituí-lo meu representante legal. Já redigi este documento no qual disponho os meus bens. Tenho a certeza de que, se eu não voltar, você velará pelos meus.

Emocionado, Eduardo abraçou o amigo e, no aconchego da sala, Menelau confidenciou a ele seu amor pela cunhada e a suspeita de que Romualdo fosse seu filho. Eduardo comoveu-se e prometeu solenemente que zelaria sempre por eles.

Depois disso, Menelau sentiu-se aliviado. Dividir seus segredos com o amigo fizera-lhe grande bem. No dia seguinte, comunicou à esposa que um grande carregamento de produtos que mandara para o Havre estava em dificuldade de prosseguir viagem e ele teria que ir pessoalmente para salvá-lo. O navio partiria no dia seguinte.

Maria Antônia esbravejou mas não pôde fazer nada. À noite havia a sessão espírita em casa do Sr. Sampaio, e Menelau acompanhou Eduardo. Ficou comovido. Sentiria falta daqueles encontros.

Durante a sessão, compareceu o espírito de sua mãe, confortando-o. Ao final, disse-lhe:

— Vá, filho. Deus o abençoe. Não se esqueça da prece. Aceite com alegria os desígnios de Deus. Estaremos sempre a seu lado. Não tema.

Assim, encorajado e esperançoso, no dia seguinte, Menelau embarcou no navio com destino à França. Além das indicações e dos códigos, das recomendações e dos compromissos, levava muita vontade de servir o país e acertar.

Capítulo XI

Foi dois meses depois que Menelau finalmente chegou ao Havre. A viagem fora um tanto acidentada e ele se sentiu satisfeito e aliviado ao desembarcar e providenciar sua ida para Paris. Lá chegando, instalou-se em modesta habitação para estudantes, um pequeno quarto no Quartier Latin. Em seguida procurou pelo seu contato, que deveria dar-lhe instruções. Tratava-se do Sr. Ildefonso Vilela, diplomata brasileiro, membro da chancelaria do Brasil. O encontro com Menelau foi secreto, em local periférico.

Ildefonso orientou-o a que se inscrevesse em um curso para estrangeiros na Sorbonne. Era preciso que Menelau alardeasse o fato de ser republicano e só desejar voltar ao Brasil quando a república se concretizasse. Era esse o ponto importante e ele deveria procurar fazer muitas relações com os outros estudantes, granjear-lhes a amizade. Convencionaram a maneira de se comunicarem discreta e secretamente, o que deveria ocorrer só quando um deles tivesse algo importante a relatar.

No dia imediato, começou vida nova para Menelau. O ambiente da famosa universidade passara por grande modificação desde que Menelau lhe freqüentara as disciplinas nos tempos da juventude. A austeridade estava sendo substituída pelos debates e vivia-se intensamente o regime republicano.

Foi fácil, para Menelau, o papel de um homem inconformado com o regime do seu país. Exaltava-se a república como uma conquista de liberdade e não havia entre os estudantes quem defendesse a monarquia, considerada por todos um regime de exceção.

Tanto interesse dos seus colegas pelo regime republicano, pelas eleições, pelos líderes políticos atuantes preocupou Menelau, fazendo-o sentir-se quase impotente para cumprir sua missão.

Se a república era a força do progresso, quem conseguiria impedi-la de chegar ao Brasil? Entretanto, ele estava ali para descobrir uma conspiração. Existiria ela? Chegava a duvidar. Seus mandatários não estariam enganados?

Os dias foram passando e Menelau, atento ao trabalho que lhe havia sido pedido, era habitual freqüentador dos cafés e das atividades dos seus colegas. Fora o prazer de estudar preparando tese para o doutoramento, tese que deveria durar o máximo de tempo possível, Menelau sentia saudade do Brasil, de Maria José, de Eduardo. Confortava-o pensar que pelo menos estava distante de Maria Antônia, a quem comunicara em carta sua decisão de retomar os estudos, já que estava em Paris e não sabia quando voltaria.

Recebeu da esposa uma carta zangada, ameaçadora, porém em breve a esqueceu. Sua vida passou a ser agitada e as noitadas repetiam-se. Aos poucos, foi fazendo amigos, aos quais sempre se colocava como um revolucionário e inimigo da monarquia. Contudo, não conseguiu descobrir nada de especial, além do entusiasmo franco e idéias republicanas generalizadas.

O tempo foi passando e Menelau já duvidava das informações que trouxera. Uma noite em que conversava com seu amigo Jean-Paul, este observou:

— Você está triste esta noite. O que há, saudade da pátria?

— Saudade de uma mulher e, também não posso negar, saudade do Brasil.

— Desse jeito você nem acabará os estudos.

— Não penso em voltar enquanto não cair o trono e a vergonha da escravidão. Vou confiar-lhe uma coisa. Saí do Brasil para não ser preso. Se pode guardar um segredo, eu fazia parte de uma conspiração.

O outro sorriu malicioso.

— Contra o regime?

— Claro. Revoltavam-me os desmandos e o elemento servil.

— Pelo que sei, o seu imperador é tido como um grande homem e muito estimado pelo povo.

— Não nego, ele é respeitado, mas no governo precisamos ver o bem do povo. Nosso imperador está velho, até adoentado. É preciso sangue novo. Se ele morrer, teremos uma mulher e um estrangeiro, seu marido, para ocupar o trono. Não posso aceitar isso. É preciso o próprio povo governar. A república é uma necessidade. Por essas idéias fui perseguido e resolvi partir para não ser morto. Gostaria de lutar para libertar meu país. Infelizmente, não possuo os meios. Meus amigos não são influentes. Por essa razão, não sei quando voltarei, e isso me entristece.

Jean-Paul olhou-o fixamente.

— Sabe que sou seu amigo. Tenho algumas amizades, são influentes. Republicanos, trabalham na libertação dos povos oprimidos e fracos. Talvez possam ajudá-lo.

O coração de Menelau bateu forte. Seria a primeira pista? Respondeu emocionado:

— Estou disposto a dar até a última gota de sangue pela liberdade do meu país.

O outro sorriu satisfeito.

— Verei o que posso fazer.

Menelau exultou. Dois dias depois, Jean-Paul convidou-o a uma reunião em casa de um amigo. Foi com o coração batendo forte que Menelau o acompanhou.

Ia disposto a observar tudo quanto pudesse. Foram recebidos por um homem de meia-idade, educado e sério, cujos olhos penetrantes pareciam querer devassar-lhe o íntimo. Menelau sustentou-lhe o olhar.

— Apresento-lhe o Dr. Levin — disse Jean-Paul.

Menelau curvou-se atencioso, apertando a mão que lhe era estendida. Convidado a sentar-se, o olhar de Levin não o abandonava um só instante. Um frio percorreu a espinha de Menelau. Apesar disso, não desviou o olhar.

— Estejam à vontade — disse ele, polidamente. — Seu amigo Jean-Paul disse-me que o senhor sentia-se triste e precisava de ajuda. Em que lhe posso ser útil?

Apanhado de surpresa, Menelau, a princípio, não soube o que responder. Procurou controlar-se e, depois de alguns segundos de hesitação, disse:

— Meu mal é de difícil solução. Aqui neste país, onde já se conquistou a liberdade, talvez não possam compreender minha revolta com o regime do Brasil, onde ainda pesa a mancha dolorosa da escravidão.

Um lampejo brilhante passou pelos olhos de Levin.

— Engana-se, Sr. Menelau. Nós podemos compreender, tanto que lutamos para defender e libertar os países escravos.

— Quisera também poder lutar — disse Menelau, com convicção. — Porém, só e distante, o que poderia fazer?

Levin levantou-se dizendo:

— Junte-se a nós. Temos observado sua conduta desde que chegou a Paris e verificamos que possui as condições necessárias para ingressar em nosso grupo.

Radiante, Menelau respondeu:

— Vejo que pensa como eu.

— Todo nosso grupo pensa. Há muitos anos que nosso ideal de luta republicana nos irmana com amigos de outros países e, no momento, temos intenso movimento no Brasil, onde esperamos concretizar brevemente os ideais de liberdade.

Menelau procurou deixar transparecer alegria. Não lhe foi difícil, porquanto finalmente começava a trabalhar em sua missão.

Dali, foi introduzido em um salão onde havia muitas pessoas que palestravam animadamente. Vendo-os chegar, fizeram silêncio. Levin encaminhou-se para a mesa lavrada que havia a um lado, de frente para o largo grupo de cadeiras onde as pessoas acomodaram-se.

Tomando a palavra, Levin apresentou Menelau como candidato a membro do grupo, desejoso de trabalhar pela libertação do Brasil. Foi saudado alegremente e logo percebeu alguns brasileiros que o convidaram a tomar assento entre eles. Procurando calar a surpresa, Menelau reconheceu pelo menos dois que militavam no Brasil, dentro do império, como homens de confiança da coroa.

Durante a reunião, Menelau percebeu que se tinha metido em algo muito sério e perigoso, que colocava em risco sua própria vida. Eles trabalhavam decididos e conspirava-se contra o regime da Inglaterra, da Espanha, do Brasil, de Portugal, do czar da Rússia e da Alemanha. Faziam reuniões semanais em que davam conta das tarefas e traçavam novos planos.

Menelau começou a freqüentar essas reuniões e notou que o dinheiro corria e a organização era bastante poderosa, tendo se infiltrado em todos esses países. No Brasil, o grupo era bastante grande e havia políticos de nome engajados ao movimento. Até dentro do exército grassava o trabalho de politização republicano. A imprensa abolicionista e republicana, apoiada pelo movimento, várias vezes socorreu-se da ajuda financeira da organização para poder sobreviver.

O entusiasmo era geral e Menelau, que a princípio se havia colocado intimamente como salvador da pátria, começou, depois de certo tempo, a se sentir dividido.

Através de bem urdida rede de espionagem, os membros do grupo que se reunia em casa de Levin tomavam conhecimento de casos dolorosos que causavam revolta e alimentavam o desejo de liberdade.

Aos poucos, Menelau começou a contagiar-se de revolta. Seus impulsos abolicionistas brotaram fortes, sinceros, fazendo-o esquecer que havia se tornado membro do governo do país cujos atos execrava.

Seus chefes sabiam das reuniões em casa de Levin, aliás realizadas sem muitas reservas. Esperavam que Menelau descobrisse quem pagava e quais os membros que participavam no Brasil, traindo a coroa.

Queriam os nomes dos conspiradores brasileiros e Menelau esquivou-se. É que começava a duvidar da justiça da sua missão, apesar do respeito e da amizade que sentia pelo imperador. Começava também a perceber que os republicanos tinham acesos ideais de liberdade para os quais se empenhavam com esforço e dedicação.

Arrependeu-se de haver se metido naquela situação. Colocara-se entre dois poderes que poderiam esmagá-lo. Agora que estava fora do país, podia ver o outro lado da situação. As notícias dolorosas sobre o elemento servil, o apoio dos escravocratas ao trono para negociar com ele a continuidade da escravidão, ameaçando-o com o poderio econômico e o prestígio dentro das classes abastadas, revoltava-o, fazendo-o perguntar-se imediatamente se ele estaria agindo bem.

Sua consciência o incomodava. O homem que o imperador era, sua bondade, sua honestidade, sua dedicação, seriam mais importantes do que o bem-estar de um povo? Do que a liberdade de uma raça escravizada e sofrida, a gemer na miséria e na dor seu triste destino? Por outro lado, não seria a república melhor do que a monarquia? Não daria ao povo a oportunidade de escolher e de participar do governo?

Menelau, a cada dia, sentia-se mais impressionado. Dava-se conta do imenso progresso que grassava na França com efetivação republicana e só a lealdade com sua palavra empenhada ao imperador fazia-o continuar na missão. Porém não tinha coragem de delatar os companheiros. Diante de tanto entusiasmo e idealismo, ele se sentia contagiado e a traição o abalava. Por que se envolvera?

Às vezes, sentia impulsos de voltar ao Brasil alegando nada haver descoberto. Mas não seria também uma traição?

Sabia que os dias da monarquia estavam contados. Tinha essa certeza pelo entusiasmo e pelas adesões com que o movimento contava no Brasil. Depois, na França, ninguém duvidava de que a república viria, e na América do Norte o regime se mostrava poderoso e forte. Seria fatal.

Menelau desejava voltar. Seus contatos o pressionavam, sabendo-o participante das reuniões de Levin. Ele contemporizava. Não tinha o estofo de um delator. Por outro lado, reconhecia que o imperador confiava e esperava. O que fazer?

Foi ficando preocupado, triste. Em meio a essa tristeza, só uma carta de Eduardo tivera o dom de alegrá-lo. Contara-lhe que visitara Maria José e conseguira dela a confissão esperada. Romualdo era seu filho! Pedia-lhe para queimar a carta depois de lê-la. Depois dessa notícia, ele sentiu uma nova força aquecer-lhe o coração. Enquanto as chamas destruíam a carta de Eduardo, lágrimas comovidas corriam-lhe pelas faces.

Dominada a primeira emoção, Menelau escreveu a Eduardo agradecendo as notícias e recomendando continuasse a olhar pela sua família. As notícias do Brasil não eram boas. O imperador, doente, afastara-se do governo e fora substituído por sua filha. Esse fato fez aumentar a pressão no Parlamento brasileiro e novas adesões ao movimento republicano de nomes importantes do império confirmavam para Menelau a mudança próxima do regime.

As idéias republicanas começavam já a entusiasmá-lo. Ele também já se perguntava até que ponto seria válido apoiar-se um homem bom em desfavor do progresso e do bem do país.

Entretanto, sua honra de cavalheiro o impulsionava a não trair o compromisso assumido. Chegando a esse ponto, Menelau decidiu voltar ao Brasil.

Procurou seu contato e alegou que sabia o bastante e desejava regressar. Havia um ano que estava fora e não podia demorar-se mais. Daria contas de sua missão ao próprio imperador. Obteve a permissão.

Aos companheiros republicanos, Menelau declarou que problemas familiares o obrigavam a regressar. Marcada a viagem de volta, foi chamado por Levin.

— Queremos incumbi-lo de um trabalho especial no Brasil.

Menelau estremeceu. Como dizer-lhe que não poderia fazer isso? Como dizer-lhe que estava ali como espião? Sua honestidade não aceitava esse papel. Segurou o braço de Levin e disse triste:

— Sr. Levin, a bem da verdade devo dizer-lhe que pretendo não me envolver mais com política no Brasil. Não tenho condições de assumir o que me pede. Para regressar fui forçado a prometer que não tomarei parte em nada contra o império. Sabe que fui banido. Temo pela segurança da minha família. Foram eles que conseguiram permissão para meu regresso. Por isso, peço-lhe que me desobrigue de qualquer tarefa.

Os olhos de Levin apertaram-se fixando-o, firmes.

— O senhor parecia-me muito ardoroso, até aqui. O que o fez mudar de idéia?

— Continuo com o mesmo ideal — mentiu Menelau. — Problemas particulares me obrigam a voltar e para isso preciso retirar-me da vida pública, ater-me unicamente aos meus negócios. Assim sendo, não gostaria de assumir nenhum compromisso.

— Não deve desistir agora. Está envolvido demais. Sabe muito sobre os nossos negócios.

— Quanto a isto, pode estar seguro. Jamais contarei a ninguém o que presenciei aqui.

Ele continuou a fitá-lo sério e indagou:

— Tem certeza de que é isso o que deseja?

Menelau sentiu um arrepio pela espinha mas respondeu, sem pestanejar:

— É. Quero deixar tudo isso, viver com minha família, esquecer a política.

— Seja como deseja — respondeu Levin.

Quando se viu na rua, Menelau respirou com gosto. Estava livre! Agora, só lhe restava regressar ao Brasil e dizer ao imperador nada haver descoberto. Seria sua libertação definitiva daqueles compromissos que nunca deveria ter aceito.

Entusiasmado, ultimou os preparativos para a volta. Estava feliz. Comprou presentes para a esposa, para o amigo, para o irmão, para Maria José e as crianças, escolheu com especial carinho o de Romualdo. Seu coração bateu forte. Ele era seu filho! Quando chegasse ao Brasil, iria visitá-los. Mesmo que rapidamente, queria conhecer o filho, mesmo que depois nunca mais os procurasse.

Menelau preparou tudo com o coração cantando de alegria. Com euforia despediu-se dos amigos partindo para o Havre, onde deveria tomar o vapor dali a dois dias. Sentia-se impaciente e saudoso, contava as horas que faltavam para estar em casa.

Mandou a bagagem para o navio e, quando se dirigia para o embarque, dois homens tomaram-lhe o braço, um de cada lado, enquanto um deles lhe dizia:

— Continue andando. Um gesto em falso e eu o mato.

Menelau sentiu a ponta aguda da faca embaixo da sua costela.

— O que querem? — murmurou, assustado. — Se é dinheiro, posso dar-lhes o que tenho. Deixem-me em paz.

— Não queremos seu dinheiro, mas temos algo para os traidores como você.

Menelau empalideceu. Não se tratava de ladrões vulgares, mas de homens de Levin.

— Enganam-se, por certo — disse corajosamente. — Não traí ninguém.

— Cale essa boca e vamos andando.

Menelau, assustado, obedeceu. Estava em apuros, sabia disso. Estavam no cais. Levaram-no a uma barcaça aparentando ser de transporte de pescado pelo cheiro forte que revoltou o estômago de Menelau. Trancaram-no em apertada cabine. Sentiu-se desesperado. Eram os homens de Levin, tinha certeza. Ele não os traíra nem pensava em fazê-lo, e isso era injusto. Bateu, gritou, chamou, até que um marinheiro entreabriu a porta dizendo:

— Se não se calar, quebro-lhe o pescoço. Tenho ordens para isso.

Ele cheirava a álcool e Menelau percebeu que falava sério. Calou-se. Os outros dois teriam ido embora? Aflito, ele pensava no navio que partiria na manhã do dia seguinte e sentia um frio no coração. Precisava fugir e alcançá-lo de qualquer forma.

O marinheiro fechou a porta com raiva. Menelau sentou-se no banco tosco que deveria servir de cama e estava coberto por pequeno e sujo colchão. Lutou contra o desânimo e o desespero que o acometeram. Precisava conservar o sangue-frio. O descontrole não o ajudaria em nada. Foi aí que começou a pensar em sua ingenuidade. Havia procurado seu contato e conversado. Teria sido seguido? Levin por certo teria tomado suas precauções. Menelau passou a mão pelos cabelos, num gesto desesperado. Por que confiara nele? Ingenuamente fornecera-lhe as provas de sua posição dúbia. Necessitava falar com ele, contar-lhe que não os traíra. Contudo, ele acreditaria? Seu olhar duro, penetrante, voltava-lhe agora à mente e ele reconhecia que fora ingênuo pretendendo sair de seu reduto. Sua vida corria perigo. Reconhecia que fora longe demais para recuar. Conhecia todos os envolvidos na conspiração que atuavam no Brasil. Se falasse, muitos deles seriam presos, abrindo larga brecha no movimento.

Menelau arrependeu-se novamente de haver-se metido nisso. Logo ele, que não se interessava por política. Agora estava enterrado até as orelhas. O que fazer?

O tempo passava e ele não sabia se era dia ou noite. Notou que o barco começou a jogar mais e sua angústia aumentou. Eles estavam zarpando. Aflito, sem saber o que fazer, lembrou-se de Eduardo e resolveu orar. Os bons espíritos poderiam ajudá-lo. Sentado no banco estreito do cubículo, Menelau suplicou a ajuda de Deus. Lágrimas corriam-lhe pelas faces e ele orava sentidamente, reconhecendo-se inocente. Não atraiçoara ninguém. Se Deus o ajudasse naquela hora difícil, dali para a frente haveria de dedicar-se de corpo e alma à ajuda do próximo e nunca mais se meter em política. Depois disso, sentiu-se um pouco mais calmo. Lembrou-se das palavras do espírito de sua mãe, na última sessão em casa do Sr. Sampaio. Que ele tivesse fé, fossem quais fossem as lutas que tivesse que enfrentar. Suspirou fundo. Deus estava no leme de tudo. Naquele momento entregava-lhe seu destino.

O tempo foi passando e Menelau apenas sentia o enjôo, o mal-estar, a ansiedade. Pelo movimento, sabia que o barco estava andando. Para onde o levariam?

Quando o marinheiro abriu a porta, Menelau tentou conversar:

— Onde estamos? Que barco é este?

O homem olhou-o carrancudo e nada respondeu.

Menelau insistiu:

— Houve um engano. Posso explicar tudo — disse.

— Cale-se — respondeu ele. — Não tenho ordem de dizer-lhe.

— Para onde me levam?

— Trouxe-lhe essa garrafa com água e pão.

— Estou enjoado, não posso comer.

O homem deu de ombros. Apesar de não parecer embriagado, cheirava a álcool, aumentando o mal-estar de Menelau.

— Trate de comer, porque a viagem é longa — disse o homem com indiferença.

— Eu gostaria de respirar um pouco de ar fresco.

— Contente-se com o pão. É só o que posso fazer.

Saiu fechando a porta. Menelau sentiu o estômago revoltar-se. Estirou-se no banco que lhe servia de leito, desanimado. Queria sair, ver o barco, as pessoas, respirar. O cheiro de mofo que havia ali enjoava-o ainda mais. Deixou-se ficar estirado no banco entre o desânimo e a ansiedade. Apesar de tudo, sentia muita vontade de viver e não queria perder as forças. Por isso, devagar e lentamente ingeriu pequenos pedaços de pão. Sentiu-se ligeiramente melhor depois disso.

Tentou analisar os fatos. Se planejassem matá-lo, fácil lhes teria sido fazê-lo. Estivera e ainda estava à mercê deles. Se ao menos pudesse respirar um pouco de ar fresco! Exasperar-se não lhe traria nenhum benefício. Fez um esforço sobre-humano para acalmar-se um pouco. Foi assim que conseguiu dormir durante algumas horas. Quando acordou, sentiu-se melhor. Comeu mais um pedaço de pão e tomou a água.

O tempo foi passando e Menelau não sabia se era dia ou noite. Tinha conseguido do seu carcereiro, além de mais pão, pedaços de peixe e de queijo. Zelava pela sua saúde porque queria estar menos mal para aproveitar a chance de fugir. Guardava essa esperança.

Havia perdido a noção do tempo. Até que, finalmente, o carcereiro apareceu e, amarrando-lhe os pulsos, disse com voz forte:

— Vamos embora. Chegamos ao seu destino.

Menelau sentiu o coração bater mais forte. Levantou-se. Sua cabeça rodava, as pernas tremiam.

— Vamos — insistiu o homem, empurrando-o com brutalidade.

Menelau fez um esforço enorme para andar. Os ouvidos zumbiam e ele sentia tonturas, mas o anseio de respirar o ar de fora ajudou-o a seguir para a frente.

Saíram no convés. A tripulação movimentava-se de um lado a outro e ele, surpreendido, notou que havia mais prisioneiros iguais a ele, sendo conduzidos para fora do barco. Eram mais de dez e todos com as mãos amarradas.

Ansioso, Menelau tentava perceber onde estavam, sem resultado. O ancoradouro era tosco e o local parecia uma ilha deserta. Colocaram os prisioneiros, dividindo-os em dois botes conduzidos por dois homens fortes. Enquanto remavam, havia um outro marujo apontando uma arma. Olhou seus companheiros de infortúnio: todos estavam como ele, sujos, abatidos e mareados. Obedeceram docilmente às ordens.

Chegaram a terra e, dentro em pouco, alguns homens armados apareceram. Os marujos entregaram os prisioneiros àqueles homens e um deles comentou:

— Desta vez a carga não foi muito grande.

— Não é de se jogar fora — respondeu o outro.

— Está bem. Vamos andando.

Apesar da ansiedade, Menelau respirava gostosamente o ar puro, procurando recompor as forças. O grupo pôs-se a caminho. Mesmo sendo final de tarde, o sol ainda estava muito quente e a maioria dos prisioneiros, muito abatidos. À medida que se distanciavam da praia, foram aparecendo pequenas habitações de pescadores, rudes, toscas.

Finalmente chegaram. Menelau olhou para a enorme construção, rodeada por um muro alto e cheia de pontiagudos cacos de vidros no topo, com um aperto no coração. Por certo era uma prisão. Uma enorme prisão, muito bem guardada e da qual lhe seria muito difícil sair. Os prisioneiros olharam-se com tristeza e angústia.

— Adiante — berrou o enérgico comandante do grupo.

Quando o enorme portão de madeira, empurrado por dois homens armados até os dentes, se abriu, Menelau sentiu aumentar seu receio. Entraram no pátio enorme.

O entardecer, aos poucos, se transformava e a noite já começara a estender seu manto sobre os homens. O chefe do grupo desmontou e, fixando os prisioneiros com energia, disse-lhes:

— De hoje em diante, viverão aqui para sempre. Ninguém pense em fugir, porque será inútil. Estamos em uma ilha distante e mesmo que alguém conseguisse sair daqui, o que duvido, morreria no mar, pois os tubarões rodeiam a ilha e estão sempre com fome. Jamais alguém conseguiu escapar. Por isso, o melhor que têm a fazer é aceitar seu destino. Há muito trabalho a fazer. Poderão descansar amanhã e depois começarão a trabalhar. Saberemos reconhecer os que souberem obedecer, mas quem se revoltar será colocado a ferros e morto como exemplo. Podem ir.

Ninguém disse nada. O desânimo, a fraqueza e a certeza da própria inutilidade impediram-nos de falar. Baixaram a cabeça e deixaram-se conduzir por um corredor sombrio através do qual foram sendo distribuídos em duas celas diferentes.

Menelau percorreu com o olhar a sala estreita, escura, malcheirosa. Um calafrio percorreu-lhe o corpo e um sentimento ainda mais angustioso envolveu-lhe o coração.

Deixou-se cair sobre um dos colchões que havia no chão. Sua cabeça rodava e de seus olhos cansados algumas lágrimas tristes começaram a rolar. Sentia-se impotente para lutar, nada podia fazer senão entregar-se ao seu doloroso destino.

Capítulo XII

A tarde ia-se em meio e o calor era intenso. Sentada na varanda, Maria José sentia-se triste e pensativa. Recordava Menelau com acentuada saudade. Apesar de amá-lo, continuava a ser a esposa dedicada e diligente de sempre, muito embora os problemas de seu relacionamento com Demerval estivessem cada vez mais difíceis.

O marido havia se modificado bastante. Já não era mais o tirano dos primeiros tempos, mas, se transigira em alguns pontos, mostrava-se irredutível em outros e muito teimoso. Nunca mais conseguira ser o mesmo de antes. Contudo, era-lhe ainda difícil ouvir e acatar as idéias da mulher, cujo bom senso e simplicidade eram acentuados.

Maria José estava cansada daquela vida. Raros eram os momentos em que podia desfrutar de paz e de satisfação íntima. Às vezes, sentia vontade de sair dali, largar tudo e ir viver em outro lugar, mas o que fazer? Reconhecia ser impossível.

Passavam grande parte do tempo na fazenda, porque Demerval sentia-se melhor lá. Mas agora estava na Província, onde procediam à venda do café, da cana e compravam o necessário. Possuíam em Itu bela casa. Era construída no centro de lindo jardim, rodeada de belas árvores. Apesar da linda paisagem que a circundava, Maria José não conseguia sentir-se feliz.

Naquele instante, teve sua atenção voltada para Romualdo, que lhe abraçava as pernas deitando a cabecinha delicada em seus joelhos.

— Mamã, vem — pediu o menino, segurando-lhe a mão, querendo puxá-la.

Os olhos de Maria José o fixaram com imenso carinho. Levantou-se e deixou que o menino a arrastasse pelo jardim. Ele estava bonito e grande, observou ela. Completara cinco anos. O que pensaria Menelau se o pudesse ver? Era um garoto vivo e inteligente.

Menelau! Nunca mais tivera notícias. Teria morrido? Sentiu o coração bater descompassado a esse pensamento. Romualdo a conduzia, alegre. Zita apareceu juntando-se a ele. Romualdo adorava brincar no jardim e Zita era sua companheira de brinquedos. Tinham a mesma idade, tendo ela nascido três semanas depois dele. Maria José afeiçoara-se a Zita tanto quanto gostava de seus pais. Levava-os sempre para a cidade. Claro que Zefa era insubstituível, mas Maria José gostava também de Bentinho. Era homem de opinião e adorava Maria José. Era capaz de tudo para agradá-la. O amor e a deferência que ela tinha por Zefa e pela sua filha Zita mais faziam aumentar o amor de Bentinho, conquistado quando ela lhe deu chance de viver com Zefa e trabalhar na casa-grande. Bentinho tinha se revelado trabalhador dedicado.

Se antes era arredio e só fazia o indispensável, agora era diligente e pronto, esforçando-se para agradar sua sinhá. Maria José, por sua vez, aprendera a apreciar Bentinho e a recorrer a ele nos casos de doenças da família. O negro era um benzedor de primeira. Muitos doentes haviam sido curados com suas benzeduras. Às vezes, ele via o futuro e fazia algumas premonições que se realizavam, e isso o colocara como um curandeiro de prestígio não só entre os outros escravos como também entre os brancos.

Apesar de gostar de exercer essas atividades, Bentinho só fazia o que sua sinhá permitia. Não queria que ela se aborrecesse.

— Mamã, olha o Nequinho! Ele vai fugir, vamos atrás dele.

Romualdo saiu correndo com Zita atrás de Nequinho, um leitãozinho que estavam criando para as festas. Mesmo na cidade, eles tinham sempre um no cercado do fundo do quintal. Nequinho escapara e as crianças pretendiam pegá-lo.

Maria José parou, olhando-os pensativa. Lembrou-se de Menelau. Funda tristeza a acometeu.

— Sinhô Menelau tá vivo!

Maria José assustou-se. Bentinho estava na sua frente, segurando a enxada com a qual arrumava o jardim.

— Por que diz isso? — inquiriu ela, num fio de voz.

— Num sei, sinhá. Tive vontade de dizê. Sinto dentro do meu coração que sinhô Menelau num morreu.

Preocupada, Maria José perguntou:

— Que mais você vê? Por que ele não manda notícias?

Bentinho fechou os olhos durante alguns instantes, depois disse:

— Vejo ele longe, muito triste e magro, com muita saudade. Parece que num pode voltá. Num sei por quê. Mas ele tá vivo. Isso eu sei.

— Deve ter acontecido alguma coisa grave. Bentinho, faça sua reza. Estou muito triste. Sinto que algo ruim aconteceu com ele. Faça sua reza. Ele precisa voltar. Aqui é sua terra, sua gente. Ele pode estar doente.

Maria José sentia-se muito aflita. O negro olhou-a com firmeza.

— Sinhá manda, Bentinho obedece. Esta noite mesmo vô chamá meus amigo e rezá. Vô fazê de coração.

— Deus lhe pague, Bentinho. Confio na sua reza.

Maria José afastou-se e Bentinho seguiu-a com olhos de adoração. Naquela noite mesmo atenderia o pedido da sua sinhá.

Os dois dias que se seguiram foram calmos e sem novidades. Maria José estava irritada, nervosa. Demerval mostrava-se intransigente na efetivação de alguns negócios. Haviam realizado boas vendas e recebido bom dinheiro com a exportação de café. Ela desejava empregar parte desse dinheiro na melhoria da fazenda, modernizando seu mecanismo de trabalho, saneando e melhorando as habitações dos escravos e peões.

Demerval era contra. Por que teria que gastar seu dinheiro com aquela corja? Se atendesse sua mulher, logo escravos e colonos teriam comida e casa de branco. Ela era uma perdulária.

Maria José não se conformava. Discutiram e Demerval, que esperava ser obedecido, foi forçado a admitir que sua mulher não mais o atendia. Ela se mostrou irredutível. Argumentou que, melhorando a vida dos escravos e dos colonos, melhoraria a produção e que eles eram responsáveis pelas doenças e mortes que acontecessem lá por causa da má alimentação e da falta de higiene.

Demerval ficou furioso. Não podia acreditar. Sua mulher! Devia-lhe obediência e apreço, ousava enfrentá-lo. Irritado, gritou:

— Farei como eu quero. Comprarei terras e ouro. Acho melhor não se intrometer em negócios de homens e cuidar de suas mucamas na cozinha.

Maria José levantou-se, furiosa.

— Pois eu não aceito isso. Sou sua mulher. Não quero que você faça isso. Se insistir, não olho mais na sua cara e não falo mais com você.

Demerval ficou vermelho de raiva. A audácia da mulher, enfrentando-o, tirava-lhe a fala. Fez um esforço para reagir, mas, de repente, sentiu-se muito mal. Um zumbido na cabeça, uma tontura, o estômago enjoado. Estaria doente de novo? Assustou-se. De vermelho fez-se pálido e sentou-se em uma cadeira. Maria José nada disse, olhando-o séria. Ao cabo de alguns minutos, ele disse com voz sumida:

— Estou passando mal!

— Acalme-se — respondeu ela. — Você não deve irritar-se tanto.

— Se sabe disso, por que faz tudo para contrariar-me? Está se aproveitando por causa da minha doença!

— Acalme-se — repetiu Maria José, procurando controlar a raiva. — Se não fosse tão teimoso, veria que tenho razão.

Demerval passou a mão pela testa molhada de suor.

— Não posso discutir — disse, com voz fraca. — Ai, Deus meu, a que ponto fiquei reduzido!

— Não acho justo você se queixar. Deveria agradecer a Deus sua saúde. Tem passado muito bem. Seu mal-estar sempre aparece quando você quer impor sua vontade e brigar.

— Quando sou contrariado e desautorizado em minha própria casa, por minha própria mulher — murmurou ele, com voz trêmula.

— Vou mandar Zefa fazer um chá.

Demerval assentiu com a cabeça e Maria José embarafustou para a cozinha. Ele tomava seu chá com olhos tristes quando Eduardo entrou na sala. Fundo suspiro escapou-se-lhe do peito.

— Foi Deus quem o trouxe por aqui.

Demerval nutria por Eduardo admiração e respeito. Embora nem sempre entendesse bem o que ele dizia, sempre melhorava quando ele aparecia e, no fundo, pensava que ele possuía um dom de cura, graças ao qual se tinha recuperado da difícil moléstia que o acometera.

Eduardo abraçou-o com cordialidade.

— A saudade trouxe-me a esta casa. Pelo que vejo, o amigo está muito bem.

— Nem tanto, Sr. Eduardo, nem tanto. Tenho sofrido muito...

Eduardo fixou-lhe os olhos com energia, enquanto dizia com leve sorriso:

— Vamos cultivar a alegria. Só ela pode nos ajudar na conquista do equilíbrio e da saúde. A queixa apenas piora o quadro das nossas necessidades. É preciso reconhecer que o senhor goza de ótima aparência e parece-me que tudo por aqui vai indo muito bem. Não será ingratidão manter o desânimo depois de receber tantas bênçãos?

Demerval olhou-o, surpreendido.

— Pensa mesmo que estou bem? Ainda agora, com o desgosto que minha mulher me deu, quase desfaleci.

— Por que não cede um pouquinho aos desejos de D. Maria José? Afinal, ela é uma mulher admirável, de rara inteligência e que o tem cercado de atenções e carinho.

— Sou um homem! Como posso ser conduzido pela mulher? Ao marido cabe cuidar dos negócios da família. Mas ela não cede. Quer fazer tudo a seu modo.

— D. Maria José tem muito jeito para administrar. O que fez na fazenda foi maravilhoso. Não concorda?

Demerval balançou a cabeça.

— Devo admitir que ela trabalhou bem. Mas, agora que estou bom, sou eu quem deve resolver esses assuntos. Foi Menelau quem a destrambelhou. Deu-lhe asas. Agora ela não quer ceder.

Maria José entrou e, sorrindo, dirigiu-se a Eduardo.

— Sr. Eduardo, que alegria!

Eduardo curvou-se, beijando-lhe a mão delicada. A conversa continuou amável e o coração de Maria José batia descompassado. A presença dele recordava-lhe mais Menelau.

Demerval sentiu-se mais calmo e já as cores haviam voltado a suas faces, enquanto, sentados, os três conversavam.

— Além da saudade, outro assunto me traz aqui.

— Qual é? — indagou Maria José, com o coração aos saltos.

— O desaparecimento de Menelau. Nunca me conformei.

— Morreu, com certeza — ajuntou Demerval. — Morreu ou sumiu para fugir da mulher. Ela é intratável!

— Não diga isso, Demerval. Não vamos pensar no pior. Claro que ele deve estar vivo! Quem sabe impossibilitado de voltar!

— Pode ser — tornou Eduardo, pensativo. — Também não creio que tenha morrido. Se isso tivesse acontecido, teríamos tido notícias de um modo ou de outro.

— O que pode ter acontecido? — indagou Maria José.

— Aconteceu um fato novo. Um amigo meu tem investigado seu desaparecimento e conseguiu descobrir que Menelau comprou passagem de volta no dia 9 de junho de 1885, despediu-se dos amigos em Paris e viajou para o Havre. Conseguiu ainda saber que Menelau despachou sua bagagem no navio Britânia e foi aí que a pista se perdeu. Se ele comprou passagem e embarcou a bagagem, por que não foi para bordo?

— Teria morrido em viagem? — aventou Demerval.

— Não creio. Se ele tivesse embarcado, seu nome teria sido anotado a bordo. Eles sempre fazem isso. Têm o de todos os passageiros. O nome dele não consta.

— Não seria um engano? Menelau teria realmente comprado essa passagem?

— Quanto a isto, não tenho dúvida. Meu amigo esteve lá, reconstituiu todos os passos de Menelau. Seu nome consta como tendo comprado passagem. Depois que descobri isso, fui aos armazéns do porto e localizei a bagagem. Realmente, lá estava.

Maria José levantou-se um tanto pálida.

— Encontrou mesmo?

— Sim. E como era meu dever, procurei D. Maria Antônia para retirá-la. Ela se surpreendeu muito e acompanhou-me ao porto.

— Como está ela? — indagou Demerval, curioso.

— Parece muito bem. Disse-me que acredita que Menelau esteja morto. Já vestiu luto, espera apenas que sua morte seja oficialmente reconhecida. Não lhe agrada a situação indefinida em que se encontra. Concordou em acompanhar-me para ver se descobria alguma pista que lhe confirmasse a morte do marido. Lá mesmo, pediu aos homens do depósito que abrissem os baús e rapidamente vistoriou tudo, remexendo. Encontrou um pacote em que estava escrito "Para Maria Antônia", abriu-o e encontrou alguns objetos de adorno, cortes de seda.

— "Levarei apenas isto" — disse-me, calma. — "O resto, jogue fora, faça o que quiser. Não vou levar para casa essas tranqueiras."

— "Posso levar para minha casa?" — indaguei. Ela balançou a cabeça afirmativamente.

— "Faça o que quiser."

— "Há outros pacotes para o resto da família."

— "Não tenho contato com eles. Não mantemos relações."

— "Muito bem. Então providenciarei tudo." Assim fiz. Mandei a bagagem para minha casa. Lá estão suas roupas, seus objetos de uso. Tomei a liberdade de trazer os pacotes que lhes pertencem. Estão em minha bagagem. Se quiserem o resto, poderei mandar. Se preferirem, posso guardar. Tenho certeza de que Menelau ainda vai regressar.

Maria José estava excitada. Depois de tantos anos, eis que, de repente, as notícias começavam a aparecer.

— Estou curiosa — disse ela, procurando dominar a impaciência.

— Vou apanhar tudo. Com licença.

Maria José o acompanhou.

— Sua bagagem já está no quarto de hóspedes. Venha comigo.

Assim que se viu longe de Demerval, ela continuou, emocionada:

— Rezo todas as noites por Menelau. O que lhe teria acontecido? Por que não embarcou naquele navio?

— Tenho suspeitas, porém nada posso afirmar. O que sei é o que ele me escreveu em sua última carta. Queria voltar, não suportava mais a saudade.

Foi com lágrimas nos olhos que Maria José segurou o pacote caprichosamente embrulhado em lindo papel colorido e amarrado com um laço de fita. Seu nome estava escrito delicadamente a um canto e ela reconheceu a letra bem-feita e inesquecível do cunhado.

Eduardo colocou outros pacotes sobre a mesinha. Não esquecera ninguém. Para Ana, Rosa, Adalberto e Romualdo. Havia um para Demerval e até para Zita e Zefa. Só Menelau pensaria nos escravos de estima de casa. Os olhos de Maria José encheram-se de lágrimas.

— Desculpe-me, Sr. Eduardo. Não posso conter-me.

— Eu também senti a mesma coisa quando apanhei estas coisas e vistoriei sua bagagem. Não devemos desanimar, D. Maria José. Deus é bom. Menelau está vivo em algum lugar e, por certo, um dia voltará.

— A reza de Bentinho! Foi a reza de Bentinho!

— O que foi?

— Foi ele. Garantiu-me que Menelau está vivo. Prometeu fazer uma reza daquelas para trazê-lo de volta.

— Quando foi isso?

— Há dois ou três dias.

— É, Bentinho tem muita força. Estou com essas notícias já há uma semana, mas não podia vir aqui agora, e faz dois dias que não conseguia pensar senão na senhora. Eu pretendia vir daqui a duas semanas, porém não consegui resistir. Senti forte impulso de vir aqui. Nem sequer pensei em Bentinho. Então foi ele!

— Ele?

— Sim. Ele que apressou minha viagem. Depois quero falar com ele. Juntos talvez cheguemos à verdade.

Maria José ficou radiante.

— Claro. Por certo chegaremos!

— Meu amigo continua investigando. Tem pessoas de confiança na França que continuam a busca.

Maria José suspirou fundo.

— Deus queira que possamos encontrá-lo.

Demerval já se sentia refeito quando eles retornaram à varanda. Maria José, mais animada pela presença de Eduardo, estava falante e atenciosa. As crianças fizeram tanto alarido com os presentes do tio que Demerval as mandou sair dali, para poderem continuar a conversar. À tarde, enquanto Demerval descansava, Eduardo procurou por Bentinho. O negro alegrou-se ao vê-lo.

— Deus abençoe, sinhozinho — disse, contente.

— Obrigado, Bentinho. Como vai você?

— Bem, sinhô.

Eduardo foi direto ao assunto.

— Você acha que sinhô Menelau está vivo?

— Acho, sim sinhô.

— Por quê?

— Num sei. Só sei que ele tá vivo. Isso eu posso até jurá.

— D. Maria José pediu que você rezasse para Menelau voltar. Você rezou?

— Rezei muito, sim sinhô. Mas a única coisa que pude sabê é que ele tá vivo. Como e onde, num sei. Vi ele magro, muito triste, num lugar pequeno, vi mar, vi um grande castelo, diferente dos da Província. Parece que ele num pode saí.

— Estará preso? Essa idéia já me ocorreu.

— Penso que é isso, sim sinhô.

— Bentinho, precisamos ajudar Menelau com nossas orações. Vamos pedir aos bons espíritos que o ajudem a sair.

— Vamos, sim. Hoje de noite vô fazê uma reza especial.

— Vamos fazer juntos. Posso ajudar.

— Sim sinhô. Vamo consegui.

— Com a ajuda de Deus.

— Tenho esperança.

Os dois combinaram encontrar-se quando todos estivessem recolhidos para fazer a prece. Convidariam Maria José também.

Eram nove horas e a casa toda dormia quando os três se reuniram em pequena sala da casa. Demerval dormia e nem sequer notou a saída de Maria José. Os três sentaram-se e Eduardo fez sentida prece pedindo ajuda de Deus para Menelau enquanto o negro caía em sono solto, cabeça pendida sobre o peito.

De repente, Maria José sentiu vontade de sair dali, de correr, de gritar. Conteve-se a custo. Precisava rezar por Menelau e procurou esforçar-se para isso. Porém a emoção de terror e de revolta brotou forte dentro dela. Eduardo levantou-se e disse-lhe, calmo:

— Não tema. Se sentir vontade de falar, não segure. Seja o que for, fale. A senhora está sob ação de um espírito.

Maria José não mais se conteve:

— Deixem-me sair — disse com voz irritada. — Você não pode prender-me aqui.

— Só quero alguns esclarecimentos.

— Não os darei. Sei de tudo, mas eles vão penar mais do que eu penei. Assim eu quero. Estarei vingada!

— O ódio é doença perigosa. Fere mais a quem o sente.

— Como se eu não estivesse ferida! Não vê como me encontro? — A voz de Maria José era amargurada e rancorosa. — Por acaso sabe o que eles fizeram comigo? Meu ódio há de persegui-los para sempre.

— Eu gostaria de ajudar você. A quem se refere?

— A todos eles. Ao esposo traidor e infiel e à mulher sem alma que mo roubou! Eu os vi juntos! Apesar de tudo, eles ainda se amam. Mas hei de separá-los para sempre. Nunca mais hão de ver-se, nunca mais!

— Se eles se amam, por que não os deixa em paz? Você está no mundo dos espíritos e não deve interferir na vida de pessoas que, na Terra, lutam para vencer suas provas.

— Quando eles reencarnaram, fiquei vigilante. Tudo ia bem. Ela casou com Ulisses, a quem tinha abandonado por causa dele.

— Quem é Ulisses?

— É Demerval, não sabe? Ulisses é Demerval agora, mas continua o mesmo prepotente de sempre. Eles casaram e eu fiquei sossegada. Embora ele fosse irmão de Raul, não se davam bem.

— Quem é Raul?

— Não sabe que é Menelau? Meu Raul, esposo traidor e cruel, agora é Menelau. E ela, a mulher pecadora e leviana, Isabel que eu odeio, é Maria José. Você não sabe! Eles fugiram juntos, abandonaram tudo. Eu tinha cinco filhos e ela o tirou de mim. Passamos fome, privações. Eu adoeci, não vê meus pulmões como estão? Meus filhos ficaram órfãos por causa deles. Vi o sofrimento deles, sem pai ou mãe nesse mundo cruel! Como pede que não odeie? Enquanto ficaram separados, eu suportei, mas, quando os vi juntos, todo o meu ódio reapareceu, ganhou força!

— Procure compreender! A atração deles foi forte, mas eles reagiram, ela cumpre seus deveres de esposa e mãe, ele também.

— Não suportei os pensamentos deles. Amam-se, apesar de tudo. Antes de voltar à Terra ele parecia tão arrependido! Nossa filha Antonieta estava muito mal. Pobrezinha, órfã, havia se apegado ao dinheiro, ao poder, conquistara homens poderosos, cometeu desatinos, mergulhou no erro e nos vícios. Ele se propôs a ajudá-la a recuperar sua paz.

— Quem é Antonieta?

— É Maria Antônia, não vê? Ele casou com ela e fiquei sossegada. Estava cumprindo sua promessa. Haveria de reconduzi-la ao bom caminho. Mas qual! Quando se encontrou com Isabel, perdeu a cabeça.

Eduardo, emocionado, orava comovidamente.

Aquela sofrida criatura precisava perdoar. Ele pediu a Deus que o inspirasse.

— Sabe o que foi para mim vê-los juntos de novo? Eu tinha acreditado nela. Havia perdoado Isabel quando ela prometeu ajudar meus filhos e recebê-los como seus, dando-lhes amor e se dedicando a que eles pudessem ter tudo quanto lhes havia sido tirado. Acreditei nessa mentirosa até que os vi juntos de novo, aos beijos, sem se lembrarem dos compromissos. Sei que, se eles se encontrarem, farão tudo de novo! Por isso, quero ele longe. Nunca mais ele voltará. Não deixarei.

— Você não confia em Deus?

Maria José pareceu hesitar.

— Confio, um pouco.

— Não acha que ele faz tudo certo?

— Acho, mas no meu caso as pessoas são fracas. Deus não tem nada com isso. Deixe-me ir embora, agora que eu já disse tudo.

— Espere um pouco mais. É verdade que eles fraquejaram, mas depois eles lutaram, reagiram. Não abandonaram seus compromissos. Quem pode saber se eles iriam mesmo fracassar? Agora estão mudados. Embora os dois se amem, não largaram as obrigações. Você está sendo precipitada.

— Não quero correr o risco. Preciso defender meus filhos. Eu ainda não pude renascer. Não obtive permissão. Porém estou vigilante!

— Perdoe e tudo será melhor. Ninguém pode ajudar conservando ódio no coração. Maria José cria seus filhos com todo o amor. Agora são dela também. Menelau procurou ser bom para Maria Antônia. Deixe-os seguir seu próprio caminho. Perdoe e assim poderá ajudar de verdade. Liberte Menelau. Deixe-o voltar. Eu falarei com ele, lembrarei os compromissos, ajudarei no que for possível.

— Sei que é sincero. Porém a liberdade dele não depende de mim. Tem um chefe que tem poderes sobre ele. Eu posso dar um tempo. Mas se ele não cumprir o que prometeu, voltarei.

— Ajude-me a libertá-lo. Você pode.

— Falarei com o chefe. Esse caso não sou eu quem decide. Minha parte eu concordo em esperar. Ele, não sei.

— Agradeço sua boa vontade. Deus a recompensará.

— Verei o que posso fazer. Agora eu já posso ir. Adeus!

Fundo suspiro escapou do peito de Maria José, que pendeu a cabeça sobre o peito e, com os olhos fechados, parecia dormir. De repente, seu rosto foi se modificando. Abriu os olhos olhando fixamente para a frente. Disse com voz grave:

— Quem teve a petulância de trazer-me aqui? Quem me arrancou da minha caverna?

— Somos amigos, queremos conversar — disse Eduardo, com voz calma.

— Conversar sobre o quê? Nada tenho com você!

— É sobre Menelau...

— Aquele cachorro malvado? Sobre ele não desejo falar. Tem o que merece. O que ele passa ainda é pouco.

— Por que o odeia?

— Não sabe? Você não estava lá quando ele me condenou. Por maldade! Eu era inocente. Ele me mandou para a masmorra. Fiquei preso lá até a morte. Sabe o que é isso, sabe? Agora quer defendê-lo, a troco de quê? Acha que tem perdão o que ele fez comigo? Pensa que posso esquecer? Sabe o que sofri dia a dia, hora a hora naquele pestilento lugar? Agora é sua vez. Está apenas começando a pagar! Cobrarei até o fim. Há de morrer à míngua e quero estar lá para me alegrar com sua dor.

— Não lhe ocorreu que sua própria situação não vai melhorar nada com isso? Que há muito você poderia estar vivendo uma vida melhor, mais feliz, ter esquecido esse sofrimento, seguir para a frente? Em vez disso, você permanece aí, infeliz e sofredor, preso às lembranças infelizes...

— Como eu poderia esquecer, deixá-lo na impunidade?

— Deus dá a cada um as lições de que precisa para aprender e corrigir-se.

— Não a ele. Como vê-lo rico, feliz, sem se lembrar de que eu existo e sofro minha dor? Não. Eles hão de pagar. Eu jurei.

Foi quando Bentinho disse, com voz rouca:

— Se quer cobrar dele, eu posso cobrar o meu de vosmecê!

Maria José estremeceu:

— Quem me fala? Por que me recorda coisas passadas?

— Porque foi a mim que vosmecê matou naquela noite escura. Não se lembra? Como se diz inocente?

— Seu espectro me tem perseguido. Mas sou inocente do crime para o qual fui condenado!

— Mas não da minha morte! Eu gostava da vida. Era jovem, feliz. Você me matou para roubar. Por acaso esqueceu?

Eduardo orava em silêncio. Bentinho prosseguiu:

— Já o odiei muito. Agora, estou cansado. Quero esquecer. De que me adianta ficar sempre relembrando minha dor? Quero uma nova vida na Terra, quando poderei recomeçar a viver. Reconheço que mereci o que me aconteceu. Aprendi muito com essa dor. Não quero vingança. Quero melhorar e voltar a nascer. Vim só para dizer que você não é inocente como se diz.

— Não me acusa? — tornou Maria José, com voz comovida.

— Não.

— Eu poderia esquecer e voltar a nascer?

— Poderia, se perdoasse. Ninguém deve recomeçar a vida com ódio no coração.

— Não posso perdoar, mas quero esquecer.

— Comece ajudando a libertar Menelau. Isso o auxiliará — disse Eduardo, convicto.

— Está bem. Farei isso. Depois, quero esquecer. Quero voltar! Viver outra vida melhor!

— Deus o ajudará. Vamos orar por você.

— Verei o que posso fazer.

Maria José suspirou fundo e se calou, parecendo adormecida. Bentinho e Eduardo oravam em silêncio. Por fim, ela acordou um pouco preocupada.

— O que aconteceu? — indagou.

— Nada de mais. Não se lembra?

— Lembro-me de haver sentido emoções estranhas. Mal-estar. Depois falava coisas sem poder parar. Sabia que era minha voz, mas sentia-me como se fosse outra pessoa. Estou com medo!

— Não se preocupe. Hoje levantamos a ponta do véu que cobre o seu passado. Pudemos entender muitas coisas. Vamos agradecer a Deus por isso.

Quando Eduardo acabou a ligeira prece, Bentinho foi logo dizendo:

— Fui vê o sinhô Menelau. Tá preso e num pode saí. É uma ilha longe, muito longe. Na porta da cela dele tava de guarda essa alma que queria vingança. Com a ajuda dos espírito meus amigo, trouxemo ele. Agora a porta tá livre. Logo sinhô Menelau vai podê saí.

Maria José sorriu, animada.

— Acha mesmo?

— Acho. Mas amanhã vamo rezá de novo.

— Deus nos ajudará — disse Eduardo, pensativo.

Agora que sabia a verdade, compreendia os sérios laços que prendiam aquelas criaturas. Compreendia também por que lhe havia sido permitido ajudar. Agora, guardava certeza de que Menelau voltaria. Não porque eles quisessem apenas, mas porque ele ainda tinha, para com aquelas pessoas que eram sua família, responsabilidades que deveriam continuar.

Naquela noite, sentindo a grandeza de Deus, a bondade da Providência Divina, os sagrados impositivos da vida, Eduardo não conteve as duas lágrimas que lhe rolaram dos olhos.

Capítulo XIII

Estirado na dura enxerga que lhe servia de leito, Menelau pensava. Não sabia há quanto tempo estava prisioneiro, sentia que precisava conservar toda a lucidez se quisesse um dia sair dali com vida. A empreitada era difícil, mas ele não perdia as esperanças. Tratou de alimentar-se o melhor possível e tomar certos cuidados para não apanhar as doenças que, de tempos em tempos, grassavam ali, ceifando vidas.

Ao raiar do dia levantavam-se e, após receberem pão e água, eram colocados em carroças e levados ao local de trabalho. Lá, enquanto alguns cavavam uma montanha à procura do veio do minério de ferro, outros desciam às profundezas da terra à procura de carvão. O ar era escasso e insuportável o cheiro do lampião.

Menelau já trabalhara nos dois setores e eles se revezavam, porquanto ninguém agüentaria um trabalho constante dentro da mina sem adoecer. Ele procurava fazer exercícios respiratórios para limpar os pulmões daquele ar e daquele pó que existia em toda parte. Mesmo não gostando da comida, esforçava-se por engoli-la, tendo antes o cuidado de verificar se não estava estragada.

Lutava para conservar-se bem fisicamente para poder fugir. Em sua cela, marcava cada dia com pequeno traço na parede. Assim percebeu que a cada quinze dias novos prisioneiros chegavam e eles carregavam o barco de volta com o produto do trabalho. Para onde iriam? Quem comandava aqueles homens? Qual a bandeira que acobertava tanta desumanidade?

Apurando o ouvido, Menelau pôde, através da conversa de alguns carcereiros, saber que eles não se filiavam a nenhum país em particular. Eram homens de negócios vendendo sua mercadoria a quem pagasse mais. Trocavam-na também por mais braços para o trabalho, negociando vidas humanas friamente.

Sozinho, Menelau sentiu que nada poderia fazer, por isso tratou de escolher alguns homens de coragem e que estivessem dispostos a preparar-se e lutar para fugir. Aos poucos, uniu-se a alguns companheiros e trataram de observar todos os hábitos e vigiar constantemente os carcereiros, para manterem-se informados. Empresa difícil, porque não lhes era permitido conversar durante o trabalho, sendo de lá conduzidos às celas, cubículos escuros e desagradáveis, agrupados de quatro em quatro. A necessidade cria meios e os olhos falavam mais do que a boca.

Deitado no escuro, Menelau pensava. Orava todos os dias pedindo a ajuda de Deus e confortava-o pensar que nada acontece sem que Ele permita. Haveria de encontrar a maneira de sair dali. Confiava que a ajuda viria. Estava sempre pronto a observar e sabia que, por mais que seus carcereiros fossem homens rudes sem instrução e fiéis ao patrão, eram humanos e teriam seus momentos de distração, de descuido. Contava em aproveitá-los. Conseguira juntar-se a quatro homens decididos tanto quanto ele mesmo. Eram poucos, mas melhor do que nada. Procuravam trabalhar sempre juntos, sem que os demais percebessem.

Naquela noite, ao orar, Menelau sentiu que uma energia suave e agradável o tinha envolvido. Seu coração encheu-se de esperanças. Assim, adormeceu.

No dia imediato, enquanto aguardavam no pátio para se aboletarem na carroça rumo ao trabalho, o capitão-da-guarda chegou e conversou com o capataz. Este concordou e depois, fixando-os, ordenou:

— Vocês, formem ao lado do capitão. Apontou para Menelau e escolheu mais nove homens, entre os quais os quatro amigos que dissimularam a alegria que sentiram.

O capitão necessitava de dez homens fortes e eles eram os que estavam em melhor forma física. Enquanto os outros foram para o trabalho, eles aguardaram ordens. Esperaram. Dois homens armados formaram ao lado deles e os levaram ao armazém perto do cais, onde a mercadoria era guardada, esperando a hora do embarque.

Receberam ordem de carregar os sacos de minério ao porão de um barco que estava ancorado. Normalmente, esse trabalho não era feito pelos prisioneiros. A tripulação dos barcos é que fazia isso. Eles não compreendiam o porquê dessa modificação.

Enquanto trabalhavam, coração batendo descompassado, esperavam o momento oportuno para escapar.

Os dois guardas, com as armas apontadas, vigiavam em terra e no barco; o capitão mais seu ajudante também tinham armas nas mãos. E a tripulação, onde estaria?

O capitão, irritado, queria a todo custo apressar o carregamento. Menelau o ouviu dizer ao ajudante:

— Quero ir-me embora desta ilha maldita o mais rápido possível. Saindo daqui, os homens vão melhorar, com certeza.

Uma idéia louca passou pela cabeça de Menelau. Corajosamente chegou perto do guarda que vigiava o carregamento e disse, com voz súplice:

— Senhor! Tenha piedade de nós e permita-nos não voltar mais àquele barco.

— Que é isso? Se insurge contra nossas ordens?

— É que descobri um segredo terrível! Nossas vidas correm perigo. Bebemos daquela água, comemos do seu pão!

— O que quer dizer? — gritou o homem, assustado. — O que você pretende?

— A peste, senhor! A tripulação está pesteada. Nós todos vamos morrer! Tenha piedade, não nos mande voltar lá!

Os olhos do homem se abriram assustados.

— Como sabe? Os homens estão doentes de disenteria, só isso!

— É mentira. Ouvi o capitão falar em peste.

— Voltem para lá. Não toquem em nada. Vou já falar ao capitão. Se for verdade, tocaremos fogo no barco. A peste tem que ser isolada. Voltem todos já a bordo.

Assustados, os homens voltaram a bordo. Menelau exultava, enquanto seus quatro amigos, olhos brilhantes, haviam compreendido. Enquanto os homens andavam rumo ao barco, Menelau disse-lhes, com alegria:

— Ajudem-me. Agora temos que convencer o capitão do barco do perigo que corremos.

Aparentando pavor, eles subiram a bordo e o capitão berrou com irritação:

— O que é isso? E a carga? Deste jeito nunca sairemos daqui.

Menelau aproximou-se sério:

— Senhor, se quiser salvar seu barco, partamos o quanto antes.

— Não sem antes falar ao seu capitão. É um motim?

— Não, senhor capitão — disse Menelau, com voz firme. — Eles pensam que o barco é pestoso e vão nos queimar a todos para acabar com a peste.

— Quem disse isso? É mentira! Não há peste neste barco.

— Eles não vão acreditar. O melhor será sair, antes que seja tarde demais!

— Paguei pela carga e não saio sem ela — teimou o capitão.

— Em todo caso, senhor — surgiu Menelau —, é melhor se fazer ao largo. Eu ouvi o guarda falar em nos queimar a todos.

O capitão resolveu.

— Vou investigar, mas a precaução é boa medida. Se estiverem me enganando, pagarão por isso.

— Capitão, os homens estão mal, como movimentar as máquinas?

— Senhor, estamos aqui — tornou Menelau. — Tenho ânsia de liberdade. Podemos trabalhar, com todo o respeito às suas ordens. Aprenderemos depressa e tocaremos o barco!

— Sim! — gritaram todos com entusiasmo.

O capitão coçou a cabeça, depois disse:

— Está bem. Vamos tentar. Nos poremos a largo. Verificarei a verdade.

Os homens tremiam de alegria e dispuseram-se ao trabalho. Às instruções do capitão, içaram a passarela e levantaram âncora, movimentaram as máquinas enquanto o capitão, no leme, e imediato orientavam os homens. O capitão conservou o barco afastado e com uma luneta observava a movimentação dos homens no cais. De fato, havia um movimento desusado. E de repente rugiu o canhão e o obus explodiu bem perto do barco, fazendo a água subir ao convés.

O capitão não quis saber mais. Os homens estavam certos. Se conseguisse sair dessa, jamais voltaria àquele lugar. Ordenou a partida, e Menelau, trabalhando duro, sentia a alegria cantando no coração. Reuniu os nove companheiros e disse, enérgico:

— Vamos trabalhar duro. Vamos ser gratos ao capitão que nos está libertando. Trabalharemos como nunca. Obedeceremos até o fim.

— Não sou bandido — respondeu um deles. — Estou tão grato quanto você.

Os outros concordaram e com dobrada energia e muita disciplina obedeceram às ordens.

Dentre eles havia um que entendia de ervas e pediu ao capitão para cuidar da tripulação acamada. Foi à cozinha e cuidou da alimentação, ferveu a água, escolheu alimentos e dentro em pouco os homens começaram a melhorar.

O capitão, satisfeito, conversou com Menelau, em quem reconhecia o líder do grupo. Surpreendeu-se com sua cultura e posição. No fim esclareceu:

— Eu aceitava a carga de homens julgando que eram desclassificados e vagabundos. Acreditava limpar a cidade de maus elementos. Desconhecia que entre eles havia homens de bem. Essa doença dos homens foi castigo de Deus. Nunca mais farei isso. Jamais voltarei àquela ilha. Há outras formas de comércio mais dignas e sem esse risco. Sou homem de fé!

— Faz muito bem. Deus o abençoará por isso.

De todos, Menelau era o único brasileiro. Na ilha falava-se o francês, mas havia gente de várias partes do mundo. Menelau, contudo, só tinha um desejo: voltar ao Brasil. Tinha receio de voltar à França e preferia desembarcar em outro lugar.

O capitão, impressionado com a disciplina e boa vontade daqueles homens, ofereceu:

— Aquele que quiser, pode ficar na minha tripulação. Sou bom para meus homens. Como sabem, há fartura na cozinha e pago a todos de acordo com nosso rendimento.

— Qual é nosso destino? — perguntou Menelau.

— Marselha. Preciso deixar lá o carregamento que temos. Não está completo, mas pelo menos renderá o suficiente para nos mantermos até outra carga.

— Não gostaria de ficar em Marselha — disse Menelau.

— Compreendo. Mas lá há outros barcos. Poderá engajar-se na tripulação e assim fazer até chegar ao seu país.

Menelau aceitou.

— Que dia é hoje? — indagou, feliz.

— Dez de junho de 1888.

Menelau suspirou fundo. Fazia cinco anos que se ausentara do Brasil. Seu filho estaria crescido; e Maria Antônia, como estaria? Pensou nela e sentiu um aperto no coração. Se pudesse, correria para os braços de Maria José. Não pretendia perturbar-lhe a vida familiar. Respeitava o irmão. Porém o coração doía de saudade e os poucos momentos de amor que haviam vivido não lhe saíam do pensamento. Não amava a esposa, porém devia-lhe proteção e respeito. Pensava regressar ao lar. O que mais poderia fazer?

Embora desejasse correr para casa, Menelau precisou submeter-se aos caprichos do tempo. Não tinha dinheiro nem roupas. Trabalhou duro e finalmente, meses depois, embarcou em um navio que aportaria no Rio de Janeiro. Não levava presentes nem bagagem, mas tinha muita alegria no coração.

Dirigiu-se imediatamente à sua casa. Sentia grande emoção. Eram dez horas de uma quente manhã de dezembro. Naturalmente Maria Antônia ainda não se tinha levantado. Ansioso, tocou a sineta do portão e logo o velho Amâncio, tão rápido quanto lhe permitiam suas velhas pernas, veio abrir, levando um susto. O velho escravo estremeceu e gritou:

— Sinhô Menelau! É o sinhozinho Menelau!

Ele transpôs o portão, enquanto dizia:

— Sou eu, Amâncio. Finalmente pude voltar para casa. Não vejo aqui os outros escravos, o que houve?

— Sinhozinho num sabe? Quase todos se foram. Sinhá Dona Isabel libertô os negro.

— Finalmente aconteceu. Você não foi embora?

— Tô véio. Num tenho família nem nada. Num posso trabaiá. Pra onde podia i? Pedi à sinhá e ela me deixô ficá.

— Quem mais ficou?

— Só a Joana e o Terenço.

Menelau entrou na casa e foi à cozinha, onde a velha Joana, à beira do fogão, cuidava da comida.

Ele sentiu vontade de beijá-la, tal a sua alegria sentindo o cheiro gostoso de iguarias que há muito não experimentava.

— Joana — disse, alegre —, que cheiro bom!

A velha voltou-se, assustada:

— Sinhô Menelau! Valha-me Nossa Senhora! É o sinhô mesmo!

— Sou eu, Joana.

Num transporte de alegria, Menelau abraçou-a.

A velha, emocionada, chorava. Menelau, alisando-lhe a carapinha grisalha, brincou:

— Não está contente em me ver? Chora?

— Sim, meu sinhô. A sinhá pensava que vosmecê tivesse morrido. Mas eu não. Eu esperava sua volta.

— Você foi libertada da escravidão. Não quis partir?

— Minha filha Janda veio me buscá, mas eu num quis. Tava aqui, tomando conta da sinhá. Eu queria cuidá dela até o sinhô voltá.

Menelau disse, comovido:

— Obrigado, Joana. É bondosa e fiel. Hei de recompensar sua generosidade. A sinhá, como está?

— Bem, sinhô. Ela vai tê um susto grande. Acreditava que vosmecê tivesse morrido.

— Faltou pouco, Joana. Sofri muito. Mas agora tudo vai ficar bem novamente.

— Vosmecê tá queimado de sol e mais forte.

— E mais velho. Olhe os cabelos brancos.

— Uns pouco, eu vi. Num carece mais preocupá. Tudo vai ficá bem agora.

— Vá acordar Maria Antônia e conte-lhe que eu voltei. Não quero assustá-la.

Joana concordou e, limpando as lágrimas com a ponta do avental, entrou no quarto em que Maria Antônia dormia. Chegando-se ao leito disse, respeitosa.

— Sinhá Maria Antônia, acorde! Tenho notícias do sinhozinho Menelau!

Maria Antônia remexeu-se no leito e após reiterados chamados abriu os olhos visivelmente mal-humorada.

— O que aconteceu para que me desperte com tanta insistência a esta hora? Quantas vezes devo dizer que detesto ser acordada?

— É que tenho notícias do sinhô Menelau.

Maria Antônia acordou de vez. Fixou a serva e disse:

— Algum boato! A corte vive cheia deles.

— Não, sinhá. Ele tá vivo, com saúde e perto de vosmecê.

— Não acredito. Depois de tantos anos! Menelau está morto.

— Estou aqui, Maria Antônia — disse Menelau, aproximando-se do leito.

Maria Antônia sentou-se na cama, como movida por uma mola.

— Está vivo e aqui! Estarei sonhando?

— Não, Maria Antônia, sou eu mesmo.

Menelau aproximou-se mais, abraçando-a. Durante alguns segundos ela ficou calada, depois libertou-se do seu abraço e fixou-o, firme. De um salto saiu do leito e olhou-o profundamente irritada.

— Então está vivo e com saúde! Durante anos desapareceu de casa, sem notícias ou qualquer consideração e agora retorna com essa desfaçatez, como se nada houvesse?

— Posso explicar o que me aconteceu — disse ele calmo, esforçando-se para não empanar a alegria do regresso.

— Ah! Você explica! Mas eu fiquei aqui todo esse tempo, sem saber se estava casada ou viúva. Amarrada a você, sem poder decidir minha vida.

— Eu não podia escrever. Estava preso.

— Preso?!

— Sim. Se não escrevi ou dei notícias, foi porque não pude. Se não voltei, foi porque estava preso.

— O que aconteceu?

— Agora você começa a perceber as coisas. Vou contar-lhe tudo. Mesmo não tendo sido recebido como esperava, estou feliz por haver regressado.

— Seu amigo, o Sr. Eduardo, veio procurar-me e descobriu sua bagagem no armazém do cais.

— Descobriu? Então as malas não se perderam?

— Não. Um amigo do Sr. Eduardo descobriu sua bagagem e fomos retirá-la.

— Então está aqui — disse Menelau, com alegria.

— Não... Eu não sabia o que fazer com ela. O Sr. Eduardo disse que a guardaria. Só fiquei com o que me pertencia.

— E os mimos para Demerval e a família?

— Não sei. Você sabe que não me dou com aquela gente. Pergunte ao Sr. Eduardo. Falemos da sua ausência. Aquela viagem sua, eu nunca entendi. Percebo agora que você entrou em uma encrenca. Por acaso conseguiu dinheiro, poder? O que foi?

— Há um segredo que não posso contar. Por causa dele fui preso e levado a uma ilha onde fiquei em trabalhos forçados e só a custo e com a ajuda de Deus consegui escapar. Isso eu posso relatar em todos os detalhes. Foi no dia em que eu ia embarcar no navio que me traria de volta ao Brasil.

Menelau relatou seu drama à mulher, que o ouvia pensativa. Ela não se sentia muito interessada em saber os detalhes ou o sofrimento do marido. Preocupava-a sua volta, porque certamente ele pretendia continuar exercendo sobre ela a tutela de marido, com a qual se tinha desabituado.

Apesar da incerteza da sua situação civil, ela gostava de ser livre e de manter relações amorosas a que não se proibia mas que poderiam tornar-se públicas ou comprometedoras porquanto era ainda tida como casada. Era cômodo e excitante. Havia sempre muitos homens interessados em consolá-la da "dolorosa" ausência do marido.

Isso era o que a irritava. Menelau não lhe fazia nenhuma falta e não sentia amor por ele. Agora, para ela, havia se tornado figura incômoda e inoportuna.

Pensou em expulsá-lo do lar sob alegação de abandono, mas seria uma mulher separada e seu nome ficaria comprometido. A separação sempre denegria o nome da mulher, mesmo que ela tivesse razões justas. A idéia de que "homem é homem, nada pega" era norma acatada por todos.

O que faria? Precisava aceitá-lo de volta, pelo menos por enquanto. Contudo, não o deixaria mandar em sua vida como antes.

— As coisas mudaram muito por aqui. Os escravos se foram — tornou ele.

— Uma loucura — respondeu ela, com raiva. — Não se pode sequer andar pelas ruas. Esses vagabundos estão por toda parte. Alguns assaltam os antigos donos, matam e roubam. Uma malta horrível!

— Essa fase vai passar. A escravidão precisava acabar.

— Você fala sem saber. Largaram seus donos, saíram, sem ter para onde ir nem o que comer. Esmolam nas ruas ou roubam. O que mais poderiam fazer? Quem são eles senão seres inferiores e ignorantes que precisam da orientação dos donos para sobreviver?

— São seres humanos, como nós. Poderão trabalhar. Os antigos donos, agora seus patrões, terão que pagar pelos seus serviços.

— Isso é uma exploração. Onde já se viu? Casa, comida e ainda dinheiro?

— Por que não? Aqui em casa não teremos mais nenhum braço escravo. Os que ficaram serão pagos pelo seu trabalho. Contrataremos outros também. O serviço deve ser feito.

— Isso é loucura! Nos levará à ruína.

— Na Europa todos recebem pelo seu trabalho e estão cada vez mais prósperos. Assumirei os negócios e tudo irá bem.

— Você cuida dos negócios, mas da minha vida cuido eu.

— Deseja a separação? — indagou ele, sério.

Se ela desejasse separar-se, ele se sentiria livre para viver sua vida, embora jamais alimentasse a mínima esperança de realizar seus anseios de amor.

— Não, querido — disse ela, calma. — O que eu não quero é que dirija minha vida. Sei conduzir-me muito bem.

— Desde que respeite os limites do bom senso, não penso em guiar seus passos como os de uma criança.

— Agora, deixe-me descansar mais um pouco. Estou morta. Essas emoções me cansam.

Foi com alívio que Menelau saiu do quarto da mulher. Pretendia fazer ainda muitas coisas naquele dia. Depois de comer a saborosa refeição que Joana amorosamente lhe preparara, Menelau foi procurar Eduardo. Desejava notícias e aproveitaria para buscar seus pertences. As últimas palavras de Maria Antônia fizeram-no tomar uma decisão. A casa era suficientemente ampla. Ele não se instalaria no quarto do casal. No Brasil, dormir em quartos separados era ainda motivo de escândalo. Ele não se preocupava com isso. Ficaria na outra ala da casa, que possuía várias salas, e assim a esposa teria sua liberdade e ele também. Talvez isso até melhorasse o relacionamento deles. Enquanto ele dormia cedo e gostava de cedo levantar-se, ela era o oposto. Por que não havia pensado nisso antes?

Eduardo, ao abrir a porta de sua casa, deu um grito de alegria. O abraço apertado, as palavras de boas-vindas, a espontaneidade do amigo encantaram Menelau, que, emocionado, considerou:

— Agora sinto que valeu a pena voltar. Pensei muito em você e em nossas conversas.

— Temos muito o que conversar, Menelau.

— Estou ansioso por notícias! Demerval, Maria José, as crianças, estão bem?

Sua voz tremia.

— Sim. Estão muito bem. Seu irmão continua com altos e baixos. Mas, com a graça de Deus, vai aprendendo suas lições. Maria José, dedicada como sempre. E as crianças vão indo bem. Romualdo já completou seis anos. É um belo menino, inteligente, sensível e bom!

Menelau estava engasgado, sem saber o que dizer. Quando pôde falar, disse, com voz trêmula:

— Sinto uma vontade louca de correr para os seus braços e matar a saudade! Não posso. Deve acalmar-me primeiro.

— Sim. Sente-se aqui, a meu lado, quero contar-lhe tudo que tem acontecido por aqui desde que partiu.

— Estou ansioso.

À medida que Eduardo contava as dúvidas, as incertezas, os receios que eles viveram naqueles dias, lágrimas deslizavam pelos seus olhos. Quando Eduardo contou sua viagem a Itu, as palavras de Bentinho, ele não se conteve:

— Ele viu mesmo. Eu estava em uma ilha preso. Tudo foi verdade.

— Depois você me contará tudo. Quero falar primeiro para que sinta a verdade das minhas palavras.

— Eu creio. Sei que fui libertado por mãos divinas. Por uma força maior do que a minha e dos meus inimigos.

— Falta ainda o mais importante. A prece que nós fizemos e o que aconteceu.

Com os olhos molhados, Menelau ouviu a narrativa, sentindo enorme emoção a cada palavra do amigo. Quando ele terminou, soluços sacudiam o corpo forte de Menelau, numa torrente inesperada porém natural. Tantas lutas, tantas dúvidas, tanta dor, enfim, explicavam-se no amor de Deus, que tinha para tudo uma causa justa.

Eduardo orava em silêncio, compreendendo os sentimentos do amigo. Quando serenou, Menelau disse, sério:

— Quero agradecer a Deus ter-me permitido conhecer a verdade. Poder compreender a causa de tantos sofrimentos.

— Vamos orar — disse Eduardo, comovido.

Menelau, com os olhos cheios de lágrimas, pronunciou sentida prece agradecendo a Deus haver-lhe permitido regressar e dando-lhe outra oportunidade para cumprir sua tarefa. Depois, permaneceu alguns minutos pensativo. Em seguida, disse:

— Cumprirei meu dever até o fim. Sei que Maria José também o fará. Posso realmente ver Maria Antônia como filha, não consigo vê-la como esposa. De hoje em diante me esforçarei para ajudá-la a ver a vida de maneira mais realista. Contudo, Eduardo, não sei bem como fazer. Ela é fútil, vaidosa, interesseira. Temo até que não seja fiel. Não se alegrou ao ver-me. Pareceu-me contrariada.

Eduardo sabia algumas coisas desagradáveis sobre o comportamento dela, mas nada disse. Estava resolvido a ajudar e respondeu:

— Sugiro a você que estude as leis espirituais que regem a vida. São verdadeiras e perfeitas. Quando não souber como resolver um assunto, entregue-o nas mãos de Deus e espere. A inspiração virá, com certeza. O importante será sempre o desejo de fazer o melhor e a humildade suficiente para perceber o caminho a seguir ainda mesmo quando ele seja diferente do que desejamos. O dever só pesa quando pretendemos impor nossa vontade à vida. Felizmente, a nossa consciência, quando está acordada, sempre percebe o melhor a fazer. O orgulho atrapalha e nos desvia. É preciso ter humildade para entregar-se a Deus e perceber-lhe os desígnios.

— Hei de aprender. Durante estes anos em que fui prisioneiro, submetido ao arbítrio e à intolerância, perdi muitas ilusões. Vejo a vida agora de forma diferente. Senti a força de Deus atuando em nossos destinos. Não quero ser um rebelde. Sei que tudo quanto Deus faz ou permite é bom. Quero ser humilde, ouvir-lhe as diretrizes, cumprir bem as tarefas que a vida me colocou nas mãos. Pretendo continuar a merecer a proteção dos bons espíritos. Sei que um dia, quando for possível, estarei livre para amar Maria José e ela também estará. Confio no futuro.

— Assim se fala — disse Eduardo, comovido.

— Quero fazer algo de bom. Nossa pátria sofre o clima difícil das mudanças sociais. A república virá, tenho certeza, e os negros foram cativos durante tantos anos que agora necessitam reaprender a usar a liberdade com responsabilidade. Vou trabalhar. Desejo empregar bem meu tempo. Fazer algo por eles, não sei ainda como, ajudá-los de alguma forma.

Eduardo abraçou-o com entusiasmo.

— Estou tentando fazer isso mesmo. Admito que não é fácil, mas juntos havemos de melhorar este país.

Os dois amigos conversaram durante horas tecendo planos, trocando idéias que lhes possibilitassem trabalhar em benefício de todos. Era já noite quando Menelau despediu-se. Apesar de cansado, sentia que nova esperança despontara em seu coração. Agora, sua vida tinha um objetivo: educar o espírito de Maria Antônia. Não sabia como, mas essa era sua missão e confiava que Deus o haveria de ajudar.

Capítulo XIV

Menelau arrumava-se com apuro. Pedira uma audiência com o imperador e iria ao Paço às duas da tarde. Havia uma semana que chegara e gastara esse tempo trabalhando duramente. Seus negócios estavam mal e ele descobriu que seu notário enriquecera enquanto ele havia empobrecido. Energicamente exigiu um acerto de contas no qual, a custo, conseguiu desfazer alguns "enganos" e reaver parte do seu dinheiro, tendo perdido uma boa soma. Maria Antônia contentava-se em exigir boa mesada e não se interessava pelos negócios.

Com esforço e trabalho, Menelau contava poder novamente prosperar. Pretendia trabalhar com Eduardo. Tinham planos para dar trabalho aos braços dos negros, preparando-os para seu novo estado.

Tendo tomado essas decisões, Menelau sentira-se mais forte e desejava falar ao seu imperador. Havia lhe dado uma missão. Sua consciência sentia-se no dever de desobrigar-se dela.

Muitas coisas haviam mudado no Rio de Janeiro. Falava-se da república como de um fato consumado e, apesar da figura veneranda de D. Pedro II, havia sede de progresso.

O povo desejava novas diretrizes, novos caminhos. O privilégio da nobreza irritava e os mestiços, dentre os quais havia grande número de homens cultos, inteligentes e atuantes nas letras e nos jornais mais lidos da cidade, lutavam pelo direito de participação na política e no legislativo. Por vaidade alguns, pela ânsia de poder outros, mas a maioria desejosa de melhorar o nível social do povo e dar-lhe oportunidades de progresso. Mesmo aqueles que idolatravam o imperador já o consideravam velho e desatualizado, sem a vitalidade necessária para conduzir a nação naquela hora de transição.

De um lado, os negros famintos e mendigando, embriagando-se e entregando-se a atos vexatórios; de outro, os escravocratas, dizendo-se lesados e protestando contra o império. Foram eles que mais tramaram contra o imperador, muito embora apenas desejassem substituí-lo sem mudar a forma de governo. Em sua maioria, consideravam a república um caos social. Falavam do morticínio na França e temiam que o mesmo acontecesse no Brasil.

Foi com respeito e deferência que Menelau adentrou o gabinete onde D. Pedro II o esperava, ladeado pelo Visconde de Grajaú. Menelau curvou-se, atencioso. D. Pedro olhou-o com curiosidade.

— Meus respeitos, Majestade — disse Menelau, sério.

O imperador curvou ligeiramente a cabeça, retribuindo-lhe o cumprimento.

— Faz muitos anos que o senhor saiu em missão para a Europa — disse ele, olhando-o fixamente nos olhos. — Tivemos notícias suas até junho de 1885. Depois, o senhor desapareceu. Julgamos que estivesse morto.

— Se me permitir, contarei o que me aconteceu.

A um gesto do imperador, Menelau contou tudo, embora omitisse os nomes dos brasileiros envolvidos na trama. D. Pedro o ouvia cofiando a barba, pensativo. Ao término, ele disse, sério:

— O senhor deve saber que os inimigos do império tramam a sua queda. Muitos desejam a república, eu sei. Esquecem-se de que, durante meu império, o país progrediu, cresceu, aprendeu muitas coisas. Amo minha terra e gostaria ainda de poder fazer muito mais. Temo não haver tempo. Não pela idade, mas porque minha gente não mais confia no seu imperador.

Seu tom era dorido e seu rosto estava triste. Menelau não soube o que dizer. Ele prosseguiu:

— Agora mesmo tenho planos para educar a massa de negros e prepará-los para o trabalho remunerado no comércio e mesmo na lavoura. Terei tempo?

— Vossa Majestade sabe que o progresso deseja mudanças.

D. Pedro olhou-o firme:

— O senhor também está contra mim? Foi em busca de nomes e os omitiu. Por quê?

Menelau não se conteve:

— Quando saí daqui estava decidido a lutar pela monarquia e descobrir os traidores. Contudo, na França, conheci melhor os ideais republicanos e reconheci o direito que todos os homens têm de lutar e conquistar seu lugar no meio social, fazendo valer seus dotes de honestidade, inteligência, trabalho, sem privilégios de berço. Desculpe, Vossa Majestade, minha sinceridade. Apesar de perceber isso, jamais traí vossa confiança. Arrependi-me de haver aceito tal missão. Procurei permanecer neutro e foi por isso que fui preso, porque me recusei a participar da conspiração contra vosso governo.

D. Pedro olhou-o com severidade.

— Não acha que me devia lealdade, que me tinha dado sua palavra? Que posso prendê-lo como traidor?

Menelau sustentou o olhar corajosamente.

— Vossa Majestade sabe que sou sincero. Podia mentir aqui, agora. Estou abrindo meu coração. Nunca fiz política. Não entendia nada disso quando aceitei a missão. Pensava estar fazendo um bem e descobri que devia respeitar nossos adversários porque eles também tinham suas razões. Fiquei dividido. Minha consciência falou e eu não consegui desempenhar a missão com êxito. Lamento. Sei que Vossa Majestade pode prender-me ou mandar matar-me. Porém não quero mais sujeitar-me à mentira e ao remorso.

— Então agora é um republicano? — indagou ele, com doloroso acento.

— Acredito que a república virá naturalmente. Nota-se um clamor muito forte no povo. Não sei se será o melhor caminho. Confesso que tremo ao pensar no que acontecerá para implantá-la. Venero e respeito meu imperador. Gostaria de vos servir sempre. Lamento que numa hora dessas vosso coração esteja entre um estado e outro, entre a monarquia e a república, porque pelo muito que o Brasil deve a Vossa Majestade, penso até que a república deveria esperar o término do vosso império, quando Deus vos chamasse.

Menelau tinha lágrimas nos olhos e nos olhos do imperador luziu, por alguns segundos, um brilho emotivo. Levantou-se e, estendendo a mão para Menelau, disse:

— É um homem de coragem. Disse-me coisas que nenhum dos meus amigos teve coragem de dizer. Reconheço que me estima, desejo apertar-lhe a mão.

Menelau não encontrou o que dizer. Apertou forte a mão daquele homem que admirava.

— Ao despedir-me, devo dizer a Vossa Majestade que não levantei um dedo para o advento republicano e continuarei assim.

— Acredito, meu amigo. Agradeço e aprecio sua solidariedade. Sei, entretanto, que me resta pouco tempo de governo. Só espero que me deixem ficar em minha querida terra.

— Por certo, Majestade.

— O que pensa em fazer agora?

— Cuidar de minha esposa e dos meus negócios. Penso em ajudar a orientar os negros, ocupando-os no trabalho remunerado.

— Isso mesmo — disse ele, sério. — Gostaria de poder fazer o mesmo.

Menelau curvou-se e afastou-se lentamente para trás, olhando o rosto do velho imperador, e pareceu-lhe ver o brilho de uma lágrima em seus olhos.

Apesar de haver sido uma dolorosa entrevista, Menelau sentiu-se fortalecido por ter usado de sinceridade e dito a verdade. Entristecia-se ao pensar que D. Pedro seria sacrificado pela força do progresso. Ele não merecia isso, por tudo que fizera pelo Brasil. Ao mesmo tempo percebia que havia uma nova força no ar, buscando a mudança que nada nem ninguém conseguiria deter.

Nos dias que se seguiram, Menelau procurou dar novo rumo à sua vida. Havia muito por fazer e ele estava disposto a não se envolver com política, embora houvesse sido procurado por alguns amigos. Depois da experiência desastrosa, pretendia dedicar-se ao progresso social, ajudando de maneira efetiva e simples. Não pretendia deixar a advocacia, mas ao mesmo tempo continuaria com sua firma de importação e comércio, incrementando os negócios para que prosperassem como antes.

A princípio, Maria Antônia irritou-se vendo-o instalar-se em separado, na outra ala da casa. Depois, aceitou a idéia e até achou-a acertada. Ela temia os comentários e as más línguas. Sentir-se rejeitada pelo marido não satisfazia sua vaidade, mas, por outro lado, essa situação deixava-a à vontade para agir como lhe aprouvesse, sem a importuna presença de Menelau. Acabou por gostar da idéia, explicando aos amigos que era moda na Europa.

Menelau reuniu os escravos fiéis que haviam ficado na casa e agradecendo-lhes a generosidade e a confiança participou-lhes que a partir daquele dia passariam a receber pelo seu trabalho e teriam toda liberdade para trabalhar em outro lugar, se assim quisessem.

Apesar da insignificância da quantia que se dispôs a pagar-lhes, comoveu-os até as lágrimas, e Joana, olhos brilhantes, considerou:

— Sinhô Menelau num precisa pagá esta negra. Num sei o que fazê com dinheiro.

Menelau sorriu:

— Você vai aprender. Sabe fazer as compras da casa muito bem. Vai usar seu dinheiro no que quiser. Todo trabalho deve ser pago.

A negra beijou-lhe a mão com carinho.

— Sinhô Menelau num vai me mandá embora...

— Claro, Joana, eu nem saberia o que fazer sem você.

Com ar sério, continuou:

— Também quero capricho no serviço. Vou pagar e exigir mais. Não pensem que vai ser fácil. Quem recebe pelo seu trabalho deve fazê-lo com amor e vontade.

Os negros olharam para Menelau pensativos.

— Sei que alguns deixaram a casa e por isso nós vamos arranjar mais alguns servos, a quem pagaremos também. Agora são livres e devem aprender a usar essa liberdade com responsabilidade e honestidade. Agora, vão ao trabalho.

Eles se retiraram e Menelau sentiu-se bem ao observar que eles saíram com um brilho novo no olhar e muita dignidade na postura.

— Não existe maior satisfação do que viver com dignidade — pensou, convicto.

Maria Antônia não participava dessa opinião. Porém não gostava de envolver-se com os afazeres e cansaços domésticos. Para ela, ver tudo voltar à antiga ordem, com novos empregados, era ótimo. Pouco lhe importava se o marido pagava ou não por esses serviços. Sua mesada continuava a mesma e isso é que lhe interessava. Com o tempo, achou oportuno o regresso de Menelau, uma vez que ele não interferia em sua vida e até lhe poupara aborrecimentos, assumindo os deveres cansativos do lar.

Ela continuava a freqüentar os salões da moda e, apesar da volta do marido, estava sempre rodeada de admiradores. Isso lhe valia alguns comentários maldosos das outras mulheres, mesmo estando sempre acompanhada por sua dama de honra, matrona de ar sério e muito respeitada. Maria Antônia jamais era vista com um admirador em particular. Flertava nos salões, mas jamais as más línguas puderam imputar-lhe algum deslize ou escândalo. Por isso, ela não se importava com essas insinuações maldosas que qualificava de invejosas.

Menelau, trabalhando muito, desejava participar mais da vida da esposa. Se quisesse despertar novos valores em seu coração, deveria aproximar-se dela, do seu mundo, embora ele fosse distante do seu. Preocupava-se com ela e nutria sincero desejo de vê-la feliz.

As palavras de Eduardo sobre o passado calaram fundo, fazendo-o compreender o motivo pelo qual a vida os tinha unido. Se conseguisse despertar nela a consciência da realidade, se pudesse fazê-la perceber os verdadeiros valores da vida e abandonar as futilidades, a ambição desmedida, por certo estaria livre para escolher seu próprio caminho. Entendia que aquele vínculo só existiria enquanto houvesse entre eles a necessidade de aprender determinadas coisas.

Assumira seu trabalho e movimentara os escritórios de sua firma dando emprego a dois ex-escravos, cultos e letrados. Uniram-se a Menelau e aceitaram o emprego, principalmente porque ele lhes adiantara seu desejo de orientar os negros libertos, ajudando-os a encontrar ocupação e conscientizando-os da necessidade do trabalho para o próprio sustento.

Eduardo juntou-se a eles com entusiasmo e o escritório de Menelau passou a ser ponto de reunião dos negros interessados em reorganizar a própria vida.

O curioso é que muitos deles não se consideravam com dever de trabalhar. Acreditavam que a alforria e a liberdade os isentassem dessa obrigação, desejando viver livremente pelas ruas, vagabundeando e tomando pela força as coisas que desejassem. O trabalho para orientá-los era árduo e havia necessidade de usar muita energia.

Era comum ver-se pelas ruas do Rio de Janeiro os dois negros que trabalhavam para Menelau a conscientizar seus irmãos de cor da necessidade do trabalho como meio de sobrevivência.

Por outro lado, havia os donos da terra, os líderes do comércio, que, revoltados pela perda de seus escravos e o prejuízo que isso lhes acarretara, ficavam satisfeitos com os atos desatinados dos ex-escravos, julgando com isso poder pressionar o Congresso e o imperador a que voltassem atrás na sua resolução.

Enquanto isso, os abolicionistas lutavam para educar os negros, fazendo-os compreender seus direitos e também seus deveres como homens livres e dignos.

Não era tarefa fácil. Para os escravos instruídos e habituados ao trabalho mais intelectual, não havia problemas. Eles eram muito solicitados e logo foram bem assalariados.

O problema maior era em relação aos mais embrutecidos e ignorantes, que haviam vivido dominados pela força física e que, uma vez livres, não queriam, mesmo à custa de algum dinheiro do qual eles nem sequer conheciam o valor, voltar a trabalhar para os antigos donos ou para outros brancos.

Essa atitude era-lhes intolerável e muitos deles, embriagados pela ânsia da liberdade tão desejada, queriam ficar à toa, espreguiçando-se ao sol, roubando frutas dos pomares e comida nas cozinhas, nadando no rio ou nas ondas quentes do mar.

O mundo era deles! Nada de deveres, canga, trabalho duro, dependência! A esses não havia argumento que os dobrasse e alguns já começavam a roubar bebidas e a embebedar-se, promovendo desordens, assaltando os brancos que porventura lhes cruzassem o caminho.

Comentando com Eduardo essas dificuldades, Menelau aduziu:

— Eles nem sequer nos ouvem. Não sei o que fazer para mostrar-lhes a realidade. Promovendo arruaças vão acabar mortos pelos soldados ou atirados nos calabouços do Engenho Grande. Disseram-me que lá já há centenas deles a apodrecer e a sofrer toda sorte de sevícias.

Eduardo sacudiu a cabeça:

— Infelizmente torna-se difícil fazer alguma coisa. Eles realmente atacam as pessoas e tornam-se perigosos. A polícia tem que manter a ordem e evitar os excessos. Alguns até atacaram as donzelas, que agora receiam sair à rua. A estes sei que mataram a tiros. Se a onda pega, vamos ter muitas mortes. Todos se revoltarão, porque um negro levantar os olhos para uma moça branca ninguém suportará.

— Os brancos, durante anos, invadiram as senzalas e não respeitaram as negras. O número sempre crescente de mulatos prova isso. Agora eles se sentem no direito de fazer o mesmo. Seguem o exemplo dos brancos.

— É verdade. Em todo caso, torna-se necessário pôr cobro a essas loucuras. Há sempre vítimas inocentes nessa história.

— Tem razão. Estamos lutando para mudar este estado de coisas. Se pelo menos os brancos entendessem e cooperassem!

— Concordo. Devemos continuar com nosso esforço. Às vezes, penso que esta geração paga o preço dos anos e anos de escravidão e de arbítrio. A hora é de luta, não de cobrança. É de mudança e progresso. Tudo seria mais fácil se os homens entendessem que todos somos espíritos, iguais em valor diante de Deus, não importa a cor da pele ou a raça a que pertençamos. Se eles pudessem perceber que as desigualdades sociais são frutos das nossas fases evolutivas e das nossas necessidades de amadurecimento, então teriam como meta o auxílio uns aos outros e a compreensão seria constante, evitando os choques mais dolorosos.

— O que fazer para ajudar? — indagou Menelau, sério.

— Continuar a trabalhar como der e como pudermos. Vamos procurar fazer o melhor, Deus por certo nos ajudará. Quando trabalhamos em harmonia com seus desígnios, ganhamos imensa força. Não devemos ser pretensiosos querendo consertar este estado de coisas. Se ele existe, terá por certo sua função. Porém vamos ajudar a quem quiser nos ouvir e por certo estaremos fazendo o máximo. Os desordeiros que estão sendo recolhidos aos calabouços do Engenho Grande escolheram essa reação, não nos cabe nenhuma culpa; mas aqueles que nos quiseram escutar, conduziremos ao caminho do trabalho digno e à construção de uma vida útil, no aconchego do lar e na participação social. Tenho observado que, apesar da resistência dos mais renitentes escravocratas, não faltam ocupações aos mais dignos e humildes que se conformam em aprender o trabalho ou desempenhá-lo com dedicação. Afinal, muitas casas ficaram sem braços para o trabalho e as mulheres protestam e querem ver a rotina doméstica restabelecida. As lavouras paradas pedem braços que as conduzam. O que nós devemos fazer é falar aos patrões, enquanto Antero e Juca cuidam de esclarecer os negros. Sei de várias casas que estão em crise de braços e vamos convencer seus donos a dar emprego aos nossos protegidos.

— Isso mesmo — fez Menelau, com entusiasmo. — Não vamos nos importar com os renitentes e ignorantes. Vamos ajudar os que podem e querem se adaptar.

Com disposição e entusiasmo, Menelau dedicava suas horas livres a esse esforço de estabilização social e, apesar dos problemas que surgiam onde ele e Eduardo eram chamados a opinar, muitos se beneficiaram. Uma vez integrados socialmente, procuravam, por sua vez, ajudar seus irmãos desgarrados.

Menelau ocupara-se tanto com essas atividades que quase não via a esposa. Saía sempre muito cedo e regressava muito tarde, quando ela já se recolhera ou encontrava-se em alguma atividade de salão.

Uma tarde recebeu uma carta anônima. Falava infâmias sobre Maria Antônia. Havia se esquecido dessas cartas. Lendo-a, foi sacudido por grande temor. A futilidade dela teria chegado a esse ponto? Seria apenas uma intriga de salão?

Ele não sabia. Mal via a mulher. Sentiu uma ponta de remorso. Abandonara-a totalmente. Não se interessava por nada que lhe dissesse respeito.

Sua indiferença não a estaria empurrando novamente para o abismo? Ficou inquieto e perturbado. Enquanto tentava ajudar os outros, não estaria deixando de lado seu dever maior?

Naquela tarde, resolveu ir mais cedo para casa. Pretendia dividir seu tempo para que pudesse oferecer mais atenção à mulher. Às cinco horas já estava em casa. Maria Antônia surpreendeu-se vendo-o.

— Vim aqui tomar um café com bolinhos com você. Joana já está preparando.

Ela o olhou como a querer descobrir o que ia em seu pensamento. Depois disse:

— Os milagres acontecem de vez em quando.

— Senti saudade de casa — respondeu ele, gentil.

— Custa-me acreditar. Ultimamente você prefere os negros à nossa vida familiar.

— Tenho descuidado um pouco. Tem razão. De agora em diante estarei mais em casa, como agora.

Ela pareceu um pouco inquieta.

— Não o esperava. Tenho um compromisso às sete, no salão da Viscondessa de Abrantes. Sinto muito não poder ficar com você.

— Nesse caso, acompanho-a. Faz muito tempo que não visito o visconde.

Maria Antônia apanhou o leque, abrindo-o e fechando-o com certo nervosismo.

— Por quê? Você não gosta de freqüentar os salões.

— Deu-me vontade. Quero dedicar-me mais ao lar.

— Parece um pouco tardia essa dedicação — fez ela, com voz fria.

— Tem razão para dizer isso. Estou sendo sincero. Somos marido e mulher. Não desejo faltar aos meus deveres.

— Seu interesse é estranho. Você se comporta como se fôssemos dois desconhecidos. Não me queixo. Sei que entre nós não há amor, não estou ressentida com isso. Só acho desnecessário esse seu interesse.

— Não aprecia minha companhia?

Ela sacudiu os ombros com indiferença.

— Você não aprecia a corte, não cultiva as amizades, nem sequer ouve quando falo sobre os assuntos que aprecio.

Menelau baixou a cabeça, pensativo. Era verdade. Porém, como suportar as banalidades e a maledicência social tão a gosto de Maria Antônia? Nada disse sobre isso. Sabia que, se quisesse chegar até ela e tentar modificar-lhe a maneira de ser, teria que se sujeitar e tentar compreender seus pontos de vista.

— Também você não se interessa pelos meus assuntos — disse ele, sério.

Ela o olhou, admirada.

— Por que uma mulher deveria interessar-se pelos escravos ou pelo mesquinho mundo dos negócios? Esses são seus assuntos prediletos. Para você, nem sequer existo. Jamais repara nos meus arranjos, nos cabelos ou nos meus trajes. Uma mulher precisa ser admirada. É como uma flor delicada. Não foi feita para preocupar-se com essas coisas grosseiras do dia-a-dia. Você nem sequer percebe que sou mulher.

Menelau compreendeu. Era verdade. Ele não a amava como mulher. Não a procurava como marido. Não sentia por ela atração física. Reconhecia que ela era uma mulher bonita, jovem, queria-lhe bem, mas esquecia-se dela com facilidade. Não a amava. Jamais deveria ter se casado com ela.

Agora, não pretendia abandoná-la. Havia um compromisso espiritual. E esse compromisso encontrara enorme ressonância em seu coração. Não havia se impressionado pela revelação do seu passado, mas no fundo do seu ser sentia a grande necessidade de ficar ao lado da esposa para ajudá-la a compreender melhor os valores da vida.

Aproximou-se dela, tomou-lhe a mão com delicadeza:

— Maria Antônia, somos casados, precisamos conviver mais e eu desejo sinceramente compreender você. Não tenho sido um marido afetuoso. Perdoe-me. Fique em casa esta noite. Vamos conversar. Jantaremos juntos, passaremos as horas conversando.

Ela o olhou, admirada:

— Não posso. Já me comprometi. Irei ao salão da viscondessa. Não costumo faltar aos meus compromissos. Ademais, sobre o que poderíamos conversar? Você se aborreceria, eu também. Depois, poderemos conversar em outra hora.

— Está bem — disse ele, um tanto decepcionado. — De qualquer forma, irei com você.

— Não precisa. Tenho tudo combinado, como sempre. A Sra. Cerqueira me acompanha.

Menelau irritou-se um pouco, mas procurou dominar-se. Por que ela não queria que ele fosse? Decidiu sério.

— Mande um portador à Sra. Cerqueira. Irei com você a esse salão. Pode dispensá-la esta noite.

Maria Antônia irritou-se.

— Você não tem o direito de mandar em minha vida. Não gosto que me dê ordens!

— Não vim para brigar. Ao contrário, desejo melhorar nosso relacionamento. Dediquei esta noite a você, e se não quer passá-la em casa comigo, acompanhá-la-ei aonde for. A não ser que você tenha outras companhias mais atraentes do que a minha.

Menelau encarou-a firme e Maria Antônia estremeceu, desviou o olhar. Ficou pensativa durante alguns segundos, depois disse:

— Muito bem. Você é um excêntrico. Vamos ver quanto tempo dura esse seu interesse. Iremos juntos ao salão esta noite.

— Assim é melhor. Vamos ao nosso café com bolinhos. Já devem estar prontos.

Menelau observou que, apesar do ar de naturalidade, as mãos de Maria Antônia tremiam. Inquietou-se. O que haveria por trás daquela carta? Seria tarde demais para interessar-se por Maria Antônia? Estava decidido a descobrir.

O salão da Viscondessa de Abrantes era dos mais bem freqüentados do Rio de Janeiro. Mulher de fino trato, ela sempre entretinha seus convidados com jogos de salão, músicas bem escolhidas e danças da moda.

A par desses relacionamentos meramente sociais, desenvolviam-se as intrigas palacianas e até políticas. O visconde, homem ligado ao império, manejava ali, através desses encontros, muitos dos seus interesses. Menelau, todavia, não se interessava pelas intrigas e muito menos pela política. A amarga experiência em que ingenuamente se envolvera fora o bastante.

Ele não esperava encontrar lá muitos amigos nem se entreter agradavelmente. Queria aconchegar-se à esposa. Percebia que o nervosismo dela beirava a irritação. Por quê? Seria verdade o que dizia a carta? Maria Antônia teria um amante?

Fundo sentimento de raiva o acometeu. Embora não a amasse, respeitava-a. Não toleraria uma traição. Seu nome deveria ser poupado.

Chegando ao sarau, Maria Antônia, mulher habituada à vida social, imprimiu ar alegre e jovial à fisionomia e só Menelau, que sabia da sua contrariedade, percebia-lhe esporadicamente nos olhos um brilho de rancor e, de quando em quando, pequeno tremor nas mãos.

Menelau decidiu dissimular também o que lhe ia no coração e a grande suspeita que o invadia. Procurou ser natural, não ver o ar de admiração das pessoas ao lhe serem apresentadas, deixando-o inseguro quanto ao papel que estaria representando diante delas. Saberiam mais do que ele sobre a vida de Maria Antônia? A custo conseguiu dominar o desejo de sair correndo dali e exigir dela a verdade, fosse qual fosse.

Assistiu ao programa musical em que a soprano cantou amadoristicamente canções, lundus e até, heroicamente, uma ária de *La Traviata* que o piano acompanhava, sofrível. Quando acabou, passaram ao salão onde havia lauta mesa ricamente decorada com iguarias estrangeiras, servidas por mucamas luxuosamente adornadas com suas roupas de linho engomado, braços enfeitados por grossas pulseiras de ouro maciço e colos cheios de correntes.

Esta ceia, em que se serviam iguarias leves e vinhos delicados, era coroada pelos doces muito bem preparados e servidos com champanhe, arrematada com licores dos mais finos, colocados em maravilhosas garrafas lavradas.

Enquanto isso, preparava-se o salão do recital para as danças e a outra sala para as brincadeiras de salão. Nessa hora é que os homens reuniam-se em outra sala para saborear um charuto e conversar.

Maria Antônia preferia dançar e disse ao marido:

— Vou distrair-me nas danças. Você pode optar por outra coisa, sei que não as aprecia.

Disposto a vigiar a esposa, Menelau respondeu:

— Esta noite farei o que você gostar. Reserve-me uma dança

Ela o olhou friamente.

— Por que isso?

— Vim disposto a agradá-la.

Ela suspirou, resignada. Ele continuou:

— Vejo que não gosta de dançar comigo.

— Gosto de dançar pelo prazer que me proporciona. Prefiro dançar com um cavalheiro que dance bem.

Menelau sorriu.

— Acha que não sei dançar?

— Pelo menos nunca o vi fazer isso.

— Está bem. Digamos que eu não seja exímio. Conceda-me a primeira valsa e verá.

— Está bem — disse ela, tentando sorrir para disfarçar a irritação. Tomou seu carnê e anotou. Depois, decidida, passou para o salão onde os cavalheiros aproximavam-se das damas para reservar as danças.

Menelau ficou indeciso. Aquele não era o seu ambiente. Sentia-se entediado, constrangido e até um pouco arrependido de ter comparecido. Podia ter usado de sua autoridade de marido e simplesmente impedido Maria Antônia de sair. Contudo, se queria descobrir a verdade e tentar ajudá-la, teria que se sujeitar.

O que o irritava era o fato de pensar que, se a esposa o estivesse traindo, muitos dos presentes já poderiam saber e ele estaria fazendo papel de bobo. Aparecer como marido traído não era fácil, mesmo que não amasse sua mulher.

Seu casamento com Maria Antônia fora errado e prematuro. Por que cometera tal tolice? Encostado a um canto, Menelau olhava o jardim que se estendia ao redor da grande varanda, através da porta por onde alguns casais entravam e saíam conversando.

— Sr. Menelau, sinto-me honrado com sua presença nesta casa. É a primeira vez.

Menelau olhou o visconde, cujos cabelos brancos inspiravam-lhe respeito.

— Tenho estado ausente do país. Dediquei-me muito aos negócios, mas sempre é tempo, Sr. Visconde.

— Claro. Alegro-me que tenha vindo à minha casa. Soube do seu esforço em colaborar com nosso imperador. O Visconde de Grajaú teceu muitos elogios à sua pessoa. O amigo não pensa em dedicar-se à política?

— Não, Sr. Visconde. Para a política devem ir os homens experientes, preparados. Eu não possuo esses predicados.

— Mas é homem digno e goza da estima do próprio imperador. Sua Majestade referiu-se ao senhor com muito interesse.

— Generosidade do nosso imperador.

O visconde sorriu e, tomando Menelau pelo braço, retrucou:

— A modéstia é um dos belos atributos dos homens públicos. Venha comigo. Vamos conversar um pouco.

O visconde conduziu-o ao salão dos fumantes, onde alguns homens mais idosos conversavam discretamente. Instalaram-se em duas poltronas, onde o visconde ofereceu um charuto que Menelau agradeceu delicadamente mas não aceitou. O visconde, tranqüilamente, acendeu um, aspirou gostosamente e depois, colocando-o no cinzeiro de cristal sobre a mesinha, disse sério:

— Sr. Menelau, sua presença aqui foi providencial.

— Por quê, Sr. Visconde?

— Sei que é homem da confiança do nosso imperador. Trama-se contra ele. Sei de fonte segura que nossos inimigos pretendem a queda do governo e preparam uma trama terrível para o próximo mês.

Menelau sentiu-se constrangido. Não pretendia envolver-se mais com nenhum problema do governo.

— Lamento. Respeito e estimo a pessoa do nosso imperador. Porém não vejo como poderia impedir semelhante acontecimento. Não tenho prestígio pessoal, nem sequer sei o que tem acontecido ultimamente nesse campo.

— Os republicanos ganham terreno. Os jornais abertamente falam do afastamento do imperador. Tripudiam sobre a sua cabeça branca, sua experiência de uma vida inteira na condução dos destinos do nosso país. Pretendem ignorar todos os benefícios e o progresso que este governo magnificamente ofereceu ao Brasil. Além dessa ingratidão imperdoável, desejam substituí-lo por um homem qualquer, sem o trato com a responsabilidade da causa pública, favorecendo a ambição de poder e o assalto aos cofres públicos.

— Vejo que o senhor não aceita a república.

— Será o descalabro. Como substituir o certo pelo duvidoso? Nosso imperador não foi colocado no poder por homem algum. Foi Deus quem o colocou lá. Fê-lo nascer na casa imperial para isso.

Menelau olhou-o, admirado. Não havia pensado nisso. O visconde prosseguiu:

— Tendo sido investido no cargo por Deus, teve tempo de preparar-se para governar. Aprendeu desde que nasceu. A experiência tem demonstrado que o fez com muita honestidade e sabedoria. Por que mudar? Por que dar ouvidos a aventureiros despreparados para o poder, que certamente abusarão dele?

— Contudo a república tem vencido em outros países e trazido grande surto de progresso.

O visconde olhou Menelau admirado e perguntou:

— O senhor é republicano?

— Pessoalmente não participo desses movimentos. Estive na França e lá observei que eles têm progredido muito. A república é uma força que ninguém conseguirá deter.

O visconde fez um gesto desalentado.

— O senhor diz que estima o imperador.

— Estimo e respeito. Penso que sua pessoa é intocável. Qualquer modificação de governo só deveria vir depois da sua morte.

— Mas recusa-se a ajudá-lo!

— Não sei como poderia fazê-lo.

— O senhor obteve informações lá fora que não revelou.

Menelau sustentou seu olhar com seriedade.

— Este é um ponto de honra entre mim e Sua Majestade. Ele compreendeu.

— Eu ainda acho que suas revelações poderiam nos fazer eliminar os focos republicanos e dizimar, de uma vez por todas, seus asseclas.

Menelau levantou-se:

— Sr. Visconde, há um lamentável engano da sua parte. As informações que eventualmente eu pudesse dar são já do domínio público. Deixaram de ser secretas. Os jornais falam abertamente e no Parlamento conhece-se a posição de todos os seus membros. Há muito não tenho mais nada a dizer.

— Perdoe-me a irreverência, abordando assunto tão doloroso. O senhor é meu convidado. Não o fiz com intenção de ser desagradável. Acontece que estou muito preocupado. Nosso imperador está doente de tristeza. Dói-me vê-lo assim depois de toda uma vida dedicada à coisa pública e ao bem-estar do nosso povo. Essa terrível ingratidão fere-me os sentimentos. Não quero aborrecê-lo. Sente-se, por favor.

Menelau viu o brilho de uma lágrima nos olhos do visconde e comoveu-se profundamente. Estava diante de um homem sincero e muito dedicado ao imperador.

— Lamento sinceramente o que está acontecendo. Sou admirador do nosso imperador e reconheço que ele está sendo uma vítima nesse estado de coisas.

— Vai nos ajudar?

— Julgar-me-ia ingênuo se dissesse que vou rezar por ele? Acredito que, diante dos fatos que não posso mudar, é só o que me resta fazer.

O visconde olhou-o de frente. Sentiu a emoção de Menelau, sua sinceridade. Por isso respondeu com voz firme:

— O senhor parece-me homem de fé. Reze e reze muito. Porque eu talvez nem isso saiba fazer.

Menelau sentiu-se triste. Queria ir-se dali, esquecer aquela situação que não podia modificar. Pediu licença e foi ao salão onde, ao sabor da música, os pares rodopiavam alegremente. Queria ir embora. Maria Antônia volteava ao som de uma mazurca, corada e alegre. Precisava esperar que a dança acabasse.

Arrependia-se de ter vindo. Sua tarefa com a esposa não lhe parecia fácil. Teria condições de executá-la? Inquieto, a custo dominava-se para não arrancá-la dali e irem para casa.

Quando a música acabou, Maria Antônia sentou-se e Menelau aproximou-se:

— Sua valsa ainda não tocou.

— Maria Antônia, gostaria de ir para casa.

— Agora? Sinto muito, mas meus compromissos não permitem. Tenho várias danças marcadas.

— Basta, por uma noite. Vamos embora.

— Não devia ter dispensado Adelaide. Você não agüenta o sarau. Ainda falta mais de uma hora para terminar.

— Não vamos ficar. Sinto muito.

— Não posso romper meus compromissos.

A música recomeçou e Maria Antônia levantou-se e já um cavalheiro vinha ao seu encontro. Sorriu para o marido e estendeu a mão para seu par.

Menelau não teve outro remédio senão conformar-se. Não desejava um escândalo. A custo dominava a irritação. Não queria brigar com Maria Antônia. Ao contrário. Pretendia entender-lhe os desejos, conhecê-la mais intimamente, já que mantinha o propósito de ajudá-la a perceber outros aspectos da vida, mais reais e importantes.

Aquele ambiente de futilidade poderia ser freqüentado ocasionalmente, se lhe dava prazer, mas fazer dele o objetivo de sua vida era leviandade e loucura. Resignado, ele resolveu esperar.

Apesar do nervosismo e da irritação, Maria Antônia em nenhum momento lhe dera motivos para desconfiança e parecia apenas divertir-se sem outras intenções. Teria exagerado?

Só quando a última dança acabou foi que Maria Antônia concordou em retirar-se.

O sarau terminara. As pessoas despediam-se dos donos da casa e acomodavam-se em suas carruagens, que estavam à porta.

Apesar de cansado, Menelau sentia-se aliviado. A carta anônima parecia improvável. Maria Antônia estava mais calma e contente. Sentados na carruagem, Menelau disse:

— Você se divertiu muito esta noite.

Ela sacudiu os ombros com displicência.

— Um sarau como os outros. Nada de novo.

— Estava alegre, animada. O que mudou?

— Sempre me alegro quando num sarau. Parece que estou vivendo uma aventura na qual tudo pode acontecer. Mas, quando acaba, tenho que voltar para este mundo horrível e perceber que tudo segue igual, com as mesmas misérias e a mesma rotina. Agora só quero dormir, esquecer, e amanhã preparar-me para outro sarau, para começar a viver de novo.

Menelau olhou-a penalizado.

— A vida não é como você a pinta. Há muitas coisas que podem nos dar alegria, fora dos ambientes falsos dos salões.

Maria Antônia balançou a cabeça:

— Não creio. Por toda parte vejo queixas e lamentos, doença e dor, crime e castigo, sofrimentos. Recuso-me a viver nesse mundo. Prefiro minha vida de beleza, de gente alegre e de felicidade. Jamais aceitarei as misérias do mundo.

— Não crê em Deus?

— Deus?!! Por que falar nisso agora?

— Deus, sim. Que toma conta de tudo, criou a vida, a natureza e fez tudo certo.

— Não sabia que você se dava a religião. Não gosto dos padres, que exploram a desgraça alheia como corvos sobre carniça. Depois, se existe Deus e ele fez este mundo, não merece confiança, porque fez tudo errado.

Menelau, impressionado, colocou os dedos nos lábios dela:

— Não fale assim. Quando falo em Deus, não me refiro a nenhuma religião. Falo de quem nos criou, dando-nos inteligência, sensibilidade e um corpo de carne tão perfeito que jamais nenhum outro ser conseguiu fazer. Fez o sol, as estrelas, a luz, a cor, as flores, a beleza, o amor. Deu-nos a chance de escolhermos nosso próprio caminho. Desse Deus é que eu falo.

Maria Antônia olhava-o, admirada. Depois disse:

— Francamente, discutir Deus a esta hora, depois de um sarau, é demais!

— Não fuja do assunto. Por que se aturde desse jeito? Não percebe que está fugindo da vida verdadeira e atirando-se ao cultivo de ilusões destrutivas que um dia cairão por terra? Então, o que lhe restará?

Ela o olhou, assustada.

— Não quero pensar. Por que tenta acabar com minha alegria e fazer-me pensar em coisas tão tristes? Tem raiva de ver-me feliz?

Menelau colocou as mão nos ombros da esposa, fazendo-a voltar-se para ele:

— Olhe-me nos olhos. Estamos casados há nove anos e somos dois desconhecidos um para o outro. Juramos amor, fidelidade, mas vivemos separados. Você não aceita minhas idéias e eu nem sequer sei das suas. Somos marido e mulher. Devemos formar um lar, uma família. Amparar-nos mutuamente. De minha parte, estou disposto a me esforçar para vivermos melhor, quero ser um bom marido para você. Gostaria também que me compreendesse. Que se esforçasse para melhorar nossa vida em comum. Na vida, o que vale mesmo são os afetos sinceros, o verdadeiro amor, feito de compreensão e de amizade.

Maria Antônia ouvia-o, admirada.

— A que vem isso agora? Por acaso deseja que eu me transforme em pacata mulher às voltas com crianças insuportáveis e malcheirosas? — Fulminou-o com o olhar irritado. — Nunca, ouviu bem? Nunca!

A carruagem parou na porta de entrada e o cocheiro abriu a porta. Menelau desceu e ajudou a esposa a descer. Uma vez no saguão, continuou com voz fria:

— Espero que você não volte a este desagradável assunto. Depois de um sarau!

Ele lhe tomou a mão e respondeu com emoção:

— Maria Antônia, gostaria que me ouvisse! Tenho tanto a dizer. Gostaria que conhecesse o outro lado da vida, as coisas do espírito eterno, a felicidade verdadeira! Dê-me um pouco de tempo para que eu possa mostrar-lhe o que já sei, para que você desperte, saia dessas ilusões e lute para conquistar a verdadeira alegria de viver! Não é para a dor que eu a chamo, é para a felicidade, o amor, a beleza, a eternidade.

A voz de Menelau era ardente e havia tal acento de sinceridade que ela, por alguns segundos, olhou-o tocada por essa força. Depois, sacudiu os ombros e disse com voz fria:

— Meu caro, há momentos em que não entendo o que você diz. Estou cansada. Boa noite.

Menelau curvou-se sério e respondeu:

— Boa noite.

Retirou-se para o quarto profundamente triste. Aquela alma que desejava acordar estava mergulhada muito fundo na descrença e na fantasia. Vivia muito distante da realidade. Apesar de tudo, sentia que, mais do que nunca, deveria prosseguir sem desanimar. Confiava em Deus e sabia que a vida o ajudaria a continuar a semear.

Capítulo XV

A tarde ia em meio e a brisa suave do outono balançava levemente os galhos das árvores do jardim. Maria José, sentada ao lado de uma arca, separava os tecidos que Zefa ia tirando um a um.

Pretendia renovar as roupas da família, preparando-as para as festas do fim do ano. Ana já estava pondo corpo de mocinha. Rosa era graciosa e de gosto apurado. Adalberto, mais descuidado, misturava-se às diabruras de Romualdo, necessitando de atenção e vigilância para manter-se decentemente limpo e apresentável. Haviam separado boa parte de tecidos quando Demerval entrou na sala. Irritado, foi logo dizendo:

— Sabe, D. Maria José, quantas horas são?

— A julgar pela sua presença, devemos andar pelas quatro.

— E ainda assim não há café nesta casa? Parece que o caos não se abateu só na plantação. Agora está dentro de casa.

Maria José não se abalou. Calma, colocou uma peça de tecido sobre as outras, em separado, e disse a Zefa:

— Você vai ver o café. Depois continuaremos. — E voltando-se para o marido, continuou: — Num instante o lanche será servido. Você pode lavar-se enquanto isso.

— Sei o que fazer enquanto espero. Esta casa ficou desorganizada nos últimos tempos.

— Os tempos mudaram. Temos que nos adaptar.

— Não me conformo. Todos os nossos escravos se foram.

— É um direito deles. Zefa e Bentinho estão aqui. Devíamos contratar braços para o trabalho. Na Europa é assim.

— Recuso-me a pagar a esses negros ignorantes que deveriam nos agradecer por sustentá-los e vesti-los. Muitos deles não valem o que comem.

— Se é assim, melhor que se tenham ido.

Demerval olhou-a furioso.

— Você está do lado deles.

— Não se trata disso. De nada adianta lamentar. A lei é clara e a escravidão está proibida. Só nos resta contratar empregados para os nossos serviços ou tudo ficará parado e perecerá. Não compreende isso?

— Sei cuidar dos negócios muito bem. Não preciso que me recorde isso.

— Calma, Demerval. Com o tempo tudo se arranjará. Se vamos pagar pelos serviços, podemos exigir. Será até melhor.

Ele abanou a cabeça desalentado.

— Parece mentira que você pense assim. Contra nossos interesses. Se eu não estivesse aqui, por certo você poria tudo a perder com sua liberalidade.

— A lavoura parada, os celeiros se esvaziando, gado sem cuidar, o leite sem ordenha, perdendo-se, isso não conta? Colocar gente no trabalho é providência urgente e inadiável. Conheço um casal que precisa de trabalho e que serviria bem para cuidar da fazenda. Contrataria alguns homens e ainda não perderíamos esta safra.

— Você acha tudo fácil. Como evitar que nos roubem?

— Sabemos a produção e o rendimento. Vamos supervisionar tudo. São gente boa e honesta. Vão trabalhar direito.

— São negros?

— Mulatos. Que importa isso? São pessoas que valem pelo seu trabalho e precisam de oportunidade.

Demerval suspirou fundo. Não gostava de ceder, mas estava preocupado com a paralisação dos seus negócios.

— Posso vender a fazenda — disse, com ar de desafio. — Camargo quer comprar tudo. Vendo e pronto.

— E vai fazer o quê? Por que a fazenda de Camargo dá lucro? Se ele quer comprar a nossa, é porque quer expandir a sua. Por que ele pode e nós não?

Demerval deu um murro na mesinha que tinha ao lado dizendo:

— Porque cedeu aos vagabundos. Contratou escravos libertos e paga-os. Cedeu a essa loucura. Eu me recuso a pagar! É aviltante.

— Não vejo por quê. Todo trabalho merece ser pago.

— Você pensa como eles. Não zela pelos nossos interesses.

— Isso é teimosia. A situação é difícil, mas precisamos aceitá-la. Não adianta lutar contra. Camargo fez muito bem. Nós devemos fazer o mesmo, se não quisermos perder tudo quanto temos.

— O que me irrita é que você está sempre contra mim.

— Não diga isso. Não posso ver tudo parado, como casa sem dono, abandonada. A estas horas, quem sabe até nossa fazenda abrigue malfeitores, vagabundos, abandonada como está. Vamos contratar esse casal para caseiros e, aos poucos, organizaremos tudo.

— Como vamos pagar?

— Com a venda da colheita haverá dinheiro para todos.

— Você é otimista.

— O que não pode é ficar como está. Hoje à tarde Bentinho vai chamar João para conversar. Amanhã, poderemos ir com eles bem cedo para a fazenda. Em três ou quatro dias colocaremos tudo em andamento, você verá.

— Prefiro vender.

— Não concordo. As terras são de nossos filhos, é o futuro deles. Vamos lutar, isso sim, para conservá-las.

Demerval suspirou fundo, faltava-lhe o ar.

— Não me sinto bem. Estas contrariedades me matam.

— Sente-se aqui. Vai passar logo. Há coisas que precisam ser enfrentadas. Não posso concordar com você.

Essas discussões eram comuns entre eles. Demerval não aceitara a abolição, dizia-se roubado pelo governo, espoliado em seus direitos, lesado em seu patrimônio, uma vez que possuía muitos escravos. Contudo, havia que se conformar. A custo Maria José tentava convencê-lo da inutilidade de sua atitude. Ele teimava e, como sempre que não conseguia fazer valer sua vontade alcançando o que queria, sentia-se mal. Sua prepotência o sufocava, pensava a esposa, procurando socorrê-lo e esclarecer-lhe as idéias.

Por fim ele concordou: contratou João como capataz da fazenda e também sua esposa. Não queria dar-lhe parte da colheita. A custo Maria José conseguiu estabelecer um acordo.

No dia seguinte, foram-se para a fazenda. Dava pena ver o abandono, com o mato crescendo por toda parte. Maria José usou de pulso firme. Foi enérgica com o marido e ajustou alguns peões, orientando João sobre como conduzir-se. Trabalhou duro e, aos poucos, as coisas começaram a melhorar.

Demerval, porém, andava por toda parte, examinando tudo, criticando asperamente, exigindo o máximo dos peões. Maria José tentava de todas as formas evitar sua interferência na administração da fazenda.

— Deixe com o João — dizia. — Ele sabe lidar com os empregados. Você se desgasta e irrita os homens.

Demerval abanava a cabeça, teimoso:

— Você interfere nos negócios contra minha vontade. Ah! Se eu tivesse saúde! Botava tudo nos eixos como antigamente. Ainda estou aqui. Não permitirei que esta casa se desorganize. Não enquanto eu viver!

E ia ver tudo, criticar tudo, interrompendo o trabalho e dando contra-ordens, o que colocava João em situação difícil.

— Tenha paciência, seu João — dizia Maria José tentando contemporizar. — Demerval é o patrão, precisamos respeitá-lo.

— Mas ele parou a colheita do milho só para alinhar os sacos do outro lado e a tarde se foi. Temos que colher até depois de amanhã para dar tempo de abrir as vendas antes dos concorrentes. A senhora sabe disso.

— Sei. Paciência. Vou tentar distraí-lo hoje. Mantê-lo ocupado. Assim você poderá trabalhar em paz.

Uma das implicâncias de Demerval era com os negros. Não se conformava vendo-os trabalhar tendo que pagá-los. Maria José ajustara meia dúzia deles, ex-escravos da casa, que eram trabalhadores e lhes permitira morar nos casebres da fazenda. Ela pretendia derrubar a senzala e construir pequenas choupanas para seus empregados.

Demerval era contra. Guardava ainda a esperança de que esses negros libertos, pressionados pela miséria, voltassem a implorar ajuda e amparo para não morrerem de fome. Dar-lhes casa, trabalho, era derrubar seus sonhos de vingança. Era premiá-los, depois da inaudita ofensa de terem conseguido sua liberdade.

Havia um com o qual implicava mais do que com os outros. Neneu, como era chamado, negro forte e de olhos muito vivos, pele tão escura que em seu rosto sobressaía o branco dos olhos e a alvura dos dentes. Beirava os vinte e cinco anos, fora comprado aos quinze por alto preço, pela excelente qualidade do seu físico avantajado e de porte atlético. Trabalhador incansável, Neneu era de pouca conversa e orgulhoso. Não se curvava na bajulação nem se misturava com os demais. Fazia suas obrigações e afastava-se pelo mato ou nadava no rio.

Demerval não se conformava em pagar pelos seus serviços depois de tê-lo comprado mais caro do que os outros. Implicava com ele encarregando-o de pequenas tarefas desnecessárias, só para irritá-lo. O negro obedecia contrariado e seus olhos chispavam de quando em quando, revelando a raiva que o acometia.

Maria José percebia e procurava desviar a atenção do marido, sem conseguir. Ele fazia de propósito. Tudo quanto era servicinho desagradável em que pudesse evidenciar sua autoridade, Demerval mandava Neneu.

Agradava-lhe perceber que, apesar de contrariado, o negro obedecia a ele. Ele mandava, satisfeito por evidenciar sua supremacia.

Foi Bentinho quem falou a Maria José sobre o assunto:

— A sinhá carece tomá providência. Neneu num é manso. Anda raivoso e descontente. Talvez seja melhor mandá ele embora e ajustá outro.

Maria José sacudiu a cabeça:

— Não é justo. Neneu trabalha por dois e comigo sempre se mostrou atencioso.

— Mas o patrão num gosta dele.

— Demerval sempre procura alguém para desabafar sua irritação. Se ele se for, arranjará outro. Isso passa, você verá.

Mas não passou. Nos dias que se seguiram, Demerval mais e mais procurava estar onde Neneu estava, buscando pretextos para humilhá-lo. Maria José tentava afastá-lo, atraindo-o a outras atividades, contudo Demerval, teimosamente, continuava a perseguir o negro. Ela tentou demovê-lo.

— Se você não aprecia os serviços de Neneu, vamos mandá-lo embora. Ajustaremos outro.

— Esse negro me irrita. Paguei por ele alto preço e agora tenho que lhe pagar pelos serviços, além da comida.

— Está decidido. Vamos despedi-lo, procurar outro.

— Não. Não antes de descontar um pouco o dinheiro que dei por ele. Vou fazê-lo trabalhar até cair. Vamos mandá-lo embora quando eu me considerar pago.

— Demerval, não é justo que o faça pagar pelas coisas que o contrariam. Neneu não tem culpa pela lei que o favoreceu. É injusto persegui-lo dessa forma. Ele não é mais escravo. É um empregado e precisamos respeitá-lo.

Demerval deu um salto da cadeira, levantando-se irritado.

— Você está sempre contra mim, Maria José. Deixe, que dos negócios cuido eu. Sei o que estou fazendo. Ridículo! Respeitar um negro como aquele!

— Espero que não venha a arrepender-se dessa atitude.

O marido olhou-a com raiva. Não iria ceder. E realmente não cedeu. Maria José, vendo suas investidas contra o negro, procurou suavizar a situação, conversando com Neneu.

— Neneu, sei que você anda nervoso, descontente com seu patrão. Mas eu lhe peço paciência.

Os olhos do negro brilharam rancorosos. Maria José fixou-lhe o olhar sério e disse:

— Seu patrão é homem doente. Não sabe ainda compreender as coisas como são agora. Precisamos ter paciência com ele. Eu aprecio o seu trabalho e agradeço sua dedicação.

— Sinhá sabe que eu estou aqui para servir à vossa mercê.

— Sei, Neneu. Sei que é livre e não é obrigado a suportar maus tratos e pode ir-se embora se desejar.

— Se a sinhá quer que eu fique, eu fico.

— Quero que fique, mas de boa vontade. Sem raiva do patrão. Que compreenda que ele é doente e muito nervoso.

— Sim, sinhá. Eu gosto da sinhá, que sempre me tratou bem. Não tenho família. Meus pais morreram. Seu João é homem bom de trato. Gosto daqui, mas o patrão não gosta de mim.

— Demerval anda contrariado, perdeu muito dinheiro com a libertação dos escravos. Está aborrecido. Estou falando para que tenha paciência com ele.

Os olhos do negro brilharam estranhamente e ele nada disse. Arrancar dele aquelas palavras já havia sido de admirar.

Maria José passou a vigiar Demerval para que ele amenizasse seu trato. Era difícil, porquanto ele circulava sempre ao redor do negro, na plantação, encarregando-o de pequenos e desnecessários serviços para que ele se atrasasse na sua tarefa rotineira e precisasse trabalhar mais do que os outros. Neneu trincava os dentes de raiva, mas obedecia.

Certa tarde, Demerval ordenou a Neneu que limpasse o depósito de lenha ao lado da cozinha e o enchesse novamente transportando a lenha que ele deveria rachar caprichosamente.

Demerval ia e vinha supervisionando o serviço, criticando o negro severamente.

Qual criança caprichosa, Demerval desmanchava as pilhas de lenha e o mandava recolocá-las novamente alinhadas como ele queria, rigorosamente certas.

Em dado momento, Neneu não se conteve e, propositadamente, deixou que uma das pilhas escorregasse e a lenha caísse sobre os pés de Demerval, que não conseguiu manter-se em pé e foi ao chão vociferando enraivecido.

Quando conseguiu levantar-se, arrancou o chicote que sempre trazia ao cinto e investiu para o negro, que o olhava com um brilho furioso nos olhos.

— Negro maldito, vou ensiná-lo a me respeitar! Vai ver como se castiga um bandido como você!

Olhos arregalados, boca crispada pelo rancor, Demerval tentou chicotear o rosto do negro, que, num gesto rápido, segurou-lhe o pulso e impediu-o de consumar a agressão.

Demerval, rubro de ódio e pelo esforço que fazia, tentou agarrar o negro, gritando sua raiva, xingando-o duramente. Vendo que não conseguia livrar os braços das suas mãos fortes, Demerval vibrou-lhe violento pontapé nos órgãos genitais. Neneu ganiu de dor e num gesto firme agarrou Demerval pelo pescoço e apertou, apertou. As mulheres da cozinha gritavam. João correu apressado, tentando tirar Neneu de cima de Demerval.

— Larga, Neneu, você mata o homem!

Demerval parecia um boneco manejado pelos braços fortes do negro. De repente, Neneu largou e saiu correndo, sumindo no mato. João afrouxou as roupas de Demerval, tentou reanimá-lo. Era tarde, porém. Demerval estava morto.

Maria José, chocada com o acontecimento, mandou um portador à procura de Menelau e de Eduardo, no Rio de Janeiro. Providenciou o transporte do corpo para a cidade e comunicou o acontecido ao chefe de polícia. Sentia-se triste, preocupada. Arrependia-se de não haver despedido Neneu. Agora era tarde. O negro havia sumido. João reunira os homens, procurando-o inutilmente. Foram momentos difíceis para Maria José, entre as resoluções que precisava tomar e as lágrimas dos filhos chocados pelo assassinato do pai.

Contudo, ela se manteve firme. Apoiada por Zefa e por Bentinho, enfrentou com dignidade a situação dolorosa. Já na cidade, organizou a câmara ardente na sala principal da casa e abriu as portas principais aos visitantes.

Na cozinha, Zefa providenciava cafezinho sempre novo, o chá de erva cidreira que de tempos em tempos fazia a sinhá e as crianças tomarem, os bolinhos e as rosquinhas para alimentar os que velariam o corpo noite adentro.

Mil idéias passavam pela cabeça agitada de Maria José. Apesar de tudo, estimava Demerval e lamentava seu triste fim. Por outro lado, reconhecia que o marido correra para aquela tragédia.

Sua primeira providência havia sido avisar Menelau, pedindo-lhe para avisar suas irmãs e o sogro. Não sabia quem viria para o sepultamento, mas retardaria ao máximo, à espera dos parentes. A distância era grande e ela mandara o portador não olhar despesas, trocando o cavalo nas postas para não perder tempo. Ansiosa, pensava: iria rever Menelau?

As horas foram passando lentas, ao som das orações das piedosas mulheres, que ora puxavam o terço, ora entre suspiros e ais sussurravam preces, olhos tristes e cabeças cobertas por um véu escuro.

Maria José não as conhecia bem, porém não havia velório a que elas não comparecessem, a rezar e a chorar compungidamente pelo morto. A presença daquelas mulheres, rigorosamente vestidas de negro a chorar e a rezar, davam à cena aspecto lúgubre e doloroso, atemorizando os filhos de Demerval, inabituados àquelas cenas, tendo o pai no meio dos paramentos negros e roxos, à luz mortiça das velas.

Ana agarrava-se à mãe. Rosa, em crise, havia sido afastada da sala por Zefa. Adalberto, pálido, também ao lado da mãe, lutava contra o terror, desejoso que tudo acabasse o mais rápido possível, tentando controlar-se diante dos presentes. Romualdo fora levado por uma prima de Maria José.

Na copa, os presentes comentavam indignados o assassinato, revoltados diante do ocorrido, cada um colocando-se no lugar do morto, verberando a lei que havia libertado os escravos.

Todos concordavam que os negros não estavam preparados para a liberdade e, por essa razão, as tragédias, os saques, os roubos, as agressões sucediam-se. A polícia não tinha condições de dar proteção a todos, principalmente nas fazendas ou locais afastados. Mesmo os que eram contra a escravidão achavam que a maneira como ela fora feita havia sido errada.

Discutiam acaloradamente, e Zefa mais de uma vez teve que pedir silêncio e atenção às preces que se diziam na sala. Maria José parecia estar vivendo um pesadelo.

A noite se foi e o dia começou lento e triste. Embora Zefa insistisse para que ela descansasse, não arredou pé. Só ao meio-dia concordou em ir para o quarto com os filhos para que estes repousassem um pouco e tomou um caldo que Zefa lhe ofereceu.

Estava pálida e angustiada. Pobre Demerval! Que triste fim! Jamais pensara que tal pudesse acontecer. As pessoas esperavam o sepultamento. Maria José aguardava a presença dos irmãos, porém ninguém aparecia. O padre já tinha encomendado o corpo e havia quem já levasse o lenço discretamente ao nariz como a insinuar que o defunto começava a cheirar mal. Maria José insistia em esperar.

O padre tentou dissuadi-la:

— O Rio de Janeiro é muito longe! Não dará tempo de chegar, ainda que seu portador tenha corrido muito.

A noite já começava a descer quando, finalmente, Maria José concordou e, por entre lágrimas e lamentações das mulheres presentes, fecharam o caixão e o cortejo saiu em linda carruagem negra para o cemitério. Tudo foi feito rapidamente para que houvesse claridade suficiente e foi preciso convencer os coveiros, que alegavam ter passado da hora para o enterro. Rapidamente tudo foi consumado. Demerval estava enterrado e Maria José, abraçada aos filhos, foi para casa; só queria dormir, esquecer. Nenhum deles quis dormir em seus quartos. Vendo-lhes os rostos pálidos e assustados, Maria José concordou em que ficassem as meninas com ela na cama de casal e os meninos no canapé, que foi colocado ao lado da cama. Só assim conseguiram adormecer.

No dia seguinte, Maria José acordou cedo. O corpo doía-lhe como se tivesse apanhado e, ainda sonolenta, olhando as duas meninas que dormiam a seu lado, sobressaltou-se. Era verdade. Não fora pesadelo. Demerval estava morto. Sentiu um aperto no coração. Estava viúva com quatro filhos para criar. Pobres filhos. Estavam medrosos, chocados. Nunca haviam visto um velório. Precisava cuidar deles, arrumar tudo para apagar os vestígios da cena dolorosa.

Levantou-se rapidamente, lavou-se, vestiu-se e, olhando amorosamente os filhos, firmou o propósito de lutar por eles e trabalhar para fazer deles pessoas de bem. Haveria de conduzir os negócios com coragem e tinha a certeza de que obteria êxito.

Procurou Zefa e teve a satisfação de verificar que na sala tudo já estava como sempre. Nada fazia lembrar a cena trágica da véspera. A negra havia providenciado tudo e Maria José endereçou-lhe um olhar agradecido. Zefa a seguia, olhos brilhantes, esperando ver a aprovação no rosto da ama.

— Muito bem, Zefa. Graças a Deus, tudo está em ordem.

— Vô vê o seu café. A sinhá carece de se alimentá bem. Vai precisá de saúde, força pra tratá de tudo.

— Não tenho fome. Tentarei comer. Você tem razão, preciso ficar forte.

Sentou-se à mesa, procurou comer enquanto Zefa ia e vinha servindo a ama pessoalmente. Estava terminando seu café quando a carruagem entrou no jardim. Bentinho foi ver e, dentro em pouco, emocionado, Menelau entrou na copa.

Maria José sentiu que o sangue lhe fugia das faces e suas pernas bambearam. Foi com esforço que conseguiu levantar-se. Menelau, pálido, trêmulo, abraçou-a emocionado e foi aí que a onda de emoção represada durante tantas horas eclodiu. Maria José começou a chorar um pranto dolorido, que ela não conseguia deter. Menelau sentia vontade de beijar-lhe os cabelos sedosos, de acariciar-lhe as faces molhadas, de dizer-lhe que não estava só. Contudo, conteve-se. Estava ali como irmão de Demerval, para confortar, amparar. Seus sentimentos íntimos não deviam vir à tona.

As emoções mais contraditórias buscavam-lhe o coração e Menelau sofria, lutando para manter a serenidade. Com voz trêmula, disse, emocionado:

— Corri muito assim que recebi seu recado, mas só agora consegui chegar. Nem sequer vi Eduardo. Mandei avisá-lo e parti. Como aconteceu?

Maria José, aos poucos, foi se acalmando e quando conseguiu contou tudo. Finalizou:

— Estou consternada. Se tivesse despedido Neneu, nada teria acontecido! Nunca pensei que a situação chegasse a esse ponto!

— Você não teve culpa de nada. Não deve ficar se martirizando. Foi lamentável, mas quem poderia prever?

— João me preveniu que o negro era nervoso. Por outro lado, Demerval era teimoso. Eu devia ter mandado Neneu embora. De certa forma, tive culpa.

— Não diga isso. Foi um fato inesperado. Não deve pensar assim. Agora é preciso tocar a vida para a frente. E as crianças, como estão?

Havia um brilho emocionado em seu olhar. Ela suspirou fundo:

— Assustadas. Nunca haviam visto um velório. Ainda dormem. Esta noite quiseram ficar comigo em meu quarto.

— Sinhô Menelau, o café tá quentinho. Vosmecê deve tá cansado e com fome.

Maria José concordou:

— É mesmo, Zefa. Venha, Menelau, sente-se e tome seu café.

Ele circunvagou o olhar pela copa, detendo-o na mesa bem-posta e apetitosa.

— Tudo continua igual!

— Por enquanto — fez Maria José, pensativa. — Agora, não sei como será...

— Será como sempre foi. Você saberá conduzir tudo muito bem. Tenho certeza.

Ela o olhou, embevecida. Menelau tinha o condão de fazê-la sentir-se segura e confiante. Acreditava nela e isso fazia-lhe imenso bem.

Depois da refeição, Maria José disse, com delicadeza:

— Se você está cansado da viagem, vou mandar preparar seu quarto. Pode ir descansar.

— Não. Estou ansioso por saber tudo. Estava louco de saudade de vocês. Quero ver as crianças...

Maria José enrubesceu levemente.

— Estão dormindo.

— Esperaremos que acordem. Enquanto isso, podemos conversar.

Maria José conduziu-o à sala de estar e sentaram-se frente a frente. Menelau gostaria de dizer-lhe o quanto sentira sua falta, o quanto a amava e o quanto sonhara com aquele encontro. Porém não ousava. A figura do irmão assassinado infundia-lhe fundo respeito e ele não queria aproveitar-se da situação para dar vazão aos seus sentimentos. Era-lhe muito difícil esse controle.

Maria José compreendia sua atitude e até certo ponto sentia-se grata por respeitar aquele momento difícil que atravessavam, mas, ao mesmo tempo, seu coração ansiava por saber se havia sido esquecida ou se ele ainda a amava como antes, se pensara nela durante esses anos todos.

Havia Romualdo, estava ansiosa para apresentá-lo. Seu coração descompassava-se, porém ela não se atrevia a perguntar.

Conversavam sobre os negócios da família quando as crianças entraram na sala. Ana e Rosa correram ao encontro do tio com os braços estendidos. Adalberto, ao lado, esperando para abraçá-lo por sua vez. Só Romualdo correra para a mãe, abraçando-a com força.

Menelau, comovido diante daqueles rostinhos queridos, beijara as faces das sobrinhas, abraçara o sobrinho e com os olhos brilhantes fixou Romualdo, que o olhava curioso.

— Este é Romualdo — disse, com emoção.

— Sim — respondeu Maria José, com voz trêmula. — Vá, filho, abrace o tio Menelau.

O menino foi, estendeu os braços e Menelau abraçou-o sentindo vontade de chorar. Beijou-lhe a face corada e disse-lhe, comovido:

— Há muito desejava abraçá-lo.

— Tio Menelau — disse Ana —, vai morar aqui, agora que o papai se foi?

Um lampejo de emoção passou pelos olhos de Menelau.

— Deus sabe que este seria meu maior desejo. Porém não posso. Vim por alguns dias. Deverei voltar ao Rio brevemente.

— Ah, tio! — choramingou Rosa, com ar triste. — Vamos ficar sozinhas?

— O que é isso? Sua mãe está aqui e sabe cuidar de tudo muito bem. Eu farei tudo quanto puder por vocês. Virei de vez em quando.

— Eu queria que o tio ficasse no lugar de papai — disse Adalberto, com seriedade.

Maria José estava comovida. Menelau sentiu um nó na garganta e depois de alguns segundos de reflexão respondeu:

— Ninguém deve ocupar o lugar de seu pai. Ele os queria muito e lutou como sabia pelo futuro de vocês, pelo seu bem-estar. Vocês devem amá-lo muito, como bons filhos que são. Eu os quero muito, talvez como se fossem meus filhos, mas sou apenas o tio. Posso ser como um segundo pai, mas no coração de vocês o lugar de Demerval deve vir primeiro do que o meu.

Maria José estava com lágrimas nos olhos. Era essa nobreza de sentimentos que a fazia amar Menelau. Ele prosseguiu:

— O pai de vocês era homem muito culto e inteligente.

— Mas era muito brabo — disse Ana, com ar sério.

— Era enérgico. Ele acreditava que ser assim era um bem. Preocupava-se com o futuro de vocês. Desejava dar-lhes boa educação, bons mestres e encaminhá-los na vida. Devem sempre ser agradecidos a ele. Seu nome deve ser lembrado com saudade.

Conversaram durante muito tempo. Como acontecia antigamente, os sobrinhos ouviam e acatavam as palavras do tio, abrindo-lhe seus corações, contando-lhe seus anseios e esperanças.

Romualdo, aos poucos, aproximara-se de Menelau, acabando por sentar-se em seu colo com naturalidade, ouvindo-o embevecido.

Aquele momento foi de paz, de encantamento e de aconchego. Maria José sabia que ele seria breve, mas seu coração estava disposto a aproveitá-lo bem, enquanto pudesse durar.

Menelau, após o almoço, retirou-se para o quarto para descansar. Seus pensamentos ainda estavam tumultuados, contudo sentia-se bem por haver conseguido controlar-se.

A notícia da morte do irmão apanhara-o de surpresa e funda tristeza invadira-lhe o coração. Apesar das divergências, estimava-o, compreendendo-lhe as dificuldades, os limites. A morte trágica e dolorosa fizera-o meditar longamente sobre os desígnios de Deus. Qual a causa de semelhante tragédia? O que determinara semelhante prova? Difícil saber. Preocupava-o a família, os filhos.

Se Maria Antônia fosse mais compreensiva, talvez pudesse ampará-los mais de perto. Ela não estava interessada no destino dos parentes e jamais concordaria em aproximar-se deles. Por outro lado, o amor que ele sentia por Maria José era forte e avassalador. Como conviver com ela sem dar vazão ao afeto que lhe inundava o ser?

Pensou em Romualdo. Era um belo menino. Seu filho! Sentia que o amava muito. De qualquer forma, haveria de ampará-los. Era seu dever e seu mais profundo anseio.

Suspirou fundo. Nunca como naquela hora desejou ser livre para dedicar-se àquelas crianças que tão de perto falavam ao seu coração. Havia Maria Antônia, ele tinha o dever de ampará-la e conduzi-la na vida, procurando tirá-la da fantasia, acordando seu coração para os verdadeiros valores do espírito.

Menelau sentiu-se fraco e só. Havia aprendido a força da oração. Decidido, elevou o pensamento a Deus e, com emoção e confiança, começou a orar.

A prece fez-lhe imenso bem. Acalmou-lhe os pensamentos e fê-lo sentir-se mais seguro.

A vida na Terra é transitória, pensou. Os caminhos agora os afastavam do que desejavam: Maria José, perante a família e os encargos que a vida lhe dera; ele, na recuperação e no encaminhamento de Maria Antônia. Naquele momento, qualquer ligação amorosa com Maria José era impossível.

Contudo, guardava a certeza de que, se cumprissem seus deveres até o fim, teriam chance algum dia de pensar na própria felicidade.

Enquanto isso, pensava ampará-los dominando o sentimento profundo e o desejo que sentia de entregar-se ao amor de Maria José.

A lembrança daquela noite de amor que haviam vivido era constante em sua memória, acendendo-lhe no coração um vivo desejo de procurá-la, extravasando o sentimento represado.

Por que haveria de ser assim? Por que não conseguia apagar esse amor impossível? Esforçava-se para pensar em outras coisas, nos seus deveres por Maria Antônia, no respeito a Demerval, e continha-se, mas sentia a ferida doer no coração.

No dia seguinte, levantou-se cedo e colocou-se à disposição de Maria José para examinar os papéis de família e ajudá-la nas providências legais. Era costume não mexer em nada antes da missa de sétimo dia, porém Menelau antecipou-se. Queria auxiliar e deixar tudo em ordem para poder retornar ao Rio.

Entregaram-se ao trabalho com disposição e isso ajudou Maria José a reagir, modificando o teor de seus pensamentos abalados pela tragédia. Fizeram um balanço da situação financeira, dos bens deixados por Demerval, um estudo dos problemas existentes nos negócios da fazenda. Menelau acatou plenamente as providências que Maria José havia tomado na contratação de empregados e na melhoria das condições de vida dos mesmos.

Vivendo no Rio de Janeiro, ele estava muito bem informado sobre política, mercado, etc., e muito a par das mudanças sociais pelas quais o Brasil passava.

— É preciso aceitar a mudança — argumentava, convicto. — O progresso existe. O trabalho deve ser pago. A escravidão degrada e avilta. Tenho certeza de que a situação vai melhorar muito. Você está certa. Podemos fazer da sua fazenda uma grande colméia de trabalho de onde muitas famílias poderão tirar o sustento e você poderá até enriquecer.

— Não sou tão ambiciosa. Quero criar meus filhos, educá-los e deixar-lhes terras bem cuidadas, produtivas, para que nunca lhes falte o necessário.

— Por certo conseguirá. Por agora, nós temos que esperar a missa. Depois, iremos para a fazenda e lá quero ver tudo e traçaremos os planos.

Os olhos de Maria José marejaram.

— Não sei o que seria de nós sem você.

Menelau sentiu uma onda de emoção.

— Farei o que eu puder para cooperar. Você sabe que pode contar comigo.

— Sei. Isso me conforta e transmite segurança.

Em seus olhos havia um brilho de adoração e Menelau deixou escapar fundo suspiro, lutando com o desejo de abraçá-la.

— Há momentos na vida muito difíceis de superar — disse, pensativo. — É preciso ter coragem, prudência. O dever está acima do que o coração deseja e, por mais duro que seja, necessita ser cumprido. A dignidade, o respeito ao sentimento que existe dentro de nós assim o exigem.

Maria José sentiu um misto de alegria e dor. Ele ainda a amava! Ao mesmo tempo, não transpunha os obstáculos que os separavam. Teve vontade de chorar. Olhou para o rosto contraído e sério de Menelau e conteve-se. Ele sofria e não seria justo aumentar-lhe esse sofrimento. Engoliu o pranto prestes a cair e disse com suavidade:

— Tem razão. O dever nos ensina a lição da prudência.

Ele deu outro suspiro, tomando-lhe a mão com arrebatamento.

— Você sabe o que guardo no coração. Porém a vida nos separou colocando entre nós criaturas que requisitam nossa ajuda. Falo do ponto de vista espiritual, que aprendi a respeitar e entender. Aceitar os desígnios de Deus é o caminho de libertação e felicidade.

— É duro, Menelau — disse ela, apertando com força a mão dele.

— Eu sei. Todavia acredito que só poderemos conquistar a felicidade quando ela fluir para nós livremente, sem que para isso tenhamos que abandonar compromissos assumidos, por mais difíceis que eles sejam.

Maria José volveu para ele os olhos em que as lágrimas já começavam a rolar:

— Meus filhos adoram-no e agora eu sou livre! Seríamos muito felizes em tê-lo conosco para sempre.

— Deus sabe que essa seria minha maior alegria. No entanto, ainda estou comprometido com Maria Antônia. Ela precisa de mim e não posso abandoná-la. Não desta vez!

Maria José retirou a mão que ele retinha, voltando-se para esconder as lágrimas que já lhe desciam pelas faces.

— Você a ama!

— Amo — respondeu ele, com voz triste. — Amo como a uma filha que me compete amparar e conduzir, orientar e compreender. Não posso esconder que a mulher da minha vida, meu sonho e minhas esperanças seja você. Mas Maria Antônia é minha esposa, a quem prometi honrar e amar. Meu coração está aqui, meu dever está lá, ao lado dela.

— Lamento — tornou Maria José, com voz trêmula.

— Guardemos a esperança e a certeza de que, quando merecermos a felicidade, ela virá espontaneamente ao nosso encontro. Um dia, todos os obstáculos ruirão e nós seremos felizes!

— Isso é muito vago! Estamos aqui e precisamos um do outro.

— Não a esse preço! Não abandonando levianamente compromissos assumidos livremente e que voltarão mais tarde, com dificuldades multiplicadas.

— Seus sentimentos não são bastante fortes para vencer os obstáculos — tornou ela, fixando-o com mágoa.

O rosto de Menelau contraiu-se em expressão de dor.

— Não diga isso, não é verdade. Meus sentimentos são tão grandes e tão profundos que anseiam por uma felicidade eterna e verdadeira que a morte não destrói. Maria José, o espírito é eterno. Temos tempo para construir nossa felicidade! Por agora, a vida nos separa. Saibamos aceitar e compreender. O que importa é que nosso sentimento é recíproco e verdadeiro. Vamos fazer dele uma força que nos impulsione ao bem. Deus nos ajudará!

Ela suspirou e tentou sorrir para tranqüilizá-lo.

— Perdoe-me, Menelau. Estou nervosa e descontrolada. Saberei conter-me e compreender.

— Melhor assim. Um dia, a tempestade terá passado e a felicidade nos surgirá como bênção de alegria e poderemos vivê-la em paz.

— Apesar de tudo, sinto-me segura em saber que os meus sentimentos são correspondidos.

— Eu também. Nosso amor deve ser fonte inspiradora em nossas vidas, ajudando-nos no cumprimento do dever.

— Assim será — respondeu ela, com seriedade.

Nos dias que se seguiram, não voltaram ao assunto. O caso de Demerval provocara grande escândalo na Província e os jornais noticiaram em manchetes seu assassinato. O quadro da viúva com quatro filhos menores era motivo de revolta para os conservadores e escravocratas, considerando perigosa a liberdade dos negros. Por outro lado, os liberais e abolicionistas lamentavam o fato, afirmando que a exploração dos negros, vistos como animais, mantidos ignorantes e sob duros castigos, embrutecera-os e colocara-os na condição de degradação em que se encontravam.

Os primeiros clamavam pela volta da escravidão, punindo com a morte os negros faltosos.

Os segundos clamavam pela educação, devolvendo àquele povo sofrido e maltratado sua dignidade de ser humano. Todos, porém, a seu modo, interpretavam o fato lamentável.

Maria José viu-se visitada por facções diversas que a queriam consolar procurando subsídios às suas idéias políticas. Queriam conhecer os fatos e os torciam de acordo com seus interesses. Ela contava a verdade. Se Neneu era um negro orgulhoso e revoltado, Demerval também era implicante, prepotente.

Eles, contudo, atenuavam ou acentuavam esses detalhes de acordo com seus pontos de vista. O chefe de polícia garantia que havia movimentado seus homens na captura do negro, sem ter ainda conseguido nenhuma pista. Ele havia sumido. Ninguém o vira.

Apesar disso, não desistiriam, afirmava ele. Esse negro haveria de ser preso e justiçado como exemplo.

Maria José cansara-se dessa situação. Com dificuldade suportou a missa, o clima ostensivo de agressividade dos escravocratas revoltados com o fato e a séria postura dos abolicionistas chocados porém convictos das suas idéias. Ela os fitava desconsolada. O que sabiam eles de sua dor? Sobre Demerval, com seu gênio irascível? Sobre Neneu, trabalhador, fiel, orgulhoso e forte?

Apesar de tudo, Maria José não odiava o negro ignorante, embrutecido. Conhecia Demerval. Havia momentos em que se tornava insuportável e ela mesma muitas vezes o odiara. Acontecera a tragédia e ela lamentava haver subestimado essa possibilidade.

Deu graças a Deus quando a missa acabou e puderam voltar para casa, livres dos conhecidos e parentes. Menelau providenciou tudo, fez o que pôde para poupá-la. Foi um alívio quando conseguiram desvencilhar-se de todos e cuidar dos preparativos para a viagem. Nessa mesma tarde, com o cunhado e os filhos, acompanhada por Bentinho, Zefa e Zita, partiu para a fazenda.

Capítulo XVI

A carruagem rodava levando a poeira da estrada e Menelau, pensativo, não sentia o sacolejar constante nem se interessava pelas paisagens que se sucediam. Seu rosto contraído, seu ar cansado, falavam da dor que lhe ia na alma com a separação.

Ter que ir embora quando seu desejo era ficar. Ter que se afastar da cunhada, das crianças, era-lhe muito doloroso. Reconhecia difícil estar ao lado dela sem dar vazão aos sentimentos que lhe iam na alma, porém partir representava uma dor maior e mais viva.

Ainda sentia o calor dos bracinhos de Romualdo em torno do seu pescoço, a ternura de Rosa encostando o rostinho no seu, a delicadeza de Ana ao pedir-lhe a bênção, beijando com respeito sua mão todas as noites e o ar sério de Adalberto, esforçando-se por assumir o lugar de homem da família e cuidar dos seus. Amava aquelas crianças como se todos fossem seus filhos, e cada um, de forma particular, sensibilizava-lhe o coração.

O dever e a prudência aconselhavam-no a partir. O rosto de Maria José, emotivo, seu olhar apaixonado, seu pedido mudo não lhe saíam da memória. Ele precisara de toda sua força de vontade para, finalmente, retornar.

Fazia um mês que Demerval se fora e ele cuidara de todas as formalidades legais, deixando tudo regularizado.

A fazenda estava melhorando e ele acreditava que a cunhada saberia gerir seus bens com critério e inteligência. Se seu irmão não deixara grande fortuna, suas terras bem conduzidas e a casa na cidade dariam à sua família condições de uma vida confortável e tranqüila.

Sua preocupação não era essa. Seu pensamento atormentado revia a cena da despedida, com as criancinhas chorando, Romualdo querendo ir junto e Maria José lutando com a emoção, abanando o lenço delicado.

— Até a volta — dissera ela, ao estender-lhe a mão. — Que seja breve!

Ele nada dissera. Voz embargada, beijara a mão dela com amor e afastara-se para não tomá-la nos braços e esquecer tudo o mais.

Por que havia de ser assim? Por que não podia ficar com eles agora que ela era livre?

Uma onda de revolta o acometeu. Teve vontade de largar tudo e voltar para ficar com eles para sempre. Pensou em Maria Antônia. Por que havia de preocupar-se com ela, que não o amava e talvez até ficasse feliz em vê-lo pelas costas?

Sentiu um aperto no coração. Durante o tempo em que estivera fora, escrevera-lhe duas cartas, dando-lhe ciência dos acontecimentos, e nem sequer recebera resposta.

Suspirou fundo. Apesar de tudo, sentia-se preso a ela, sem coragem para deixá-la. Maria Antônia era um espírito fraco, necessitava dele, enquanto Maria José era mulher forte, decidida, possuía filhos. Sua esposa estava só. Menelau, apesar da dor e da revolta, reconhecia que devia voltar ao lar.

Foi cansado, empoeirado, que Menelau chegou em casa. Entardecia. Maria Antônia ocupava-se em folhear descuidada um mostruário de tapeçaria que pretendia encomendar da Europa. Vendo o marido, não se surpreendeu.

Ele se aproximou com delicadeza, beijando-lhe a mão.

— Como vai?

— Bem — respondeu ela, calma. — Finalmente você resolveu voltar. Pensei que ficasse por lá de uma vez.

Ele não respondeu logo. Olhou-a sério, depois disse:

— Vou tomar um banho, depois conversaremos.

Curvou-se ligeiramente e afastou-se enquanto a esposa olhava-o pensativa.

Por que ele teria voltado? Sentia que ele não a amava. Nunca observara nele aquela chama que ela tão bem conhecia. Por que ele teimava em ficar a seu lado? Dever? Preconceito? Não sabia. Deu de ombros. Pagava-lhe com a mesma moeda. Não lhe tinha amor. Gostava da sua proteção, afinal um marido respeitado dava-lhe importância. Era bom, desde que ele não interferisse demais em sua vida. Ela era jovem, tinha o direito de amar, viver e ser feliz.

Sabia conduzir as coisas muito bem. Suas ligações amorosas eram discretas e ninguém suspeitava. O amor era maravilhoso, pensava, enquanto durasse. Em seu coração ele chegava e passava sem deixar marcas ou cicatrizes. Não acreditava em amor eterno, sincero. Tudo era um jogo de interesses, no qual cada um procurava tirar mais do parceiro na sua satisfação pessoal.

Quando Menelau voltou à sala, encontrou-a ainda no mesmo lugar e sentou-se ao seu lado, no sofá.

— Como estão as coisas por aqui? — indagou atencioso.

— Muito bem. Tudo em seus devidos lugares.

— E você?

— Estou bem.

Ele a olhou, dizendo em tom carinhoso:

— Agora que estou de volta, desejo ser mais atencioso com você. Tenho me ausentado muito. É meu desejo arranjar os negócios de modo que possa dispor de mais tempo para acompanhá-la, fazer companhia.

Maria Antônia fitou-o, um pouco preocupada.

— Não se incomode. Tenho Adelaide, é suficiente. Você não aprecia meus passeios. Somos diferentes. Adoro vida social, saraus, festas, danças. Você foge de tudo isso. Para mim está bem como está.

Ele não se deu por achado:

— Gostaria que tentasse também conhecer minhas preferências. Talvez aprendesse a apreciá-las.

— Não sou dada a assistir a concertos nem a apreciar a natureza. Fico triste, deprimida. Só estou bem no bulício dos salões.

— O que proponho é nos conhecermos melhor. Melhorar nossa convivência, já que somos casados.

— Tudo está bem, desde que me deixe viver a meu modo. De minha parte também não interferirei em suas preferências. Para que mais?

Menelau tomou a mão dela dizendo, atencioso:

— Maria Antônia! Gostaria que conhecesse um pouco mais da vida, do mundo. Não dessa vida social de aturdimento que a afasta da realidade, que jamais dá felicidade e alegria ao coração. Falo da verdadeira vida, que alimenta o espírito, acordando-o para os valores reais e eternos. Gostaria que você conhecesse esse lado, que eu já percebi.

Ela o olhou admirada. Menelau nunca lhe falara assim. Assustada, retirou a mão que ele segurava.

— Estou bem como sou. Não quero ver a realidade. Ela é triste e dolorosa, prefiro não encontrá-la. Sou jovem, tenho tempo. Quero aproveitar a vida sem pensar em coisas sérias.

— O tempo passa, Maria Antônia, e um dia você terá a verdade face a face. É inevitável. Por que não buscá-la já, encará-la de frente, aprender?

— Não falemos de coisas tristes. Não quero envolver-me com esses assuntos. Ajude-me a escolher essas tapeçarias que vou encomendar.

— Muito bem — respondeu ele, com suavidade. — Não desejo forçá-la. Quando sentir vontade de falar sobre isso, estarei disposto, esperando.

Maria Antônia riu displicente, como querendo espantar as idéias desagradáveis.

— Não será tão cedo, pode crer.

Menelau sentiu-se preocupado. Que recursos a vida usaria para fazê-la enxergar? Não insistiu.

Pacientemente ajudou-a a escolher a tapeçaria. Pretendia aproximar-se dela e, para isso, necessitava compreendê-la.

Maria Antônia observava-o admirada. Menelau mudara. Isso deixava-a em guarda. Se não a amava, que interesse teria? Até que ponto poderia confiar? Talvez ele também valorizasse as aparências. Nesse ponto concordava, mas para isso não precisava fingir, estavam sozinhos. Em todo caso, melhor tê-lo como amigo interessado em aceitar suas idéias do que uma separação ou desentendimentos que a aborreciam. Se ele se mantivesse no papel de marido, socialmente, ela seria feliz. Nada mais desejava dele além de discrição e aparência.

Menelau tentou, pacientemente, interessar-se pelos seus assuntos, o que lhe era difícil. Maria Antônia dava-lhe as novidades da corte, os mexericos, as intrigas, os boatos, e ele ouvia sem entusiasmo, procurando não mostrar irritação pela leviandade com que ela discorria sobre os problemas alheios, maliciosamente, prendendo-se a futilidades.

Olhando-a, percebia que seria difícil fazê-la entender, despertar para a realidade. Estava disposto a tentar. Deus o ajudaria. Sentia brotar no coração um sentimento de piedade, de proteção. Maria Antônia era como uma criança que ele deveria ajudar a crescer.

* * *

A tarde ia em meio e o sol filtrava-se pelas grades da varanda formando desenhos no piso vermelho. Maria José, sentada em uma cadeira, perdida em seus pensamentos, nem prestava atenção ao alarido das crianças que brincavam ruidosas no terreiro da fazenda. Sentia-se particularmente triste nesse dia.

Fazia dois anos que Demerval morrera e ela se sentia muito só. Os negócios da fazenda iam bem, mas ela amargava a viuvez. Há muito que não amava Demerval, mas sentia amizade por ele e até um certo sentimento maternal. O que a entristecia era o amor de Menelau. Sofria sua ausência.

Talvez ele não a amasse como dizia, pensava angustiada. Nesses momentos a revolta sobrevinha. No seu entender, se ele a amasse de verdade, deixaria Maria Antônia e passaria a viver com ela. Estava livre agora e ele não possuía filhos com a esposa. Romualdo precisava de pai. Os outros o amavam mais do que a Demerval. Era toda uma família que o amava, precisava dele. Por que ele não vinha?

Sentia-se infeliz, não pôde evitar as lágrimas. Essa separação não era justa, nem a atitude de Menelau. Por certo, ele não deixara a esposa porque a amava! Sim, era isso. Ele amava Maria Antônia e era essa a razão que o retinha ao lado dela.

Sentiu um aperto no coração. Deveria esquecer. Não pensar nele. Porém não conseguia. A recordação dos seus beijos perseguia-a e ela sonhava que ele regressaria para reviver aqueles momentos.

Ele não vinha e ela, amargurada, sentia-se esquecida e só. Se Demerval estivesse vivo, pensou ela, haveria pelo menos a desculpa do amor impossível. Mas ele estava morto e ela se via forçada a reconhecer que Menelau não a amava.

Fechou os olhos agoniada, peito cheio de inquietação. Não percebeu que, naquele momento, um vulto chegou, entrou na varanda, olhando-a admirado.

Estava com as vestes rotas, olhos arregalados, cabelos em desalinho, pescoço inchado e cheio de manchas escuras que se espalhavam sobre o peito que ele procurava resguardar e esconder, puxando de quando em vez os pedaços da camisa sobre elas.

— Enfim em casa! — pensou ele, comovido.

Estava de volta, poderia tratar-se, melhorar. Depois, a vingança! Haveria de pegar aquele negro insolente e dar-lhe o merecido castigo. A esse pensamento, enorme fraqueza o acometeu e ele procurou escorar-se para não cair.

Toda vez que pensava em Neneu sentia-se mal. Era de raiva, acreditava ele. Tentou acalmar-se. Estava atordoado, sofrido. De há muito procurava a casa sem conseguir encontrá-la. Lembrava-se da briga com o negro, do desmaio.

Acordara em um lugar estranho e escuro. O ódio ainda estava em seu coração. Seu primeiro pensamento foi de raiva. Onde estava Neneu? Queria castigá-lo. Colocá-lo no tronco e deixá-lo morrer à míngua. Sentia-se tonto, muito fraco, mas a raiva o alimentava. Desejava pegar o negro. Uma mão pousou em seu braço e ele parou.

— Quem me pega? — disse, com voz fraca.

— Um amigo. Você precisa de socorro médico, está ferido. Deixe esses pensamentos de vingança que o enfraquecem e envenenam. Venha. Vamos em busca de socorro.

— Desejo ir para casa — disse ele, determinado. — Preciso pegar Neneu. Ele me paga, aquele maldito!

— Não faça isso. Vai ficar pior. Deixe que a vida se encarregará de dar-lhe a lição adequada. Deus não falha.

— Não creio. Deus está longe e Neneu vai pagar. Servirá de exemplo para todos!

— Deixe Neneu em paz, vamos embora. Você está doente, precisa tratar-se!

Demerval arrancou o braço violentamente da mão que o segurava.

— Deixe-me em paz. Vou para casa! Lá ficarei bom. Maria José cuidará de mim.

— Venha comigo — pediu ainda aquela voz que ele não conseguia identificar.

Demerval reagiu com violência e afastou-se raivoso. Queria ir para casa e iria. Parecia estar vivendo um pesadelo, não conseguia chegar. Sentia frio, fome, sede, perambulava por lugares desconhecidos e escuros, dormia no chão duro, sentindo doer o pescoço e o peito.

Algumas vezes, sentia saudade da mulher, dos filhos, e chorava. Nesses momentos conseguia certo alívio, mas logo o ódio o acometia e ele pensava em Neneu, continuando a procurá-lo sem êxito.

Naquela tarde, finalmente, conseguira ver a luz do sol e encontrar a casa da fazenda. Demerval havia se transformado em um mendigo, roubando um pouco de comida quando a fome ficava insuportável e a sede o atormentava. Para isso, abraçava as pessoas que estavam comendo e saboreava suas energias com satisfação. Para ele era sempre noite e, buscando encontrar Neneu, pensando nele obstinadamente, via-se normalmente no meio dos negros. Era através deles que saciava a fome e a sede. Agora seus sofrimentos teriam fim. Estava de volta ao lar.

Viu Maria José e emocionou-se. Abraçou-a com força enquanto dizia:

— Maria José, sou eu! Estou de volta.

Ela estremeceu e sentiu um arrepio desagradável pelo corpo.

— Não estou bem — pensou ela, com tristeza. — Esta solidão é dolorosa!

— Eu estou aqui — disse ele, com alegria. — Voltei, você não está mais só.

Ela parecia não ouvi-lo e Demerval inquietou-se. Por que ela não respondia?

— Se ao menos Menelau viesse — pensava ela.

— Por que chama por meu irmão? Eu estou aqui. Voltei!

Ele a abraçava tentando chamar sua atenção, mas ela não o sentia. Demerval apavorou-se. O que estava acontecendo? Por que ela não o ouvia? Foi em vão que ele tentou. Cansado, postou-se ao lado dela, sem entender o que se passava. Olhou para ela e viu que chorava. Por quê? Tentou perceber o que ela sentia. É solidão, pensou comovido, sente falta de mim. Mas eu estou aqui! Por que ela não responde? Esforçou-se para perceber novamente o que ela sentia.

— É injusto — pensava ela. — Se Demerval morreu, eu estou livre. Tenho direito à felicidade!

Ele a agarrou, assustado.

— Eu não morri! Estou vivo. Olhe para mim. Estou doente mas estou vivo! Voltei.

Ela, porém, não o ouvia. Demerval sentiu-se desesperado. O que fazer para que ela o notasse? Olhou e viu as crianças brincando no pátio. Foi até elas e procurou conversar. Mais uma vez nada conseguiu.

Só podia ser um pesadelo. Apalpava-se e sentia a rigidez do seu corpo, a dor na garganta e no pescoço, a fome, a sede. Ele estava vivo!

Voltou para o lado de Maria José. Precisava descobrir o que estava acontecendo. Colou-se a ela, que sentiu sua inquietação aumentar. Um forte mal-estar a acometeu. Sentia a cabeça rodar e uma enorme fraqueza.

"Preciso alimentar-me melhor. Hoje mal toquei nos alimentos", pensou ela.

Procurou levantar-se, apesar da tontura. Dominou-a e entrou em casa.

— Zefa, quero um lanche. Não me sinto bem.

— A sinhá tá branca. Precisa de se alimentá.

— É isso.

Num instante a negra colocou a mesa com café, leite, bolinhos de fubá. Maria José sentou-se, serviu-se e começou a comer.

— Não tem broa de milho? — indagou, séria.

A negra olhou-a admirada.

— Tem. Mas a sinhá num gosta delas!

— Quem disse isso? Estes bolinhos estão sem gosto. Vá buscar as broas.

Zefa estranhou, mas foi à cozinha e voltou com algumas broinhas no prato que colocou sobre a mesa.

Maria José pegou uma, cheirou-a dizendo:

— Está murcha, mas paciência. Quando vocês vão aprender a fazer uma broa decente?

Zefa olhou-a, assustada. Por um instante pensou ver Demerval à mesa. Era assim que ele fazia quando ela o servia. Ele cheirava, apertava a broa e nunca estava do seu gosto, mas comia sempre grande número delas. Maria José comeu três, bebeu café sem leite, depois disse séria:

— Vou descansar um pouco. Uma meia hora. Não deixe as crianças me acordarem.

Levantou-se e saiu. Zefa ficou preocupada. Maria José nunca dormia de dia. Talvez fosse só impressão. Estaria doente? Ela estava pálida. Não tomou leite nem comeu bolinhos de fubá. Ela gostava de leite, no qual só pingava o café, e dos bolinhos. Havia tomado café puro e com broinhas. Que estranho! Quem gostava disso era Demerval. Bobagem, pensou ela. Foi só impressão. Isso passa.

Mas não passou. A partir daquele dia, Maria José foi mudando de atitudes. Andava nervosa, sentia dores de garganta, dores no peito, irritava-se com facilidade, reclamava da comida, de tudo. Ela percebia que não estava em seu natural e lutava para dominar-se, o que nem sempre conseguia.

Os pratos de sua predileção pareciam-lhe sem gosto. Sentia vontade de comer outras coisas, que solicitava da cozinha para espanto de Zefa, que conhecia bem as preferências da sinhá.

"Não sei o que se passa comigo", pensava ela. A solidão, a tristeza, seriam a causa de tudo?

Uma noite deitou-se, pensativa. Nunca se sentiu tão triste. Demerval a seu lado, vendo-a despir-se e colocar a camisola para dormir, ficou emocionado. Ela era linda e ele, seu marido. Decidiu. Naquela noite ela teria tantas carícias que haveria de vê-lo, sentir seu amor, seu desejo. Estendeu-se no leito, ao lado dela, e abraçou-a com força, acariciando-a, colando seus lábios aos dela.

Maria José, de repente, sentiu um calor envolver-lhe o corpo e um desejo muito grande de amor. Seu sangue latejava e ela se sentia desfalecer de desejo.

Demerval, entusiasmado de paixão, colava-se a ela envolvendo-a mais, numa troca de energias alucinante. Ela se sentiu amada, beijada, abraçada, como se estivesse ali alguém de carne e osso, vivendo o momento de amor.

Quando tudo serenou, Demerval, estendido ao lado dela no leito, estava mais calmo. Aquela troca de energias o deixara relaxado. Maria José, porém, sentia-se assustada, preocupada.

O que teria acontecido? Teria sido uma fantasia de sua parte? Ela seria tão escrava do desejo de sexo que a viuvez a estaria atormentando? Aquela experiência não a deixara bem. Sentia-se fraca, inquieta, envergonhada. Era uma mulher venal e desequilibrada. Ficou arrasada.

Foi em vão que Demerval a abraçou e explicou que nada havia de errado. Eles eram casados e podiam manter relações sexuais. Ela, contudo, não aceitava aquela experiência como natural. Sentir desejos sexuais era para ela impróprio de mulher de boa moral. Assustada, preocupada, não contou a ninguém seu segredo.

Demerval, no entanto, apesar de não ser percebido, começava a sentir-se à vontade na casa. Através de Maria José, tinha tudo quanto precisava. Comia, bebia, dava ordens e quando desejava mantinha relações com ela. Maria José não queria, jurava para si mesma que não permitiria acontecer, mas a sensação vinha tão de repente, tão forte, tão real, que ela na hora, envolvida e sentindo também a força do desejo, entregava-se à experiência até com prazer. Quando tudo passava, o horror, a vergonha, a autocrítica, a sensação de culpa.

Desta forma Maria José transformou-se radicalmente. Engordou um pouco porque comia mais do que antes, mas empalideceu, seus olhos tinham um brilho diferente. Estava alheia aos filhos, não resolvia mais os negócios e tudo começou a ir mal.

Zefa e Bentinho procuraram ajudá-la.

— É o sinhô Demerval que tomô ela — disse ele, preocupado.

— Ocê num sabe afastá ele?

— Tenho feito minhas reza, mas ela também se agarra nele. Fica difícil.

— Num é verdade. A sinhá num gostava dele. Cruz credo. Num havia de querê ele perto.

Foram falar com ela. Maria José ouviu-os surpreendida.

— É ele, sinhá — disse Bentinho. — Voltô pra casa.

Maria José franziu o cenho, pensativa.

— Como pode? Demerval morreu.

— A sinhá sabe que os espírito vêm. Sinhozinho voltô pra casa. Num sabe que tá morto.

Maria José arrepiou-se:

— Como sabe?

— Ele tá aí do lado da sinhá. É preciso falá com ele, explicá pra ele que agora é do outro mundo.

Demerval, ouvindo Bentinho, irritou-se: ele não estava morto! Não acreditava nisso. Estava bem vivo. Era muito atrevimento do negro dizer isso. Abraçou Maria José e disse com raiva:

— Não acredito nisso. Se eu estivesse morto, não estaria aqui.

Maria José disse quase ao mesmo tempo:

— Não acredito nisso. Quem morre não volta!

— Sinhá — tornou Zefa, preocupada. — Vosmecê mudô muito. Tá nervosa, implicante, come coisa que o sinhozinho gostava, fala como ele. Num tá bem. Bentinho viu que o espírito do sinhô Demerval tá aqui.

Demerval, agarrado a Maria José, disse-lhe ao ouvido:

— Bobagens! Coisas de negros. Não acredite.

— Não acredito, Zefa. Vocês com essas bobagens querem me amedrontar. Deixem-me em paz.

Zefa não se conformou. Pelo contrário, ficou mais preocupada.

— Ocê precisa fazê alguma coisa — disse a Bentinho.

— Vamo rezá. Vô tentá falá com o espírito dele.

Foi em vão que Bentinho tentou. Demerval não queria ouvi-lo. O negro, em preces, o evocava. Apesar de perceber o chamado, ele não o atendia. Não queria ir. Tudo estava bem como estava.

— Ele num vem — disse Bentinho. — Zefa, precisamo fazê alguma coisa antes que seja tarde.

— A sinhá tá enfeitiçada. Cruz credo, até fala como se fosse ele!

— Necessito de ajuda. Vamo chamá sinhô Eduardo. Ele pode nos ajudá.

— Isso mesmo. Só que ele vai demorá, tá tão longe!

— As coisa vão mal. Eu mesmo vô procurá ele.

— Tá bom. Eu dô um jeito aqui se a sinhá perguntar d'ocê.

No dia seguinte, muito cedo, Bentinho partiu. O negro amava muito sua sinhá. Queria ajudá-la. Empoeirado, cansado, chegou ao Rio de Janeiro dois dias depois. De indagação em indagação, chegou à casa de Eduardo na tarde do terceiro dia. Vendo-o, Eduardo assustou-se. Bentinho era para ele o homem de confiança de Maria José.

— Bentinho! O que aconteceu?

— Vim buscá ajuda, sinhô Eduardo.

Fazendo-o entrar, Eduardo inteirou-se das novidades.

— Eu tentei conversá com ele, sinhozinho, mas num consegui. Mandei meus amigo, uns espírito que sempre me ajuda, falá com ele, mas num conseguiram nada. Ele num qué entendê que tá morto e fica agarrado na sinhá. Faz pena! Ela num tem gosto de fazê nada! Nem cuida dos negócio, nem brinca com as criança. Tá diferente. Vim pedi socorro a vosmecê.

Eduardo ficou pensativo, depois disse:

— Vou tomar algumas providências e irei até lá com você. Juntos veremos o que fazer. Por agora, você precisa comer, descansar.

— Quero voltá o mais depressa que pudé — respondeu ele, sério.

— Você volta comigo. Amanhã dou um arranjo nos meus negócios e depois de amanhã partiremos de madrugada.

Chamando uma criada, Eduardo mandou que hospedasse Bentinho, cuidando do seu conforto. À noite, foi com ele a casa de Menelau. Vendo-os, ele se assustou.

— O que aconteceu? — indagou a Bentinho.

— Calma — respondeu Eduardo. — Precisamos conversar.

Menelau convidou-os a entrar ante os olhos curiosos e desaprovadores de Maria Antônia vendo o negro de aparência humilde entrar pela sala como uma visita. Olhou irritada para Menelau e mal respondeu à saudação respeitosa de Eduardo.

— Vamos ao meu gabinete — propôs ele, preocupado.

Uma vez lá, Bentinho relatou o que estava acontecendo. Menelau afligiu-se:

— O que faremos? — perguntou a Eduardo.

— Vou até lá. Parto depois de amanhã de madrugada. Tentarei esclarecer Demerval.

— Eu já tentei, ele num atende — tornou Bentinho.

— Ele é teimoso e determinado. Quando quer uma coisa, não cede — recordou Menelau.

— Terá que ceder. É para seu próprio bem. Estão vivendo uma situação irregular. Deus nos ajudará. Devemos confiar — respondeu Eduardo, firme.

— Gostaria de ir com vocês — propôs Menelau, com voz triste.

— Seria bom. Maria José não tem se interessado pelos negócios da fazenda, tudo lá vai mal — respondeu Eduardo.

— Verei o que posso fazer. Vocês partem depois de amanhã. Precisarei de mais alguns dias. Irei depois, assim que puder.

— Está certo.

— Gostaria que não saísse de lá antes de eu chegar. Pode fazer isso?

— Posso — prometeu Eduardo.

— Dois ou três dias é do que preciso. Estarei lá o quanto antes.

Despediram-se. No dia imediato Eduardo preparou o que precisava e, conforme havia previsto, partiram de madrugada, no dia combinado. No trajeto, Bentinho pediu:

— Por favô, sinhô Eduardo, a sinhá num sabe que eu fui chamá o sinhô. Vai zangá comigo se soubé.

— Ela não percebeu sua ausência?

— A Zefa ia cuidá disso. Acho que ela num sabe.

— Nesse caso, não falo nada.

— Obrigado, sinhô. Nóis tamo quase chegando. Eu vô na frente pra vê como tão as coisa. Espero o sinhô na porteira da entrada. Deus lhe pague por tudo.

— Vá, Bentinho. Deus o acompanhe.

Com emoção, Eduardo olhou o negro afastar-se. O afeto de Bentinho pela sinhá era comovedor. Maria José conquistara aquele coração para sempre.

Bentinho entrou de manso sem ser visto. Procurou Zefa, que, vendo-o, disse com certa euforia:

— Graças a Deus que voltô. E sinhô Eduardo?

— Tá no caminho, chegando.

— Ocê contô tudo?

— Contei. Ele vem disposto a ajudá.

— Graças a Deus!

— E a sinhá?

— Na mesma. Eu disse que ocê tava doente. Ela nem se interessô.

— Tá bem. Ele num vai dizê que eu fui até lá. A sinhá num vai sabê. Agora vô na porteira. Sinhô Eduardo deve de tá chegando.

Maria José estava na varanda quando Eduardo chegou. Agradavelmente surpreendida, foi abraçá-lo.

— Sr. Eduardo! Que surpresa!

— Como vai, D. Maria José?

— Triste, Sr. Eduardo. Muito só.

Eduardo beijou a mão de Maria José com delicadeza.

— E as crianças, como estão?

— Bem. Vamos entrar. Deve estar cansado da viagem, talvez deseje descansar.

— Viemos com tranqüilidade. Sinto-me bem. Preferia conversar um pouco.

— Conversaremos enquanto Zefa cuida da bagagem.

Instalados na sala, Eduardo observava Maria José. Ela estava um pouco diferente. Mais inquieta, embora aparentasse calma, não conseguia ficar parada durante muito tempo. Parecia não se aprofundar muito nas coisas.

Eduardo olhou-a nos olhos quando perguntou:

— A senhora está bem, D. Maria José?

— Estou.

— Parece-me um tanto inquieta.

— Impressão sua. Tenho vivido muito só. A tristeza tem me acompanhado. Perdi o gosto de viver!

— A senhora tem seus filhos, sua casa, é uma mulher feliz!

Maria José sacudiu a cabeça.

— Não. Não sou feliz. Vivo só e amargurada. Não sinto vontade de viver!

— Não diga isso — respondeu Eduardo, com energia. — A senhora sempre foi mulher de coragem. Enfrentou problemas graves, ajudou seu marido a superar grandes dificuldades. Não vai desistir agora. Seus filhos precisam da senhora e muito.

Um lampejo de emoção passou pelos olhos de Maria José.

— Tenho pena deles. Pelo que vão sofrer neste mundo.

Eduardo tornou com voz firme:

— D. Maria José que eu conheci nunca foi covarde! Era valente, corajosa!

— O senhor me ofende.

— Não tenho intenção. É preciso acordar, D. Maria José. É preciso reagir. Não pode entregar-se ao desânimo.

Maria José olhou-o com certo rancor:

— Se veio para ofender-me, não precisava. Nesta casa eu mando e todos obedecem. Eu sou a dona! Faço o que quero. Não adianta insistir. Aqui, mando eu!

Eduardo fitou-a, penalizado:

— Naturalmente — disse, calmo.

Maria José acalmou-se também.

— Quando se está só e todos estão contra nós, é preciso que não facilitemos.

Eduardo buscou contornar a situação:

— Ninguém está só. Tem seus filhos, tem servos fiéis que a estimam, tem amigos e tem Deus, que jamais abandona ninguém.

Ela fez um gesto evasivo.

— Parece. Essa é uma teoria que os outros defendem porque não sabem o que é solidão, a tristeza de não ter ninguém e sentir que todos estão contra nós, querendo levar-nos para longe, sem se importar com nossos sentimentos.

Eduardo compreendeu que Bentinho tinha razão. Quem senão Demerval poderia estar dizendo aquelas palavras?

Percebia que seu espírito estava ali, sofrido, assustado, porém instalado sem vontade de sair.

Deveria ser cauteloso. Ele dominava Maria José, que não se dava conta da situação. Estava fascinada. Sentia todas as emoções do marido e acreditava que fossem dela.

Maria José era mulher forte. Conhecia a interferência dos espíritos desencarnados. Sabia que era médium. Ele explicara a ela essa sensibilidade que era uma condição de sua personalidade. Ela compreendera. Os acontecimentos que haviam vivido juntos representavam evidências, fatos mais do que suficientes para fazê-la compreender a verdade. Por que Demerval conseguira envolvê-la, dominá-la daquela forma?

Esse era o ponto que ele precisava descobrir. Sabia que havia um ponto fraco em Maria José que permitira o domínio de Demerval, sem o qual ele, por certo, não teria conseguido.

Tentou conversar com ela sobre outros assuntos, mas ela não dava muita chance. Estava pessimista, desanimada, triste e até descrente.

À noite, Eduardo convidou:

— Vamos nos reunir agora para uma prece em benefício desta casa. Vamos orar por Demerval. Bentinho e Zefa estarão conosco, como antigamente.

Maria José abanou a cabeça:

— Não vou participar. Sinto-me cansada, com sono. O senhor chegou hoje, está cansado. Deixe para outro dia.

— Estou muito bem — respondeu Eduardo. — Muito feliz por estar aqui. Faço questão de fazer uma prece de agradecimento, junto com Bentinho e Zefa. Fique conosco, não vai demorar.

— Não posso. Fica para outro dia. Estou com muito sono — tornou ela, inquieta. — Vou retirar-me. Espero que tenha uma boa noite.

E antes que Eduardo respondesse, ela se afastou rapidamente. Mesmo assim, Eduardo reuniu-se com Bentinho e Zefa para orar.

— Você tinha razão — disse Eduardo, preocupado. — Demerval está com ela.

— Ela num qué nem rezá — disse Zefa.

— É verdade. Mas nós vamos rezar. Precisamos de socorro.

— Tenho tentado convencê ele de deixá a sinhá — tornou Bentinho —, mas ele num atende. O pior é que ela também chama quando ele se afasta um pouco. É por isso que num consigo nada.

— Sinhô Eduardo, num acredito nisso. A sinhá num se dava bem com sinhô Demerval. Como pode querê segurá ele, querê que ele fique perto, agora que tá morto? — indagou Zefa, inconformada.

— Ela não faz isso conscientemente. Isto é, ela não percebe que está se agarrando a ele. Necessitamos formar um ambiente favorável em que os bons espíritos possam atuar com as providências de ajuda. Vamos confiar em Deus.

Os três sentaram-se na sala e Eduardo murmurou sentida prece pedindo por aquelas pessoas, por aquele lar e pelos espíritos sofredores. Quando terminou, todos sentiam-se melhor, mais calmos, e Bentinho esclareceu:

— Meu santo me disse que devemo confiá em Deus. É pra fazê oração todas as noite, nesta mesma hora, e convidá a sinhá toda vez. Se ela num aceitá, pra num insisti. Nóis fazemo as oração como hoje. Eles tão do nosso lado e haveremo de vencê.

— A sinhá vai ficá boa? — indagou Zefa, agoniada.

— Se ele pediu para confiar, é porque estão trabalhando — esclareceu Eduardo. — Vamos aguardar. Estamos sendo assistidos pelos bons espíritos, que farão o melhor.

— Deus vai ajudá minha sinhá — disse Zefa, com emoção.

— E também o Sr. Demerval, que é o mais necessitado.

A negra fez um muxoxo:

— Ele pode bem i atormentá em outro lugar. Já num chega o que fez a vida inteira? Atormentô a sinhá, os filho, os negro, até dá no que deu. O que aconteceu foi culpa dele. Num tinha o direito de vir aqui perturbá a sinhá.

Eduardo olhou-a, sério.

— Se quer ajudar D. Maria José, precisa ajudar Demerval. Todos cometemos erros neste mundo e não vamos julgar os atos dele. Está pagando caro pelos seus enganos. Se quer ajudar, expulse o ressentimento do seu coração. É preciso não só perdoar Demerval como olhá-lo como um ser humano, procurando envolvê-lo com bons pensamentos. Nossos pensamentos são como chicotes atirados sobre ele. Se forem duros, vão revoltá-lo ainda mais. Se forem amenos, compreensivos, amigos poderão ajudá-lo a entender a verdade.

Zefa sentiu medo. Não gostava de Demerval e era comum pensar nele com raiva e ressentimento, tomando as dores de Maria José.

— Quando eu penso nele, ele sabe? — perguntou, arregalando os olhos.

— Ele sente, percebe sua mágoa. Sente-se atacado e reage.

— Mas eu num ataco ele. Só num acho justo ele ficá atormentando a sinhá!

— Compreendo o que você sente, porém deve deixar de lado esse ressentimento. Ele precisa de compreensão e de paz. Você deve orar por ele com respeito, já que não pode ser com amor. O importante é não julgar. Cada pensamento de raiva ou de ressentimento agride seu objetivo rudemente. Apenas agrava o problema, jamais soluciona.

— É difícil pensá bem dele depois do que ele tá fazendo à minha sinhá.

— É preciso — insistiu Eduardo, firme. — Para ajudar precisamos sempre deixar de lado as críticas, as mágoas, e evitar tomar partido. Apesar de D. Maria José estar aparentemente sendo a vítima, não devemos nos esquecer de que, se ele permanece junto dela e se Deus permitiu, é porque há uma ligação entre eles que não podemos ainda compreender. Por isso a melhor forma de ajuda sempre será a de evitar o julgamento, pensar apenas no bem, manter pensamentos otimistas e desejar que ambos sejam beneficiados. Você precisa esquecer as queixas que tem do sinhô Demerval e orar por ele com respeito e sinceridade.

A negra abanou a cabeça, preocupada.

— Num vai sê fácil!

— É preciso. Sem isso vai ser mais difícil acalmá-lo. É necessário fazer com que ele não nos veja como inimigos interessados em escorraçá-lo da casa que acredita ser a sua.

— Mas ele morreu! As alma deve i pro seu lugar, num ficá perturbando os vivo.

— Ele deve compreender isso. Não adianta afastá-lo pela força, e mesmo que nossos amigos espirituais o fizessem, o que não lhes seria difícil, ele continuaria revoltado ainda mais. Acreditar-se-ia lesado em seus direitos e atingiria D. Maria José mesmo à distância, com seus pensamentos de rancor. Tudo será diferente se ele compreender a verdade, se perceber e aceitar as mudanças que ocorreram em sua vida, se, ao invés de sentir-se rejeitado, indesejado, souber que é respeitado e que só não pode ficar aqui porque a vida o chamou para outro campo de ação. Que não houve nenhuma "injustiça" com o que lhe aconteceu. Tudo tem uma causa justa, por mais dolorosa que seja a situação. Que ele desista da vingança e deixe Neneu ajustar contas com as leis divinas, porque só elas sabem dar o que é devido a cada um. É isso que precisamos mostrar-lhe. Quando entender e aceitar, tudo estará definitivamente resolvido.

Zefa abanou a cabeça, com tristeza:

— Ele num vai aceitá isso, sinhô Eduardo. Era teimoso. Quando queria uma coisa, num havia quem tirasse da sua cabeça.

— Agora é diferente. Não podemos esquecer que Demerval tem sofrido muito. Com a ajuda de Deus, conseguiremos convencê-lo. Para isso é preciso orar por ele com sinceridade e boa vontade. Você deverá esquecer as mágoas e compreender. Como desejar que ele entenda sem que nós, que nos julgamos mais esclarecidos, demos o exemplo? Como exigir dele o que nós ainda não fazemos?

A negra baixou a cabeça, pensativa. Sempre alimentara aversão a Demerval. Por amor a sua sinhá, colocava nele a culpa de tudo quanto ocorria de ruim, e agora sentia o quanto lhe era difícil reformular suas idéias.

Tentou orar por Demerval com mais tolerância, mas, ao recordar sua figura, brotava em seu íntimo forte sentimento de rancor. Suspirou fundo e em seus olhos brilhavam algumas lágrimas, quando disse:

-- Ah! Sinhô Eduardo! Num consigo. Quando me alembro do sinhô Demerval, me sobe uma coisa no peito, uma raiva...

Eduardo olhou para Zefa com bondade, porém sua voz estava firme ao dizer:

— Por isso mesmo você não deve julgar Demerval. Como exige que ele abandone seu lar, sua esposa, seus filhos e parta sozinho, deixe os bens, tudo, e aceite a nova vida, perdoe quem lhe tirou tudo isso, se você não consegue sequer esquecer seus ressentimentos por coisas muito menores que julga ter contra ele?

A negra lutava contra as lágrimas, acabrunhada.

— Eu sô uma negra ignorante, sinhô Eduardo. Num havia pensado nisso...

— Para esperarmos que os outros façam isto ou aquilo, nós precisamos ser capazes de fazer primeiro. Se estivesse no lugar de Demerval, teria conseguido perdoar?

— Acho que não — respondeu ela, chorando. — Eu num presto também, num posso ajudá minha sinhá...

— Ao contrário, Zefa. Você agora pode ajudar muito. Sabe que não deve exigir nada de ninguém, mas pode pedir a Deus pela felicidade de Demerval e de D. Maria José. Deixe sua compreensão envolver o coração sofrido de Demerval e você estará cooperando na cura de ambos.

Bentinho ouvia quieto, atencioso. Sabia que Eduardo estava certo. Não era bom atirar pensamentos de rancor sobre um espírito tão revoltado como o de Demerval. Se ele compreendesse suas verdadeiras necessidades, tudo ficaria resolvido.

— Agora, vamos à nossa prece — pediu Eduardo. — Vamos orar com muito carinho para o espírito de Demerval.

Comovido, fez sentida prece, durante a qual Zefa esforçou-se para acompanhar de coração, lutando para vencer os ressentimentos há longo tempo alimentados contra Demerval. Combinaram que se reuniriam todas as noites e tentariam convencer Maria José a participar.

Só o conseguiram dois dias depois. Maria José sentou-se ao lado deles, um pouco inquieta, e Eduardo, calmo, orou pedindo ajuda em favor de todos, principalmente de Demerval. Lágrimas caíram dos olhos de Maria José, que nada disse.

Eduardo colocou a mão direita espalmada sobre sua cabeça e orou pedindo proteção para ela, que, aos poucos, foi se acalmando. Quando terminaram, Eduardo perguntou-lhe com naturalidade:

— Tem dormido bem?

Maria José corou um pouco embaraçada. Teria Eduardo percebido o que lhe acontecia em algumas noites? Preferia morrer a que alguém soubesse.

— Sim — mentiu. — Tenho.

Eduardo não respondeu. Sabia que precisava agir com paciência e delicadeza. Considerava uma vitória a presença dela. Não disse mais nada.

Maria José começou a participar todas as noites da reunião. Eduardo orava por todos da casa e pediu para que as crianças também participassem, pelo menos da prece inicial, orando em favor do pai.

Bentinho, calado, humilde, depois que todos se retiravam, explicava como Demerval havia se comportado. O negro conseguira vê-lo e informara que ele, a princípio, demonstrara estar assustado e temeroso, desconfiado, permanecendo à distância, sem se aproximar da sala. Embora continuasse com o pensamento ligado a Maria José.

Depois que as crianças se retiravam, Eduardo fazia ligeira preleção explicando sobre a morte, a sobrevivência do espírito, a necessidade de desligar-se da família depois da morte do corpo.

Falava tentando esclarecer o espírito de Demerval, que sabia presente, tentando mostrar-lhe a situação real, a necessidade de perdoar e aceitar a mudança inevitável.

Maria José estava mais calma, seus olhos já estavam mais expressivos e ela começava a interessar-se pelos problemas do dia-a-dia.

Eduardo prosseguia com firmeza e dedicação. Realmente, Demerval sentia-se mais calmo. Sabia que vivenciava uma situação nova, diferente da que possuía em vida. Podia até admitir que havia morrido, pensava nisso de vez em quando, mas a verdade é que se sentia vivo, em sua casa e com sua família. Não podia aceitar que, de repente, alguém lhe dissesse que deveria abandonar tudo e partir para um lugar desconhecido.

Aquela era sua esposa, seu lar, seus filhos. Ele tinha todo o direito de estar ali. A casa era mantida com seu dinheiro. Além do mais, ele não sabia para onde ir. Não podia abandonar a família. Eles precisavam de sua proteção e da sua presença.

Sentia-se triste, apreensivo. Era obrigado a aceitar as irregularidades dos negócios e o descaso dos empregados, sem poder intervir diretamente. Sentia-se impotente. Sua atuação era limitada e Maria José, que a princípio lhe obedecia cegamente, já agora interferia tentando modificar o rumo de seus desejos.

Fazia uma semana que Eduardo estava na fazenda e as coisas nesse pé, quando Menelau chegou, muito preocupado com Maria José. Tratara de arranjar os negócios para partir.

Durante aquela semana tivera terríveis pesadelos, o que aumentara sua preocupação.

Sua chegada provocou intensa movimentação. Maria José emocionada, as crianças felizes, rodeando o tio com alegria e afeto.

— Vim matar a saudade — justificou-se ele abraçado por Rosa e Ana, depois de apertar a mão de Eduardo e beijar delicadamente a mão da cunhada.

— Tio Menelau trouxe presente para mim? — inquiriu Romualdo, alegre, o que fez Maria José repreendê-lo enquanto os demais riamse da falta de discrição do menino.

— Vamos ver... não sei, Romualdo — respondeu Menelau, fingindo seriedade.

Demerval, observando a alegria reinante, sentiu-se enciumado. Nunca seus filhos tiveram essas manifestações com ele. Um tio pode ser condescendente, pensou ele tentando justificar a diferença, mas um pai precisa ser severo. Não pode permitir certas intimidades.

Maria José, apesar de emocionada, não podia deixar de sentir certa mágoa contra o cunhado. Por que ele preferira ficar com a mulher, já que dizia amar sua família?

Demerval, de repente, experimentou um sentimento de mágoa contra o irmão, sem se preocupar por quê.

— Como vão as coisas por aqui? — indagou Menelau.

— Vão bem — disse Maria José, procurando dar à sua voz um tom indiferente.

Menelau sentiu que ela não o recebera como das outras vezes. Havia como que uma barreira entre eles.

Procurando esconder a preocupação, brincou com as crianças, deu-lhes os presentes que trouxera, conversou sobre os assuntos da fazenda e quando se viu a sós com Eduardo pôde perguntar o que estava acontecendo ali.

— Maria José está diferente — disse. — Trata-me com frieza, esquiva-se de falar, está mudada.

— Tem razão. Ela está sob ação de Demerval. Seu espírito encontra-se ao lado dela, influenciando-a.

— Trata-se de obsessão?

— Trata-se de uma ligação que poderia vir a tornar-se obsessão.

— Ele não a está envolvendo há certo tempo?

— Está, mas é diferente. Na obsessão, o espírito desencarnado age deliberadamente, geralmente movido pela vingança, procurando subjugar a sua presa para conduzi-la ao desequilíbrio. Demerval não. Despreparado para compreender a verdade, não quer aceitá-la. Ele foi arrancado do corpo de forma violenta. Não possuía nenhuma noção de espiritualidade.

— Apesar de seu temperamento rígido, ele não era mau.

— É verdade. Porém muito teimoso, metódico, conservador, não quis afastar-se daqui. Não está preocupado em perturbar Maria José, nem a ninguém. Ao contrário. Acredita que está protegendo a família. Afinal, esta era sua casa, seu lar, e ele simplesmente acredita-se dono de tudo. Acomodou-se e não deseja sair. Foge da realidade, recusa-se a vê-la para não ter que tomar nenhuma atitude.

— E Maria José, sabe a verdade?

— Não claramente. Ela estava habituada a conviver com ele. A ligação energética estabelecida em anos de convivência não havia se esgotado.

— Ela não se afinava com ele. Eram muito diferentes.

Eduardo balançou a cabeça, concordando.

— Sim. Apesar dessas divergências, os dois conviveram influenciando-se mutuamente, permutando energias às quais se habituaram. A convivência, o relacionamento sexual, até os desentendimentos estabelecem padrões de permuta energética específicos entre os casais durante os anos de vida em comum. Com a separação, com a morte arrancando fisicamente a criatura do seu ambiente de tanto tempo, essas energias deixam de ser alimentadas e então ambos sentem essa carência.

— Quer dizer que, se amanhã eu morresse, ou Maria Antônia, eu sentiria falta, apesar de não termos nenhuma afinidade?

— Nos casamentos de reajuste, quando o amor não é a motivação maior, ao haver essa mudança poderá até dar uma sensação de alívio e de liberdade. Porém, isso não impede o deslocamento energético e uma certa sensação de perda, ou insegurança, medo ou mesmo desorganização de seu próprio equilíbrio.

— Não era uma ligação dolorosa, indesejada, difícil?

— Mesmo assim a troca energética foi inevitável e as pessoas aprendem a viver com essas energias, embora nem sempre elas sejam agradáveis. É comum, num casal que a vida inteira divergiu, brigou, não se entendeu, porém não se separou, depois da morte de um deles o outro lastimar-se, esquecer-se dos defeitos e até sofrer muito com a separação. É que estabeleceram ligações, padrões de troca, durante largo tempo, e isso sempre é doloroso quando se desloca.

Menelau permaneceu pensativo durante alguns segundos, depois considerou:

— É difícil acreditar. Quer dizer que Maria José sentiu falta de Demerval e sofre por esse desligamento?

— Claro, Menelau. Por aí você vê como é fácil continuar a manter uma ligação depois da morte. Quando Demerval voltou para casa, aproximou-se dela, havia ainda essa ligação entre eles. Eram energias às quais ambos estavam acostumados. Foi natural. Embora a situação tenha se modificado fisicamente, no campo psíquico, energético, tudo estava como sempre. Maria José nem sequer se deu conta da influência de Demerval, que se acomodou, utilizando o corpo dela para satisfazer suas necessidades relativas à vida física, como se tudo fosse muito adequado.

Menelau preocupou-se.

— Isso não é bom. Ela vai enfraquecer, ele tira energias dela.

— Não se esqueça de que é uma troca. Ele tira mas dá. Ele não é um agente interessado em prejudicá-la. Ele a ama, quer protegê-la.

— Mas prejudica. Repugna nossa razão essa influência invadindo o livre-arbítrio das pessoas, sem respeito à sua integridade ou à sua individualidade.

— Concordo. Infelizmente esses casos são comuns entre os casais, depois de anos de vida juntos. Quando um deles parte, é preciso muito esforço e esclarecimento para que esse desligamento se processe normalmente. Quando o espírito que parte é mais esclarecido, aceita ausentar-se do lar e procura refazer-se devidamente, reintegrando-se na verdadeira vida, é mais fácil ao que ficou na Terra conseguir também seu refazimento. É uma ferida aberta na aura, que às vezes até um vidente consegue perceber o que precisa cicatrizar.

— E quando não há essa compreensão?

— Fica difícil para ambos. Essa ligação é muito forte. Embora esteja mais perceptível no campo energético, ela é muito material e tem, para as criaturas, um apelo muito intenso. Se não houver esclarecimento e um deles entregar-se à lamentação, à rebeldia em aceitar os desígnios de Deus, será preciso muito esforço para evitar que se unam e continuem trocando energias às quais se habituaram, prejudicando-se mutuamente.

— O que faremos para ajudar Maria José?

— Estamos pedindo ajuda aos amigos espirituais. Todas as noites fazemos orações em conjunto. Maria José, a princípio, recusava-se a vir. Agora já está participando. Temos procurado esclarecer Demerval, prepará-lo para aceitar a verdade e favorecer o desligamento.

— Pensei que fosse mais fácil. Nunca imaginei que esses laços pudessem ser tão profundos.

— É natural. Fazemos uma idéia da morte muito diferente da realidade. Imaginamos que, depois de mortos, tudo se modifica e nos tornamos completamente livres dos apelos físicos. Puro engano. Saímos do corpo, mas continuamos os mesmos. As paixões, os vícios, os anseios, os problemas, são características do nosso espírito. A carne é apenas um instrumento adequado para nossa atuação no mundo. É como uma roupa adequada que nos materializa na Terra durante certo tempo e que, ao nos despojarmos dela, impede de sermos vistos e participarmos da sociedade terrena. Quanto ao resto, continua igual.

— Podemos ter fome, sede, dor, tudo?

— Sim. Isso dependerá do nosso esclarecimento em relação à vida espiritual e da importância que dermos a essas coisas. O desprendimento, a paciência, a tolerância e a ausência de pieguismo sempre facilitarão as coisas, ajudando nossa libertação.

Menelau admirou-se:

— Por que pieguismo?

— Porque o pieguismo é o sentimento descontrolado. É a autopiedade, que deturpa a realidade e enfraquece o espírito, fazendo-o julgar-se mais infeliz, fraco e incapaz do que é. No fundo, é uma manifestação do orgulho procurando fugir à responsabilidade de seus próprios atos, preferindo colocar-se como vítima a aceitar que errou. É uma situação de fantasia em que a vida vai trabalhar para fazê-lo enxergar, mas que concorre para mantê-lo enganado, prisioneiro. Poderia usufruir de novas alegrias na verdadeira vida, rever velhos afetos, renovar-se, ter maiores condições de equilíbrio e lucidez, podendo melhor ajudar os que ficaram. No entanto, continuam prisioneiros dos problemas que viveram no mundo, sofrendo seus achaques, perturbando os que amam, permanecendo assim por longo tempo.

Menelau suspirou fundo.

— É lamentável — disse. — Custo a crer que isso seja possível.

Eduardo sorriu levemente.

— Concordo. Porém os fatos estão aí para quem quiser observá-los. O caso de Demerval é típico.

Naquela noite, após o jantar, reuniram-se para a prece. Eduardo, após pedir a proteção a Deus, falou sobre as alegrias da vida espiritual, para aqueles que morrem. Dos mundos iluminados que se abrem a todos que trabalharam pelo seu progresso, lutando para aprimorar-se.

Demerval, a um canto, ouvia comovido. Olhava a família reunida e pensava em sua própria situação. Seria mesmo verdade que ele havia morrido? Sentia seu corpo rijo como sempre e as dores na garganta e no pescoço ainda incomodavam-no. Quando se recordava de Neneu e procurava encontrá-lo, elas aumentavam, o peito também lhe doía. Bem que ele gostaria de conhecer esses lugares de que Eduardo falava, onde todos viviam felizes e não havia tanto sofrimento, mas sentia-se responsável pela família. Quem cuidaria deles se ele os abandonasse? Não seria egoísmo deixar os seus sem proteção para cuidar de seu bem-estar? Só de pensar em afastar-se, Demerval sentia medo. Sua casa era sua segurança. Como deixá-la?

Aproximou-se de Maria José, abraçando-a. Foi nessa hora que viu uma enfermeira aproximar-se. Animou-se. Ela o olhava séria, dizendo:

— Vim buscá-lo.

Surpreendido, Demerval respondeu:

— Não vou. Não posso. Tenho que cuidar da minha família.

— Você está doente. Precisa tratar-se. Sua saúde requer cuidados.

— Trato-me aqui mesmo. Não quero ir.

— Não tema — tornou ela, conciliadora.

— Sabe que não posso ausentar-me.

— Viemos buscá-lo para tratamento. Quando estiver curado, poderá regressar.

Demerval olhou-a assustado.

— Não quero. Não vou. Deixe-me em paz. Não chamei por ajuda. Sei cuidar de mim. Afaste-se. Não poderá tirar-me daqui.

— Nada faremos contra sua vontade. Todavia, precisa saber que sua saúde é precária. Se não se tratar, poderá ficar pior.

Ele se agarrou a Maria José dizendo, obstinado:

— Não preciso de nada. Estou muito bem. Deixem-me em paz.

Maria José sentiu-se aflita, angustiada. Remexia-se na cadeira, suava frio e enorme pavor acometeu-a.

Eduardo colocou sua mão sobre a dela dizendo, com voz calma:

— Não tenha medo, D. Maria José. Acalme-se. Vamos orar.

Maria José chorava aflita, sem poder conter-se. Demerval, agarrado a ela, olhou contrariado para a enfermaria que os observava silenciosa e disse, nervoso:

— Viu o que você fez? Assustou-a. Ela sofre e não pode ficar só. Precisa de mim. Vá embora. Deixe-nos em paz.

A enfermeira olhou-o, triste, dizendo com voz firme:

— Demerval, se viesse conosco agora, seria melhor para todos.

— Não vou. Não quero. Ninguém me arrancará daqui.

— Se viesse, poupar-se-ia de muitos sofrimentos. Porém, se não quer, não vamos forçá-lo. Lembre-se de que foi você quem escolheu. Que Deus o abençoe.

Apesar de aliviado ao vê-la desaparecer, Demerval não pôde furtar-se a certo desconforto. Inquietou-se mais. O que ainda lhe poderia acontecer? Acariciou a cabeça de Maria José e abraçou-a com carinho. Aos poucos, ela foi se acalmando.

Eduardo fez uma prece de agradecimento e encerrou a reunião. Bentinho, a um canto, conversou com Eduardo em voz baixa, enquanto Menelau, preocupado, dirigia-se a Maria José para saber se ela estava melhor.

— Hoje fizeram uma tentativa para levá-lo — disse Eduardo, em voz baixa.

— É verdade, sinhô — informou Bentinho. — Eu vi uma mulher de branco que conversô com ele, mas ele num quis, num foi. Ficô agarrado na sinhá. Ainda tá aí.

— Eu percebi — respondeu Eduardo. — Continuaremos até conseguir. Não podemos deixar D. Maria José assim.

— Louvado seja Deus, sinhô Eduardo. Vamo consegui.

As crianças já se tinham recolhido, Maria José estava mais calma. A preocupação de Menelau confortava-a. Zefa serviu um café com biscoitos e todos se recolheram.

Maria José, contudo, não conseguiu dormir. Debalde, Demerval tentou acalmá-la. Quase sempre quando ele a abraçava e tentava protegê-la dizendo-lhe palavras de conforto ao ouvido, ela se aquietava. Naquela noite, por mais que ele tentasse, nada conseguiu. Ela não obedecia ao seu controle. Pensava em Menelau. Por quê? Sentia-se ressentida com ele.

.Acompanhou-a quando ela, insone, nervosa, vestiu o penhoar e dirigiu-se à cozinha.

Pegou uma caneca de água e bebeu devagar. Ia voltar para o quarto, quando Menelau apareceu. Maria José estremeceu.

— Também não pôde dormir? — indagou ele, sério.

— É. Não consegui. Sinto-me angustiada, com medo. Não sei explicar o que me vai na alma.

Menelau olhou-a, lutando contra o desejo de abraçá-la, confortá-la, dizer-lhe o quanto ainda a amava. Conteve-se.

— Há momentos em que tudo se torna difícil — tornou ele.

Maria José sentiu que toda a mágoa contida durante tanto tempo vinha à tona.

— Talvez seja mais fácil para você do que para mim. Afinal, você escolheu seu caminho livremente. Naturalmente já esqueceu. Eu tive que aceitar o que a vida me deu.

Demerval olhava-os sem compreender.

Menelau olhou-a, triste. Vendo-a ali, olhos magoados, rosto sofrido, foi-lhe difícil conter-se.

— Não seja injusta comigo. Deus sabe como eu gostaria de ter esquecido, mas não esqueci. A recordação daquela noite segue comigo como o momento mais belo da minha vida.

Maria José não se conteve. Abraçou-o com força, dizendo com a voz que a emoção sufocava:

— Menelau, você ainda me ama! Você ainda me quer...

Menelau não mais resistiu. Abraçou-a forte, apertou-a nos braços, beijando seus lábios com o ardor de um amor tanto tempo represado. Maria José, exultante, dava vazão ao que lhe ia na alma, entregando-se sem pensar em mais nada.

Demerval estava estupefato! A um canto, olhava estarrecido. Desejava atirar-se sobre eles, separá-los, gritar que estava ali, mas não conseguia sair do lugar. Maria José, naquela hora, escapara do seu domínio e ele não mais conseguia envolvê-la. Da surpresa passou à revolta, da revolta ao desespero, ao ódio.

"Traidores!", pensou colérico. Como ousavam beijar-se dentro de sua própria casa? Como seu próprio irmão pudera ser tão vil? E Maria José, como o atraiçoava assim, com o próprio cunhado? Desde quando eles o traíam? Precisava saber! Sentia uma dor funda penetrar-lhe o peito, em desespero. Tentou separá-los, mas não conseguia aproximar-se deles, que, enlaçados, beijavam-se ardorosamente.

Ficou ali, sofrendo em desespero, sem poder ser visto nem gritar sua dor ou arrancar Maria José dos braços de Menelau.

Que força era essa que o retinha, que o impedia de atirar-se sobre os dois e separá-los?

Menelau, atordoado, abraçado a Maria José, murmurou-lhe junto ao ouvido:

— Eu a amo! Nunca esqueci. Sempre a amarei.

— Então por que você não fica comigo? Por quê? As crianças o amam mais que ao pai. Depois, há Romualdo. Ele é nosso filho! Como pôde deixar tudo para ficar ao lado de uma mulher com a qual não se afina? É essa minha mágoa. Você prefere ficar com ela a ficar ao nosso lado.

— Não diga isso — respondeu Menelau, angustiado. — Deus sabe como amo todos vocês. Romualdo é meu filho, gostaria muito de ficar a seu lado, eu seria o mais feliz dos homens. Mas o dever e o compromisso indicam-me outro caminho. Você sabe por quê. Maria Antônia precisa de mim. Jurei amá-la, defendê-la, ampará-la. Não posso desertar agora.

— Ela não o ama, enquanto nós todos o queremos muito. Eu estou só. Como educar os filhos sem pai? Como conduzir os negócios sem uma mão firme que me ajude?

Menelau procurou controlar as emoções. Respirou fundo. Tomou-lhe a mão com delicadeza, conduzindo-a a uma cadeira. Depois acomodou-se, por sua vez. Lágrimas corriam pelas faces de Maria José enquanto ele lutava contra o desejo de tomá-la nos braços e ceder a esse amor que, mais forte do que nunca, banhava-lhe o coração.

— Maria José, eu a amo! Amo você e as crianças. Estar aqui para sempre é o maior desejo de minha vida, e se eu pudesse dar vazão ao que me vai na alma, jamais sairia daqui. Entretanto, sei do nosso passado. Juntos nós erramos muito e por esse amor deixamos de lado o dever, sérios compromissos, ocasionando a outras pessoas problemas e dificuldades, lutas e dor. Eduardo contou-lhe tudo isso.

— Não sei se isso é mesmo verdade. Tudo pode ser ilusão nossa. Será mesmo que já vivemos outras vidas? Podemos estar enganados e por isso deixar de lado nossa felicidade.

Menelau abanou a cabeça dizendo:

— Não adianta querer iludir-se. Sei que tudo isso é verdade. Sinto que é real. Nosso amor não começou naquela noite ao acaso. É um sentimento forte, profundo, irresistível. Fraquejamos por isso. Mas mesmo que não houvéssemos vivido outras vidas, nesta fomos colocados em caminhos diferentes. Você, casada com meu irmão; eu, casado com Maria Antônia. Nossa dignidade nos indica o caminho que precisamos seguir. Como apareceremos diante dos nossos filhos sem termos cumprido nosso dever? Como ensinar-lhes o caminho da honra e da sinceridade, os valores eternos da alma, sem termos conseguido segui-los? Como explicar-lhes a situação dúbia em que nos colocaríamos se eu viesse viver aqui, ao seu lado, sem poder casar, desempenhando funções de pai? Que moral eu teria para aconselhá-los ou orientá-los?

— Eles o amam e respeitam. Compreenderiam.

Menelau concordou com a cabeça.

— Sim. É verdade. Mas não podemos esquecer que eles amam e respeitam o tio que os ama e visita de vez em quando. O irmão do pai que sempre foi compreensivo com eles. Como receberiam o amante de sua mãe? Como o colocariam no lugar do pai?

Maria José ficou chocada. Dito assim, cruamente, ela se sentiu envergonhada.

— Pensei em casar com você. Sou viúva.

— Eu não sou. Em nosso país o casamento é indissolúvel! Enquanto Maria Antônia viver, não poderei me casar outra vez.

Maria José baixou a cabeça, confundida. Devia encarar a realidade. Menelau não podia casar-se.

— Eu poderia deixar Maria Antônia, vir morar aqui e mantermos nosso amor em segredo. Não suportaríamos essa situação por muito tempo. Nosso amor seria amesquinhado, diminuído, aviltado. Não, Maria José. Eu gostaria de poder assumir nossa união. Se eu fosse livre, poderíamos nos casar, e então, sim, a felicidade seria nossa.

Maria José soluçava. Sabia que ele tinha razão.

— Não chore — disse ele, apertando-lhe a mão com força. — Reconheço que é difícil. Eu estou lutando para não fraquejar. Todavia, eu acredito na eternidade. A vida já a liberou do compromisso com Demerval. Você foi boa esposa para ele. Mas eu ainda não acabei meu compromisso com Maria Antônia. Quando eu já tiver feito minha parte, a vida me libertará. Aí, sim, poderei correr para você e seremos felizes. Livremente poderemos gritar nosso amor, assumir nossos sentimentos, estaremos juntos para sempre. Até lá, ajude-me a fazer por você e pelos que amamos tudo quanto puder sem que tenhamos de nos envergonhar diante deles. Um dia ainda seremos felizes, você verá!

Maria José olhou-o mais calma.

— Você é mais digno e mais forte do que eu. Obrigada por haver me mostrado o caminho certo. Eu o amo muito. Estarei esperando, até o dia em que for possível nosso amor. A certeza de que me ama dá-me coragem e força para esperar. Saberei conter-me.

A um canto, Demerval dava vazão à estupefação e à revolta. A mulher em que sempre confiara o tinha enganado. Seu irmão, a pretexto de ajudá-lo, traíra-o! Uma onda de ódio o acometeu. Precisava vingar-se! Haveria de mostrar-lhes o quanto haviam errado e reduzi-los ao que mereciam. Pretendia separá-los. Jamais permitiria que se unissem. Todos aqueles planos jamais seriam concretizados. Ele não deixaria!

Seus olhos brilhavam de rancor. Se pudesse, teria se atirado sobre Menelau, agredindo-o. Contudo, não conseguia aproximar-se dele. Havia como que uma força que o repelia e, por mais que tentasse, ficava sempre a certa distância. Por quê? Quem o defendia? Ele era um traidor, culpado, deveria pagar. Por que não conseguia dar-lhe o merecido corretivo?

Após inúmeras tentativas, Demerval postou-se a um canto, consciente da inutilidade de suas investidas, limitando-se a olhá-los enraivecido. Nem de Maria José conseguia agora aproximar-se. Uma barreira havia se formado entre eles. Queria afastar Menelau da casa. Se ele fosse embora, conseguiria dominá-la novamente.

Maria José sentia-se melhor. Menelau dizia, com a voz que a emoção pausava:

— Foi Deus quem nos colocou em caminhos diferentes. Confio que, quando merecermos, ele nos reunirá.

— Sinto-me muito só! — respondeu ela, com voz triste.

— Você tem as crianças. Eu, nem isso tenho.

Ela baixou a cabeça, pensativa. Apesar de tudo, acalmara-se. A certeza do amor de Menelau enchia seu coração de novas forças.

— Não fique triste — continuou ele. — A tristeza tira nossas energias e abre campo às influências inferiores.

— Não posso evitar...

— Pode, sim. Pense nisso. Somos espíritos eternos. Um dia estaremos unidos para sempre. É questão de tempo. Tudo visa nosso progresso e nossa felicidade. Deus é bom e justo! Aproveite a alegria de viver, aprenda a apreciar as coisas boas que a cercam. Valorize o amor das crianças que Deus colocou em seu caminho. São almas que estão sob seus cuidados. Eles a amam, admiram, confiam em seu carinho. Apesar do problema que nos aflige, somos felizes. Temos nas mãos a oportunidade de esquecer um pouco nossos desejos pessoais para nos dedicarmos à felicidade dos que amamos.

Maria José levantou os olhos, fixando-o com amor.

— Você é um forte. Admiro-o. Essa delicadeza de alma, essa bondade me comove e aumenta o sentimento que me emociona. Amo-o, Menelau, e esse amor dar-me-á forças para esperar.

Demerval fechou os punhos ameaçadoramente. Se pudesse, teria saltado sobre eles, agredindo-os. Sentia-se traído, esquecido, aviltado. Que estranha força o impedia de aproximar-se deles?

Foi quando ele viu uma mulher aproximar-se. Trazia o semblante sombrio, olhos fuzilando de revolta, e disse-lhe:

— Veja-os. Estão juntos! Prometeram e agora não estão querendo cumprir. Mas eu estou aqui! Vigilante. Se eles nos atraiçoarem de novo, juro que pagarão!

Demerval olhou-a surpreendido. Seu rosto era-lhe familiar, apesar de despertar-lhe sensações penosas, desagradáveis.

Curioso perguntou:

— Quem é você? Por que invade minha casa?

Ela o fixou, firme:

— Não se recorda de mim?

Demerval sustentou o olhar.

— Conheço-a, porém não me lembro de onde.

— Sou eu, Ulisses, Eleonora. Lembra-se? Eles nos traíram.

A emoção de Demerval cresceu. Algumas cenas acudiam-lhe à memória e ele sentia a onda de rancor crescer no coração.

— Eleonora! — disse, tentando lembrar-se, concatenar as idéias.

— Sim, Ulisses, sou eu! A sua cunhada... traída, abandonada, infeliz.

Demerval parecia viver um pesadelo. Queria lembrar-se. Que passado era esse que agora lhe buscava o espírito angustiado? Eleonora continuava:

— Eles se amam ainda! Prometeram cuidar dos meus filhos e agora falam do futuro juntos. E nós? E o nosso amor? Raul é meu! Isabel é sua mulher! Vai permitir que ele a roube de novo?

Demerval sentiu-se sacudido por essas palavras que ganhavam força em sua mente na rememoração de fatos passados. Sim, aos poucos ele começou a lembrar-se! Isabel era linda! Amava-a muito. Ela era muito jovem. Seu irmão Raul já era casado e possuía cinco filhos quando ele, Ulisses, conhecera Isabel, apaixonara-se e casara-se com ela. Residindo em outra cidade com os pais, Isabel, ao casar-se, sentira-se muito só na nova vida e passara a conviver muito com a cunhada Eleonora, freqüentando-lhe a casa diariamente, afeiçoando-se às crianças, com as quais se afinava muito.

Sua beleza, sua alegria, sua vivacidade, encantavam a todos e davam-se muito bem. Ulisses era sério e, apesar de mais novo do que o irmão, raramente sorria, reprovando na jovem esposa sua forma de ser, alegre e descontraída. Procedia como um pai severo e exigia obediência, acatamento.

Era em casa de Eleonora com as crianças que Isabel sentia-se livre, dando vazão à sua alegria natural.

O tempo foi passando até que a tragédia aconteceu. Uma tarde, Eleonora surpreendeu Raul com Isabel nos braços. Sua reação foi terrível. Mandou chamar Ulisses, colocando-o a par da verdade. De nada valeram as lágrimas de Isabel, pedindo-lhe para perdoar, dizendo que nunca mais voltaria àquela casa.

Ulisses, enraivecido, atirou-se sobre o irmão, só não consumando uma tragédia porque alguns vizinhos o impediram. Arrastou a mulher para casa, ameaçando seu irmão de morte caso a encontrasse com ele novamente, e prendeu-a no quarto, rancoroso.

Durante um mês, conservou-a prisioneira. Um dia, entretanto, ao chegar em casa, ela havia desaparecido. Eleonora procurou-o para, entre lágrimas de revolta, contar que Raul a abandonara. Dissera que não a amava e que iria libertar Isabel. Ela era a mulher de sua vida; juntos seriam felizes.

Ulisses deu vazão ao seu ódio e procurou-os por toda parte para vingar-se. Inutilmente. Demerval, recordando o passado, sofria. Nunca mais pudera perdoar. Amava Isabel e não se conformava em perdê-la. Durante toda sua vida procurara pelos dois. Abandonara a casa, os negócios, tornara-se um viajante, sempre procurando pelos traidores, vivendo de pequenos serviços e até da caridade pública, obcecado pelo desejo de vingança. Perdeu de vista Eleonora e seus filhos. Desencarnou como indigente, sem o aconchego do lar ou o carinho da família.

Demerval não conseguia recordar-se do que aconteceu depois, só sentia o ódio e o desejo de vingança.

— Lembro-me agora — disse, com amargura. — Nunca conseguiu encontrá-los?

— Só muito tempo depois. Sofri muito. Sem recursos para criar meus filhos, no abandono. Antonieta nunca se conformou com a pobreza e atirou-se à ambição, prostituindo-se para subir na vida. Os outros sofreram privações trabalhando nas mais humildes profissões para subsistir. Quando adoeci, chegaram a esmolar para socorrer-me. Quando parti do mundo, minha dor foi enorme por deixá-los na orfandade. Jurei vingança! Não descansei até que, um dia, ajudada por alguns amigos, encontrei um chefe que me acolheu. Vivia em uma cidade onde os que se sentiam injustiçados uniam-se para trabalhar pela vingança. Acolheu-me, ajudou-me. Enfim consegui descobrir onde se escondiam. Vi-os juntos. Apesar da saudade das crianças, do remorso que os acometia por vezes, amavam-se, eram felizes. Quando estavam juntos, nos braços um do outro, esqueciam-se de tudo o mais!

Demerval olhava-a, bebendo-lhe as palavras.

— Eu queria tê-los encontrado!

— Eu sei — respondeu ela, com fisionomia que o rancor escurecia. — Mas eu os encontrei. Atirei-me sobre ela, cobrando-lhe as atitudes, derramando meu ódio. Consegui atingi-la. Aos poucos, tive-a sob meu controle. Colei-me a ela. Queria destruí-la, mas ao mesmo tempo gostei da situação.

— Quer dizer que você não os separou? Não acabou com aquela situação de adultério?

Eleonora refletiu grande tristeza no olhar:

— Não pude! Apesar de tudo, eu o amava muito. Colada a ela, saboreava seus beijos, suas carícias, e isso me alimentava.

Demerval encolerizou-se:

— Como pôde? Como aceitou essa humilhação?

— Eu não podia tocá-lo, ela era meu instrumento. Através dela eu podia tudo! Dava vazão ao meu amor, sentia todas as emoções. Era como um licor que me embriagava e eu não podia deixar.

— Tornou-se amiga dela por isso! — fez ele, com desprezo na voz.

— Isso nunca. Eu a odiava. Tornei sua vida um inferno. Arrancava-lhe as forças. Ela vivia debilitada, sonolenta, só ficava bem na hora de amar. Aí, eu a alimentava!

— Ela não percebia sua presença!

— Percebia, mas tinha consciência de sua culpa. Sentia remorsos e medo de mim. Não lhe dei sossego até a morte. Porém, quando eu a esperava para dar vazão à minha vingança, não sei explicar como, ela foi protegida. Esses filhos da luz são imprevisíveis. Não pude encontrá-la. Fiquei com Raul. Restava-me ele. Porém ele estava triste. Lembrava-se dos filhos com preocupação e saudade. Chegou a procurá-los sem encontrar. Foi um tempo muito penoso. Depois, ele também se foi. Não consegui mais encontrá-lo. Meu chefe pedia paciência e eu tive que trabalhar para ele enquanto esperava para contar com sua proteção. Inútil dizer que ajudei outros a cobrarem o que lhes era devido. Até que um dia descobri o paradeiro de Isabel. Um amigo contou-me que a vira em uma colônia de recuperação, a fingida. Não sei como conquistou as simpatias do administrador e lá trabalhava, sendo até estimada. Naturalmente ela enganava bem. Fazia-se de santa e levava até vida boa, enquanto eu, apesar da proteção do chefe, levava uma vida dura, de privações, em meio a outras criaturas como eu, que sofriam e clamavam por vingança. Não era justo. Eu fora a vítima, ela a culpada. Que justiça era essa que punia a mim ao invés de castigar a culpada? Revoltada, reuni-me aos companheiros e arquitetei um plano.

Demerval bebia-lhe as palavras entre a dor e a esperança.

Ela continuou:

— Lá, ela estava protegida. Nenhum de nós podia entrar naquela colônia, que tinha até guardas armados. Mas nós possuíamos outros recursos. Nos reunimos para atingi-la à distância. Eu mentalizava sua figura enquanto os demais mandavam-lhe pensamentos, recordando-lhe seu erro, acusando-a impiedosamente, chamando-a ao ajuste de contas. Fazíamos isso sem um minuto de interrupção, revezando-nos nesse trabalho..Depois de alguns dias ela própria nos veio ver para pedir perdão, dizer-se arrependida e nós a manietamos. Eu queria saber onde estava Raul. Ela garantia que não sabia. Foi nossa prisioneira. Eu não a deixava descansar, fazendo-a pagar pelo que me fizera. Até que um dia senti o pensamento de Raul chamando. Não resisti. Fui vê-lo. Finalmente encontrei-o em uma ampla sala, onde senti-me constrangida. Encolhi-me a um canto e ele se aproximou, em lágrimas, reconhecendo seu erro, pedindo perdão. Apesar da minha revolta, lágrimas desceram pelo meu rosto, ouvindo-lhe a voz tão querida a falar-me carinhosamente.

— Enganou-a, com certeza — rugiu Demerval, rancoroso.

— Não. Sua sinceridade era visível e me emocionei. Desejei não haver feito as coisas odiosas que fizera ultimamente para poder sentar-me diante dele mais limpa e mais bonita. Eu tinha consciência de que estava feia e quase andrajosa enquanto ele parecia remoçado e, claro, bem vestido e belo. Chorei, mas apesar da emoção lancei-lhe em rosto minha dor, meu amor ferido, minha mágoa. Choramos juntos.

— "Estou arrependido" — disse-me ele. — "Quero refazer meu caminho, ajudar nossos filhos, ajudar você."

— "Antonieta encontra-se escravizada por entidades viciadas e traz o coração fechado para não sofrer, preferindo que os outros sofram e chorem. Os outros filhos têm sofrido privações de toda ordem. Você agora está morto, eu também, como ajudá-los?"

— "Farei o possível, trabalharei por eles, com a ajuda de Deus hei de conseguir."

— "Não desejo senão ajudá-los" — respondi-lhe, com sinceridade.

— "Para isso é preciso perdoar. A mim e a Isabel. Deixe-a ir. Liberte-a e nós conseguiremos o que almejamos."

— As palavras de Raul tiveram o efeito de uma bofetada.

— "Então é isso? É por ela que você vem a mim? Com certeza deseja enganar-me para fugir com ela de novo. Isso nunca, eu juro, nunca acontecerá!"

— "Engana-se. Ninguém pode desejar o bem e a assistência de Deus para seus projetos se guardar ódio e vingança no coração. É preciso que saiba, Eleonora, que, enquanto não perdoar, nós nada poderemos fazer para ajudar nossos filhos. Lembre-se de que eu a estimo muito e gostaria que viesse comigo viver onde eu vivo, aprender a conquistar a própria felicidade! É um lugar lindo, cheio de árvores frondosas, de pessoas amigas que querem nos ajudar a superar nossas dificuldades."

— Senti vontade de segui-lo. Estar a seu lado era tudo que eu queria, mas o preço era muito alto, o perdão ainda não estava em minhas cogitações.

— "Gostaria de ir com você, mas não posso. Tenho compromissos que me impedem de aceitar."

— Ele me olhou, muito triste, e eu senti uma dor fina penetrar-me o peito.

— "Lamento" — disse ele. — "Voltaremos a nos ver. Pense no que eu lhe disse."

— Sem que eu pudesse dizer nada, vi-me de novo no lugar de sempre, no cômodo infecto e triste em que morava. Isabel lá estava, olhando-me, entre o receio e a angústia.

— "Estive com Raul" — disse, emocionada. — "Ele nem sequer perguntou por você. Quer que eu vá morar com ele de novo e deseja voltar para os meus braços, ajudar nossos filhos."

— Vi que ela se emocionou.

— "Compreendo" — disse, com voz sumida. — "É o mais acertado. Desejo que sejam felizes."

— "Não aceitei" — respondi com voz fria. — "Raul também vai pagar."

Eleonora calou-se, pensativa. Demerval perguntou:

— E depois, você o viu?

— Sim — respondeu Eleonora. — Algumas vezes, fui irredutível. Não cedi. Até que recebi a triste notícia. Antonieta regressava da Terra vítima de uma trama assassina. Fora envenenada. Fiquei desorientada. Eu amava meus filhos. Procurei socorrê-la, juntei meus amigos, pedi ajuda do chefe, mas nada pudemos fazer. Ela se encontrava muito mal, mergulhada nas trevas do pantanal, sem atender a nada. Foi durante esse tempo que Isabel conseguiu fugir, ajudada por seus amigos. Meu sofrimento de mãe era maior e eu não a persegui de novo, interessada em socorrer minha filha. Ah! Ulisses, como sofri! Tudo por causa daqueles dois patifes!

— E depois? — indagou Demerval, mais interessado nos acontecimentos que lhe diziam respeito do que nos sofrimentos de Eleonora.

— Depois o tempo foi passando e, um a um, todos os meus filhos desencarnaram. Contudo, só Antonieta permanecia dementada, subjugada por criaturas cruéis e viciadas com as quais se acumpliciara. Eu me esquecera de todos os outros, só tinha olhos para ela. Desejava arrancá-la de onde se encontrava e subtraí-la das companhias com as quais se envolvera, mas não possuía meios para isso. Nem eu nem meu chefe, que se recusara a ajudar-me porque dizia que ela havia escolhido esse caminho e ele nada poderia fazer. Foi então que pensei em Raul. Ele poderia ajudar-me! Esperei ansiosa que ele me procurasse e pedi-lhe que socorresse nossa filha. Ele chorou comigo e respondeu-me que havia muito tempo trabalhava para isso e que só agora conseguira os meios para fazê-lo. Chorei muito e até concordei em orar com ele. Afinal, Deus podia ajudar-nos. Concordei com tudo. Estava sofrida, triste, consciente da minha incapacidade para resolver o problema de Antonieta. Compareci àquela sala onde o encontrara pela primeira vez e havia lá alguns assistentes iluminados. Senti-me envergonhada, estava desfeita, feia, suja, mas a esperança me alimentava. Tomaram assento nas poltronas que estavam de frente para as outras cadeiras e um deles me disse:

— "Sente-se."

— Obedeci. A um gesto do mesmo assistente, Raul sentou-se a meu lado. O assistente tomou a palavra proferindo ligeira prece, suplicando a Deus pelos nossos destinos. Em seguida, disse:

— "Estamos aqui para estudarmos juntos o caso de Antonieta."

— Senti forte emoção, não me contive:

— "Por favor" — disse, com voz que a dor modificava. — "Ela sofre muito. Quero ajudá-la."

— "Sabemos de tudo. Acalme-se" — respondeu ele, com voz firme. Calei-me. Ele prosseguiu:

— "Como sabem, ela esteve certo tempo nas zonas do pantanal para eliminar energias prejudiciais. Conseguimos recolhê-la em um posto de socorro, onde lentamente vai se recuperando."

— "Graças a Deus" — disse eu, aliviada. Ele prosseguiu:

— "Graças a Deus e ao esforço de Raul, que tudo tem feito com a finalidade de ajudá-la."

— "Nada mais justo" — disse eu, séria. — "Foi por causa dele que ela caiu no vício e no erro. Se ele não houvesse feito o que fez, tudo teria sido diferente."

— O assistente olhou-me sério e respondeu:

— "Pode ser. Contudo, quando Antonieta reencarnou entre vocês, já vinha de outras existências nas quais mergulhara na ambição, no luxo e nos amores fáceis. Se puderem recordar-se, entenderão que ela teria que enfrentar muitas lutas e que suas tendências naturais se manifestariam mesmo que Raul permanecesse no lar. É claro que ele poderia tê-la ajudado estando ali, fazendo-a compreender melhor a vida, ensinando-lhe os valores reais que ela ainda não conseguia perceber. Essa é a função dos pais."

— "Ele não foi capaz! Ao invés disso, Raul fugiu com aquela desavergonhada!"

— O assistente olhou-me com energia:

— "Não estamos aqui para julgar ninguém. Se quer ajudar sua filha, aprenda a compreender e a perdoar. Antonieta perdeu a vida na Terra por causa de alguém que não perdoou, que revidou a ofensa, que foi ao crime por isso."

— Senti-me muito mal. Era verdade. O mal que eu desejava a Isabel, alguém havia feito a Antonieta. Não pude evitar o pavor que senti. Bradei, inconformada:

— "Deus me castigou. Eu me vinguei de Isabel e ele deixou que matassem Antonieta!"

— "Deus não castiga ninguém" — disse Raul, humilde. — "Não confunda as coisas. Eu errei, fracassei como pai, tenho me esforçado para refazer meu erro. Mas você, com seu ódio, vontade de vingança, tem dificultado a ajuda a Antonieta."

— Não pude evitar. Chorei muito. Amava minha filha e sempre atenuava suas atitudes. Ela não podia ser comparada a Isabel, traidora e má. O assistente aproximou-se de mim, alisando-me a cabeça afetuosamente.

— "Compreendo sua dor" — disse, sério. — "Antonieta envolveu-se em problemas muito sérios. Desuniu casais, arruinou famílias e acabou sendo vítima de seus próprios enganos. Nem todos os que são injuriados conseguem abster-se da vingança."

— "Ela era muito jovem, tinha ilusões, o pai nos tinha deixado. Desejava possuir jóias, coisas bonitas para enfeitar-se. Era querida pelos homens. Não tinha culpa se eles a envolviam."

— "Reconheço que era imatura. Porém Isabel também o era. Casou-se sem amor, muito jovem, por imposição da família e apaixonou-se por Raul!"

— "Você a defende!"

— "Não. Quero apenas que veja a verdade. Que perceba que tanto Isabel quanto Antonieta têm sofrido bastante e amadurecido na experiência. Se compreender isso, poderemos dar bom atendimento ao caso de sua filha."

— Eu estava cansada. Desejava fazer alguma coisa em favor dela.

— "Está bem" — concordei, por fim. — "Não vou mais perseguir Isabel."

— Raul suspirou aliviado. Combinamos então uma reunião para o dia seguinte com Isabel e Ulisses. Você não se recorda disso? — indagou Eleonora a Demerval.

— Estou confuso. Tenho vaga idéia. Lembro-me de que estava em um hospital, doente, e chamava por Isabel. Era minha obsessão. Eu a procurara toda minha vida. Queria reprovar-lhe o procedimento que ferira fundo meu coração. Porém, eu a amava e desejava vê-la. Tanto pedi, tanto roguei, afirmei que não a maltrataria, que ela foi ver-me. Choramos juntos. Pediu-me perdão. Eu a amava!

— Foi isso mesmo — concordou Eleonora. — Você compareceu à reunião. Lá, diante dos assistentes, ficamos os quatro. Eu havia conseguido permissão para ver Antonieta e estava arrasada. Ela mal podia falar, cheia de ulcerações na garganta por causa do veneno que lhe causara a morte. A enfermaria garantiu-me que dentro de mais alguns dias ela estaria completamente restabelecida. Antonieta, humilde e chorosa, pediu-me ajuda. Beijei-a muito e jurei fazer tudo por ela.

— E a reunião? — indagou Demerval, ansioso.

— Não se recorda?

— Vagamente.

— Eles haviam feito um plano para ajudar-nos. Todos nós precisávamos cooperar. Você voltaria à Terra novamente e desta vez seria o irmão mais velho de Raul. Vocês ainda estavam ligados por compromissos passados. Isabel iria mais tarde e de novo se casariam. Antonieta renasceria e se casaria com Raul para que ele pudesse trabalhar ajudando-a, orientando-a. Restavam nossos quatro filhos, que também precisavam de ajuda. Antonieta não possuía condições de arcar com a maternidade. Isabel ofereceu-se para recebê-los como filhos, dando-lhes amor e carinho. Você concordou. Queria tê-la novamente a seu lado. Eu procuraria ajudar Antonieta e não reencarnaria por algum tempo. Para isso, necessitava desligar-me daquele grupo ao qual me havia ligado e aprender a melhorar-me, com a ajuda daqueles assistentes. Todos estávamos sofridos porém esperançosos. Raul ficaria longe de Isabel e eu o queria ao lado de Antonieta. Na saída da reunião eu lhes disse, séria:

— "Vou ajudar Antonieta e por ela perdôo o que vocês me fizeram. Porém, ficarei vigilante. Se esquecerem os compromissos, hei de fazê-los recordar."

— "Não esquecerei" — disse Isabel. — "Chega de sofrimentos. Desta vez cumprirei meu dever até o fim."

— "Eu também" — tornou Raul.

— "Assim espero. Na Terra vocês esquecerão o passado. Se fraquejarem, agirei com rigor."

— Você disse isso, mas eles estão lá, amam-se. Tiveram um filho! Enganaram-me. Aproveitaram-se da minha doença. Estão juntos!

— Eu sei. Já os separei uma vez. O nosso orientador garantiu que os ajudaria a recordar o compromisso.

— Eles se amam!

— Ficaremos vigilantes. Se fraquejarem, agiremos com rigor.

— Quero separá-los agora. Não estou disposto a esperar — retrucou Demerval, com insistência.

— Ele disse que não vai ficar com ela. Não saio daqui até que ele volte para Antonieta. Verei o que farão.

Demerval calou-se, pensativo.

— Quero que saiba que sempre a amarei — disse Menelau, olhando Maria José com doçura.

Ela respirou fundo.

— Apesar do meu sofrimento — disse —, nossa conversa fez-me bem. Deu-me calma. Desejo, com sinceridade, que consiga ajudar Maria Antônia. De certo modo, invejo-a.

— Não diga isso. Você é muito mais feliz do que ela. Tenho tentado fazê-la entender certos valores da vida, contudo até agora não consegui nada. Temo pelo seu futuro. Vive de ilusões e enganos. A vida, por certo, vai mostrar-lhe a verdade.

— Se é assim, não precisa preocupar-se. Um dia ela entenderá.

— O que me preocupa é o preço que ela terá que pagar! Se me escutasse, seu aprendizado seria menos penoso. A dor sempre é mais forte quando o endurecimento é maior! De qualquer forma, estarei a seu lado para ampará-la nos momentos difíceis. Quero que compreenda e não veja em Maria Antônia uma rival. Antes, veja nela a filha necessitada e doente que precisamos socorrer, amparar. Peço ao seu coração de mãe que a coloque em suas orações como Rosa ou Ana. Para mim, todos são meus filhos, inclusive Maria Antônia.

Maria José enterneceu-se.

— Tem razão. Vou orar por ela.

Menelau olhou para ela com olhos brilhantes, nos quais as lágrimas pontilhavam.

Tomou sua mão e beijou-a com carinho.

— Deus a abençoe. Agora, vá descansar. Amanhã é outro dia.

— Boa noite, Menelau.

Eleonora olhou Demerval, séria.

— Melhor assim. Parece que não vão ficar juntos.

— Você se contenta com pouco — disse Demerval, rancoroso. — Não ficaram hoje, mas amanhã, quem garante? Depois, eles nos traíram de novo. Enganaram-me. Romualdo não é meu filho. Fui traído! Que me importa o que farão agora? Fui enganado. Não aceitarei isso nunca. Hei de vingar-me deles e daquele negro fedido que me tirou a vida. Você vai ajudar-me nisso.

Eleonora olhou-o, firme:

— Já tenho muitos problemas. Não vou meter-me no que não me diz respeito.

— Como não? Por acaso Menelau não traiu a sua confiança? O que adiantou haverem prometido cumprir seu dever se fizeram tudo outra vez?

— Não me envolverei em seu caso com Neneu. Chega de confusões comigo. Agora, só quero ajudar Antonieta.

— Não dói ouvi-los dizer que se amam?

— Dói. Mas tudo quanto fiz contra Isabel não fez Raul gostar mais de mim. Ao contrário. Fui ficando cada vez mais feia, mais pobre, mais infeliz, enquanto ela está cada vez mais linda e, às vezes, até tem alguma luz. Perdi muito tempo querendo vingar-me e não cuidei de mim mesma. Sou mulher! Sinto-me humilhada quando me vejo tão pálida, mal vestida, magra, envelhecida.

— Bobagens — fez Demerval, irritado.

— Preciso melhorar, evoluir. Sinto-me cansada.

— Pois eu, não. Hei de vigiá-los dia e noite. Vão me pagar.

Eleonora deu de ombros.

— Faça como quiser. Eu só vou interferir se ele largar Antonieta para ficar com Isabel. Ele prometeu ajudá-la e eu pretendo vigiá-lo. Antonieta não está bem e, a cada dia, envolve-se em novas aventuras. Quando irá entender?

— Eu não saio daqui. Maria José é minha mulher. Esta é minha casa. Vou morar aqui e tomar conta de tudo.

— Cuidado — tornou Eleonora. — Maria José tem amigos que a protegem. Podem expulsá-lo.

Demerval cerrou os punhos, com força.

— Ninguém me tira daqui. Bem que eles rezam e esse tal Eduardo sempre interfere em meu caminho. Ainda vou preparar uma boa armadilha para ele. Você vai ver! Depois, tem aqueles negros. Odeio negros! Zefa não perde por esperar. Bentinho tem parte com o diabo, mas um dia ainda acerto as contas com ele. Se eles saíssem daqui, tudo seria mais fácil para mim.

Eleonora sacudiu a cabeça:

— Não sei, não. Tenho visto muitas coisas na vida. Nem tudo que queremos fazer nós conseguimos. Os filhos da luz aparecem quando menos esperamos e mudam tudo. Não sei como eles fazem isso. São poderes que desconhecemos. Se eles aparecerem, você não vai conseguir resistir.

— Não é justo que eles apareçam aqui. Estou cheio de razões. Tenho meus direitos. Eles são sagrados!

Eleonora sacudiu a cabeça:

— Não pretendo desanimá-lo, mas eles têm suas próprias leis. São diferentes das nossas. E o pior é que eles provam que nós é que estamos errados!

— É inacreditável!

— De qualquer forma, tenho aprendido que não é de bom alvitre contrariá-los. Eles são sempre os mais fortes.

— Podem nos agredir? — indagou Demerval, admirado.

— Não. Isso eles não fazem. Não dá para explicar. Eles sabem tudo que se passa dentro de nós, melhor do que nós próprios. Conhecem nossas vidas passadas e tudo o mais. Não sei o que acontece quando eles nos aparecem. Eu fico envergonhada, sinto-me insegura, tenho vontade de chorar, arrependo-me de muitas coisas, e tudo se modifica a meus olhos. Tenho vontade de ser melhor, de fazer coisas boas.

— Eles tiram sua força. Você fica fraca. É penoso.

— Não. Sinto-me sem forças no primeiro instante, mas, depois, parece que tenho mais alegria e que a vida ainda poderá ser melhor. Eles sempre dizem isso.

— Claro. Pretendem nos convencer.

— Isso eu não sei. Mas eles sabem mais, tenho certeza. Os conselhos que me deram têm me ajudado muito. Já moro em um lugar mais limpo e vivo melhor.

— Parece que já conseguiram tudo com você. Comigo será diferente, verá.

Eleonora abanou a cabeça enquanto dizia:

— Não creio. Seria melhor se você não se envolvesse tanto. Ficasse como eu, na observação dos fatos. Só agindo se for preciso.

— Esperar o quê? Eles se amam e fazem planos para ficar juntos quando Maria Antônia morrer. E nós? Como ficaremos? Somos casados! Não posso ser jogado fora como se nunca mais fôssemos nos encontrar! Estou vivo e sinto por Maria José o mesmo amor de sempre.

Eleonora suspirou, triste:

— Isso pensava eu! Porém, aqui onde estamos agora, os costumes são outros. É bom que saiba que o casamento, que valorizamos tanto na Terra, aqui não significa nada. As autoridades não nos dão razão. Dizem que a união na Terra só continuará aqui se os dois quiserem. Que a morte libera do compromisso. Que aqui só se unem os que têm amor. E precisa haver reciprocidade.

— Que injustiça! Maria José casou-se porque quis. Não a obriguei. Fui sempre um bom marido. Embora reconheça que meu corpo tenha morrido, eu estou vivo! Sou o mesmo.

— É, meu caro. Vai ter que ter paciência, porque as coisas são como são e não podemos mudá-las.

— Isto é uma mentira, uma ilusão! Na Terra eles estão todos enganados. É preciso dizer-lhes a verdade. Alguém precisa gritar que estamos vivos e que a morte é só uma mudança insignificante. Quero ver se ela, sabendo que estou aqui, vai ter o descaramento de dizer que ama outro homem!

— Quando estamos no corpo e na Terra, vemos as coisas de modo diverso. Eu mesma nunca acreditei que alguém pudesse viver depois da morte do corpo. Essa ilusão custou-me anos de lutas e sofrimentos. Não adianta querer mostrar-lhes a verdade. Poucos acreditarão. É perda de tempo. Se quer mesmo saber, o melhor que tem a fazer é procurar cuidar da sua vida como puder. Pense em você, na sua felicidade, e deixe os que estão na Terra. Vai sentir-se melhor.

Demerval riu, olhando-a com desconfiança. Depois disse:

— Você diz, mas não faz. Fica atrás de Menelau.

— Fico. Temos um compromisso. Mas não estou mais o tempo todo ao lado dele. Tenho procurado já algum trabalho para fazer. Embora não tenha conseguido ainda, procuro aprender o que posso. Desejo melhorar um dia, quando tudo passar, e ser feliz!

— Pois eu não saio daqui. Estou resolvido.

Eleonora sacudiu a cabeça e não insistiu. Saiu do aposento, foi-se embora. Demerval, decidido, dirigiu-se ao quarto da esposa, que se preparava para deitar-se, e acomodou-se na poltrona ao lado da cama.

Vendo Maria José deitar-se, sentiu vontade de estender-se no leito a seu lado, mas naquela noite, embora tentasse, não conseguiu. Havia como que uma barreira entre ele e a cama, e, por mais que insistisse, não pôde ultrapassá-la. Contrariado, acomodou-se na poltrona, disposto a ficar.

Capítulo XVII

Maria José levantou-se da cama cedo, abriu as janelas deixando o ar fresco da manhã penetrar no aposento. Sentia-se melhor, mais calma. A conversa que tivera com Menelau fora muito proveitosa. Saber que ele a amava dava-lhe sensação de segurança e paz.

Apesar da tristeza de não poder realizar seus desejos de uma vida em comum, saber que era amada com tanto ardor aquecia-lhe o coração. Enquanto se vestia, pensava: Menelau era homem de fé. Ah, se ela pudesse ter a mesma certeza do futuro! Se ela pudesse acreditar que tudo que ele dissera sobre o passado fosse verdade!

Às vezes parecia-lhe sentir dentro do coração que realmente as coisas não poderiam ter sido diferentes. Sua ligação com Menelau era muito profunda e, mesmo antes de apaixonar-se pelo cunhado, Maria José sentia-se culpada por não amar Demerval e momentos havia em que uma sensação de adultério incomodava-a, como se já houvesse acontecido. Era difícil explicar sentimentos tão contraditórios que a envolviam fazendo-a sentir-se inferiorizada diante do marido, aceitando, por isso, suas imposições.

Se a história de Menelau fosse verdadeira, se ela houvesse mesmo desfeito o lar dele, tudo se explicava: o amor de seus filhos pelo tio e até a perseguição da ex-esposa de Menelau.

Havia momentos em que se sentia esperançosa. Quando tudo passasse, ela e Menelau poderiam ficar juntos para sempre. Quando cada um dos interessados entendesse que ninguém é dono de ninguém e que só o amor estabelece os laços da união entre as criaturas, então seriam livres para seguir o próprio caminho. Em outras ocasiões, a incerteza atormentava-a. E se tudo não passasse de uma ilusão? E se estivessem jogando fora a oportunidade de serem felizes por uma mulher que não amava Menelau nem se preocupava em viver a seu lado? E se Maria Antônia desejasse a separação?

Como descobrir a verdade? Demerval, que a observava, aproximou-se, dizendo-lhe aos ouvidos:

— Estou aqui! A morte é ilusão. Estou vivo. Não aceito sua traição. Se viver com ele, farei sua vida um inferno!

Maria José não ouviu, porém desagradável sensação de culpa a invadiu. Ao mesmo tempo, Demerval sentiu que a barreira entre os dois diminuiu.

Apesar da indisposição, Maria José reagiu. "Não quero pensar nisso", decidiu. "Menelau me ama, sabe o que faz. Se ele tem certeza de que é assim, é porque teve provas. É inteligente, sério. Não acreditaria nessa história com facilidade. Eduardo também. Depois, que existem forças do outro mundo, é verdade."

Pela cabeça de Maria José desfilaram rapidamente as cenas passadas, da doença de Demerval, das provas que tivera da atuação dos espíritos. Acalmou-se novamente. Se a vida era eterna, ela teria todo o tempo para esperar. Sentiu-se mais tranqüila.

Demerval, irritado, sentiu aumentar de novo a barreira que o separava da esposa. Viu-se empurrado a certa distância e não conseguiu chegar muito perto dela novamente.

Decidida, Maria José foi à cozinha iniciar as providências do dia. Menelau também sentiu-se mais calmo. Percebia que uma situação colocada claramente numa conversa sincera e honesta tinha o poder de diminuir as fantasias e facilitar a escolha do melhor caminho. Ele não tinha nenhuma dúvida quanto ao passado, e dentro do seu coração firmara o propósito de cumprir o dever até o fim, fazendo o melhor que pudesse.

Sentia por Maria Antônia um amor profundo e sofrido. Desejava protegê-la para que não sofresse. Reconhecia que ela, como mulher, não o atraía. Ela era para ele mais uma filha, uma irmã, do que uma esposa. Era Maria José quem fazia pulsar seu coração com mais força, cujo sorriso encantava-o, cuja proximidade possuía o poder de fazê-lo estremecer. Era-lhe extremamente difícil resistir ao desejo de tomá-la nos braços, acariciar seus cabelos, beijar-lhe os lábios com amor.

Por isso, decidiu vistoriar os negócios para retornar ao Rio de Janeiro o mais breve possível. Confidenciou com Eduardo:

— Assim que deixar tudo em ordem, volto para o Rio.

— Faz bem. Mas deve ficar pelo menos até conseguirmos melhorar o problema espiritual.

— Parece difícil.

— Ontem quase conseguimos.

— Devo ir embora, Eduardo. Meu amor por Maria José é muito forte. Vendo-a, tendo-a ao lado olhando-me com amor, temo não conseguir dominar-me.

— Agora, mais do que nunca, é preciso discrição e seriedade. Não se esqueça de que Demerval está ao lado dela, vendo tudo, observando o que se passa.

Menelau fez um gesto de contrariedade.

— Não havia pensado nisso. Acha que ele já sabe a verdade?

— Não sei. Tudo leva a crer que sim.

— Ontem tivemos uma conversa franca...

— Então não tenho dúvidas. Ele deve ter ouvido. Tem estado sempre ao lado dela. Isso poderá irritá-lo ainda mais.

Menelau segurou o braço de Eduardo com força quando disse:

— Sinto muito. É meu irmão e eu não gostaria de dar-lhe esse desgosto. Deus sabe que o que aconteceu não foi premeditado.

— Sobre o que conversaram?

— Sobre a nossa situação. Confessamos nosso amor, mas fiz ver a Maria José que precisamos respeitar nossos compromissos de família. Combinamos esperar e só nos unirmos quando formos livres.

— Sábia decisão. Isso deve tê-lo acalmado.

— Não sei. Demerval era muito teimoso. Deve ter-me odiado pelo que aconteceu.

— Um dia ele iria conhecer a verdade, lembrar-se do passado, se é que já não aconteceu. Hoje à noite vamos fazer a prece de sempre. Veremos como as coisas estão.

À noite, reuniram-se na casa com Maria José, Zefa e Bentinho. Eduardo fez a prece pedindo por aquele lar e, em especial, pelo espírito de Demerval.

Ele, no entanto, não saíra do quarto do casal. Estava resolvido a não se aproximar da reunião. De onde estava, podia vê-los, uma vez que as paredes da casa não representavam obstáculo à sua visão. De quando em vez, olhava-os, desconfiado. Considerava-os inimigos. Sabia que queriam afastá-lo dali.

Bentinho aproximou-se de Eduardo, dizendo em voz baixa:

— Ele tá no quarto, hoje num quis se chegá. Tá temeroso, desconfiado. Sinto seus pensamento de raiva. Num sei o que aconteceu.

— Vamos continuar em oração — decidiu Eduardo, em voz alta.

Demerval não ouvia o que eles diziam, sentiu-se inquieto. O que estariam tramando?

Funda curiosidade o acometeu. Talvez fosse melhor aproximar-se um pouco, só para saber o que se passava.

Lentamente foi se aproximando. Eduardo dizia:

— Senhor, todos nós erramos muito. Não temos condições de aconselhar ninguém, entretanto sabemos que Demerval sofre e pedimos por ele, por sua felicidade!

Demerval surpreendeu-se.

— Fingidos — pensou ele. — São fingidos. O que eles querem é afastar-me daqui, roubar-me o lar que é meu, minha família, meus bens.

Eduardo prosseguia:

— Que ele possa compreender as belezas da nova vida, longe das acanhadas barreiras do mundo terreno, e sinta despertar em seu coração a alegria de poder viver em um mundo mais belo e mais feliz. Ele é livre, Senhor! Pode conquistar a felicidade, a paz, a alegria, o conhecimento. Pode renovar seus valores, alcançar uma riqueza que os ladrões não roubam nem o tempo destrói. Pode deixar o passado triste e doloroso para obter um lugar melhor onde possa entender mais o que é para si, para que não venha a sofrer novos desenganos. Demerval — continuou Eduardo com voz comovida —, sabemos que está aqui agora. Sentimos sua revolta, avaliamos sua dor, estamos tentando compreender suas reações. Não é fácil enfrentar a verdade, nem ser afastado do corpo de carne inesperadamente e com violência. Ninguém aqui poderia prever o que aconteceu. Todos estamos tristes, preocupados, sofridos, chocados com os acontecimentos que enlutaram esta casa.

Demerval aproximara-se e colocara-se ao lado de Maria José. As palavras de Eduardo fizeram-no recordar sua morte trágica e as lágrimas desceram-lhe pelo rosto, enquanto uma dor profunda lhe invadia o coração. Por que havia lhe acontecido tal tragédia?, pensava, triste. Por que fora arrancado do corpo de forma tão brutal? Falavam em Deus! Como acreditar que Deus existisse e pudesse permitir que um negro imundo levantasse o braço contra ele?

Eduardo continuava:

— Embora estejamos tristes, acreditamos em Deus. Ele está na direção de tudo e, se permitiu que isso nos acontecesse, foi para nos ensinar a enxergar os verdadeiros valores da vida. O sofrimento desperta nosso coração, arranca as barreiras da nossa indiferença.

Demerval, magoado, abraçou Maria José dizendo, triste:

— Por favor, não me mande embora de nossa casa. Deixe-me ficar com você!

Maria José sentiu-se angustiada, triste. O peito oprimido, apertado, e ela começou a chorar, dando vazão à imensa amargura e ao desencanto que lhe iam na alma. Um sentimento de pena, misturado a certo remorso, fazia-a recordar-se de Demerval na juventude, quando o conhecera, e nos momentos melhores que haviam desfrutado juntos. O que poderia fazer em favor dele?

Eduardo prosseguiu:

— Demerval, nós não somos seus inimigos. Desejamos que sinta nossa amizade e o desejo de ajudá-lo de verdade.

Sem poder conter-se mais, Demerval, abraçado a Maria José, gritou:

— Como pode dizer isso? Vocês querem me ver longe daqui. Querem ver-se livres de mim para fazerem o que desejam de suas vidas!

Maria José pronunciara essas palavras com a força que a revolta aumentava. Apesar de perceber que suas palavras saíam pela garganta de Maria José, Demerval exultou. Não se deteve para pensar no que estava ocorrendo. Agarrou-se à chance de ser ouvido pelos presentes com todas as forças do seu pensamento. Poder conversar de novo com os vivos era uma oportunidade que ele não desejava perder.

— Traidores! — gritou, sentindo recrudescer toda a força do seu ódio. — Como puderam ser tão vis? Como puderam me trair tão vergonhosamente? Pensaram que eu não fosse descobrir? Pois se enganaram. Sei de tudo, entenderam? De tudo!... Estou aqui para vingar-me. Esta casa é minha, tudo aqui é meu. Ninguém vai roubar-me os direitos. Sou o dono de tudo.

Menelau, emocionado, pedia em pensamento ao irmão que o perdoasse. Orava por ele com sinceridade. Eduardo esperou que ele desabafasse falando do seu inconformismo, da sua revolta, da sua dor. Quando o viu mais calmo, disse, com voz firme:

— Reconheço que tem razão em muitas coisas.

— Tenho — retrucou Maria José, com convicção.

— Porém — prosseguiu Eduardo — o que aconteceu é passado, não tem remédio. Por mais que tentemos, não vamos poder modificar os fatos. De que adianta agora continuar sofrendo por um mal sem remédio?

— Sem remédio? Eu já tenho a melhor solução. Agora que todos aqui sabem que eu não morri, que continuo vivo, devem concordar que o chefe desta casa ainda sou eu. Estou conformado com a mudança, reconheço que não posso reaver meu corpo, que já foi todo destruído. Posso continuar dirigindo meus negócios, morando nesta casa, e tudo voltará a ficar na mais perfeita ordem. Basta fazerem o que eu quero.

— Sinto, Demerval, mas é impossível. Precisamos atender a vontade de Deus. Cada um deve viver onde a vida o coloca. Se você devesse continuar aqui, comandando tudo, estaria com seu corpo de carne. O que você pretende não está certo para D. Maria José. Ela tem o direito de viver em liberdade sem ser forçada a fazer coisas que não deseja.

— Ela é minha mulher, precisa ser submissa ao marido.

— Ela *foi* sua mulher — disse Eduardo, com energia. — O casamento acabou quando seu corpo morreu. Você foi chamado por Deus para viver em um outro mundo, para o qual todos nós iremos um dia.

— O casamento é indissolúvel. A Igreja diz isso.

— Até que a morte os separe. Não foi isso que o padre disse na hora do casamento? Lembre-se bem, até que a morte os separe. Você já morreu para a Terra, deve conformar-se e enfrentar a verdade.

Demerval sentiu um aperto no coração. Era verdade. O casamento fora realizado "até que a morte os separe", dissera o padre. Não era justo, pensava, não era.

— Eu amo Maria José — tornou com voz triste.

— Ela também o quer bem. Mas o amor deve saber esperar, colocar o bem-estar e a felicidade do ser amado acima da sua própria.

— Não posso ir embora — disse Maria José, entre lágrimas. — Ela não vai saber fazer tudo sozinha. Vai perder tudo.

— Não é verdade. Ela tem condições de cumprir seu dever até o fim e muito bem.

— Não quero que aquele traidor a ajude. Preciso defendê-la.

— Não precisa. Você morreu para a Terra. Deve aprender a viver melhor no mundo para onde foi chamado. Cada coisa deve estar no seu lugar.

— Não vou — disse Demerval. — Meu lar é aqui. Para onde iria? Não conheço nada nem ninguém.

— Não será para sempre. Você não está bem de saúde, precisa tratar-se.

— Não quero, estou muito bem — tornou Maria José, aflita, sentindo uma dor aguda no peito e grande falta de ar. Demerval levou a mão ao pescoço que inchara novamente e começara a arroxear:

— Você está doente — disse Eduardo, com suavidade. — Precisa tratar-se. O médico já veio para ajudá-lo. É só por algum tempo. Quando estiver melhor, poderá voltar e conversaremos.

Demerval, sentindo fraqueza, receando perder os sentidos, disse, nervoso:

— Prometa que durante esse tempo ele irá embora! Prometa que ele não estará aqui.

— Prometo — disse Eduardo. — Vá em paz. Ele irá embora o quanto antes.

— Está bem — disse Maria José, num sopro. — Eu vou. Mas eu volto assim que puder.

Eduardo continuou orando mais alguns minutos. A cabeça de Maria José pendeu sobre a mesa e fundo suspiro saiu-lhe do peito.

Demerval foi acometido de grande fraqueza. Percebeu que alguns braços o sustinham enquanto uma voz de mulher lhe dizia:

— Não é nada. Deite-se aqui. Nós vamos cuidar de você. Tudo vai passar.

Acomodaram-no em uma maca enquanto um médico de fisionomia serena colocava a mão sobre seu pescoço.

— Vamos orar com eles — pediu aos dois assistentes e à enfermeira que os acompanhava.

Eduardo tomou a mão de Maria José e pediu a Zefa que segurasse a outra.

— Vamos fazer uma corrente para refazer as energias dela. Vai precisar.

Todos deram as mãos enquanto Eduardo, comovido, fez sentida prece agradecendo a Deus a ajuda recebida. Uma brisa leve e delicada desceu sobre eles enquanto Maria José, cabeça pendida sobre a mesa, continuava adormecida.

Menelau, lágrimas descendo pelas faces, orava pensando na angústia do irmão, sua dor, seu desespero. Sentiu vergonha de tê-lo traído. Ele tinha toda razão em odiá-lo. Fora traído duas vezes.

Agora, porém, seria forte o bastante para cumprir seu dever até o fim. Não daria mais motivos para Demerval sofrer. Seu amor, sua felicidade, poderiam esperar.

Eduardo encerrou a prece e, antes que acendessem os castiçais, o grupo de espíritos, a uma ordem de seu chefe, levantou a maca em que Demerval jazia adormecido e saíram. Maria José suspirou, remexendo-se na cadeira. Levantou a cabeça passando a mão pela testa e em seguida colocando-a sobre o peito.

Bentinho acendera as velas e Eduardo pediu:

— Zefa, faça um café para D. Maria José. Ela precisa.

A negra saiu, rápida. Maria José, preocupada, disse:

— Não estou bem. Sinto-me fraca, angustiada. Tenho medo.

— De quê? — perguntou Eduardo.

— Não sei. Sinto-me aflita.

— É natural — esclareceu Eduardo. — Demerval estava aí com a senhora.

— Ele foi embora — garantiu Bentinho. — Eu vi. Veio o doutô e levô ele deitado no lençol. Os assistente dele ajudaram. Ela tava dormindo.

— Muita dor no peito e na garganta — disse ela.

— Ainda sente? — perguntou Eduardo.

— Melhorou, agora passou.

— Deve compreender. Quem sentia tudo isso era Demerval.

— Mas eu senti em mim. Eu me senti como se fosse ele. É castigo de Deus pelos meus erros. Sinto-me culpada pelos seus sofrimentos. Estou arrependida. Fui muito fraca.

Menelau ouvia sem dizer nada. Foi Eduardo quem respondeu:

— Reconhecer os erros sempre é útil, porém não cultive a culpa nem faça dela motivo para punir-se pelo que aconteceu. Todos nós temos momentos em que nos deixamos envolver pelos sentimentos. Quando isso acontece, não estamos pensando em prejudicar ninguém. Entretanto, quando passa o momento, percebemos que ferimos os outros e nos arrependemos. Por outro lado, os outros também nos cobram coisas que ainda não temos condições de dar. Assumimos compromissos afetivos com muita facilidade e, quando descobrimos que nos enganamos, estamos envolvidos, sendo por vezes difícil colocar as coisas nos devidos lugares.

Maria José ouvia pensativa e triste. A um gesto de Eduardo, Bentinho saiu da sala. Eduardo continuou:

— Apesar de tudo, a senhora gosta de Demerval.

Maria José corou um pouco quando disse:

— É verdade. Ele era implicante, teimoso, exigente, mas sempre me respeitou. É o pai dos meus filhos, e a forma como morreu me chocou muito. Depois, tivemos momentos bons. Sinto por ele amizade e desejo que ele esteja bem. É por isso que me sinto culpada pelos meus erros. Fui áspera com ele, fiz coisas das quais me arrependo.

Eduardo olhou-a sério, dizendo com voz firme:

— D. Maria José, não se culpe de nada. Não é fácil resistir ao amor, principalmente quando represado durante tanto tempo.

— Eu fui o culpado — retrucou Menelau. — Eu tinha o dever de conter-me. Afinal, meu irmão estava doente e indefeso.

— Agora vocês pensam assim. Porém vocês se amam há longo tempo. Um amor que venceu as convenções e que vocês colocaram acima de tudo, e que, ainda hoje, apesar de estarem separados, foi forte o bastante para fazê-los esquecer de tudo o mais. Não invalidem esse amor que sentem um pelo outro porque ele é vida, força, luz e beleza. Não o reduzam a um sentimento pequeno, de culpa e de arrependimento.

— Mas nós erramos. Fracassamos por causa desse amor... — disse Maria José, olhando para Eduardo com olhos magoados.

— Vocês não perceberam que podiam machucar os sentimentos dos outros. Não se entregaram ao amor pretendendo a infelicidade alheia. Esperavam que tanto Demerval, que naquela existência passada fora seu marido, quanto a esposa de Menelau, que sabemos chamar-se Eleonora, esquecessem e reconstruíssem suas vidas. Porém eles não aceitaram, e o sofrimento deles, dos filhos, fizeram vocês compreenderem que é preciso libertar-se dos compromissos com dignidade e responsabilidade antes de procurar a própria felicidade. Nós nunca seremos felizes deixando de lado as ligações e os deveres que assumimos. É por isso que é prudente, antes de iniciarmos novos relacionamentos, de assumirmos novos encargos, de empenharmos nossa palavra ou prometermos isso ou aquilo aos outros, refletir bastante, procurando perceber nossos verdadeiros sentimentos, nossas reais possibilidades. Quando estamos na Terra reencarnados, a facilidade com que nos envolvemos em uniões ou casamentos errados tem nos custado muitas encarnações de lutas, sofrimentos perfeitamente dispensáveis. As pessoas casam-se iludidas por muitas coisas, inclusive para não ficarem sós, e acabam por não encontrar o afeto de que precisam e simplesmente descobrem a incompatibilidade, a infelicidade. Não se sentem felizes juntas. Ao contrário: a união torna-se um suplício a que voluntariamente se impõem. Aí, entram depois o preconceito, o orgulho, os filhos, os costumes, tudo, fazendo-os continuar juntos, sem coragem para resolverem seus problemas. Eis que então o amor pode aparecer, e quando isso acontece, o homem procura não perder a oportunidade, quase sempre sem deixar o compromisso anterior perante a sociedade, e leva vida dupla. A mulher, mais reprimida, contém-se mais, sofrendo o resto da vida; isso quando não comete adultério, sentindo-se culpada e infeliz.

Maria José e Menelau ouviam atenciosos e pensativos, cabeça baixa, cada um procurando analisar seus sentimentos.

— O amor não é isso — continuou Eduardo. — O amor é força, beleza, traz felicidade, plenitude, paz.

— Para mim só trouxe a dor — murmurou Maria José.

— Você preferiu assim. Se buscarmos o passado, pelo que sabemos, Menelau era Raul, possuía quatro filhos e era casado com Eleonora. Por que o teria feito? Não sabemos. Teria sido por amor? Você era Isabel e casou-se com Ulisses, que agora é Demerval. Ficou claro que você se casou muito jovem. Teria sido por amor? Não teria havido leviandade, pressa, conveniência ou até curiosidade? Infelizmente grande parte dos casamentos se realizam assim ou são decididos pelas famílias.

— O meu casamento com Demerval foi assim — esclareceu Maria José. — As famílias decidiram.

— Seu casamento com Demerval foi uma escolha sua antes de nascer na Terra. Você se arrependeu de tê-lo abandonado em outra vida e agora estava interessada em resolver seu problema com ele. Contudo, em vidas anteriores, no início do seu relacionamento com ele, quando o encontrou pela primeira vez, como teria sido sua ligação com ele? Como teria sido seu envolvimento?

— Às vezes, pensamos amar uma pessoa e nos enganamos. Com o tempo, deixamos de amar. Mesmo assim, nosso compromisso com ela continua? — indagou Menelau, pensativo.

— As pessoas conhecem-se, envolvem-se, trocam promessas, cobram-se mutuamente e, para que essa situação se modifique naturalmente, é preciso que ambas desejem desligar-se e juntas concordem com a separação. Só assim cada um será livre para seguir adiante.

— E quando um não concorda? E quando só um deseja a separação? — inquiriu Maria José.

— O outro se sentirá infeliz, sofrerá, e o orgulho ferido é perigoso instrumento de perseguição e de vingança.

— Como continuar a viver juntos quando acaba o amor? — retrucou ela.

— O amor não acaba nunca. Podemos senti-lo de diversas formas, e a vida, a reencarnação, favorecem a que ele cresça sempre rumo ao seu objetivo maior, que é o amor sincero e fraterno entre todas as criaturas. O que costuma acabar são as nossas ilusões, nossos enganos. A verdade acaba aparecendo, mostrando que o sentimento a que demos o nome de amor não passa de interesse, conveniência, vontade de amar, imaturidade, falta de paciência para esperar as coisas acontecerem. A prudência nos faz tentar compreender nossos verdadeiros sentimentos para que a leviandade não nos coloque em problemas desnecessários.

— Quando jovens, somos tão inexperientes! As ilusões, os sonhos! — tornou Maria José.

— É verdade. Ser jovem na Terra é uma situação que todos recapitulamos em cada encarnação. É o momento em que assumimos a direção de uma nova existência, de novas oportunidades de progresso e amadurecimento. Colocamos nisso toda nossa força. Nosso espírito sabe que pode vencer, conquistar a felicidade e, para isso, deverá aproveitar cada minuto. Contudo, sem orientação espiritual, sem compreender bem os valores da vida, muitas vezes colocamos essa força na satisfação dos sentidos físicos, na busca de emoções desordenadas. Iludimo-nos querendo "aproveitar" essa fase, que sabemos passageira, deixando de lado o bom senso, a ponderação, e nos envolvemos em compromissos e promessas que, por certo, nos serão cobrados na hora certa. Há quem mencione esses atos como loucuras da mocidade, como se isso fosse suficiente para justificá-los. A vida, no entanto, não deixará nenhum gesto, nenhuma ação sem resposta, e o fará de forma objetiva, para ensinar as lições que se deve aprender.

Maria José considerou:

— Se pudéssemos nos lembrar de tudo das outras vidas, seria melhor. Teríamos mais chance de entender.

— À primeira vista, parece ser assim mesmo. Todavia, como Demerval iria conviver com Menelau, lembrando-se da traição de outros tempos? Como você iria conviver com seus filhos se eles se recordassem de Eleonora e que Raul os havia abandonado por sua causa?

— Deus nos livre! Eu não saberia como educá-los.

Maria José estremeceu horrorizada.

— Deus é tão bom que nos permite esquecer os erros passados e nos oferece a chance de refazer nossos caminhos — concluiu Eduardo, emocionado.

— Só nos resta aceitar nosso destino e procurarmos cumprir nosso dever até o fim — ajuntou Menelau, com sinceridade.

— O tempo tudo transforma. Se vocês se amam de verdade, saberão esperar, trabalhando para a conquista de melhores dias.

— Tenho receio de não conseguir — declarou Maria José. — Sinto-me tão só! Depois, como orientar meus filhos em meio a tantas dúvidas que ainda tenho? Como conduzir os negócios sem a mão forte de um homem a meu lado?

Foi Menelau quem respondeu com voz firme:

— Confio em você, Maria José. Sabe bem como tratar os negócios da família. Quanto às crianças, o amor, a dedicação, o bom exemplo serão suficientes.

— Concordo — disse Eduardo. — Você sempre soube conduzir-se. Seu coração de mãe saberá inspirá-la nos momentos de decisão. É preciso, contudo, não se deixar envolver pela dúvida que minará sua força, tolhendo seus passos. Você pode vencer todos esses encargos que a vida colocou em suas mãos. Deus não exige de seus filhos nada que esteja fora de seu alcance fazer. Lembre-se disso. Se a vida solicita de você essa coragem, essa posição, é porque você tem condições de sair-se bem. Acredite nisso e vencerá.

— Está certo. Vou esforçar-me — prometeu ela.

— Melhor assim. Nesse caso, creio que tudo estará em paz — afirmou Eduardo. — Amanhã mesmo voltarei ao Rio. Você volta comigo, Menelau?

— Pode dar-me mais um dia? — indagou Menelau. — É o tempo de que preciso para ajudar Maria José a encaminhar alguns negócios. Gostaria muito de regressar com você.

— Está certo. Partiremos depois de amanhã. Sinto-me feliz por havermos conseguido auxiliar Demerval. Vocês contribuíram muito para o êxito alcançado. Compreendendo e aceitando a verdade e tomando a resolução de cumprir com o compromisso, as coisas se acomodaram. Um dia, tanto Eleonora como Demerval entenderão que não podem exigir o amor de ninguém, procurarão novos caminhos de felicidade verdadeira e vocês estarão livres para seguir juntos sempre.

— Estarei esperando por esse dia — disse Menelau, olhando firme o rosto emocionado de Maria José. — Quero que se lembre disso quando eu partir. Embora meu desejo seja estar aqui, não voltarei, a não ser que minha presença seja absolutamente necessária, em benefício de todos. Há de convir que seria muito doloroso e difícil vir aqui sem poder extravasar o que me vai no coração. Temo não suportar e fracassar em minha resolução. O que eu peço é que, apesar de eu não vir aqui, você não se esqueça de que a amo muito e que sonho com o dia em que finalmente poderemos estar juntos para sempre.

Maria José sentiu as lágrimas correrem pelas faces, enquanto a dor da separação brotava em seu coração.

— Farei o possível para não esquecer — tornou ela. — Quando o tempo passa e a saudade é muita, sinto vontade de saber se nada mudou em seu coração. Preciso saber que você ainda me ama. É esse amor que me dá forças para enfrentar as lutas de cada dia. De tempos em tempos, mande-me alguma notícia, para que eu sinta que nada mudou entre nós.

Menelau tomou as mãos dela e beijou-as com doçura.

— Farei o possível. Escreverei. Quero notícias das crianças, de tudo.

— Agora, vamos ao café, todos precisamos de um. Onde está Zefa, que ainda não veio? — indagou Eduardo.

Imediatamente a serva abriu a porta trazendo a bandeja arrumada com capricho e o cheiro gostoso do café encheu o ar.

Naquela noite, apesar dos assuntos tratados, todos sentiam-se mais serenos e confiantes. Havia uma brisa leve e agradável no ar, tornando o ambiente ameno e reconfortante.

Capítulo XVIII

Menelau chegou em casa cansado, abatido, porém sereno. Maria José era mulher inteligente, forte, corajosa. Iria conduzir a família e os negócios muito bem. Estava certo disso.

Embora desejasse loucamente ficar com eles, aceitara e compreendera que seu lugar era ao lado de Maria Antônia. Seu amor por Maria José poderia esperar.

Durante a viagem de volta, conversara longamente com Eduardo e mais do que nunca desejava ajudar a esposa a sair da indiferença e das futilidades em que vivia, despertando-lhe o espírito para os valores mais nobres da vida. Confiava no futuro e na eternidade do espírito.

Gostava de Maria Antônia, sentia por ela ternura e carinho. Desejava protegê-la, fazê-la feliz.

Procurou pela esposa, que estava no quarto. A tarde findava e não era dos hábitos dela descansar nessas horas. Bateu à porta discretamente. A serva abriu e Menelau indagou:

— Onde está Maria Antônia?

— Descansando, senhor.

— A estas horas! Está doente?

— Não, senhor — respondeu a serva, atenciosa. — Ela apenas dorme.

— Está bem. Quando ela acordar, diga que cheguei. Vou descansar um pouco, nos veremos ao jantar.

A ama concordou com a cabeça e Menelau retirou-se.

Mandou preparar um banho e depois, mais refeito, estendeu-se no leito para repousar.

Quando mais tarde dirigiu-se ao salão, Maria Antônia já estava lá. Olhou-o com certa indiferença. Menelau aproximou-se beijando-lhe a face.

— Espero que esteja bem.

— Estou. Não sabia que havia chegado.

— Não houve como avisar. Não fui para demorar. Resolvi os negócios e voltei. Não me dá as boas-vindas?

Maria Antônia olhou-o um pouco contrariada.

— Não concordo com as suas viagens para ajudar aquela antipática. Você se cansa inutilmente. Melhor faria cuidando dos nossos negócios.

Menelau olhou-a com naturalidade quando respondeu:

— Nossos negócios estão bem.

Aproximou-se de Maria Antônia e, tomando sua mão com delicadeza, continuou:

— Eles são nossos parentes e estão precisando de apoio. Gostaria que você me ajudasse.

Ela deu de ombros.

— Não me envolva nesses problemas. São aborrecidos. Ademais, Maria José sabe defender-se muito bem. Não vejo por que apoiá-la. Nunca nos demos bem. Seu irmão sempre foi um excêntrico que jamais moveria uma pena se, ao invés dele, fosse você quem tivesse morrido.

— O que ele teria feito, não sei. O que sei é que eu estou aqui e devo proceder conforme minha consciência. Depois, há as crianças. Precisam de afeto. Não temos filhos. Não gostaria de recebê-los aqui de vez em quando?

— Deus me livre! Não suporto crianças. Não quero nem os meus, quanto mais os dos outros. Que idéia!

Menelau mudou de assunto. Todavia, em seu coração havia muita tristeza. Maria Antônia ainda estava muito distanciada dos princípios de amor e de fraternidade para os quais ele desejava despertá-la. Necessitava de paciência. Para interessá-la, perguntou sobre as novidades da corte e viu seu rosto modificar-se enquanto descrevia as últimas recepções, os saraus, as intrigas palacianas e até as novidades da moda.

Procurando esconder seu desgosto, Menelau mostrou-se atencioso. Sentia que, para chegar até ela, deveria compreender sua maneira de ser. Mais tarde, meditando em seu quarto, interessado em melhorar seu relacionamento com a esposa, começou a questionar se ele, por sua vez, não estaria sendo muito austero. Não gostava de dançar, nem das festas palacianas. Talvez sua companhia fosse pesada demais para Maria Antônia. Se desejava que ela o aceitasse, deveria conquistar-lhe a estima, a amizade. Ela não o amava. Ao contrário, parecia aliviada quando ele a deixava só. Não se magoava por isso. Ele também não a amava como mulher. Acreditava sinceramente que ela houvesse sido sua filha em encarnação anterior. Podia amá-la como pai. Ela, talvez, nem isso pudesse sentir. Ele fora um mau pai, era justo que ela não sentisse afeto por ele. Menelau desejava ardentemente conquistar esse afeto.

Comovido, sentindo-se impotente, recorreu à prece, pedindo a Deus que o ajudasse a vencer a resistência daquele coração. Era reconfortante conhecer o passado e agradecia à Providência Divina por isso. Aliviado, adormeceu.

Nos dias que se seguiram, Menelau procurou dedicar-se mais à esposa, esforçando-se para interessar-se pelos seus gostos e desejos. Maria Antônia estava contrariada. Preferia que o marido continuasse indiferente como sempre fora. Desejava liberdade. Sua presença a aborrecia. Achava-o antiquado e sem graça. Logo agora, que ela tinha encontrado o amor!

Maria Antônia amava e era correspondida. Exultava ao recordar-se dos encontros secretos em que podia extravasar tudo quanto lhe ia na alma.

Infelizmente, ela não era livre. Apesar de guardar as aparências, muitos homens haviam passado por sua vida.

Bonitos, elegantes, apaixonados, e ela mergulhava na aventura, desejosa de tirar da vida as sensações, sentindo-se requestada, amada, desejada, sem pensar em sair da cômoda posição de esposa de um homem sério e respeitado por todos.

Fora sempre muito discreta. Seus casos começavam e acabavam secretamente, sem que ela manifestasse o desejo de um laço mais profundo. Com Alberto era diferente. A seu lado, sentia-se apaixonada e trêmula. Quando em seus braços, esquecia tudo e, pela primeira vez, um ciúme ardente e descontrolado enchia seu coração de inquietude.

Alberto Álvares de Camargo era filho do Visconde de Abaeté, homem muito rico e respeitado na corte. Alto, louro, olhos cor-de-mel, lábios bem torneados e um sorriso cativante. Era disputado pelas mulheres que ele sabia bem conquistar. Exímio dançarino, palavra fácil, galanteador, contavam-se às dezenas suas apaixonadas. Tinha já vinte e seis anos e conservava-se solteiro, apesar de ser ótimo partido, pela sua posição e pela sua fortuna.

Maria Antônia, a princípio, aproximara-se dele envaidecida pelo seu interesse. Mas desta vez não ficou imune. A paixão irrompeu dentro do seu peito e ela se rendeu ao amor, à emoção, sem pensar em mais nada.

Há dois meses que eles se encontravam secretamente em uma casa discreta de uma dama distinta, amiga dele. Maria Antônia apaixonara-se perdidamente. Se ele quisesse, ela esqueceria Menelau, abandonaria o marido, sua posição social, tudo.

Alberto, porém, não gostava de escândalo. Suas aventuras não podiam prejudicar seu bom nome e o de sua família. Queria divertir-se, mas não se envolver. Gostava de ser respeitado e guardava ainda no íntimo a idéia de um dia, quando julgasse oportuno, encontrar uma moça boa, pura, e construir família, como seu pai fizera. Maria Antônia era mais uma aventura em sua vida.

Ela, contudo, desejava mais. Ele, com sinceridade, dizia-lhe que não era possível. Sentindo-o dono de si, percebendo que ele não a amava tanto quanto ela o amava, um ciúme doentio a dominara. Entretanto, temerosa de perder seu amor, tornara-se submissa. Pela primeira vez em sua vida não era ela quem ditava as normas.

Movida pelo ciúme, Maria Antônia comparecia às festas e comemorações em que Alberto estava, procurando dissimular seu interesse, sofrendo ao vê-lo cortejar outras mulheres, como sempre fizera, e, por sua vez, ocultando sua ligação com ela.

A presença de Menelau querendo ir com ela, saber de sua vida, participar dos seus interesses, irritava-a. Por que ele não a deixava em paz? Por que se intrometia tanto? Não o amava e sabia que ele também não a amava. Por que insistia?

O que ela desejava mesmo era pensar em Alberto, estar com ele, enfeitar-se para ele. Contava os dias e as horas que faltavam para ir ao encontro dele. Quando estavam a sós, corria para seus braços, trêmula, e esquecia-se do mundo.

Alberto entregava-se a esses encontros com prazer: sentia-se atraído por ela, mulher ardente e caprichosa, que ele conseguia dobrar com facilidade.

Ela despertava suas emoções, seus desejos, e ele mergulhava em seus braços com ardor. Saindo dali, esquecia-se rapidamente e, voltando às suas ocupações habituais, era como se ela não existisse.

Não acontecia o mesmo com ela, que passava o resto do tempo recordando aqueles momentos, sentindo sua paixão aumentar e a vontade de estar com ele de novo.

Menelau sentia que seu esforço de aproximação com a esposa não era bem recebido. Ao contrário. Ela se mostrava irritada e distante. Quando insistia em acompanhá-la, era ainda pior. Evitava-o. Parecia até sentir-se mal. Suas tentativas de nada lhe valiam, sentia-se deslocado e infeliz, notando que ela cada vez se afastava mais.

Aborrecido, sem saber como proceder, Menelau desabafou com Eduardo. Ele continuava a freqüentar as sessões espíritas realizadas na casa do Sr. Sampaio, onde estudavam os fenômenos e ouviam mensagens dos espíritos através de uma jovem médium que juntamente com o marido lá comparecia.

Foi depois de uma dessas reuniões, quando se viu a sós com Eduardo, que ele abriu o coração. Descreveu seu esforço para aproximar-se de Maria Antônia sem obter êxito.

Concluiu:

— Não sei como agir. Noto que ela está ansiosa, agitada. Nos últimos tempos não me parece bem. Eu diria até que está descontrolada. Contudo, até agora, não consegui nada com ela. Tudo que faço só tem piorado nosso relacionamento. O que fazer?

Eduardo permaneceu calado durante alguns instantes, depois respondeu:

— Nada. No momento, nada.

Menelau olhou-o admirado:

— Nada?! Sinto que ela não está bem, quero ajudá-la, despertá-la para o bem, evitar que continue a sofrer, a destruir-se e você me aconselha a não fazer nada?

Em seu tom havia certa decepção. Eduardo, com um brilho vivo nos olhos, fixou o amigo, dizendo com firmeza:

— No momento o melhor será não fazer nada. Você tem tanto para dar, conhece já os problemas do passado, despertou para a responsabilidade da vida, descobriu as leis morais que regem nossos atos. Preocupa-se, notando que ela ainda desconhece essas coisas. Sabe que ela vai sofrer, quer evitar esse sofrimento. Entretanto, D. Maria Antônia ainda não está pronta para receber tudo isso. Não amadureceu o bastante para enxergar. Não possui "olhos de ver".

— Eu estou ao lado dela para mostrar-lhe a verdade. Deve haver um jeito.

— Certamente. A vida colocou-o a seu lado e vai ajudá-lo quando chegar o momento oportuno. O que não pode é querer apressar as coisas. D. Maria Antônia necessita ser trabalhada pela vida. Só ela tem recursos para amadurecer seu espírito.

— Não posso fazer nada?

— Pode. Esperar, com paciência, a hora de agir. Confiar em Deus e saber aproveitar quando a oportunidade chegar.

— Parece-me pouco — retrucou Menelau, pensativo.

— Engana-se. Você acredita estar preparado para ajudar. Veremos isso quando a hora chegar.

— Por que diz isso? — indagou Menelau, curioso.

— Porque nós somos assim. Passamos a vida inteira querendo corrigir os outros, fazê-los perceber seus enganos, tentando evitar que sofram. Todavia, quando essas pessoas erram, mergulham na desilusão, na revolta, na vingança e no ódio, afastamo-nos delas, nós as abandonamos a pretexto de reconhecer a inutilidade dos nossos esforços.

— O que fazer se tudo que tentamos foi inútil?

— A ciência de ajudar está na percepção exata da oportunidade. O sofrimento abre as portas da compreensão. O momento em que abandonamos a esperança pode ser exatamente aquele em que poderíamos alcançar nosso objetivo.

— Como saber?

— Observando. Entregando a Deus, com confiança, nossa esperança, aguardando a oportunidade para que os acontecimentos, os fatos, solicitem-nos compreensão e ajuda.

— É penoso assistir à derrocada moral de alguém a quem estamos interessados em levantar, sem podermos fazer nada.

— É verdade. Porém, quando alguém escolheu seu caminho mergulhando nos vícios, nos erros e até no crime, quando está envolvido pelos seus objetivos, apaixonado pelos seus próprios projetos de felicidade, jamais ouvirá a voz de alguém que pretende exatamente que ele renuncie a eles. É preciso que ele experimente suas idéias, seus desejos, e acabe por descobrir o quanto estava enganado. Isso, em certos casos, leva tempo e, às vezes, mais do que uma encarnação, como é o caso de D. Maria Antônia. Não o ouvirá só porque você deseja. Nesses casos, muitos só se libertam da ilusão descendo ao fundo do poço, indo até as últimas conseqüências.

— De que me adiantará haver casado com ela, renunciado aos meus projetos de felicidade pessoal, se não puder fazer nada?

— Quando se propôs a ajudá-la, você sabia das dificuldades. Tinha problemas de consciência. Ficar ao lado dela, apesar de tudo, vai pelo menos resolver os seus problemas. Poderá fazê-lo perceber exatamente o que teria conseguido como pai, se não houvesse abandonado o lar em sua encarnação anterior. Poderá estreitar os laços afetivos que os unem, fazendo-a modificar sua postura para com você, pelo abandono que sofreu, pelas dificuldades por que passou. Sempre haverá benefícios.

— Eu esperava mais. Gostaria que Maria Antônia enxergasse, que aprendesse.

— Isso não depende de você. Se quer alcançar o máximo, é preciso ter paciência e saber esperar. Embora seja difícil, não deve desanimar. Quem pode saber o que vai no íntimo dela? Quem pode julgar? Quem pode garantir que o momento de ajudá-la com mais eficiência ainda esteja distante? As coisas se modificam todos os dias.

— Tenho tentado aproximar-me dela, procurando acompanhá-la aos passeios, falar sua linguagem, entender como ela pensa. Não está dando certo. Nosso relacionamento fica cada dia pior.

— Sua intenção é louvável, Menelau, mas não produzirá os resultados que deseja. Está forçando uma situação deliberadamente. Você se sacrifica para acompanhá-la e ela se sente tolhida em sua liberdade. Sente que você não está sendo sincero fazendo o que ela gosta. Deve estar se perguntando por que você está fazendo isso. Acredite, Menelau, só funciona o que é verdadeiro. Só toca o coração o que é autêntico, sincero.

— Sou sincero. Desejo entendê-la, agradá-la, mostrar-lhe o que ela precisa ver.

— Imagino como estará seu rosto, num sarau, dançando valsas e minuetos, ouvindo as frivolidades e as intrigas de salão ou esperando D. Maria Antônia esgotar seu cotelão. Não estará vibrando de alegria, por certo.

Menelau suspirou:

— Esses saraus horríveis são intermináveis! Faço um esforço enorme para conter-me e não arrancar Maria Antônia de lá, irmos embora. Ela é incontentável. Sempre fica até o fim. Promete todas as danças logo na chegada. Parece que faz de propósito, para ter pretexto de não sair antes do final.

— Deve detestar sua companhia nesses lugares.

— Irrita-se sempre quando eu desejo ir.

— Claro. Quem pode divertir-se tendo ao lado alguém que não se sente satisfeito e só pensa em ir embora?

— É mais forte do que eu. Venho me esforçando. Suportar essas festas já é difícil, fingir alegria eu não consigo.

— Eis o que não funciona. Você tem outros gostos, outros interesses. Não deve forçar uma situação. Fica pior. Dá efeito contrário.

— Não devo acompanhá-la?

— Se não gosta, se não sente alegria, não deve ir.

— Nesse caso, como aproximar-me dela? Como compreendê-la?

— Procure conhecê-la melhor, mesmo em casa. Perceber outras coisas que poderiam interessá-la além da vida social. Coisas verdadeiras, naturais. Plantas, animais, música, arte, poesia, pintura, objetos de adorno. Desenvolver o senso natural do espírito sempre ajuda.

— É. Maria Antônia gosta de luxo e beleza dentro de casa. Vive às voltas com tapeceiros, costureiras, compra bibelôs e objetos de arte.

— Você não compartilha com a decoração da casa?

— Não. Não entendo disso. Ela sempre sabe como cuidar dessas coisas.

— Eis aí um ponto positivo. Por que não aprender com ela? Interessar-se pelas peças que ela comprou, pelos móveis, pelas cortinas e almofadas. Não aprecia uma casa bem arrumada?

— Por certo. Gosto dos meus livros, dos quadros de arte, do piano que ela nunca toca.

— Por aí é que você deve chegar. Converse com ela sobre o assunto, aprenda a conhecê-la melhor em seus lados positivos, incentive-a a desenvolver e até perceber aspectos novos da sua personalidade. Ninguém pode pretender ajudar, desenvolver, melhorar uma pessoa conhecendo-a apenas em seus aspectos negativos. Ao contrário, é procurando ver os aspectos positivos, apoiando-se neles que nós conseguiremos promover a criatura, fazendo-a progredir, amadurecer.

Menelau permaneceu calado durante alguns segundos, meditando. Depois disse:

— Tem razão, Eduardo. Entendi o que quer dizer. Tentarei conhecê-la melhor. Pensando bem, temos vivido como dois estranhos. Nunca me detive em analisar suas preferências ou qualidades. Foi bom termos conversado.

— Lembre-se. Seja verdadeiro. Para ajudar as pessoas, não precisamos forçar situações. A simplicidade, a naturalidade, a boa vontade, a sinceridade produzem maiores resultados. Você gosta de D. Maria Antônia. A demonstração desse afeto é real e poderá dar mais frutos do que todas as teorias juntas. Experimente. Deixe falar mais o coração, expresse seu interesse por ela em todos os momentos.

— Ela é ferina. Tenho medo de que me julgue apaixonado, o que não é verdade. Gosto dela como de uma filha.

— Seu orgulho coloca vendas em seus olhos. Diz que pretende ajudá-la, coloca-se em situação de superioridade, querendo ensinar-lhe coisas, porém prende-se a preconceitos, não demonstra seus verdadeiros sentimentos. Julga-se obrigado a representar o papel de marido, sente que ela não o aceita como tal e receia aparecer diante dela como pai, enfrentando o passado frente a frente.

— Está sendo duro comigo.

— Sou seu amigo, Menelau. Digo a verdade. Você se coloca na posição de pai, mas ainda não conseguiu ser um pai verdadeiro, que dá todo seu afeto, seu apoio, sem nada exigir em troca, só pelo desejo de vê-la feliz. Já que está nessa posição, seja um pai de verdade, não perca sua oportunidade. Isso fará mais por ela do que tudo quanto pudesse fazer ou dizer.

Menelau saiu da casa de Eduardo pensativo. Suas palavras haviam sido duras, mas reconhecia que ele estava certo. Sentiu-se pretensioso querendo obrigar Maria Antônia a mudar de acordo com o que ele queria. Por que tinha tanta pressa? Para cuidar de seus próprios interesses, para correr ao encontro de Maria José, apertá-la em seus braços e ficar a seu lado para sempre.

Pretendia aplacar sua consciência apagando os erros passados. Era egoísta, só pensava em si. Compreendia que, se quisesse ajudar Maria Antônia, precisava aceitar as determinações de Deus, que, mais sábio do que ele mesmo, colocaria em seu caminho a oportunidade de agir com proveito.

Quando ele, ao reencarnar, aceitara o casamento com ela, fizera-o agradecido a Deus por ter durante alguns anos de convivência em comum a oportunidade de conquistar-lhe o afeto. Por que agora impacientava-se? Não seria mais justo aproveitar a chance tão duramente conseguida?

Seu orgulho fazia-o colocar-se numa posição de superioridade. Afinal, quem era ele que pretendia ensinar o caminho a Maria Antônia? Um homem que atraiçoara indignamente o próprio irmão, abandonara a esposa, os filhos, todos os deveres e compromissos para fugir com a cunhada, sem nenhum respeito à família ou aos sentimentos dos outros.

Fizera tantos votos de melhoria, mas mesmo assim havia novamente errado, atraiçoado de novo seu irmão que estava doente e sem condições até de defender-se.

Menelau passou a mão pela testa como para afastar esses pensamentos dolorosos. Ele é que precisava aprender a viver melhor, a enxergar as necessidades alheias, a respeitar a dignidade dos outros.

Foi naquele instante que ele compreendeu: não era Maria Antônia quem precisava mudar, era ele! Devia deixar de lado a idéia de conduzir os outros. Não possuía habilidade nem condições para fazer isso. Do que ele necessitava era aprender a conhecer-se melhor e a cuidar de suas próprias necessidades de progresso, a encontrar o seu próprio caminho, o que fosse melhor para ele. Deus, a vida, cuidariam do resto. Mostraria a verdade não só a ele como a Maria Antônia e a todos os outros.

Depois disso, sentiu-se melhor. Sua inquietação desapareceu. Estava aliviado. Chegou em casa ainda pensativo. Recolheu-se e dirigiu comovida prece a Deus, agradecendo por haver conseguido compreender algumas coisas.

Daquele dia em diante, tudo seria diferente. Trabalharia para melhorar seu espírito. Sabia que, se ele fizesse a parte que lhe cabia, Deus faria o resto. Com o coração em paz, adormeceu.

No dia imediato, modificou suas atitudes. Já ao almoço disse com naturalidade:

— Não vou ao sarau dos Albuquerque. Você pode ir com a senhora Cerqueira, se desejar.

Maria Antônia olhou-o um tanto aliviada:

— Ainda bem que desistiu — disse. — Você não aprecia os saraus. Fica impaciente, incomoda-me com sua pressa.

Menelau não gostou da resposta, porém controlou-se.

Respondeu, calmo:

— Tem razão. Não os aprecio mesmo. Pretendi apenas ser-lhe agradável. Como vê, consegui exatamente o contrário.

Ela modificou o tom da voz, dizendo com certa cortesia:

— Você não consegue dissimular seu desagrado. Vou para divertir-me. Gosto da música, das danças, aprecio a moda, as novidades. Quero ver o mundo, ver gente, não gosto de ficar encerrada nesta casa.

— Não vejo razão para privar-se desse prazer. Pode ir sempre que quiser. Com a senhora Cerqueira, estará sempre em boa companhia.

Maria Antônia concordou. Finalmente seu marido voltava ao normal. Sentiu-se livre, bem-disposta.

A partir daquele dia Menelau notou que a tensão entre eles diminuiu. Aproveitou para tentar aproximar-se dela de outra forma. Interessou-se pelos objetos de arte dos quais ela tanto gostava, tentando conversar amistosamente, o que, apesar de tudo, não era fácil.

Maria Antônia dormia durante quase toda a manhã e, à tarde, recebia o joalheiro, a modista, o cabeleireiro, ou saía para um chá elegante. Era durante o almoço que se encontravam e em algumas noites em que ela permanecia em casa. Não demonstrava prazer em conversar com ele e pretextava tratamentos de beleza ou necessidade de repouso para recolher-se cedo.

Entretanto, Menelau sentia que já não havia tanto antagonismo. Com calma, paciência e naturalidade, ele foi aproveitando os momentos oportunos para mostrar à esposa seu interesse em vê-la feliz e bem-disposta. Ignorava seus momentos de mau humor, quando ela se mostrava ferina e descontente, procurando com calma, seriedade e respeito trazê-la a pensamentos mais felizes, conversando sobre coisas úteis, agradáveis, recordando algum fato positivo, relatando algum caso interessante.

A princípio, Maria Antônia não prestava atenção ao que ele dizia. Não aceitava sua forma de ser, de pensar. Achava-o desinteressante, antiquado.

Porém, aos poucos, começou a pensar que Menelau estava diferente. Não a criticava nem a chamava de fútil só porque ela gostava da vida e da sociedade. Chegava até a elogiar suas tapeçarias. Trouxera-lhe lindos livros franceses sobre o assunto e demonstrara prazer em ver os desenhos, estudá-los com ela. Afinal, ele começava a humanizar-se, não era mais o homem tão ignorante que sempre fora, sem sensibilidade diante de um vaso de Murano, uma porcelana de Sèvres ou um quadro de Rembrandt.

De certa forma, sentia-se aliviada. Sua presença não mais a oprimia, ao contrário. Sentindo-se livre, começou até a apreciar sua presença, descobrindo nele qualidades que antes não via, aceitando melhor seu convívio.

Com o decorrer dos dias, o relacionamento deles foi se modificando. Não havia mais discussões, o ambiente do lar tornou-se melhor, até o mau humor de Maria Antônia foi diminuindo.

Afinal, pensava ela satisfeita, era melhor que Menelau houvesse se modificado. Já que estavam casados e que ela não queria abdicar da posição de esposa respeitada e honesta, já que precisava suportar seu convívio, era melhor que ele não a incomodasse como antes.

Há muito ele não exercia seus direitos de marido e ela se sentia aliviada. Depois de conhecer Alberto, seria difícil tolerar a intimidade de Menelau.

Há muito eles haviam percebido que não se amavam. A atitude de Menelau, portando-se como um bom amigo, sem cobrar nada, nem se impor em seu papel, era-lhe muito conveniente.

Vendo-lhe as atenções, a cortesia, o interesse sincero, a amizade, sentiu-se à vontade e feliz.

Amava e era amada. Quando Alberto resolvesse assumir a vida a seu lado, eles iriam para bem longe e Menelau acabaria por compreender.

Maria Antônia entregou-se inteiramente ao amor que lhe inundava o coração.

Capítulo XIX

Maria Antônia olhou para Alberto sem compreender. Ele, com voz pausada e tranqüila, informava-lhe que entre eles estava tudo acabado.

— Está brincando! — tornou ela, sorrindo.

— Não, minha cara, não estou. Nossas relações precisam acabar. Este é o nosso último encontro.

— Por que quer me preocupar? Nosso amor é eterno. Jamais nos separaremos. Você jurou que me amava!

— É, jurei e a amava mesmo. Mas agora acabou. Você deve aceitar com calma minha decisão. Não nos veremos mais.

Maria Antônia sentiu um aperto no coração. Agarrou o braço dele com força:

— Por quê? Eu vivo para você!

— Isso passará. Já teve muitos homens em sua vida. Depois, há seu marido, um homem sério, honesto, que não merece esta traição!

Maria Antônia enfureceu-se:

— Você nunca se importou com ele! O que aconteceu? Por que quer acabar com tudo?

Alberto olhou-a friamente:

— Não pretendia contar, mas já que insiste, saiba que pretendo casar-me. Preciso constituir um lar. Há deveres de família.

— É mentira. Nunca se importou com eles. Arranjou outra mulher! Quem é ela? Hei de destruí-la com minhas próprias mãos. Traidor!

Alberto fixou-a com irritação e, num gesto firme, arrancou a mão dela que lhe apertava o braço.

— Odeio cenas — disse. — Não pretendia chegar a esse ponto. Pensei que soubesse aceitar a derrota.

Maria Antônia passou do ódio ao desespero. Lágrimas fluíram em seus olhos.

— Eu o amo, Alberto. Não posso crer que não me amasse também! Você jurou que me amava.

Ele deu de ombros:

— Juramentos de amor passam como o vento! Quem pode comandar o coração?

— Quer dizer que não me ama mais?

— É isso — tornou ele, sério. — Não a amo mais. Depois, pretendo casar-me brevemente. A família de minha noiva é muito austera. Não admite ligações extraconjugais. Vou mudar de vida. Estou acabando com todas as minhas ligações amorosas.

Maria Antônia irritou-se:

— Existem outras além de mim? Sempre me traiu?

Ele sorriu com ar incrédulo:

— Pensou que fosse a única? Nunca lhe disse tal coisa. Agora preciso ir. Desejo-lhe felicidades. Não vai me desejar o mesmo?

— Desejo que morra! — respondeu ela, com o semblante cheio de ódio.

— Isso vai passar. Vai refletir e verá que foi melhor assim. Adeus.

Ele saiu e Maria Antônia não conseguiu falar. Seu mundo havia desabado. Jamais pensara que isso pudesse ocorrer. Alberto, ao dizer todas essas coisas horríveis, parecera-lhe um outro homem. Recusava-se a crer na realidade.

Deixou as lágrimas correrem livremente. Depois começou a pensar que ele voltaria atrás, arrepender-se-ia e tudo seria como antes. Acalmou-se um pouco a esse pensamento, enxugou as lágrimas e foi para casa.

Contudo, suas esperanças ruíram uma a uma nos dias subseqüentes. Alberto evitava-a ostensivamente e parecia nem sequer havê-la conhecido. Seu noivado, anunciado oficialmente, e o casamento marcado para dali a um mês abalaram Maria Antônia profundamente.

A noiva, moça lindíssima e pertencente a conceituada família em evidência na corte, despertou-lhe violento ciúme. Não suportava ver Alberto ao redor dela, apaixonado e solícito. Ela tinha que fazer alguma coisa. Não podia ser posta de lado assim, sem mais nem menos. E o seu amor? E os seus sentimentos?

Nunca havia amado. Agora que isso ocorria, não iria perder a parada. Tentou de todas as formas ver Alberto, até que o ameaçou de procurar a noiva e contar-lhe sobre seu romance. Irritado, ele concordou em vê-la de novo. Maria Antônia exultou. Preparou-se cheia de esperança, mas ele estava frio e colérico. Fez-lhe até ameaças.

— Vim para dizer-lhe que me esqueça. Não vê que amo minha noiva? É a única mulher para mim. Saia do meu caminho definitivamente se não quer que eu a odeie.

— E eu? Como ficarei? Eu o amo. Não consigo esquecer!

Alberto fulminou-a com um olhar misto de incredulidade e ironia.

— Em amor é preciso que os dois queiram. Não a amo mais, estou apaixonado por outra mulher. Deixe-me em paz.

Voltou as costas e saiu. Maria Antônia sentiu-se desfalecer. Estava consumado. Tudo acabado! Como suportar a vida sem ele? Como viver depois disso? Teve ímpetos de matar-se. Foi para casa, trancou-se no quarto. Estava desesperada. Pretextando mal-estar, não saiu de lá.

Menelau quis saber se estava doente, porém ela se recusou a recebê-los. No dia seguinte, guardou o leito sem querer ver ninguém. Foi a criada que, já à noite, procurou o patrão, preocupada:

— Senhor, D. Maria Antônia não está bem.

— O que aconteceu?

— Ela não quer que ninguém entre no quarto, porém não sai da cama. Há dois dias recusa qualquer alimento. Está agitada, penso que tem febre, fala coisas estranhas, chora, briga. Deus que me perdoe, mas parece endemoninhada!

— Fez bem em avisar-me. Vamos vê-la.

Menelau entrou no quarto e acendeu o lampião. Maria Antônia, pálida, abatida, olhou-o irritada.

— O que quer aqui? Fora. Deixe-me em paz!

Ele se aproximou tentando ocultar a preocupação.

— Você está doente. O que aconteceu?

— Nada que seja da sua conta. Quero ficar só.

Menelau respondeu, sério:

— Não seja criança. Você tem um problema e eu estou aqui. Quero-a bem. Por que está tão nervosa?

Ela o olhou e não se conteve, caiu em pranto. Menelau fez sinal para que a criada saísse e segurou a mão da esposa com carinho.

— Seja o que for, eu estou aqui. Quero ajudá-la. Gosto de você. Farei tudo pela sua felicidade. Conte-me o que aconteceu.

Naquele instante em que se sentia rejeitada e ferida, era-lhe agradável a dedicação e o afeto de Menelau. Porém como contar-lhe a verdade? Como dizer-lhe que o traíra, que amava outro homem, que era por esse amor que sofria? Se ele soubesse a verdade, desprezá-la-ia. Era um homem de princípios. Engoliu as lágrimas e disse, entre soluços:

— Eu quero morrer! Esta vida não vale nada. Sou infeliz. Não desejo mais viver!

Menelau afagou-lhe os cabelos empapados de suor. Estava penalizado. Jamais a vira chorar. Maria Antônia sempre fora forte, corajosa e até dura diante dos problemas. O que teria acontecido para tê-la sensibilizado a tal ponto?

— Não diga isso — tornou ele. — A vida é bela, você é jovem, seja o que for que a tenha desgostado há de passar. O tempo cicatriza todas as feridas.

Mas Maria Antônia não saiu da depressão nem do leito. Recusava qualquer alimento.

No dia seguinte, Menelau chamou o médico. Contou-lhe o estado depressivo de Maria Antônia e ele se fechou no quarto dela, para examiná-la.

Ao sair, o médico disse a Menelau, com um sorriso:

— Felizmente, nada sério. Muitas mulheres ficam chorosas e sensíveis no início da gravidez.

Menelau empalideceu.

— Gravidez?

— É. Acho que D. Maria Antônia está grávida. Porém, pelo que conversamos, ela ainda não sabe. Achei prudente não lhe contar por agora. Sei que ela não aceita ser mãe. É preciso primeiro fazê-la acostumar-se com a idéia. O senhor ajudará. Afinal, a notícia é boa. O senhor vai ser pai, Sr. Menelau.

Menelau sentiu um aperto no coração. Então era verdade! Maria Antônia o traía!

— Vejo que está emocionado — continuou o médico com satisfação. — Depois de tantos anos de casados, é mesmo emocionante. Parabéns!

Menelau fez enorme esforço para controlar-se.

— Obrigado — disse com voz sumida.

— Agora, precisamos cuidar de D. Maria Antônia. Vou receitar-lhe chás calmantes. Alguns fortificantes, alimentos adequados. Quando ela melhorar, o senhor lhe contará a verdade.

Menelau olhava o médico sem saber o que dizer. Sentia-se revoltado, ferido. Há muito tempo que não tinha relações sexuais com sua mulher. Estava certo de que o filho não era seu. Mesmo assim, procurou esconder o que sentia. Quando o médico saiu, fechou-se no quarto com o coração oprimido. Apesar da vida social que Maria Antônia levava, ele não suspeitava que ela realmente mantivesse aventuras extraconjugais. Imaginava que, apesar de não amá-lo, ela não chegasse ao adultério. Agora esse filho indesejado provava o contrário. Sentiu-se aviltado.

Afinal, ela usava seu nome, viviam na mesma casa, todos sabiam que ela era sua esposa. Em que situação ficava ele diante da sociedade? Lembrou-se das cartas anônimas. Outros conheciam essa traição. Ele era ridicularizado, seu nome arrastado na lama pela leviandade dela.

Teve ímpetos de ir até ela, exigir-lhe contas, saber quem era ele, tomar satisfações. Sua cabeça doía e ele achava que precisava tomar uma atitude para provar sua honestidade, limpar seu nome, lavar sua honra. Sentia vontade de agredir Maria Antônia.

Ficou no quarto durante muito tempo, lutando com sua angústia e revolta. Depois, não suportou, foi vê-la. Estendida no leito, pálida, ela parecia morta. A custo a criada a fizera ingerir uma xícara de chá calmante e ela agora entregara-se à depressão sem disposição para falar ou reagir.

Menelau, rosto frio, insensível ao estado de abatimento dela, ordenou à criada que saísse. Depois aproximou-se do leito e chamou:

— Maria Antônia.

Ela abriu os olhos, fitando-o.

— Sei de tudo — disse ele com voz dura.

— Como? — perguntou ela, sem entender bem o que ele dizia.

— Eu sei de tudo — repetiu Menelau, lutando contra o desejo de sacudi-la.

— Tudo o quê? — inquiriu ela com desânimo.

— Tudo. Sei que tem um amante, que me traiu. Que manchou meu nome honesto. Que conspurcou este lar que nos agasalha. Sinto vontade de matá-la!

Ela se animou subitamente. Seu rosto coloriu-se de um vivo rubor e gritou:

— Pois mate-me. Faça-me esse favor. Não quero mesmo viver!

— Quem é ele? Por quem me traiu?

— O que importa isso? De que vale saber se nada mais há entre nós, se ele não me quer e se vai se casar com outra?

— Tem coragem de dizer-me essas coisas? Eu, seu marido?

Ela o olhou e sentou-se no leito. Olhos muito abertos, disse com raiva:

— Marido? Desde quando você se considera meu marido? Só porque me deu o nome e me sustenta? Eu preciso de amor! Eu sou mulher! Queria amar, ser amada, viver! Você nunca me deu esse amor e eu jamais vibrei em seus braços. Gosto de você como de um irmão, mas eu preciso de mais, eu preciso de amor, sem o qual a vida não vale nada.

Menelau baixou a cabeça, confundido. Jamais pensara que ela pudesse ser tão apaixonada. Nunca a vira como mulher. Ela também não lhe despertava amor, só amizade.

— Eu amei — disse Maria Antônia, com voz emocionada. — Eu amo! Não me importaram os preconceitos nem as convenções sociais. Tudo que eu queria era estar junto dele, em seus braços. Agora ele não me quer. Se me matar, será um favor. Esta vida não tem mesmo nenhuma importância!

Menelau deixou-se cair em uma poltrona e colocou a cabeça entre as mãos. Emoções desencontradas tomavam conta de seu ser e ele lutava para acalmar-se e dominá-las. Era uma loucura, não podia ser verdade! Não estava acontecendo com ele! Sentia um misto de piedade e rancor, de mágoa e apreensão.

— Apesar de o nosso casamento não ser o ideal, de não me amar, eu esperava que mantivesse a honra de nossa casa.

Ela se agitou um pouco e respondeu:

— Que honra? Jamais pensei nisso. Nunca havia amado antes. Você não sabe o que é o amor, conforma-se com uma vida apagada! É incapaz de um sentimento desses! Não pode compreender o que seja isso. Como pode saber o que é sentir que a alma se vai num beijo e tudo o mais desaparece ao encontro da pessoa amada? Quem vai se lembrar de convenções, preconceitos, formalidades num momento desses?

Menelau olhou-a, estupefato. Jamais a imaginara capaz de tanta veemência, de tanta paixão. As idéias confundiam-se em sua cabeça. Ele se levantou, saiu. Precisava acalmar-se, ordenar os pensamentos.

Na rua, foi caminhando indiferente, imerso em suas preocupações. A vontade de matá-la havia passado. Começava a pensar que a separação seria inevitável. Não suportaria mais viver com ela depois disso. Não agüentaria sair a seu lado, pensar que as pessoas pudessem saber que ele fora traído.

Menelau andou durante muito tempo, perdido em seus pensamentos íntimos, ruminando amargurado. Não sentia ânimo de voltar para casa. Ainda estava descontrolado.

A noite já havia descido e ele não resolvera como agir. Só sabia que queria a separação, nada mais. Sua cabeça doía, sentia-se mal. De repente, lembrou-se de Eduardo.

Ficaria na casa do amigo aquela noite e, quando se sentisse mais calmo, tomaria as providências para a separação. Não queria escândalo. Faria tudo discretamente.

Ao abrir a porta, Eduardo olhou admirado o rosto do amigo, mas nada disse. Fê-lo entrar e sentar-se no sofá da sala. Sua fisionomia pálida, contraída, refletia angústia, preocupação, amargura. Acomodou-se a seu lado e esperou que ele falasse.

Fundo suspiro escapou do peito de Menelau.

— Vim pedir abrigo. Vou me separar de Maria Antônia. Preciso de alguns dias para resolver minha vida. Quero saber se posso ficar aqui.

Eduardo olhou-o sério por alguns segundos, depois disse:

— Claro. Pode ficar o tempo que quiser.

— Obrigado. Sabia que podia contar com você.

— Agora, relaxe. Você está tenso. Nada pior para a saúde.

— Não consigo. Tentei, mas foi inútil. Andei bastante, tentando acalmar-me, porém sinto-me ainda muito nervoso. Dói-me a cabeça e tenho a boca amarga.

— Você se alimentou?

— Não consigo. Meu estômago está enjoado.

— Vamos para o quarto.

Menelau acompanhou-o ao quarto e Eduardo abriu uma cômoda, apanhando uma camisa de dormir.

— Vista isso e deite-se. Vou preparar um chá para você. Procure não pensar em nada. Acalme-se. Lembre-se de que Deus está no leme de tudo e que em nenhum momento se esqueceu de você. Voltarei em seguida.

Eduardo saiu e Menelau trocou de roupa e deitou-se. Apesar de sua cabeça estar pesada e latejar, das náuseas e do gosto amargo na boca, sentiu certo conforto. A discrição do amigo, suas atenções e solicitude eram como bálsamo em sua ferida.

Eduardo voltou com a xícara de chá:

— Vamos, beba isto.

Menelau obedeceu.

— Agora deite-se de novo.

Colocou uma cadeira ao lado da cama e sentou-se. Depois disse:

— Agora você vai dormir. Sua crise já passou. Amanhã será outro dia e tudo poderá ser melhor. Vamos pensar em Deus, que conhece nossas dores e provê todas as nossas necessidades. Ele tem remédio para todos os males, a medida certa para cada caso.

Eduardo estendeu a mão direita sobre a testa de Menelau e fez sentida prece. Menelau sentiu um brando calor envolver-lhe o corpo. Fechou os olhos e, quase sem perceber, adormeceu.

Acordou assustado. Olhou para o quarto diferente do seu, tentando compreender por que estava ali. De repente, lembrou-se. Que vergonha! Maria Antônia tinha um amante! Ele estava fazendo um triste papel. Era o marido traído.

Levantou-se de um salto. Vestiu-se. Precisava tomar providências. Procurou Eduardo. Devia-lhe uma explicação. Sentia-se grato pela sua discrição, mas não poderia esconder a verdade. Considerava-se já separado de Maria Antônia. Todos iriam saber.

Eduardo, na varanda, lia o jornal do dia e, vendo Menelau chegar, dobrou o diário e colocou-o sobre a mesinha dizendo:

— Bom dia, Menelau! Dormiu muitas horas, estava cansado. Sente-se melhor?

— Sim. Precisamos conversar. Desejo contar-lhe o que aconteceu.

Eduardo levantou-se.

— Depois do café. Vamos à cozinha.

Vendo a mesa posta e sentindo o cheiro gostoso do café que Jacira, a criada de Eduardo, coara na hora, Menelau sentiu fome. Aceitou a caneca fumegante de café com leite que a serva colocou em sua frente e comeu uma grossa fatia de pão com manteiga. Sentiu-se bem melhor. Quando terminaram, Eduardo convidou-o a ir à sala e quando se acomodaram esclareceu:

— Fale se tiver vontade. Não é obrigado a contar-me nada se não quiser.

Menelau sacudiu a cabeça.

— Quero falar. Preciso desabafar. Só você me compreenderia.

Eduardo concordou:

— Está bem. Pode falar.

Menelau desabafou toda a sua revolta com a triste descoberta. Contou tudo e finalizou:

— Apesar de não nos amarmos, não esperava que ela chegasse a esse ponto.

— O que pensa fazer?

— Tomar o único caminho possível: a separação. Nunca mais quero vê-la. Se você permitir, ficarei aqui por alguns dias. Poucos. O bastante para procurar uma casa e transportar meus pertences. Não suportaria ficar lá, ainda que por alguns dias.

Eduardo olhou-o sério, dizendo:

— E ela, o que acha que fará quando descobrir que vai ser mãe? Sempre foi contra a maternidade.

Menelau contraiu o rosto dolorosamente. Fundo suspiro escapou-se-lhe do peito.

— Não sei.

— Vai contar-lhe? Ela precisa saber. Naturalmente vai conversar com ela, acertar os detalhes da separação.

Menelau olhou o amigo interdito.

— Não sei... Não gostaria de vê-la novamente. Pretendo ajustar um advogado.

— Certos assuntos necessitam ser enfrentados pessoalmente. A fuga não vai ajudar. Se acha que deve separar-se de sua mulher, é um direito seu. Mas faça-o com dignidade. Converse com ela, discuta suas razões, enfrente o problema. Sentir-se-á melhor depois disso.

Menelau baixou a cabeça, pensativo. No fundo sabia que Eduardo tinha razão, contudo tentou argumentar:

— Recebi várias cartas anônimas, outras pessoas sabem que ela me traía. É um triste papel que não gosto de fazer. Quando penso nisso, sinto vontade de matá-la.

— O orgulho é mau conselheiro, sempre distorce nossa visão.

Menelau ofendeu-se:

— Orgulho?! Você acha que não tenho razão? Meu nome enxovalhado, motivo de chacota, arrastado na boca dos maledicentes, e você acha que estou sendo movido pelo orgulho?

— Pelo orgulho e por excesso de imaginação. Os maledicentes não são dignos da nossa preocupação. Eles sempre encontram o que dizer quando olham a vida das pessoas. Não merecem nossa atenção. Depois, como sabe que o ato de Maria Antônia é do domínio público? Ao que me consta ela sempre foi muito discreta e seu nome nunca foi envolvido em nenhum escândalo.

— Você a defende! — exclamou ele, irritado. — Eu sou o orgulhoso, o errado! Por acaso ela estará certa?

Eduardo olhou-o nos olhos com seriedade.

— Não se trata de quem está certo ou errado, mas de perceber a verdade.

— A verdade é que ela me traiu.

— Da mesma forma que você.

Menelau olhou-o assustado. Esquecera-se por completo desse fato. Não se deu por achado:

— Ela está grávida de outro homem.

— E você tem um filho com outra mulher.

Menelau sentiu um abalo no coração. Preferia não se lembrar desse assunto.

— Isso foi há muito tempo. Depois, ninguém soube de nada. Nem Maria Antônia. Eu renunciei ao amor por causa dos deveres de família. Ela me disse que ele não a quer, caso contrário o acompanharia para sempre.

— Então ela também encontrou o amor.

— Ela é mulher. A mulher jamais poderá ser infiel.

— Ela é um espírito igual ao meu, ao seu, temporariamente num corpo de mulher. As leis de Deus não discriminam ninguém. Todos os espíritos são iguais diante dela. A vida responde aos nossos atos pautando-se por essas leis, nunca pela nossa forma física.

— Você quer justificar os atos de Maria Antônia!

— Não justifico nada. Quero enxergar a verdade, longe dos preconceitos sociais do mundo, procurando perceber o que se passa no espírito angustiado de Maria Antônia. Ela está em crise, precisa de ajuda.

— Ela está enfrentando as conseqüências dos seus erros.

— Todos estamos. A vida não deixa nada sem resposta. Pense nisso antes de decidir o que vai fazer. O espírito de Maria Antônia reencarnou depois de uma vida desregrada em existência anterior. Pelo que conhecemos a seu respeito, ela destruiu lares, despertou paixões, mas nunca havia amado ou sofrido por amor. Era indiferente, fria. Agora ela ama. Talvez seja uma paixão apenas, mas é um começo de sensibilização. Ela começa a gostar de alguém, a sair do seu egocentrismo, a aprender a dar. Não sabe perder, foi rejeitada. Sofre pela primeira vez o que causou aos outros. Está em crise. A maternidade poderia despertar novos valores em seu espírito. Seria bom que ela aceitasse esse filho.

Menelau emocionou-se. Lágrimas desciam-lhe pelas faces. Era-lhe difícil aceitar e perceber o que Eduardo dizia e, por isso, respondeu entre soluços:

— E eu? Como aceitar esse castigo? Como admitir a vergonha, a traição?

— Se escorraçar o orgulho, vai descobrir que a vida está lhe colocando nas mãos tudo quanto lhe tem pedido com insistência.

— Eu? Como assim?

— Pense. Medite. Lembre-se da finalidade de sua encarnação atual. Sempre desejou ajudar o espírito de Maria Antônia, esclarecê-lo, elevá-lo.

— Ela fez exatamente o contrário, desceu.

— Ela se humanizou. Foi tocada pelo amor, pela paixão. Está sofrendo. Que oportunidade melhor do que essa para ajudar? Durante anos esperou essa chance, pretende agora desperdiçá-la?

Menelau remexeu-se no sofá:

— O preço é alto demais. Não creio que eu tenha condições de fazer isso.

Eduardo sacudiu a cabeça e disse com voz calma:

— É pena. Quer dizer que seu amor de pai não é bastante forte para vencer o preconceito e ampará-la de fato? Talvez você não estivesse sendo sincero quando afirmou que seu objetivo nesta vida seria elevar esse espírito. É um direito seu. Não o estou criticando. Peço-lhe apenas que pense um pouco mais antes de decidir o que fazer.

— Não quero pensar! Quero livrar-me deste peso.

— A fuga não o libertará dele.

Menelau, inquieto, passou a mão pelos cabelos.

— Preciso fazer alguma coisa, Eduardo. Não posso ficar aqui, parado, pensando.

— Por que não? Afinal, toda sua vida está em jogo. Depois, tomar decisões importantes sob forte tensão emocional não é aconselhável. Pode vir a arrepender-se. Procure acalmar-se. Para que tanta pressa?

— Já tomei a decisão. Devo procurar uma casa, mudar. Não posso incomodá-lo por muito tempo.

Eduardo sorriu.

— Não me incomoda. Ao contrário. Faz-me companhia. Fique aqui quanto tempo desejar, só me dará prazer. Você é meu amigo! Agradeço a prova de confiança, procurando-me em um momento desses. Orgulho-me da nossa amizade. Não tenha pressa. Descanse, medite, pense. Não tome nenhuma decisão agora, peço-lhe. Deixe passar pelo menos mais vinte e quatro horas. Depois, faça o que quiser.

Menelau suspirou. Não lhe agradava ficar ali, ruminando a sua angústia.

— Vou pelo menos andar um pouco, procurar por uma casa para morar.

— Está certo. Mas depois volte para cá. Estarei esperando.

— Voltarei. Mesmo porque não me sinto com forças para voltar à minha casa.

— Prometa-me não tomar nenhuma atitude antes de vinte e quatro horas.

Menelau respirou fundo. Depois concordou.

— Está bem. Prometo.

No mínimo guardava a certeza de que não voltaria atrás em sua decisão. Eduardo era seu amigo, acolhera-o com carinho e compreensão. Não podia recusar-lhe o pedido.

— É melhor assim — disse ele. — À noite, vamos orar juntos. Deus o acalmará. Tranqüilo, terá chance de encontrar a melhor solução.

— Agradeço-lhe de coração. Aqui encontrei apoio, compreensão. Eu estava transtornado.

Conversaram durante algum tempo e Eduardo procurou falar de outros assuntos mais amenos, de seus negócios, seus problemas e interesses. Menelau, apesar de preocupado com seu drama, não quis ser indelicado e esforçou-se por interessar-se pelo que ele dizia. Sem perceber, foi saindo de sua própria preocupação. Esqueceu-se de que pretendia sair. Foi ficando, conversando.

No almoço, comeu com mais apetite. Eduardo não o deixou retomar o assunto que o levara ali. Inteligentemente, conduziu a conversa de tal forma que Menelau, a pretexto de ajudá-lo, interessou-se realmente pelos assuntos que ele trazia. Após o almoço, Menelau estava mais relaxado e à vontade.

Eduardo aproveitou para sugerir:

— Você está cansado, Menelau. Vá dormir um pouco. Refazer suas energias. Lembre-se de que não precisará tomar nenhuma decisão antes das vinte e quatro horas. Necessito sair, não vou demorar. Aproveite para descansar.

Menelau concordou. Sentiu-se aliviado por não ter que decidir nada nas próximas horas. Foi para o quarto. Deitou-se. Branda sonolência o invadiu e ele adormeceu.

Ao acordar, olhou o quarto e imediatamente recordou-se de tudo.

— Parece um pesadelo — pensou.

Enganara-se com Maria Antônia. Julgara-a mulher fria e sem capacidade para amar. Subestimara-a. Não lhe dera o amor que ela deveria desejar. Nem sequer a via como uma mulher. A seu lado, não sentia desejo algum. Gostava dela, porém não a cobiçava. Seria mesmo verdade tudo quanto Eduardo lhe dissera? Os espíritos estavam certos? Ela teria realmente sido sua filha em outra encarnação? Mesmo aceitando a idéia como possível, havia sempre uma dúvida. Teria sido assim mesmo?

Por outro lado, como explicar seu afeto por ela, a falta de atração física entre eles? Como entender por que eles haviam se casado?

A explicação dos espíritos era a única que respondia a todas as indagações. Se Maria Antônia houvesse sido sua filha abandonada e se tornado uma mulher devassa como eles afirmavam, por certo não teria ainda condições morais para entender certos valores da vida. Eduardo teria razão? Esse amor para ela significaria uma sensibilização?

Menelau remexeu-se na cama, inquieto. Era-lhe muito difícil aceitar isso.

De repente lembrou-se: ele havia feito a mesma coisa. Entregara-se ao amor de Maria José sem pensar na honra de ninguém. Do irmão doente, da esposa, dos sobrinhos. Esse amor era para ele sagrado, puro. O que sentia pela cunhada era um amor verdadeiro, por certo diferente das aventuras da corte onde Maria Antônia se perdera.

As palavras dela vieram-lhe à mente:

"Eu amei! Eu amo! Não me importam os preconceitos e as convenções sociais, tudo que eu queria era estar junto dele!"

Ela não tivera pejo em dizer o que sentia. Estaria amando de verdade? Seria seu amor tão grande quanto o dele por Maria José?

Levantou-se e, inquieto, deu alguns passos pelo quarto de um lado a outro, depois sentou-se em uma poltrona passando a mão pelos cabelos, como a afastar a preocupação.

Não se julgava culpado por amar Maria José. Ele renunciara e isso dignificava seus sentimentos. Ela, porém, fora abandonada, queria segui-lo de qualquer jeito.

Fora-lhe difícil renunciar ao amor de Maria José. Maria Antônia não possuía forças para isso. Deveria culpá-la? Para ela, seu drama, sua paixão, sua dor eram mais importantes do que sua posição, seu nome, sua condição de mulher casada e honesta. Se ele quisesse, ela o acompanharia. Como sempre, ela só pensava em si mesma, em satisfazer seus desejos, sem se importar com o resto.

Menelau pensou em Maria José. Não fora egoísmo de sua parte amá-la, entregar-se a esse amor, a satisfação dos seus sentimentos sem se importar com o irmão doente e indefeso?

— Meu Deus — pensou ele, aflito. — Teria isso sido o meu castigo? Teria a vida me justiçado, fazendo-me sentir a mesma dor que causei?

Pensou em Demerval. Ele não soube em vida mas descobrira depois de morto. Por certo o teria odiado. Pela primeira vez pensou no irmão enganado, tendo entre os filhos um que não era seu. O que ele teria sentido no lugar do irmão?

Sentiu-se arrasado. Demerval precisava perdoá-lo, compreender que ele não fizera nada proposital. Acontecera. Eles não encontraram forças para evitar. Arrependera-se, renunciara. Era-lhe muito difícil essa renúncia.

Amava Maria José: esse sentimento era independente da sua vontade, não conseguia dominá-lo, impedi-lo de manifestar-se. Estaria sendo punido por esse crime?

Suspirou fundo. Como exigir contas a Maria Antônia? Com que moral? Seu casamento com ela havia sido um erro pelo qual ambos estavam pagando um preço muito alto. Se ele realmente houvesse sido seu pai em vida passada, se a tivesse abandonado pelo amor de Maria José, por que se propusera a fazer agora a recuperação desse espírito se não possuía condições de cumprir? Se ele mesmo ainda precisava de apoio, perdão, ajuda? Não fora muita pretensão de sua parte pensar que pudesse ajudar a elevar aquela alma? Que ele já possuísse condições para ampará-la quando ele mesmo ainda se sentia derrotado, fracassado, sem moral, sem dignidade?

No fundo reconhecia que era tão necessitado de perdão e de amparo quanto Maria Antônia e que não valia mais do que ela. Como fora pretensioso, desejando ensinar-lhe os valores espirituais da vida sem ainda havê-los aprendido.

Eduardo tinha razão. Ele era muito orgulhoso. Era o orgulho que o inspirava e o fazia julgar Maria Antônia com tanta severidade. Ele era tão culpado quanto ela. Sua missão de pai também fracassara. Não se sentia com forças para ampará-la agora. Teve vontade de desaparecer. De ir embora para sempre, de afastar-se tanto de Maria Antônia quanto de Maria José, na tentativa de apagar do seu espírito a sensação de culpa.

Talvez fosse melhor partir para o estrangeiro. Longe, poderia esquecer. Sim. Queria esquecer, partir. Nunca mais voltaria.

Quando Eduardo voltou, encontrou o amigo resolvido a viajar, mudar-se para o exterior. Com serena paciência deixou-o falar sobre o assunto, sem opinar. Mandou um criado a sua casa buscar uma valise com algumas roupas.

Após o jantar, Eduardo convidou-o à prece. Procurou falar sobre outros assuntos, mais amenos. Menelau apreciava uma boa conversa inteligente, interessava-se muito pelos assuntos espíritas. Com delicadeza, Eduardo procurou falar sobre temas que não o fizessem recordar-se de suas preocupações. Quando Menelau mostrava desejo de abordá-los, com habilidade Eduardo lembrava um outro assunto interessante, desviando-lhe a atenção.

Falou dos mundos habitados, da vida depois da morte, dos estudos da ciência na Itália, na Inglaterra e nos Estados Unidos.

Quando se recolheu, Menelau estava bem, não teve dificuldade para dormir.

No dia seguinte, ao almoço, comunicou ao amigo sua decisão. Iria mesmo embora do Brasil para sempre. Procuraria viver sua vida solitária em outro país. Não se sentia em condições de ensinar ninguém, muito menos Maria Antônia. Ela procurara uma situação da qual por certo encontraria o jeito de sair. Ele não era bom o bastante para ajudá-la.

Eduardo olhou-o e nada disse. Menelau, contrafeito, indagou:

— Não é a melhor solução?

— Fugir nunca foi solução.

— Não estou fugindo. Simplesmente não sei o que fazer aqui, sozinho. Assim, Maria Antônia ficará livre para fazer de sua vida o que quiser. Não me aborrecerei com suas aventuras.

— Você é quem sabe.

— Vou tratar dos meus negócios e dentro de duas ou três semanas deixarei o Brasil.

— Não se precipite. A pressa é inimiga dos bons negócios. Tenha calma.

— Terei.

— Devo sair agora. Hoje é dia da sessão em casa do Sr. Sampaio. Iremos juntos?

Menelau hesitou um pouco, depois respondeu:

— Iremos. Às sete.

— Sim. Às sete.

Menelau recolheu-se ao quarto e estendeu-se no leito, pensativo. Iria embora para sempre. Em Paris não gostaria de viver. Talvez a Itália ou a Espanha lhe oferecessem nova opção de vida. Deixaria Maria Antônia amparada financeiramente e livre para viver como bem entendesse. Era o máximo que poderia fazer.

Funda amargura tomou conta do seu coração. Apesar da sujeira de suas ruas, do atraso dos costumes e da desorganização por toda parte, Menelau amava o Rio de Janeiro. Adorava suas praias, seu céu azul, seu povo alegre e dono de um humor todo próprio. Amava o Brasil, e deixá-lo para sempre era-lhe penoso. Não havia outro jeito. Estava decidido.

Ao sair com Eduardo para a casa do Sr. Sampaio, compôs a fisionomia. Não queria que ninguém percebesse seu abatimento e a dor que lhe ia na alma.

Recebidos com deferência pelo dono da casa, sentaram-se ao redor da mesa, juntamente com a esposa do Sr. Sampaio e um casal jovem. Menelau já os conhecia de outras reuniões.

Apagadas as luzes, na penumbra da sala, o Sr. Sampaio proferiu emocionada prece.

Sua esposa, envolvida por um espírito familiar, transmitiu uma mensagem sobre a compreensão e o amor, a necessidade de não julgar ninguém mostrando a nossa precariedade de perceber a verdade quase sempre distorcida pelos padrões sociais.

Menelau comoveu-se profundamente. Cada palavra tocou-o, fazendo-o sentir o quanto estava sendo pressionado pelo medo da opinião dos outros e pelo orgulho. As lágrimas rolaram em suas faces. Ele não era capacitado para ajudar ninguém. Era fraco, necessitado. Havia escorregado na tentação, no amor proibido, no adultério. Como julgar Maria Antônia?

Na sala, o silêncio se fizera e todos oravam com sinceridade. Foi quando a jovem senhora, sentindo grande emoção, disse com voz diferenciada da sua:

— Raul! Não abandone Antonieta de novo! Estou aqui para pedir-lhe isso. Por favor! Ela precisa de você.

Menelau sobressaltou-se. Ninguém ali conhecia os acontecimentos da fazenda, quando esse passado fora rememorado.

Emocionada, a jovem senhora prosseguiu:

— Por que se deixa levar pelo orgulho? Por que se sente agora incapaz de realizar sua parte no acordo que fizemos? Você me prometeu que a ajudaria! Esperei todos esses anos com fé que chegasse a hora e agora você se rebela, quer desistir? Não tem vergonha, depois do que fez, de julgá-la com tanta dureza de alma? O que pensa da vida? Por acaso só você pode amar, ferir os outros, ficar impune, ser perdoado? Ela não tem o mesmo direito? Ela, que não foi amada por você o quanto deveria, começa agora a despertar para a vida. Ela é a nossa Antonieta, sofrida, enganada, cheia de ilusões, criança que começa a perceber o amor. Como deixá-la no momento mesmo em que pensa em matar-se, em matar o filho que lhe levaria mais amor no coração? Estou aflita. Não tenho conseguido fazê-la perceber a verdade. Mas você pode! Ela precisa de apoio, amor, compreensão. Por que se nega?

Sacudido pela emoção, Menelau soluçava, dando largas ao que lhe ia no coração. Sentia vergonha. Percebia seu egoísmo. Seu orgulho, sua vontade de fugir para não enfrentar a verdade que lhe doía.

Diante do espírito de Eleonora, falando de problemas que só ele e Eduardo conheciam, não podia ter dúvidas quanto ao passado.

Ela lhe cobrava o amparo à filha que adorava. Era-lhe difícil atender esse pedido. Prometera essa ajuda sem saber como ela seria e o quanto lhe custaria. Sentia medo de não conseguir, seus recursos eram precários.

Entretanto, precisava tentar. Mentalmente pediu ajuda. Eleonora prosseguiu:

— Eu o ajudarei. Tenho amigos bondosos que nos sustentarão nos momentos difíceis. Se você quiser, tudo dará certo. Nós conseguiremos.

Menelau sentiu uma nova esperança desabrochar em seu coração. Seria esse o seu caminho? Deveria devotar-se a Maria Antônia para que ela superasse a crise e pudesse compreender? Teria forças para enfrentar a sociedade sem titubear?

Fundo suspiro escapou do peito da jovem senhora de quem Eleonora se servia para falar.

— Raul, atenda meu pedido. Antonieta corre sério perigo. Está muito deprimida. Seria muito bom que seu filho nascesse. Peço-lhe! Ajude-a por favor!

— Não sei se serei capaz — balbuciou Menelau, agoniado.

— Por que se faz de fraco? Conheço sua força. Ninguém o vence quando realmente deseja uma coisa. Seu sofrimento de pai teria sido fingido? Por que não percebe que errou muito mais do que ela? Por que exagera sua dor, sua vergonha? O que aconteceu não é do domínio público. Se souber agir, ninguém saberá de nada. Por que recusa essa criança que precisa de sua ajuda, do seu afeto? Não vê como está sendo cruel? Se você pudesse lembrar-se quem ela é, por certo a receberia de braços abertos.

Menelau escutava preso de funda emoção. Eleonora estava certa. Ele precisava apoiar Maria Antônia, ampará-la.

— Está bem — disse por fim —, tentarei. Se ela deixar. Sabe que ela não me aceita.

— Aceitará. Ela está apavorada, deprimida. É a primeira vez que sofre de verdade. Tenho estado lá, tentando erguer seu ânimo, mas ela não acolhe meus pensamentos otimistas. Prefere sentir-se desprezada, sem futuro, sem remédio. Minha esperança é você. Afinal, você está aí ao lado dela e pode tentar coisas que eu não posso. Agora tenho que ir. Prometa-me que voltará para casa ainda hoje.

— Está bem — concordou Menelau. — Irei. Por certo você me ajudará.

— Naturalmente. Tenho amigos interessados em cooperar. Haveremos de conseguir. Obrigada a todos por terem permitido minha presença. Deus lhes pague. Adeus.

Eleonora calou-se, e após alguns segundos de silêncio, o Sr. Sampaio proferiu uma prece de agradecimento e encerrou a reunião.

Quando acenderam o lampião, Menelau, olhos ainda molhados pelas lágrimas, tornou comovido:

— Nesta noite tive uma das provas mais fortes da existência dos espíritos e da mediunidade.

— Todos sentimos que estávamos vivendo momentos muito importantes. Contudo, Sr. Menelau, não há necessidade de nos contar nada. São problemas de família.

— Obrigado, Sr. Sampaio. Sinto-me emocionado, agradecido. Quero esclarecer o que se passou aqui. Se Deus confiou nos amigos presentes e permitiu essa graça através desta reunião, eu desejo que compartilhem da minha esperança e me ajudem na missão a que estou incumbido.

— Sinto-me honrado — respondeu o Sr. Sampaio.

Menelau, ali mesmo, com voz emocionada, relatou tudo quanto lhe acontecera, sem omitir nada. Os presentes ouviam em respeitoso silêncio. À medida que falava, Menelau foi sentindo-se mais calmo. Quando terminou, toda mágoa, toda revolta haviam desaparecido.

— Com tantos problemas, naturalmente D. Maria Antônia deve estar sendo mal assessorada espiritualmente. Em todas as reuniões que fizermos vamos orar por ela. Quando ela aceitar, poderemos visitá-la, aplicar-lhe energias calmantes.

— Obrigado. Tenho certeza de que essa ajuda nos será de grande valia.

Quando se retiraram, meia hora depois, Menelau percebeu que ganhara mais amigos. O que era antes uma amizade comum transformara-se em um sentimento mais profundo e verdadeiro, que fazia Menelau sentir-se encorajado e sereno. De volta a casa de Eduardo, disse, calmo:

— Vou arrumar meus pertences. Volto para casa agora mesmo.

Na despedida, Eduardo abraçou-o com carinho.

— Ainda bem que compreendeu. Foi uma sábia resolução. Ninguém pode ser livre sem solver as pendências que ficaram para trás. Tenho certeza de que você vai vencer.

— Obrigado, Eduardo. Se não fosse você, com sua paciência, seu tato, eu teria cometido muitas asneiras. Terá em mim sempre um amigo reconhecido. Que Deus o abençoe.

Quando Menelau se afastou sobraçando sua valise, Eduardo seguiu-o com olhos nos quais o brilho de uma lágrima colocava uma luz muito particular.

Capítulo XX

Menelau entrou em casa com ar preocupado. Colocou a valise na saleta e dirigiu-se para o quarto da esposa. A criada com certeza se recolhera, mas pela fresta da porta percebia que havia luz. Girou a maçaneta e a porta abriu. Menelau entrou.

Vestindo uma camisola branca, cabelos soltos, encolhida no leito, Maria Antônia soluçava.

Ele se aproximou e ela não se deu conta.

— Maria Antônia — chamou.

Ela abriu os olhos. Suas pálpebras estavam inchadas, vermelhas. Fixou-o, mas nada disse. Assustado, ele prosseguiu:

— Estou aqui. Vim para ficar. Estarei do seu lado. Você vai vencer esta fase, tudo vai passar, verá.

— Quero morrer! Não tenho coragem. Por que não me matou quando descobriu tudo? Teria sido um favor!

Ele segurou a mão dela, que estava gelada.

— Não diga isso. A vida é preciosa. Logo você, com tanta vontade de viver!

Ela apertou a mão dele com força dizendo nervosa:

— Quero morrer, mas tenho medo da morte! Quero acabar com tudo, mas no último momento recuo, apavorada.

Maria Antônia tremia como se tivesse febre. Menelau aproximou-se mais, dizendo com voz firme:

— Você precisa descansar. Acalme-se. Está se atormentando inutilmente. Não vai resolver seus problemas dessa forma.

Maria Antônia arregalou os olhos e fixou-o.

— Por que não me mata e acaba logo com tudo?

— Porque não sou um assassino. Não acredito que a morte possa solucionar nossos desacertos. Depois, pensei bem durante o tempo que estive fora. Além de você e de mim, há uma vida preciosa em jogo. O seu filho.

— Eu o odeio! Esse filho pertence ao homem que me traiu, que me desprezou.

Menelau alisou-lhe os cabelos em desalinho.

— Ele pertence a Deus. É um espírito que volta e precisa nascer. Escolheu você como mãe. Vai ser gerado em sua carne, espera apoio, amor, compreensão. Pretende dar-lhe tudo isso. Aceite-o com alegria. A vida é bênção de Deus!

— Não posso! Não quero! Enquanto eu deformo meu corpo, sofro o desprezo da sociedade, carrego o peso desse filho que não quero, ele, o homem pelo qual eu fiz tudo, desfila pelos salões com sua amada, casa-se em grande estilo e ignora meus sofrimentos.

— Não exagere os fatos, Maria Antônia. A corte ignora o que lhe aconteceu. Você é casada. Pode ter quantos filhos quiser sem se expor ao desprezo público.

Ela franziu o cenho admirada:

— Você foi o primeiro a repudiar-me. Logo, todos saberão. Nenhuma família honrada me receberá mais! Oh, meu Deus, por que não tenho coragem de acabar com a vida?

Menelau estava condoído. A sociedade nunca perdoa o deslize da mulher. Disse, com sinceridade:

— Maria Antônia, eu voltei. Vim para ficar. Ninguém saberá a verdade. Pensei muito. Reconheço que tenho cometido muitos enganos em minha vida. Posso compreender como você se envolveu. Não pretendo julgá-la. Sei que o nosso casamento não tem sido dos mais felizes. Não culpo ninguém por isso. Somos pessoas diferentes. Não temos as mesmas preferências. Penso até que não sentimos atração física um pelo outro. Apesar de tudo isso, nos casamos. Gosto de você. Gostaria que estivesse bem, que fosse feliz. Lamento o que lhe aconteceu.

Maria Antônia olhava-o, tentando compreender o que ele dizia. Apesar do seu descontrole, podia perceber que o marido falava com sinceridade. Fundo suspiro escapou-se-lhe do peito. As palavras dele, inesperadas, tiveram o dom de cortar por alguns momentos o círculo vicioso dos seus pensamentos desesperados. Ele prosseguiu:

— Voltei porque acredito honestamente que podemos enfrentar esses problemas juntos.

— Depois do que aconteceu, não desejo viver. Minha felicidade acabou.

— Não acredite nisso. Tudo passa neste mundo. Todas as coisas se modificam. Você vai esquecer quem não valorizou seu amor. O tempo a fará esquecer. Um desengano amoroso, uma separação, um amor impossível doem muito, mas com o tempo a ferida cicatriza, a dor desaparece. É preciso acreditar nisso e manter a esperança.

Maria Antônia havia parado de chorar.

— Fala assim porque nunca passou por isso.

— Não se apresse em julgar. Conhecemo-nos muito pouco, Maria Antônia.

Mais uma vez ela o olhou admirada. Ele falava como se houvesse tido essa experiência.

— Você também passou por isso? Amou outra mulher?

— Isso não importa agora. O que sei é que é muito fácil envolver-se, apaixonar-se. O coração, às vezes, nos prega essa peça. Pode acontecer e o mundo não acaba por isso.

— Para mim acabou. Nunca havia passado por isso antes. O desprezo dói. Amar uma pessoa, sentir que tudo fará por ela, qualquer sacrifício, e ela se mostrar indiferente, fria, distante. Não posso conformar-me. Hei de vingar-me!

Ela se agitou de novo, torcendo as mãos nervosamente. Menelau sacudiu a cabeça negativamente dizendo, calmo:

— Não fará nada disso. A vingança é faca de dois gumes. Fere sempre quem a pratica. Depois, vingar-se de quê?

— Ele me trocou por outra.

— Não pode obrigá-lo a corresponder ao seu afeto. As pessoas são livres para escolher seu caminho. Quando duas pessoas se amam, é bom. Mas quando uma só ama, precisa conformar-se em não ser correspondida. No jogo do amor, é um risco natural. Ninguém é culpado por não amar ou por amar esta ou aquela pessoa.

— Ele me enganou. Disse que me amava. Eu confiei.

Menelau suspirou.

— Talvez ele não tenha tido essa intenção. Às vezes confundimos nossos sentimentos. Ele pode ter-se enganado.

— Vocês homens são todos iguais. Você o defende. Talvez até goste por eu haver sido abandonada. Assim você está vingado da minha traição! É isso. Você quer ver-me sofrer e pagar pelo que fiz.

— Está enganada. Não lhe desejo mal. No primeiro instante, meu orgulho ferido julgou-a severamente. Pensei em matá-la, em abandoná-la para sempre. Depois, pensando em nossas vidas, em nosso relacionamento em que não havia amor de marido e mulher, refleti melhor e pude compreender como você havia chegado a esse ponto. É jovem, gosta da corte, eu prefiro outros divertimentos. Nosso casamento foi um erro. Apesar disso, resolvi ficar a seu lado, ajudá-la a enfrentar essa situação.

— De que me adianta? Preciso livrar-me desse filho espúrio!

Menelau segurou-lhe a mão, apertando-a com força.

— Não diga isso! É seu filho. Nascerá de suas entranhas e você o amará muito!

— Eu o odeio! Como odeio o pai que o gerou. Quero destruí-lo. Vai ajudar-me a encontrar alguém que o arranque daqui. Se quer realmente fazer algo por mim, já sabe o quê. Se fizer isso, ser-lhe-ei eternamente grata.

— Não o farei! É uma vida que Deus colocou em suas mãos.

— Eu não quero! Se não me ajudar, procurarei outra pessoa. Quero ficar livre deste peso!

Menelau colocou a mão nos lábios de Maria Antônia.

— Não diga isso! Por que ir contra a vontade de Deus? Uma vida é preciosa. Ninguém tem o direito de destruí-la! Além do mais, é perigoso para a saúde. Você pode morrer!

— Não me importo. Isso seria até bom. Viver para quê?

— Para criar seu filho, aprender que a vida é bela quando sabemos vivê-la.

— É inútil. Não concordarei nunca.

Menelau desconversou.

— Chega desse assunto. Precisa descansar, refazer-se, acalmar-se, pensar melhor.

— Não posso, enquanto não me livrar deste fardo.

— Também não é assim. Amanhã é outro dia. Ninguém pode resolver as coisas dessa forma. Descanse. Há tempo para decidir. Deite-se, vamos.

Menelau apelou mentalmente para a oração, pedindo a Deus que o ajudasse.

Maria Antônia pareceu mais calma e deixou-se cair no leito.

— Estou muito cansada — disse.

— Descanse. Ficarei aqui a seu lado. O importante, agora, é recuperar as energias.

Menelau cobriu-a com o lençol e alisou-lhe a testa com carinho enquanto continuava orando mentalmente. Ela fechou os olhos soltando fundo suspiro. Ele continuou passando a mão em sua cabeça e orando, até que, por fim, ela adormeceu.

Observando seu rosto pálido e emagrecido, foi tocado de compaixão. Rendeu graças a Deus por haver tomado a resolução de auxiliá-la. Lutaria com todas as suas forças para salvar aquelas vidas.

Maria Antônia dormiu durante a noite inteira. Menelau ficou ali, estendido em uma poltrona, colocando os pés sobre a cama. Depois de algum tempo, vencido pelo cansaço, adormeceu.

Despertou sobressaltado. Olhou Maria Antônia. Ela ainda dormia. Levantou-se, sentindo o corpo dolorido. Foi até a janela e levantou a ponta do reposteiro. O dia estava claro. Mandou a serva preparar um banho para ele e um bom café para Maria Antônia.

Depois do banho, voltou ao quarto da esposa, que, ouvindo-o entrar, abriu os olhos, um pouco assustada. Menelau aproximou-se dela dizendo com voz firme:

— Precisa alimentar-se. Trouxe um delicioso café.

Fingindo não perceber o gesto de recusa, ele foi até a mesa na qual em rica bandeja de prata já se encontrava tudo disposto para servir. Encheu a xícara com café, leite, adoçou e colocou algumas torradas, pão, bolo, manteiga, geléia. Depois aproximou-se de Maria Antônia dizendo com firmeza:

— Sente-se.

— Não posso. Estou tonta.

— Vai passar. Eu a ajudarei. Vamos.

Abraçou-a ajudando-a a sentar-se no leito, depois colocou um travesseiro em suas costas. Pegou a bandeja e colocou-a sobre os joelhos dela, continuando a segurá-la.

— Vamos. Beba esse café com leite. Está como você gosta.

— Estou enjoada — resmungou ela.

— Coma que passa. Experimente uma torrada. Vamos.

Ela estava fraca para discutir. Obedeceu. Bebeu alguns goles do café com leite, comeu uma torrada e de repente percebeu que sentia muita fome.

— Não devo comer — disse. — Eu quero é morrer.

— Está bem. Mas morra de barriga cheia.

— Que horror! — disse ela, irritada.

Mas comeu as torradas, tomou todo o café com leite e grossa fatia de pão com manteiga.

Menelau ficou satisfeito. O pior havia passado. Apesar disso, percebeu que não podia descuidar-se.

Nos dias subseqüentes, apesar de sentir-se melhor, Maria Antônia continuou dando trabalho. Livrar-se da gravidez era para ela idéia fixa. Ele precisou usar de toda sua habilidade para que ela não consumasse esse desejo.

Mandou um portador com uma carta para Eduardo, contando como as coisas estavam e pedindo ajuda do Sr. Sampaio nas sessões espíritas a que se sentia impossibilitado de comparecer, temeroso de que Maria Antônia aproveitasse sua ausência para atentar contra a vida do bebê.

Sentia que a vigilância deveria ser severa, apesar dos protestos dela, irritada com sua constante presença.

— Você cismou comigo agora — dizia, nervosa. — Por que não vai cuidar dos seus negócios?

— Os negócios estão bem cuidados. Decidi cuidar de você.

— Muito tarde. O que pretende? Quer irritar-me ainda mais? Sei cuidar de mim. Não preciso de ama-seca.

— Não seja maldosa, Maria Antônia. Posso fazer você esquecer as tristezas, distrair-se.

— Sei o que quer. Com isso não vou concordar. Não quero esse filho e pronto. É coisa decidida.

— Maria Antônia! Não recuse a dádiva de ser mãe. Muitas mulheres sonham com essa alegria e não conseguem. Deus lhe concedeu o poder de gerar um corpo, de receber uma alma que precisa nascer neste mundo. Por que quer ir contra a vida, destruindo-a? Aceite a maternidade, eu cuidarei da criança como meu próprio filho e você não se arrependerá.

Maria Antônia olhou-o, pensativa. Menelau era diferente dos homens que conhecia. Não compreendia como ele aceitava a idéia de criar um filho de outro, prova da sua traição. Certa vez disse-lhe, séria:

— Não compreendo. Você deveria ser o primeiro a desejar a morte desse filho que não é seu. Como pode aceitá-lo?

— Ele não tem culpa de nada. Vem para a vida na Terra por determinação de Deus. Recusá-lo é ir contra a vontade divina.

— Não sabia que você era religioso! — fez ela, irônica.

— Sou homem de fé. Isso tem me ajudado muito nos momentos difíceis por que já passei na vida. Sei que não cai uma folha da árvore sem a vontade de Deus.

— Não sou passiva como você. Deus deveria saber que eu não queria filhos, quanto mais daquele traidor!

— Deus age sempre pelo que é melhor para nós. Somos tão cegos que, em muitas oportunidades, ele precisa agir contra a nossa vontade. Somos capazes de fazer muito mal a nós mesmos e nos tornarmos muito infelizes. Deus interfere, modificando as coisas para nos fazer encontrar a felicidade. Nunca ouviu dizer que Ele escreve direito por linhas tortas?

— Conversa de gente ingênua. Esse filho só vai me deformar e fazer sofrer. Tenho horror do parto.

— Desde que o mundo é mundo, crianças nascem a todos os instantes. É da natureza. E tudo que é natural é bom.

— Não adianta conversar com você. Quero que me deixe em paz. Vou resolver meu caso à minha maneira.

Menelau desconversava e procurava outros assuntos mais amenos. Apesar de irritada, nervosa e obstinada, Maria Antônia começou a melhorar.

Certa tarde, Menelau, sentado em frente à sua escrivaninha em seu gabinete, preocupado, segurava uma carta entre as mãos. Acabava de recebê-la através de um portador que viera especialmente de São Paulo. Nela, sua irmã Manuela contava-lhe que a saúde de seu pai havia piorado e pedia-lhe que fosse imediatamente.

O que fazer? Maria Antônia exigia toda a sua atenção, mas por outro lado não podia deixar de atender a esse angustioso chamado. Iria e levá-la-ia junto.

A custo conseguira contê-la durante aqueles seis meses. A cada dia, vendo sua forma modificar-se, por vezes era rude com o marido, a quem culpava por continuar naquela situação.

Tomando uma decisão, Menelau levantou-se e procurou por ela. Encontrou-a em uma poltrona, rosto fechado, inquieta:

— Maria Antônia — disse ele —, prepare-se, vamos para São Paulo.

Ela o olhou admirada e não respondeu.

— Meu pai está mal. — disse ele. — Precisamos vê-lo. Recebi carta de Manuela.

— Vá você. Eu não saio daqui deste jeito.

— Você vai. Não desejo deixá-la só.

— Não vou. Como apresentar-me em São Paulo, onde temos tantos conhecidos, horrível deste jeito?

Menelau suspirou.

— A maternidade não é horrível, é natural e todos sabem disso.

— Pois eu não vou.

Menelau insistiu inutilmente. Ela se recusou. Ele, contudo, precisava ir. Sua irmã Helena estava na Europa com o marido. Depois, ele amava o pai, queria estar junto dele. Iria naquele mesmo dia. Procurou a senhora Cerqueira, sempre tão amiga de Maria Antônia, e pediu-lhe ajuda. Queria que ela ficasse em sua casa até seu regresso. Confidenciou-lhe que desejava muito esse filho e que a esposa não aceitava a idéia de ser mãe.

Adelaide Cerqueira prontificou-se a atendê-lo, prometendo empenhar-se para que nada acontecesse com Maria Antônia.

Apesar de não julgar necessário, Maria Antônia foi forçada a aceitar as condições que o marido estabeleceu para viajar sem ela. Naquela tarde mesmo, depois de ter pedido a Eduardo que o auxiliasse com preces, tomou o trem para São Paulo.

Chegando na solarenga casa da família, em São Paulo, Menelau encontrou Manuela muito aflita.

O pai tivera uma crise e o médico encontrava-se em sua cabeceira tentando reanimá-lo, sem êxito. Abraçou a irmã chorosa e aproximou-se do leito. Teria chegado tarde?

O rosto de seu pai estava magro e pálido, sem dar sinais de vida. Com ar preocupado, o médico colocou o ouvido no peito do enfermo, permanecendo assim por alguns momentos; depois tomou-lhe o pulso segurando seu relógio com a mão esquerda.

— Então, doutor? — perguntou Menelau.

— Está muito fraco.

— Doutor, não o deixe morrer — pediu Manuela apavorada. Seu rosto bonito estava transfigurado pela emoção.

— Estou fazendo o possível — respondeu o médico com voz triste. — Se sabem rezar, chegou a hora.

— Está tão mal assim? — indagou Menelau, preocupado.

— Não posso afirmar nada. Ele está em um estado intermediário. Tanto pode melhorar e recuperar-se como não. Contudo, esperamos que ele reaja. É forte, tem gosto de viver. Ficarei aqui até a crise passar.

— Venha, Manuela. Vamos sair. Este clima de preocupação não é bom para papai. Ele precisa de calma e serenidade para recuperar-se.

Menelau foi saindo, puxando a irmã para fora do quarto. Ela obedeceu e, na sala, Menelau fê-la sentar-se no sofá. Sentou-se a seu lado, segurando carinhosamente sua mão.

— Precisa acalmar-se. Não adianta desesperar-se. Só agravará seus problemas.

Um soluço sacudiu o corpo de Manuela.

— Não me conformo. Ele é tudo de mais querido que eu tenho neste mundo. Sempre nos demos bem. Mesmo antes da morte de mamãe, ele era sempre quem me compreendia e apoiava. Não saberia fazer nada sem ele.

— Não diga isso. Você não é criança. Tem condições de conduzir sua vida. Contudo, ele ainda pode recuperar-se. Acalme-se.

— Se ele morrer, o que será de mim?

Menelau alisou-lhe os belos cabelos castanhos com suavidade.

— Você não está só. Se acontecer o pior, eu não a deixarei. Depois, você é moça, bela, cheia de qualidades. Por certo encontrará um homem a quem amará e será feliz.

— Não quero casar-me. Desejo ficar com papai.

— Manuela, você não está sendo razoável. Ele está vivo e pode recuperar-se. Mas se tal não se der, se ele morrer, é preciso aceitar a vontade de Deus. Ele faz tudo certo, e se achar que é a hora de papai ir para o outro mundo, é porque é melhor para todos. Deus nunca erra.

Ela ouvia pensativa. Menelau prosseguiu:

— Só se desespera quem é materialista. Quem acha que a morte é o fim de tudo, que nunca mais encontraremos nossos entes queridos. Você crê em Deus. Deve saber que a vida continua em outro mundo depois que o corpo morre.

— Você diz coisas estranhas. Eu creio em Deus, mas ele agora parece-me tão distante!

— Não deixe que a dúvida mate suas esperanças. O espírito é eterno, nunca morre. A morte é como uma viagem, um dia nos encontraremos em algum lugar.

— Você crê mesmo nisso?

— Creio. Já tive provas do que afirmo. Posso contar-lhe alguns fatos que presenciei. Papai não vai acabar. Um dia ele terá que partir. Todos nós o faremos. Mas é apenas uma mudança, sempre para melhor, ainda mesmo quando o sofrimento se faz presente. Deus é bom e justo. Sempre faz tudo certo e modifica as coisas para melhor!

Manuela suspirou:

— Foi bom você ter vindo. Estou mais calma agora.

O Sr. Coutinho voltou da crise cardíaca que o acometera, mas não se recuperou.

A cada dia foi ficando mais fraco e o médico dissera reservadamente para Menelau que a vida de seu pai estava por um fio que, a qualquer momento, poderia romper-se.

Menelau estava preocupado com Maria Antônia, todavia não podia regressar ao Rio deixando o pai naquela situação. Orava pedindo a

Deus inspiração para agir da maneira mais adequada. Impossibilitado de cuidar pessoalmente da esposa, entregou o caso a Deus, confiando.

Aproveitava o tempo junto da irmã para despertar-lhe o conhecimento das coisas espirituais, falando-lhe de suas experiências, das sessões na casa do Sr. Sampaio, de seu amigo Eduardo e da mediunidade de Maria José.

Não falou de seus problemas íntimos, mas dos fatos que não o envolvessem, como a doença de Demerval, sua aventura como prisioneiro e sua libertação depois da sessão que Eduardo fizera com Maria José para ajudá-lo.

Manuela interessou-se. Lembrava-se de que, quando criança, logo após o falecimento da mãe, por duas vezes vira-a sentada em seu banco favorito no jardim. Como ninguém a levara a sério e ela nunca mais a vira, acabou se esquecendo. Agora recordava o fato. Seria mesmo a alma da mãe que viera sentar-se ali?

— Por que não? — respondeu Menelau. — Creia, Manuela, a morte não é o que muitos pensam. Não é o fim de tudo.

Manuela foi ficando mais calma e aceitando com mais coragem a doença do pai.

Foi no quinto dia depois da chegada de Menelau que o Sr. Coutinho partiu.

Menelau foi incansável. Cuidou de tudo. Mandou avisar Beatriz no convento e Maria José em Itu. Quanto a Helena, escreveria depois avisando-a. Estava longe demais. Mandou uma carta para avisar Maria Antônia e Eduardo.

A noite começava quando Maria José chegou, acompanhada pelos filhos. Beijou Manuela, estendeu a mão para Menelau. Foi com emoção que ele a fixou. Pôde ler em seus olhos brilhantes a mensagem de amor e de saudade. Beijou os sobrinhos e uma lágrima luziu em seus olhos quando pousou os lábios na testa de Romualdo. Era um belo menino. Providenciou acomodações para eles, com carinho.

— Lamento encontrá-lo em tão triste circunstância — disse Maria José quando se viu a sós com ele.

— Apesar disso, sinto-me feliz por vê-los — respondeu Menelau.

— Eu também.

O velório estendeu-se durante toda a noite e o enterro seria às dez horas do outro dia. A casa, aberta à visitação, recebia todos, e Menelau procurava conversar atencioso. Sua família era conhecida e seu pai, respeitado.

Maria José cuidava de Manuela, preocupada com sua palidez e abatimento. Conseguiu fazê-la descansar um pouco depois de haver ingerido um chá calmante.

Menelau ansiava para conversar com Maria José, mas só de madrugada conseguiu.

A maior parte das pessoas se retirara, Manuela dormia, os sobrinhos também. Alguns poucos amigos cochilavam na câmara ardente. Maria José foi à cozinha tomar um café. Menelau acompanhou-a. Serviram-se no bule do fogão e depois Menelau disse:

— Venha. Preciso falar-lhe.

Maria José o seguiu a uma sala de estar vazia. Sentaram-se frente a frente.

— Você está bem — disse ele, olhando-a com amor.

— Você está abatido — respondeu ela. — É natural.

Ele a fixou, sério.

— Não é por causa de papai que estou assim. Apesar do afeto que lhe tenho, você sabe como eu encaro a morte. Tudo é natural, as pessoas têm que partir um dia.

— Se não é por isso, por que é então?

— Tenho enfrentado muitos problemas, mas o mais grave é enfrentar a mim mesmo.

— Não compreendo. Você tem sido mais forte do que eu.

— Preciso ser forte. Só fazendo o que é direito e justo encontraremos a felicidade. Tenho certeza disso.

Maria José sacudiu a cabeça negativamente.

— Não sei. Posso aceitar certas coisas quando você as diz, porém, quando estou só e a saudade me dilacera, tudo fica diferente.

— Maria José! Compreendo muito bem o que é isso. Nessas horas é que preciso lutar contra meus impulsos egoístas. Mas a vida nos coloca à prova a cada dia e eu tenho sido sacudido por ela para poder enxergar meu verdadeiro caminho. Devo contar-lhe a verdade.

Em voz baixa e emocionada, Menelau contou tudo quanto lhe acontecera desde que deixara a fazenda. À medida que ouvia, Maria José era presa de grande emoção. As lágrimas rolavam-lhe pelas faces e ela as deixava correr livremente.

Quando ele se calou, Maria José percebeu que, ao amor que sentia por ele, juntaram-se admiração e respeito.

Foi com sinceridade que disse:

— Admiro-o. Poucos teriam a sua coragem.

— Não se trata de coragem. Estou realmente interessado em cumprir minha missão neste mundo. Por felicidade, estou tendo a ajuda dos espíritos, recordando-me os compromissos que eu assumi no passado. Fazendo isso, acredito estar construindo nossa felicidade.

Maria José suspirou.

— Ela me parece muito distante.

— Não devo pensar assim, olhar as coisas do ponto de vista da Terra. Nós não estamos limitados a esta vida. Temos todo o tempo necessário para resolver adequadamente nossas ligações passadas, e depois a própria vida nos unirá para sempre. Estou certo de que a amo de verdade e esse amor transcende ao tempo e a tudo o mais.

Maria José sentiu uma onda de alegria invadir-lhe o coração. A plenitude daquele amor, naquele instante, apagava de sua lembrança todas as dúvidas e tristezas que cultivara.

— Quero ser digna de você. Aprender a esperar. Estar pronta quando soar a nossa hora.

Menelau passou-lhe a mão, tocando levemente os cabelos dela.

— Isso, Maria José. Sinto-me aliviado. Este desabafo fez-me bem.

Conversaram durante algum tempo sobre a fazenda, os sobrinhos, até a hora que Manuela entrou na sala procurando-os para conversar.

Após o enterro do pai, Menelau ficou mais uma semana para a missa e as providências legais necessárias. Estava preocupado com a esposa. Maria José ofereceu-se para ficar algum tempo com Manuela até que decidissem o que fazer.

Assim, Menelau voltou para o Rio. Encontrou a situação tumultuada. Adelaide nervosa. Maria Antônia passando mal. O médico presente. Foi Adelaide quem o colocou a par do acontecido.

A princípio, Maria Antônia fora cordata e comportada. Tanto que ela ficara tranqüila. Mas um dia surpreendera-a pronta para sair, sem que ela visse. Atendendo ao que lhe fora recomendado, Adelaide prontificou-se a ir junto, o que lhe valeu uma cena violenta. Sem se importar, Adelaide seguiu-a até uma modista de quem ela encomendou alguns trajes para depois que o filho nascesse. Mas Adelaide percebeu que ela ficara nervosa e passou a vigiá-la melhor.

— Não sei como foi, Sr. Menelau. Ontem ela começou a passar mal, mas não quis o médico. Disse que não era nada. Hoje percebi que ela estava pior, com dores, suores e mesmo contra sua vontade mandei buscar o médico. Ela não queria que ele a examinasse. Deu um trabalhão. Foi bom o senhor ter chegado. Não sabia o que fazer!

— O médico já disse o que está acontecendo?

— Ainda não. Está lá, tentando fazer o exame.

— Vou até lá.

Menelau, a passos rápidos, foi ao quarto da esposa. Bateu à porta e a criada abriu. A voz de Maria Antônia soava irritada:

— Deixe-me em paz. Não preciso dos seus serviços.

— A senhora não está bem. Precisa de atendimento. Minha consciência não permite que lhe dê atenção. — Sua voz tornou-se suplicante. — Por favor, deixe-me examiná-la!

Menelau aproximou-se:

— O que se passa aqui?

Foi o médico quem respondeu:

— Vem em boa hora, Sr. Menelau. D. Maria Antônia está mal e não quer que a examine.

Apesar de pálida, Maria Antônia tentou dissimular.

— Não tenho nada. É impressão deles.

— Você não me parece bem — tornou Menelau. — Vai ficar quieta e o doutor vai examiná-la.

— Bobagem, Menelau. Eu... — seu rosto contraiu-se e ela levou a mão à barriga.

— A senhora está com dores. Estava tudo bem. Aconteceu alguma coisa?

— Não — disse ela, retendo o ar, fisionomia contraída.

Menelau segurou-a pelos braços sacudindo-a.

— Fale a verdade. O que fez? Sabe que pode morrer?

— Não fiz nada.

O médico colocou o ouvido na barriga e pediu silêncio. Depois colocou o termômetro em sua axila e segurou o pulso contando as batidas com o relógio na mão.

— Tem sangramento? — indagou, sério.

— Um pouco — respondeu ela.

A dor havia passado, mas ela estava com medo. Iria morrer? Aquele filho espúrio iria levá-la à morte?

— D. Maria Antônia, a senhora não quer esse filho? — indagou o médico.

— Não quero. Ele está me deformando. Estou cansada de ficar encerrada nestas paredes.

— O que fez? Desejou expulsá-lo? Não sabia o risco que estava correndo? A esta altura da gravidez! Que insensatez!

— Doutor — gemeu ela —, acha que posso morrer?

— Está brincando com a vida. Vai contar-me já o que é que fez para ficar desse jeito.

— Tomei um remédio que uma aparadeira me deu.

— Deixe-me ver o frasco.

Ela abriu a gaveta da mesa de cabeceira e tirou um vidro com uma poção escura. Não havia rótulo. O médico pegou o vidro, tirou a rolha e levou-o ao nariz.

— Hum — resmungou. — É caso de polícia. Vou mandar prender essa assassina.

— E então, doutor? — indagou Menelau angustiado.

— Vou prescrever uns medicamentos. Mande trazer com urgência. Ficarei esperando.

Menelau obedeceu prontamente. A dor voltara e o médico temia que ela tivesse contração. Procurou acalmá-la.

— Acalme-se agora. Não contraia os músculos. Relaxe. Tudo vai ficar bem. Beba isto, por agora.

Deu-lhe um cálice com o remédio que preparara. Ela sorveu o conteúdo fazendo ligeira careta.

— Procure repousar.

Apanhou uma cadeira, sentou-se ao lado da cama. Menelau fora pessoalmente buscar o remédio e entregou-o ao doutor. Este preparou e deu uma poção a Maria Antônia. As dores reapareciam de quando em quando e o médico não ocultava a preocupação.

O medicamento fê-la descansar melhor e Menelau, chamando o médico a um canto do quarto, indagou:

— E então?

— Nada posso afirmar por enquanto. Ela tomou um abortivo muito forte. Provoca cólicas violentas. Não sei se o feto vai suportar.

Menelau passou a mão pelos cabelos em um gesto nervoso:

— E se isso acontecer?

— Será expulso. Infelizmente não terá chance de viver. Ela não completou os sete meses de gestação.

Menelau sentiu-se triste. Seus esforços teriam sido inúteis? Além dos problemas que ela possuía, dos erros que cometera, juntar-se-ia mais este?

Em silêncio apanhou uma cadeira e sentou-se ao lado do leito. Lembrou-se de Deus. Se Menelau não podia solucionar aquela situação, por certo Deus o faria da melhor forma.

Tomou a mão da esposa e começou a orar com sinceridade e confiança. Sentiu-se mais calmo. Estava fazendo a sua parte. Aceitara os desígnios de Deus com coragem e serenidade. Sabia que Deus detinha o poder da vida e da morte, por isso orou com amor para esse espírito que tentava nascer e por certo sofria naquele instante o choque doloroso da rejeição.

Aos poucos, Maria Antônia foi melhorando. As dores espaçaram e ela adormeceu. O dia estava amanhecendo quando o médico levantou-se da poltrona na qual se recostara.

— Sr. Menelau — disse baixinho —, agora já posso ir.

— Acompanho-o — respondeu ele, levantando-se.

Ambos haviam passado a noite ao lado da cama. O médico lançou breve olhar sobre Maria Antônia, que ainda dormia e, pegando sua valise, saiu acompanhado por Menelau. Enquanto se dirigiam à saída, foi dizendo:

— Ela agora está bem. Acredito que o perigo maior já passou. Contudo, é preciso vigiá-la. Não está aceitando a maternidade. Pode cometer um desatino.

— Ficarei a seu lado.

— Joguei fora aquele veneno. Podia tê-la matado!! Um aborto aos seis meses pode ser fatal.

— Eu sei, doutor. Não a deixarei só. Acha que não vai prejudicar a criança?

— Quanto a isso, não se preocupe, ela está bem guardada. A natureza sabe proteger a vida. Contudo, as contrações poderiam expulsá-la. Nesse caso, nada se poderia fazer, não sobreviveria.

— Deus nos ajudará, não acontecerá de novo.

O médico retirou-se e Menelau sentiu o cheiro gostoso do café sendo coado. Foi à cozinha, tomou uma xícara e, mais animado, voltou para perto da esposa. A senhora Cerqueira apareceu diligente.

— O senhor passou toda a noite aqui sentado. Depois da viagem que fez e dos problemas que passou em São Paulo... Precisa descansar. Pode ir, eu ficarei aqui, velando pela nossa enferma.

— Obrigado, D. Adelaide. Vou esperar que ela melhore mais. Terei tempo para descansar.

— Ela tomou muito remédio para dormir. Não acordará tão cedo. Aproveite para refazer-se. O senhor precisa. Depois, não arredarei pé daqui. Qualquer coisa que aconteça, irei chamá-lo. O senhor está muito abatido. Não poderá cuidar dela se adoecer agora.

Ele concordou. Ela estava com a razão. Foi para o quarto e aí percebeu que estava exausto. Olhando a cama pronta, convidativa, trocou de roupa e deixou-se cair nela.

Nos dias que se seguiram, Maria Antônia foi melhorando. Contudo, o médico não lhe permitia deixar a cama, porquanto quando ela se levantava as dores reapareciam. Inconformada, reclamando muito, ela obedeceu. Embora falasse que queria morrer, o medo fazia com que ela não contrariasse o médico.

Menelau foi incansável. Não a deixava só. Quando precisava sair, Adelaide ficava.

Em uma noite de setembro as dores reapareceram. O médico foi chamado prontamente. O dia estava amanhecendo quando o menino nasceu. Quando seu choro forte ecoou no quarto, Menelau não conteve as lágrimas. E enquanto o médico e Adelaide cuidavam do pequenino, Menelau, a um canto, orou agradecendo a Deus o milagre da vida que acabara de presenciar.

Capítulo XXI

Maria Antônia olhou assustada para aquele pequeno ser que Menelau colocou-lhe nos braços.

— Veja o seu filho, como é belo!

Ela fixou aquele rostinho vermelho, que envolto em lãs e rendas dormia. Nada disse, porém em seu rosto havia estupefação. Menelau prosseguiu:

— É o milagre da vida! Ele chegou para trazer alegria, amor!

— É pequeno demais — disse por fim.

— Não é dos maiores, mas o médico disse que ele está bem. É um belo menino.

— Parece tão fraco...

— Engana-se, ele é muito forte. Conseguiu nascer. Veja.

Menelau procurou a mãozinha do bebê e colocou o dedo dentro dela e ele imediatamente o segurou com firmeza, depois abriu os olhinhos, fixando-os.

Maria Antônia riu, excitada.

— Ele segurou seu dedo!

— Firme. Experimente.

Ela colocou o dedo e ele o pegou. Ela riu admirada. Seu rosto humanizou-se.

— Tão pequeno! Como pode segurar tão forte?

— Tem garra e vontade de viver.

Ela fez um muxoxo.

— Não sei para quê. Esta vida não vale nada.

— Ele não pensa assim. Lutou para chegar a este mundo.

— Bobagem. Criança deste tamanho não pensa. Você, às vezes, foge da realidade.

— Cada um vê a vida como pode. Para mim, viver no mundo é uma felicidade. Acredito na vida.

— Não sei por quê, Menelau. Afinal, a você também não coube grande coisa.

— Vejo diferente, Deus tem me dado muito. Com a chegada dele somos uma verdadeira família. Como vamos chamá-lo?

Ela o olhou um pouco irônica. Como ele podia aceitar uma situação dessas e achar bom? Um filho de outro homem! Qualquer marido a teria repudiado ou até matado. Menelau era diferente. Seria tão apático? Talvez não a amasse, mas, ainda assim, onde estava seu orgulho?

— Você fala como se o filho fosse seu — disse.

— Ele é — respondeu Menelau sério.

Ela o olhou admirada, e ele prosseguiu:

— Se não fosse por mim, ele não estaria aqui agora. Sou também pai porque preservei sua vida. Vou dar-lhe o meu nome, criá-lo como meu filho. Amá-lo e protegê-lo sempre.

— Como pode? Não iria odiá-lo por ter sido gerado por outro homem? Por eu tê-lo traído?

Menelau fitou-a firme, respondendo com voz clara:

— Já falamos sobre este assunto. Se voltei e resolvi ficar a seu lado, ampará-la, protegê-la, aceitar seu filho, foi porque compreendi o que aconteceu. Nosso casamento não foi dos mais felizes. Você gostaria que eu fosse diferente do que sou e eu confesso a mesma coisa. Mas, se você não é a mulher dos meus sonhos nem eu o seu príncipe encantado, gosto de você. Não desejo que nada de mal lhe aconteça. Podemos ser bons amigos, viver bem. A criança é inocente. Não tem culpa de nada. Precisa de amor e carinho para crescer forte e feliz.

De repente o rosto de Maria Antônia endureceu:

— Ele é filho daquele canalha. Leve-o daqui!

Menelau respondeu enérgico:

— Não repita isso. Ele é seu filho. Carne de sua carne. Não tem culpa da leviandade de vocês.

Fundo suspiro saiu do peito de Maria Antônia.

— Estou cansada — disse. — Quero dormir.

Menelau entregou o menino à serva e disse, calmo:

— Descanse, durma. Mas antes agradeça a Deus ter-lhe dado a chance de ser mãe e de ter tido um filho sadio.

Ela não respondeu. Recostando-se nos travesseiros, fechou os olhos para dormir.

Nos dias que se seguiram, ela demonstrou descontrole emocional. Irritava-se com o choro do menino e mandava a ama tirá-lo do quarto. Negou-se a amamentá-lo e Menelau contratou uma ama de leite.

Havia momentos, contudo, que parecia aceitar o filho, olhando-o e segurando sua mãozinha. Quase sempre, depois que isso acontecia, caía em depressão, fechando-se no quarto sem comer ou vestir-se.

Menelau procurava ajudá-la de alguma forma, mas ela não ouvia. Ele voltara a freqüentar as sessões na casa do Sr. Sampaio, de onde regressava mais calmo e encorajado.

Um dia, Maria Antônia acordou mais animada. Resolveu assumir de novo sua vida e voltar ao convívio social. Freneticamente foi à modista, comprou roupas, jóias e preparou-se para voltar aos salões.

Foi com tristeza que Menelau viu-a envolver-se com futilidades, deixando o filho totalmente aos cuidados da ama. Ele procurava dar ao menino o máximo carinho, tentava falar com Maria Antônia, sem que ela o ouvisse.

A Sra. Cerqueira acompanhava-a com paciência e Menelau agradecia sua cooperação valiosa.

— Tome conta dela — pedia. — Não a deixe abusar da saúde.

Adelaide o admirava muito. Menelau nunca lhe falara sobre seu relacionamento com a esposa, mas ela percebia a indiferença de Maria Antônia, seu comportamento fútil e leviano. Se aceitara o posto de fazer-lhe companhia, era porque precisava do dinheiro que Maria Antônia a princípio, Menelau depois, pagava-lhe. Fazia-o também por ele e pela criança. Emocionara-se vendo a dedicação e o interesse que demonstrava por uma mulher que nada fazia por merecer. Tinha sérias suspeitas de que o filho não fosse dele. À sua sagacidade não escapavam os flertes e as manhas de sua companheira.

Ela nunca lhe fizera confidências, mostrando-se muito discreta, fazendo crer que tudo não passava do gosto de sentir-se admirada, lisonjeada. Apesar disso, ela tinha percebido muitas coisas que preferia guardar para si.

Às vezes perguntava-se se Menelau era tão ingênuo e crédulo quanto parecia ser. Teria desconfiado do comportamento da esposa? Era provável, chegara até a sair de casa. Todavia, voltara e era todo atenções e cuidados com Maria Antônia e com a criança. Por certo não desconfiava de nada. Era homem bom como poucos. Respeitava-o.

Vendo-lhe o devotamento para com a criança, tentava ajudá-lo procurando convencer Maria Antônia a interessar-se mais pelo filho.

Seu esforço era inútil. Depois do nascimento do menino, ela lhe parecia pior. Não parava em casa e, quando estava, ou dormia para recuperar as energias ou atendia assuntos da moda e da sociedade. E se antes ela era discreta e pouco dada a amizades, agora rodeava-se de pessoas desocupadas tão volúveis e fúteis quanto ela, que formavam uma pequena corte em seu redor, freqüentando-lhe a casa, acompanhando-a em suas noites de festa. Estavam em dia com todos os mexericos e maledicências e ela se divertia muito em sua companhia.

Adelaide preocupava-se e, uma tarde, tomou coragem para dizer-lhe o que sentia:

— Maria Antônia, estou preocupada com suas relações.

— Por quê? — indagou com indiferença.

— Não me parecem pessoas sensatas. Levam vida ociosa e vivem de mexericos. Não gozam de boa reputação.

Ela deu de ombros:

— Bobagem. Freqüentam todos os salões, são recebidos em toda parte. Depois, gosto deles, divertem-me. Não há nada de mal nisso.

— Pense bem. Você mal tem visto seu filho. Não acha que está exagerando um pouco? Ele precisa do seu amor, do seu carinho.

Ela se voltou, saindo da frente do espelho em que acabara de olhar os brincos novos que comprara. Aproximou-se de Adelaide dizendo com voz fria:

— Minha vida diz respeito somente a mim. Vivo como quero e ninguém tem nada com isso. Você está se envolvendo demais em meus assuntos. Não gosto disso. De hoje em diante, dispenso sua companhia. Aliás, nem sei por que ainda a tolerava. Tenho amigos dispostos a acompanhar-me por toda parte. São mais agradáveis do que você. Falam a mesma linguagem que eu.

— Você me despede?

— Sim. Estou farta de vê-la sempre ao meu lado como se eu fosse uma criança. Pode ir e passe muito bem.

— Está jogando sua felicidade no lixo — disse, com voz firme. — Não se queixe quando o tempo destruir suas ilusões.

— Não adianta rogar pragas. Em mim não pega. Passe muito bem.

— Adeus — respondeu Adelaide, lançando-lhe um olhar triste.

Por que ela era tão cega? Menelau ficou muito contrariado quando soube.

Procurou Maria Antônia tentando conter a irritação.

— Eu a despedi, sim. É verdade. Não preciso dela. Tenho um bom círculo de relações, saio com eles, que são mais agradáveis do que ela. Não suportava mais vê-la como uma sombra, sempre a meu lado.

— Não conheço bem seus amigos — disse ele.

— São pessoas inatacáveis. Dois casais, alguns primos e primas, enfim, um grupo jovial, bem-disposto. São alegres, despreocupados. Divertem-me.

— A Sra. Cerqueira é pessoa ponderada e bondosa. Foi sempre dedicada e sua amiga.

— Antiquada e piegas. Não a suporto. Quer comandar meus atos, criticar meus amigos, meter-se em minha vida. Não posso tolerar isso.

Menelau abanou a cabeça, pensativo.

— Maria Antônia, você sabe que eu sou tolerante. Mais tolerante do que qualquer marido. Mas agora está se excedendo. Não pára em casa, não se interessa por Diomedes, age como uma cortesã que não tem nenhum compromisso de família.

Ela riu com ironia.

—Você me ofende. Mas eu, realmente, sou livre. Você não age como marido, não se deita comigo, nem sequer me ama. Quanto ao filho, eu nunca o quis. Você é o culpado por ele estar no mundo. Não me sinto responsável por ele. Sou mesmo livre. Não sou cortesã porque não estou me deitando com homem nenhum, ainda... — completou, ferina.

Menelau sentiu a onda de irritação crescer. Lutou para dominar-se. Ele realmente não cumpria seu papel de marido. Estaria ela lhe cobrando isso?

— Sei que não me ama — disse ele por fim. — Acha que deveríamos tentar de novo um relacionamento íntimo?

Menelau esforçava-se para compreendê-la, perceber onde ela pretendia chegar.

— Você gostaria? — indagou ela, com certa curiosidade.

— Se isso a tornasse feliz, eu gostaria. Se pudesse fazê-la desistir dessa busca frenética a que tem se entregado ultimamente. Eu gostaria também de mostrar-lhe o outro lado da vida, com outros valores que você ainda não consegue ver. Eu seria muito feliz com isso.

Ela riu mordaz, depois disse:

— Pois eu não gostaria. Nunca nos amamos. Dei graças a Deus por ter-me deixado em paz. Só que, às vezes, me pergunto onde você vai derramar seu desapontamento de um casamento monótono. Em que braços de mulher vai se abrigar. O homem é mais venal do que a mulher. Enquanto eu me contento em brilhar nos salões, o que você faz?

— Não me parece que esteja realmente interessada na minha felicidade ou na minha vida íntima. Propus a você uma vida em comum, baseada na amizade, no respeito e na convivência harmoniosa. Contudo, parece-lhe difícil levar isso a sério. Previno-a, porém, que não estou disposto a ser motivo de chacota ou ver minha dignidade ameaçada pela sua leviandade. Não vou tolerar mais exageros. De hoje em diante vai moderar suas saídas, disciplinar suas noitadas, dividir seu tempo com suas atividades do lar.

— Você está louco. Agora que estou conseguindo esquecer, distrair-me, reencontrar o prazer de viver, quer impedir-me?

— Não se trata disso — volveu Menelau tentando conciliar as coisas. — Você pode ir aos seus saraus, ver seu amigos, só que mais moderadamente. Deverá ficar mais em casa com seu filho.

— E se eu não quiser? — indagou ela, desafiadora.

— Obrigá-la-ei. Terá que me obedecer.

— Por que não vai embora? — gritou ela, furiosa. — Por que não me deixa em paz?

— Porque gosto de você e quero evitar que se destrua.

Ela abanou a cabeça com raiva.

— Não preciso. Não estou me destruindo. Que mal há em querer divertir-me um pouco? Sou jovem e cheia de vida. Você parece um pai velho e atrasado.

— Você parece uma filha malcriada que precisa de umas palmadas.

— Não se atreva! — gritou ela, assustada.

— Então obedeça. Quando sair, quero saber aonde vai e com quem.

— Não sou sua prisioneira.

— Não é. Ainda assim, quero saber. Sou seu marido, deve-me obediência. Só sairá quando eu permitir.

Maria Antônia trincou os dentes com raiva. Menelau estava seriamente preocupado. Percebia que ela não estava bem. Continuava desatinada. Estava tentando ser enérgico para impedi-la de prosseguir naquela corrida desregrada. Entretanto, ela não era dócil. Não aceitaria ordens com facilidade.

— Saia do meu caminho — disse ela. — Não preciso de você para nada. Por que não vai embora? Tudo seria mais fácil. E pode levar o menino. É seu.

Menelau teve ímpetos de esbofeteá-la. Conteve-se, porém. Ela ainda não tinha condições de entender.

— Um dia ainda se arrependerá dessas atitudes — disse. — Verá que eu apenas desejo o seu bem.

— Sei o que é bom para mim. Deixe-me em paz.

Foi para o quarto, fechou a porta com força. Menelau sentiu-se inquieto e triste. Recostou-se em uma poltrona pensativo. Como agir? Ela era difícil e por certo persistia em suas atitudes. Segurou a cabeça entre as mãos angustiado. Pensou em Deus. Só ele poderia ajudar. Compreendia que seus recursos eram pobres para mostrar a Maria Antônia onde ela poderia encontrar a alegria, a felicidade que procurava. Mas, tinha fé, com Deus ele encontraria o caminho acertado. Não podia desanimar. Devia entregar a Deus aquele problema, pedindo-lhe que o inspirasse naquilo que ele também pudesse fazer.

Pensou nisso com determinação e, aos poucos, foi se acalmando. Sentiu-se melhor e saiu. Procurou Eduardo. Confiou-lhe seus receios. Ouviu do amigo palavras de compreensão e de encorajamento.

Quando voltou ao lar, era já noite. Procurou por Maria Antônia. A criada disse-lhe que ela saíra com os amigos. Ela não fizera caso das suas advertências. Precisava fazer valer sua autoridade, caso contrário ela nunca mais o respeitaria.

Mandou servir o jantar. Depois de comer, chamou a criada e perguntou:

— Sabe aonde D. Maria Antônia foi?

— A um sarau, pelo que ouvi — respondeu ela.

— Onde?

— No salão dos Camargo.

— Viu com quem?

— Com os amigos de sempre, senhor.

— Você os conhece?

— Um pouco. Estavam o Sr. Miranda e senhora. O Sr. Monteiro, D. Amélia e a senhorita Rosinha.

— Obrigado. Pode ir.

Menelau trocou de roupa, mandou preparar a carruagem e saiu. Chegou na casa dos Camargo e pediu para não ser anunciado.

— Minha esposa já está aí — disse.

Entrou, entregou o chapéu ao criado e foi para o salão. As danças estavam animadas e ele procurou pela esposa. Ela estava sentada em gracioso sofá, rodeada por algumas pessoas. Só havia outra mulher, os demais eram todos homens. Sem ser visto, Menelau observava-a. Um moço falava-lhe baixinho e ela sorria encantada. Achou oportuno aproximar-se.

— Maria Antônia — disse.

Ela, vendo-o, susteve a respiração. Tentou dissimular a contrariedade.

— Não vai apresentar-me? — indagou ele, com voz firme.

Ela estendeu a mão designando-o e dizendo:

— Esse é Menelau.

— Seu marido — completou ele.

Percebeu que o grupo olhava-o com curiosidade.

— Não ouvi seu nome — disse Menelau ao moço que estava falando com ela.

— Eu ainda não disse — retrucou Maria Antônia. — Esse é o Sr. Castela, essa é D. Amélia, o Sr. Medeiros, Sr. Silveira, Sr. Guimarães e Sr. Moreira.

Menelau percebeu que eles esperavam por uma cena desagradável. Leu a curiosidade em seus olhos. Embora desejasse disciplinar Maria Antônia, não quis dar-lhes esse prazer. Curvou-se cortesmente. Depois dirigiu-se à esposa.

— Arrependi-me de ter recusado seu convite. Aqui estou. Espero que não tenha concedido todas as danças.

— Quando chega o marido, todas as marcas são canceladas — disse um deles. — É o senhor absoluto.

— Espero que todos tenham a mesma compreensão.

Maria Antônia estava preocupada. Tinha acintosamente desafiado Menelau, desobedecendo-lhe as determinações. Temia que ele a humilhasse publicamente. Vendo-o agir educadamente, achou de bom alvitre não irritá-lo mais.

— Certamente — disse ela, com um sorriso. — Saberão compreender.

— Continuem o assunto — disse Menelau. — Pareciam tão interessados!

— Falávamos do que anda de boca em boca — disse um deles, com um gesto evasivo.

— É — esclareceu outro. — O escândalo do professor que foi encontrado altas horas no quarto de certa dama da sociedade.

— Ele teve que correr à rua de cuecas para fugir das balas do marido — completou um terceiro, rindo divertido.

— Mudemos de assunto — pediu Maria Antônia. Sabia que o marido não gostava de mexericos.

— Do que falaremos? — indagou D. Amélia, curiosa.

— Da comédia do Recreio. Nessa companhia que lá está, há uma cantora que ganhou as boas graças de um político importante. Ele está louco por ela. Dizem que já lhe deu um colar de diamantes que faria inveja a uma rainha!

A conversa prosseguiu nesse tom e Menelau ouvia sem dizer nada, tentando conhecer melhor os amigos de Maria Antônia. Depois de meia hora, durante a qual fingiu apreciar os assuntos, deixando-os à vontade, sentiu-se realmente preocupado. Eram pessoas fúteis, interessadas na vida alheia, que invadiam sem reservas através de comentários levianos e desairosos. Pelas suas palavras, Menelau percebeu a estreiteza das idéias e dos ideais.

Maria Antônia tentava encobrir a inquietação. Por que Menelau os ouvia calado? Ela sabia que ele não aprovava nada do que eles estavam dizendo. Não conseguiu conter-se.

— Esse sarau está aborrecido. Estou com dor de cabeça.

— Você parecia tão bem! — considerou Amélia, com um sorriso malicioso.

— Disse bem — respondeu ela friamente. — Parecia. Quero ir embora. Vocês estão gostando, estejam à vontade. Menelau me acompanha.

— Certamente — concordou ele, percebendo claramente os motivos da súbita irritação dela.

Ela se despediu de cada um e Menelau apenas curvou a cabeça ligeiramente, percebendo a troca de olhares que disfarçadamente trocavam entre si.

Assim que se viu na rua, Maria Antônia não ocultou mais sua raiva.

— Conseguiu estragar minha noite.

— Disse-lhe que quero saber onde e com quem você anda. Saiu sem meu consentimento!

Ela lhe lançou um olhar irritado.

— Pretendeu envergonhar-me diante dos meus amigos.

— Se quisesse fazer isso, não teria sido educado com eles.

— O que estarão pensando? Que anda me vigiando.

— Certamente falarão mal de nós com a mesma facilidade com que falaram das outras pessoas.

— Eu sabia que iria criticá-los!

— Vejo-os como são. Por que nos poupariam? Ali não escapa nem Jesus Cristo.

— Não gosto que fale deles. São meus amigos. Só porque eles são divertidos?

— Maria Antônia, olhe as coisas como são! Por que pretende iludir-se? Sabe tanto quanto eu que são pessoas fúteis e desprovidas de dignidade. Não hesitarão em virar-lhe as costas assim que sua amizade deixar de interessá-los.

Durante o trajeto. Menelau tentou mostrar-lhe os verdadeiros valores da vida, a necessidade que o filho tinha do seu amor, mas ela, agastada e indiferente, teimava em não enxergar.

Deixando-a no quarto, Menelau frisou com voz firme:

— Pense muito bem antes de agir. Se quiser continuar a usar meu nome e viver nesta casa, deve respeitar-me. Não consentirei que continue a agir como até agora.

Ela o olhou enraivecida.

— Está me ameaçando? Quer tornar-me uma prisioneira? Sabe muito bem que não agüento viver reclusa como você. Exige-me o impossível!

— Não é verdade e você sabe muito bem. Poderá sair, avisando-me aonde irá. Claro que vamos pedir desculpas a Adelaide e ela voltará a acompanhá-la. Quanto aos seus "amigos", prefiro não vê-los por perto.

— E se eu não quiser?

— Não viveremos mais juntos.

— Deixe-me em paz! — gritou ela, furiosa.

— Pense nisso. Se quiser permanecer aqui, terá que ser assim.

Menelau saiu fechando a porta. Tinha sido duro, era preciso pôr cobro àquela situação.

Sabia que a loucura de Maria Antônia não iria ao ponto de perder sua posição de senhora casada e respeitável. Gostava de freqüentar as casas mais conceituadas. Orgulhava-se de suas amizades com famílias importantes e de posição.

Se ela se separasse, muitas portas se fechariam. O preconceito era muito forte e pesado. Muitos não mais a receberiam. Depois, sem o marido, como ostentar a posição e o luxo?

Menelau estava certo. No dia imediato ela o procurou para dizer que lhe reconhecia certa razão. Ele não precisava preocupar-se. Ela não estava fazendo nada que pudesse despertar qualquer comentário. Prezava seu nome e sua posição. Mesmo quando se apaixonara, sofrera em silêncio, preservando as aparências.

— Muito bem — respondeu ele. — Deve compreender que tenho minha dignidade. Se quer ficar comigo, precisa respeitar-me. Entretanto, reconheço que não aprecio vida social e não pretendo privá-la desse prazer. Assim sendo, pode procurar Adelaide e não farei objeções quando desejar sair com ela.

Maria Antônia mordeu os lábios, contrariada.

— Não basta eu lhe pedir permissão para sair? Quer humilhar-me diante dela? Já a mandei embora, não fica bem chamá-la de novo.

Menelau sacudiu a cabeça.

— Dirá que mudou de idéia e resolveu não sair mais com aqueles amigos. Ela voltará de boa vontade, tenho certeza.

Maria Antônia não disse mais nada. Durante três dias ficou em casa amuada e sem se alimentar devidamente. Menelau fingiu não perceber e, com naturalidade, procedeu como de costume. No fim do quarto dia, ao chegar em casa, ele encontrou Adelaide. Ficou feliz. Apesar de saber que Maria Antônia enganara-a quando se encontrava com Alberto, confiava nela, sentia-se mais calmo tendo-a por perto. Ela era muito carinhosa com o menino e, quando chegava, zelava pelo seu conforto e bem-estar.

Depois disso, Maria Antônia pareceu acomodar-se. Continuava levando vida social intensa, mas, com uma ponta de ironia, cada vez que tinha um sarau consultava o marido. Continuava encontrando-se com os amigos fora de casa e entretinha-se com eles todo o tempo, mas Adelaide, sempre por perto, dava a Menelau a certeza de que ela não cometeria nenhuma leviandade.

O tempo foi passando e Menelau não perdia a esperança de fazer Maria Antônia modificar-se. O que mais o incomodava era a falta de amor pelo filho. Diomedes era uma criança nervosa e introspectiva. Vivia pelos cantos da casa e Menelau procurava despertar-lhe o interesse pelas coisas sem muito êxito.

Diomedes, desde a mais tenra idade, mostrara-se apaixonado pela mãe, que mal lhe dava atenção. Menelau tentava compensar esse desamor de Maria Antônia e o menino estimava-o muito, mas era pela mãe que demonstrava verdadeira adoração. Várias vezes Menelau chamara a atenção dela para que desse mais amor ao filho, ao que ela respondia, irritada:

— Não tenho tempo para pieguices. Você bem sabe que eu odeio crianças.

Quando Diomedes via a mãe, seu rosto iluminava-se. Estendia os bracinhos, chamava-a. Chorava muito quando ela o afastava com irritação, ordenando à ama que o levasse.

Quando cresceu um pouco mais, procurava-a com os olhinhos apaixonados e quando ela, ocupada com outros interesses, repelia-o, ficava triste, pensativo, sem que nada o alegrasse. Menelau condoía-se vendo-o assim e voltava a falar com a esposa. Mas ela não aceitava seus argumentos. Desgostoso, falou com Eduardo, pedindo-lhe uma opinião.

— Aguardemos com paciência — respondeu ele.

— Maria Antônia continua a mesma, durante esse tempo todo. Estou desanimado de vê-la modificar-se. O que faz com o filho é doloroso e imperdoável.

Eduardo sacudiu a cabeça negativamente.

— Não vamos julgar. Quando não podemos conseguir alguma coisa, entregamos a Deus. Ele pode e fará o melhor. Pediremos ajuda dos espíritos amigos na sessão do Sr. Sampaio.

— Boa idéia — concordou Menelau satisfeito. — Tenho recebido muito desses amigos espirituais.

E de fato, nesse ambiente de preces e de estudos, onde se falava de Deus e onde os corações se abriam para receber a assistência espiritual, Menelau realmente sempre encontrava novas energias e esperança para continuar.

Capítulo XXII

Menelau chegou em casa apressado, sobraçando pesado volume. Colocou-o sobre a mesa em seu gabinete. Depois, percorreu o resto da casa, perguntando por Diomedes.

— Está no quarto — respondeu a criada, atenciosa.

— Chame-o — pediu ele.

Estava alegre e bem-disposto. Diomedes completava catorze anos naquele dia. Parecia-lhe incrível que tanto tempo houvesse decorrido depois daquela madrugada em que ouvira seu choro pela primeira vez. Durante aqueles anos, afeiçoara-se ao menino, querendo-o como a um filho, esquecendo-se até das circunstâncias desagradáveis do seu nascimento. A indiferença de Maria Antônia em relação ao filho tocava-o fundo, principalmente pela afeição exagerada que o menino sentia pela mãe sem que ela retribuísse.

Diomedes tinha um gênio reservado que só se expandia em relação à mãe, mas, ainda assim, Menelau apegara-se a ele. Sentia-se muito só. Longe da mulher amada, impossibilitado de conviver com Romualdo e com os sobrinhos a quem muito queria, encontrara na carência afetiva de Diomedes ocasião para suprir também sua necessidade de amar. Dedicara-se a ele de corpo e alma. Cuidara de sua saúde, de sua educação e tudo fazia para vê-lo feliz.

O menino tratava-o com respeito, acatava suas determinações e conselhos mas não tinha para com ele os mesmos arroubos que tinha para com a mãe.

Diomedes aproximou-se, sério. Vendo-o, Menelau sentiu que ele continuava a ser o menino triste. Dificilmente sorria. Tudo fazia para alegrá-lo, mas era inútil. Se lhe perguntassem, ele responderia que não se sentia triste. Simplesmente não encontrava motivos para sorrir.

— Boa tarde, papai — disse. — Mandou chamar-me?

— Sim. Hoje é um dia muito feliz. É o seu aniversário. Completa catorze anos. Já é um homem. Por isso, quero dar-lhe um presente. Venha comigo.

Foram até o gabinete. Menelau apontou o pacote sobre a escrivaninha dizendo:

— É para você. Abra-o.

Diomedes aproximou-se e, tomando o pacote, abriu-o. Tratava-se de belíssima coleção de livros, ricamente encadernados, com as letras em ouro. Os olhos de Diomedes brilharam. Tinha gosto acentuado pela leitura.

— São obras de grandes pensadores, cujas idéias e sabedoria revolucionaram o mundo.

— Obrigado, papai, apreciarei muito lê-los.

— Estou certo que sim.

Diomedes apanhou um deles e leu: *O Livro dos Espíritos*, Allan Kardec.

— Especialmente esse — disse Menelau com satisfação. — Mudou minha vida quando eu o li pela primeira vez.

— Por quê?

— Porque mudou minha visão de mundo. Eu fazia da vida um conceito muito pequeno. Lendo-o, compreendi que ela é muito mais sábia do que podemos imaginar.

— A vida para mim não parece assim tão boa. As pessoas são levianas, ignorantes e gostam de futilidades.

— Uma questão de tempo, meu filho, de evolução. Alguns já podem perceber melhor os verdadeiros valores da vida, outros não.

Menelau pensou em Maria Antônia. Diomedes estaria pensando na mãe ao dizer isso?

— Este livro explica isso? — indagou ele, com certa ansiedade.

— Sim. Lendo-o, conseguirá enxergar melhor o mundo que nos rodeia.

— Obrigado, papai. Vou começar lendo este.

Menelau estava satisfeito. Falara algumas vezes ao filho sobre a sobrevivência da alma, a reencarnação, mas de forma ligeira e de passagem. Achava-o ainda criança para tocar no assunto. Contudo, agora, julgara oportuno colocar-lhe nas mãos esses conhecimentos. Vendo-o interessar-se, sentia-se feliz. Sabia que Diomedes encontraria justificativas e esclarecimentos sobre a conduta da mãe.

Enquanto o filho levava os livros para seu quarto, Menelau foi à cozinha. Naquela noite, queria um jantar especial. Iriam comemorar o aniversário de Diomedes condignamente. Abriria seu melhor vinho.

A criada deu-lhe a notícia:

— D. Maria Antônia não ficará para o jantar. Tem um convite para esta noite.

Menelau irritou-se. Era demais. Maria Antônia continuava mantendo intensa vida social, mas aquela noite ele a faria ficar. Não era justo para com Diomedes. Foi procurá-la.

A criada interceptou-lhe a passagem dizendo que Maria Antônia fizera um tratamento de beleza e estava repousando. Dera ordens expressas para não ser aborrecida. Menelau nem respondeu, entrou no quarto da esposa disposto a falar-lhe. Estendida no leito, ela tinha o rosto coberto por uma fina toalha de linho umedecida, recendendo a malva. Menelau aproximou-se:

— Maria Antônia, preciso falar-lhe.

— Não agora — respondeu ela. — Não posso interromper esse tratamento.

— Seja como for, hoje você deve ficar em casa. É aniversário de Diomedes. Jantaremos juntos.

Ela se levantou rápida, tirando a toalha do rosto, colocando-a na pequena bacia sobre o criado-mudo.

— Impossível! Hoje não posso ficar. Que idéia!

Menelau retrucou com voz firme:

— Hoje, sim. Você tem um filho e deveres com ele.

— Jantaremos outro dia. Hoje é o grande sarau dos Albuquerque. Importantes personagens estarão lá. Talvez o Marechal Hermes em pessoa! Estou me preparando. Não posso deixar.

— Terá centenas de outras festas, seu filho é mais importante. Lembrou-se de que é seu aniversário?

— Tenho mais o que fazer. Depois, para que me recordar da minha desgraça?

— Nem o abraçou pelo dia de hoje.

Ela deu de ombros.

— Não me lembrei. Que importância tem isso?

Menelau segurou-a pelos braços sacudindo-a com força.

— Ele a adora! É seu filho. Como pode ser tão indiferente? Hoje jantará em casa e dirá a Diomedes que se sente muito feliz por isso.

— Se eu ficar, estarei mal-humorada e não terei como mostrar-me alegre.

— Vai mostrar-se alegre, sim. Não quero que ele perceba que foi forçada a ficar.

— E se eu me recusar?

— Não se atreverá. É o mínimo que pode fazer por ele. Colocará um belo vestido, jóias, tudo. Estará alegre e bem-humorada.

— Pois eu não farei isso. Se me obrigar a ficar em casa, ficarei fechada aqui. É melhor não se intrometer em minha vida.

Menelau franziu o cenho.

— Até agora tenho sido condescendente com você. Tem gozado de liberdade excessiva. Nenhuma senhora de classe circula pelos salões sem o marido. Não sei de nenhuma. Se recusar-se a atender-me nesse pedido justo e tão simples, mudarei de atitude.

— Está me ameaçando?

— Não. Estou avisando. Olhe-se no espelho. Está pálida, magra, desgastada. Vive inquieta e pensando só em futilidades. Nada faz de bom ou de útil. Está abusando da vida, poderá arrepender-se disso.

— Está me rogando praga?

— Você sabe muito bem a que me refiro.

Ela sacudiu a cabeça, dizendo, com voz conciliadora:

— Talvez eu faça isso. Mas hoje é impossível. Estou muito interessada em ir a essa festa. Será um acontecimento.

— Não irá — disse Menelau, irritado.

— Se tentar impedir-me, vai arrepender-se.

— Não me desafie — retrucou ele, pálido.

— Está sendo injusto. Ainda se tivesse um bom motivo! Ter que ficar em casa por causa de Diomedes! É um absurdo. Nunca me convencerá.

Maria Antônia alterara seu tom de voz e Menelau tentava controlar-se para não esbofeteá-la. Ela precisava de um corretivo. Aproximou-se dele furiosa, com os olhos faiscando de raiva.

— Você é o culpado. Eu não queria esse filho e já fiz meu sacrifício suportando-o. Chega. Saia daqui. Deixe-me em paz!

Menelau sentiu crescer sua revolta. Ia revidar quando bateram à porta com insistência. Respirou fundo e foi abri-la.

Olhos assustados, Diomedes estava diante dele.

— Pai, por favor! Deixe-a ir. Não faz mal.

Sua voz estava embargada, aflita. Menelau sentiu-se arrasado. Maria Antônia gritara, ele teria ouvido tudo? Quisera dar-lhe momentos alegres e acabara de fazer exatamente o contrário. Fechou a porta por fora e, passando o braço pelos ombros do menino, disse com emoção:

— Perdoe-me. Não desejava perturbá-lo. Ao contrário.

— Ela não quer ficar — tornou o menino com voz triste. — Não precisa. Ela gosta das festas, sente-se feliz. Não quero que ela se prive disso por minha causa.

— Meu filho, é nobre de sua parte dizer isso. Eu preferia que ela moderasse sua vida social. Tenho notado que ela está abatida, não parece bem.

— Isso é. Emagreceu.

— Também notou?

— Notei.

— Então, meu filho. Pedi-lhe para ficar, cuidar mais da saúde.

— Sei que foi por causa do meu aniversário. Não me importo. Ela pode ir. Vou ler. Não faz mal.

— Hoje ela ficará, ainda que seja no quarto.

Diomedes levantou para ele os olhos suplicantes.

— Por favor! Se quer alegrar-me, não a deixe triste. Não suporto vê-la aborrecida. Dê-me esse presente. Deixe-a ir.

Menelau não soube o que responder.

— Vou pensar — disse por fim.

— Creia que eu não me importo mesmo. Posso dar-lhe a notícia?

— Você mesmo?

— É. Eu gostaria muito. Quero devolver-lhe o sorriso.

Menelau sentiu-se desarmado. Diomedes era mais nobre do que ele próprio.

— Está bem — disse, por fim. — Pode ir. Mas diga-lhe que só consenti atendendo a um pedido seu.

O rosto dele distendeu-se em um sorriso.

— Eu vou lá.

Saiu rápido e bateu no quarto da mãe.

— Entre — disse ela, com voz seca.

Diomedes entrou. Vendo-o, ela fechou ainda mais a fisionomia.

— O que quer? — indagou.

— Papai pensou melhor e mudou de idéia. Não precisa ficar em casa hoje à noite. Não perderá seu sarau.

O rosto dela desanuviou-se.

— Ele disse isso mesmo?

— Disse. Pensou melhor e compreendeu ter agido impulsivamente. A senhora pode preparar-se e ir à sua festa.

— Ainda bem. Menelau, às vezes, exagera as coisas. Agora que já deu o recado, pode ir.

— Está bem. Gosto de vê-la contente.

— Vá saindo que ainda tenho muito o que fazer. Perdi todo o tratamento que estava indo tão bem! Onde está Joana?

Vendo a criada, ela prosseguiu:

— Prepare tudo de novo. Vamos ver se ainda dá tempo. O que está fazendo ainda aí? Preciso preparar-me.

Uma onda de emoção passou pelo rosto de Diomedes, contudo nada disse. Voltou-se e saiu.

Menelau estava profundamente aborrecido. Depois de tantos anos, de tantas tentativas para que Maria Antônia percebesse alguns valores importantes da vida sem obter resultados, começava a questionar se ficar ao seu lado teria sido útil. Poderia haver se separado dela, levado Diomedes e tê-lo poupado. Longe dela, desde o nascimento, não a tendo conhecido, não sofreria. Não tinha dúvidas de que se houvesse feito isso ela não só aceitaria como nunca teria procurado ver o filho. Era triste, mas via-se forçado a reconhecer que no coração da esposa não havia amor de mãe. Encontrava-se desanimado. Em matéria de ajuda, achava difícil perceber o que teria sido o melhor.

De tudo isso, o único bem fora ter preservado a vida de Diomedes. Gostaria de vê-lo alegre, bem-disposto. Contudo, seu temperamento introvertido e às vezes apaixonado tornava difícil conseguir isso. Culpava Maria Antônia por isso. Eduardo, com quem conversara, observava que Diomedes por certo trouxera da experiência de vidas passadas emoções e problemas justificativos do seu comportamento atual. Esse fato não impossibilitava que, com o tempo, ele pudesse vir a modificar-se. Assim, Menelau compreendia que, além de Maria Antônia, Diomedes também precisava do seu carinho e apoio.

Agora Diomedes não aceitaria deixar a mãe, sofreria muito com isso. Restava-lhe a esperança de ajudar Diomedes, uma vez que Maria Antônia mostrava-se endurecida.

Retirou-se para seu quarto e quando ouviu o ruído da carruagem saindo, pensando em Maria Antônia, sentiu um aperto no coração.

Nos meses que se seguiram procurou consolo nas sessões espirituais, agora realizadas em casa de Eduardo, que se dedicara mais às pesquisas dos fenômenos espíritas. Era lá, na oração e nas mensagens que recebia dos espíritos bons, que encontrava apoio, conforto, orientação e fé.

Quando desanimava e referia-se a Maria Antônia mencionando sua dureza de coração, eles incentivavam-no à paciência, esclarecendo que é preciso amadurecer para compreender.

Diomedes interessara-se vivamente pela leitura de O *Livro dos Espíritos*. Era como prazer que Menelau respondia às suas indagações e via que ele as assimilava com facilidade.

Uma tarde, quando conversavam na sala, Diomedes disse, olhando-o pensativo:

— Lendo esse livro, comecei a entender por que mamãe não gosta de mim.

Menelau sentiu um abalo.

— Quem lhe disse isso? Sua mãe é desatenta, mas é claro que ela o ama.

Diomedes sacudiu a cabeça negativamente.

— Não conseguirá convencer-me. Sabe que ela não me aprecia. Não adianta querer encobrir isso. Até agora, eu não entendia. Todas as mães amam seus filhos. Muitas vezes tenho me perguntado o que teria feito para que ela não me aceitasse. Nunca fiz nada que a magoasse. Agora entendo que devo ter-lhe feito algum mal em vidas passadas. Alguma coisa tão forte que nem o fato de haver nascido dela conseguiu suavizar.

Menelau ficou embargado. Não sabia o que responder. Diomedes podia estar com a razão. Permaneceu silencioso durante alguns instantes, depois disse:

— Há muitas coisas que se escondem no passado em nossas encarnações anteriores. Embora isso seja possível, não poderia afirmar que tenha sido assim.

— Não tenho dúvidas quanto a isso. Sinto que foi assim. Sei que ela é boa e eu é que sou culpado. Agora, preciso dedicar-me, mostrar-lhe que a amo e desejo o bem.

— Não carregue o peso de uma culpa que nem sequer sabe se houve. Mesmo que seja verdade, que tenha tido atitudes inadequadas em suas vidas passadas, hoje as coisas são diferentes. É preciso ter bom senso. Se os problemas de outras vidas interferem em nosso relacionamento de agora, há que haver compreensão para solucioná-los. Você não pode colocar sua mãe como vítima e você como réu. Não sabe quais foram e como aconteceram os fatos. Maria Antônia é sua mãe. Deve-lhe amor, carinho e respeito. Se há alguma sensação desagradável do passado, ela deveria lutar para vencê-la, não se entregar sem reservas. Você, como filho, deve-lhe respeito, amor, dedicação, procurando dar-lhe atenção e carinhos sem exageros nem apego excessivo. Mesmo sentindo esse clima adverso em seu relacionamento com ela, continuar sereno, fazendo a sua parte, sem se preocupar, porquanto um dia, quando for oportuno, o caso se esclarecerá. Deus cuida de tudo.

Diomedes colocou a mão sobre o braço do pai e disse com certa ansiedade:

— Eu sinto tristeza. Sei que carrego uma grande culpa. Sinto isso desde criança. Não compreendia, mas agora começo a entender.

— Meu filho, é bom que você compreenda a vida como ela é, em toda sua grandiosidade. A eternidade, a reencarnação, a necessidade do amadurecimento do espírito, as ilusões que ainda carregamos. Mas lembre-se de que, ao nos oferecer uma nova encarnação na Terra, um corpo novo, nova oportunidade, Deus, colocando-nos no esquecimento, por certo deseja que apaguemos da lembrança os enganos passados e aprendamos a abençoar a vida, valorizar o amor, aprender a felicidade. O passado está morto. Jamais conseguiremos modificá-lo. Realmente você é um menino triste. Tenho observado que guarda momentos de funda tristeza. Mesmo que ela se prenda a problemas do passado, não me parece justo permanecer ligado a eles sem perceber as alegrias da vida presente que a generosidade da Providência Divina nos ofereceu. Não será muita gratidão? Por que guardar tristeza se possui a chance de construir agora sua felicidade? Não ama sua mãe?

— Amo — respondeu ele, sério.

— Não gosta de mim, da bela casa onde mora, do conforto que possui, da bonita aparência, da juventude, da inteligência e da saúde de que desfruta?

— Claro, meu pai.

— Então, meu filho. Não é hora de agradecer a Deus e perceber o quanto é feliz? Por que deixa o passado atingi-lo? Esqueça-se dele. Deus quer assim. Caso contrário, nos teria permitido recordá-lo.

Diomedes estava admirado. Reconhecia que o pai estava certo. Menelau prosseguiu:

— Depois, não será com a cara triste que conquistará as atenções de sua mãe. Ela adora a alegria.

— Não havia pensado nisso. Acha que, se eu for mais alegre, ela me aceitará?

— Não force nada. Seja natural. Procure descobrir sua alegria interior. Não tem nenhum motivo para tristeza.

— Vou tentar, pai. Sei que tem razão.

— Faça isso, de minha parte procurarei fazer o mesmo.

Muitas vezes, Menelau conversava com Diomedes sobre esses assuntos e percebia que o menino estava realmente tentando mudar. Entretanto, Menelau preocupava-se com Maria Antônia. Estava abatida e sua voz, rouca. Vivia fazendo gargarejos, sem apresentar melhoras. Tentava convencê-la a chamar o médico. Ela se recusava.

— Isso não é nada. Apenas uma irritação na garganta.

— Devia tratar-se corretamente.

— Está exagerando. Vai passar.

Mas não passou. E Menelau, preocupado, finalmente chamou o médico. Este examinou-a cuidadosamente. Por fim considerou:

— Sua garganta está muito irritada. Tenho que fazer uma embrocação. Depois veremos. Não tem febre.

— Não tenho nada. Vai enfiar isso na minha garganta? — disse ela, irritada.

— Um pouco de paciência, D. Maria Antônia. É preciso.

— Eu não quero. Deixe-me em paz.

Foi inútil. Ela não escutou argumentos, ponderações. O médico retirou-se com Menelau. Vendo-se a sós, ponderou:

— Seria bom fazermos a embrocação. O caso não parece simples. A ausência de febre preocupa-me. Se fosse simples infecção, ela já teria aparecido.

Menelau assustou-se:

— O que acha que pode ser?

— Não sei ainda. Afianço-lhe que sua esposa tem necessidade de ser bem cuidada. Se me permitisse fazer o que é preciso, talvez eu pudesse diagnosticar melhor. Não gosto da sua rouquidão.

— Podemos segurá-la para fazer o que é preciso.

— Não hoje. Deixe-a repousar. Vou receitar, vamos ver se conseguimos resultados.

Anotou a receita e entregou-a a Menelau dizendo:

— Mande aviar agora mesmo. Depois de amanhã cedo voltarei para ver como está. Trarei um aparelho moderno para fazer um exame mais detalhado. Passe bem, Sr. Menelau.

O médico se foi e Menelau mandou buscar o remédio imediatamente. Cuidou pessoalmente de Maria Antônia, obrigando-a a tomar o remédio, mas ela não melhorou.

Quando o médico retornou, dois dias depois, encontrou-a na sala de estar. Depois dos cumprimentos, ela disse:

— Seu remédio não valeu nada. Pura perda de tempo.

— A senhora recusou-se a ser devidamente tratada. Receitei, tentei. Como se sente?

— Eu me sinto muito bem. É só este resfriado, esta irritação na garganta.

— Tem dores nas costas?

— Já lhe disse que não tenho nada. Nem dor na garganta.

— Preciso examiná-la. Vamos para seu quarto, por favor.

Maria Antônia ia retrucar mas mudou de idéia vendo Menelau chegar e cumprimentar o médico. Pensou melhor e resolveu obedecer. Fazia dias que aquela irritação a incomodava e ela estava cansada de ficar em casa. Queria melhorar rapidamente para voltar às atividades sociais das quais tanto gostava.

No quarto, sentada na poltrona perto da janela, submeteu-se ao exame meticuloso. O médico estava sério e muito atento ao que fazia. Guardou seus instrumentos e colocou água na bacia, lavando as mãos cuidadosamente. Enxugava-as na alva toalha que a criada lhe oferecera, quando Maria Antônia perguntou:

— E então, doutor? Vai fazer a embrocação? Mudei de idéia. Tenho pressa em melhorar.

O médico devolveu a toalha à criada. Respondeu a pergunta escolhendo as palavras devagar.

— Vamos ver. Eu também tenho vontade de curá-la. Seu caso não parece uma infecção comum. Sim, farei uma embrocação.

Ele escolheu cuidadosamente um frasco na valise e preparou tudo com atenção.

No dia seguinte a voz de Maria Antônia estava um pouco melhor e Menelau sentiu desvanecer seus receios. As reticências do médico o haviam preocupado.

Entretanto, embora houvesse melhorado um pouco, sua rouquidão não desaparecia. Procuraram outro médico sem obter resultado. Maria Antônia andava inquieta, irritada.

— Você vê problema onde não há nada de mais. Uma simples rouquidão. Sinto-me muito bem e não vejo motivos para viver prisioneira. Preciso distrair-me. Tudo passará, verá.

Menelau, cansado de ponderar, cedeu. Permitiu sua saída duas ou três vezes por semana.

Contudo, com o correr dos dias, sua rouquidão aumentou e, o que era pior, seu hálito tornou-se fétido e desagradável.

Maria Antônia comprara pastilhas e as colocava constantemente na boca, sem muitos resultados. De irritada, ficou assustada. Por que não melhorava?

Menelau buscou acalmá-la. Juntos percorreram os melhores médicos do Rio de Janeiro. Ninguém encontrava remédio que a curasse. Ela estava apavorada.

— Foi praga — dizia, no auge da revolta. — Tinham inveja da minha vida. Aquelas matronas inúteis! Só porque eu não me tornei uma delas, fiz sempre tudo quanto elas gostariam de ter feito. Malditas! Elas é que deveriam pegar esta porcaria.

A criada tentava confortá-la, mas desistia ante seus súbitos ataques de fúria, saindo para não ser atingida pelos objetos que ela lhe atirava.

Menelau procurava acalmá-la, dizendo-lhe que aquela irritação só agravaria seu estado.

Então Maria Antônia se atirava ao leito e chorava diante da própria impotência.

Diomedes sofria, observando-a, mas por mais que desejasse confortá-la, dar-lhe seu afeto, não era sequer notado.

Nos meses seguintes, seu estado, longe de melhorar, agravou-se ainda mais. Sua voz saía com dificuldade e já agora ela se queixava de dores ao engolir. Sua língua estava inchada e vermelha.

Quando chegou uma sumidade médica da Europa, em visita ao Rio de Janeiro, Menelau, a custo, conseguiu uma consulta para a esposa. Depois de examiná-la detidamente, o médico pediu que Menelau conduzisse a esposa para casa e voltasse duas horas mais tarde. Ele desejava estudar o caso.

Menelau sentiu o coração oprimido quando retornou no tempo pedido. O facultativo recebeu-o com delicadeza, fê-lo sentar-se e sentou-se por sua vez, fixando-o com seriedade.

— Sr. Menelau, sinto dizer-lhe que não tenho recursos para poder curar sua esposa. Infelizmente essa doença vem desafiando nossos conhecimentos. Sinto muito.

— O senhor não pode curá-la? — perguntou ele, triste.

— Só Deus, meu caro senhor. Para ele nada é impossível. Confesso que a cura para esse mal ainda não foi encontrada. Conquanto a nossa medicina esteja adiantada, no caso dela nada poderemos fazer.

— E a dor — perguntou ele —, há como aliviá-la?

— Certamente. Vou receitar-lhe um analgésico. Não a deixe abusar deles porque perdem a eficácia.

Menelau apanhou a receita com mãos trêmulas. Foi procurar Eduardo. Estava arrasado.

O amigo abraçou-o, procurando confortá-lo. Menelau sentia-se cansado, abatido. Eduardo fez o possível para animá-lo

— Não se deixe abater agora — disse. — Onde está sua fé? Acha que Deus errou?

Menelau fixou o amigo, lutando para erguer-se. Ficou pensativo durante alguns minutos, depois disse:

— Deus nunca erra!

— Ele usa seus próprios meios. Você sabe. Nós sempre enxergamos os fatos à moda limitada da Terra. Vemos a doença, a morte do corpo, a separação, a tragédia, e não percebemos as mudanças espirituais, o amadurecimento, a sensibilização que isso traz. Não é fácil passar pela dor, pela dificuldade, mas a fé nos ensina a confiar em Deus, que é bom, justo, tudo sabe e tudo vê.

Menelau respirou fundo, tentando reagir.

— Você está certo, meu amigo. Depois, se eu me abater, que apoio oferecerei a Maria Antônia? O pior é Diomedes. Não sei como ajudá-lo. Anda desesperado, não tenho nenhuma boa notícia para dar-lhe.

— Você já lhe deu esclarecimento e amor. Deus o ajudará a encontrar seu caminho.

— Tem razão. Obrigado por ter me ouvido.

No caminho de volta foi pensando no assunto.

Confiava em Deus. Se eles não precisassem passar por essa prova rude, ela seria afastada. Maria Antônia se restabeleceria e tudo voltaria a ser como antes. No entanto, se esse fosse o remédio para eles, a provação que temia aconteceria. Era a mão de Deus restabelecendo o equilíbrio de todas as coisas. Seria inútil atirar-se ao desânimo, à revolta, à tristeza.

Diomedes necessitava do seu apoio, da sua serenidade. Deveria cultivar a prece, a fé, buscar a paz e até a alegria para animá-los.

Chegou em casa disposto a mudar sua aparência preocupada. Olhou para a sala na penumbra e pareceu-lhe triste. Abriu a janela para o ar entrar. Mandou a criada comprar flores. Queria o ambiente bonito, agradável.

Diomedes procurou-o aflito, pálido, rosto contraído pela ansiedade.

— Pai, mamãe não está bem. Teve dores. Tomou o remédio, melhorou, mas está desesperada, deprimida.

— Vamos vê-la — propôs Menelau.

Passou o braço nos ombros do filho e juntos foram ver Maria Antônia. Estirada no leito, vestida, rosto pálido e emagrecido, ela chorava. Diomedes correu para ela se ajoelhando ao lado da cama e tomando-lhe a mão com carinho.

— Mãe, por favor! Não chore. Você vai melhorar, verá. Tudo vai passar.

Ela o fitou em meio às lágrimas e nada disse. Menelau sentou-se na beira da cama.

— Calma — pediu. — Sei que não está sendo fácil para você. Mas a revolta só piora seu estado.

— Menelau — disse ela subitamente. — Por que eles não conseguem curar-me? Qual é o meu mal?

Menelau alisou-lhe os cabelos como faria a uma criança.

— Desesperar-se não ajudará. Precisa ser paciente. Há de aparecer um médico que acerte com o seu caso.

— Será?

— Certamente.

— Você ficará boa — tornou Diomedes, confiante.

Ela lhe fixou os olhos emocionados e não respondeu. Desde que adoecera, o menino não saía do seu lado. Precisava expulsá-lo quando desejava ficar só. Por que ele fazia isso?

No início, irritava-se com sua presença como uma sombra a seu lado, dando o remédio quando estava com dor, insistindo para que se alimentasse, vigiando seu sono. Com o correr dos dias, temia ficar só.

Ela dormia mal, tinha pesadelos. E se ninguém conseguisse curá-la? E se fosse morrer? Sentia pavor da morte. Isso não podia estar acontecendo com ela.

Esse medo foi se tornando constante, por isso a presença de Diomedes passou até a ser solicitada.

Menelau procurava fazer-lhe companhia ao máximo, mas tinha negócios, necessitava sair. Então ela chamava Diomedes, que corria para seu lado, olhando-a com adoração.

Menelau fazia tudo para melhorar o ambiente triste da casa. Enchia-a de flores, procurava distrair Maria Antônia. Temendo que sua doença se agravasse, ela tentava reagir. Havia dias em que se arrumava como se fosse a uma festa e Menelau organizava um jantar. A princípio ela concordara em convidar alguns amigos, mas não pudera suportar seus olhares assustados e temerosos diante da sua doença, nem as desculpas para não comparecer.

Dos amigos e conhecidos dos bons tempos, ninguém a visitava. Só Adelaide, fiel e dedicada, comparecia de vez em quando.

Entre uma dor e outra, Maria Antônia desesperada, aflita, retomava a depressão ou a revolta.

Uma noite, ela no leito chorava abatida queixando-se de dor. Diomedes a seu lado, olhos úmidos, não sabia o que fazer.

— Dê-me o remédio — pediu ela.

Ele obedeceu prontamente. Ela esperou, gemendo baixinho.

— Passou? — indagou Menelau.

— Não — respondeu Maria Antônia. — Esse remédio parece água. Antes passava logo, agora não faz efeito.

Menelau sentiu um aperto no coração. Quando o remédio não aliviasse mais a dor, o que faria? Diomedes ajoelhou-se ao lado da cama, segurou a mão da mãe dizendo:

— Mãe, Deus vai ajudar. Vamos rezar. Sua dor vai passar.

Menelau comoveu-se.

— Sim, filho. Vamos orar.

Maria Antônia não protestou como de hábito. Fechou os olhos e esperou. Diomedes pronunciou sentida prece, pedindo a Deus que aliviasse o sofrimento da mãe.

Quando ele se calou, ficaram em silêncio. A doente permanecia de olho fechados.

— Continuemos em prece silenciosa — disse Menelau, baixinho.

Maria Antônia adormecera. Durante duas horas, eles ficaram ali velando seu sono. Ela abriu os olhos. Vendo-os, acalmou-se:

— E então? — indagou Menelau.

— Passou — respondeu ela. — Agora está apenas dolorido.

— Graças a Deus, mãe.

Ela fitou o rosto comovido do filho. Nada disse. Coincidência ou não, a oração dele fizera-lhe bem.

— Que horas são? — perguntou.

— Dez. Você dormiu duas horas.

A partir daquela noite, Maria Antônia sempre que sentia dor pedia ao filho para orar, e embora nem sempre a dor cedesse de pronto, ela se sentia mais calma e encorajada.

Eduardo sempre os visitava, e quando ele sugeriu a ajuda espiritual, ela aceitou. Foi com muita emoção que Menelau acompanhou a leitura que Eduardo fez de uma página do *Evangelho Segundo o Espiritismo*. Depois de uma prece, ele impôs as mãos sobre a cabeça de Maria Antônia, que não se conteve e desatou em pranto.

Os três continuaram orando. Por fim, Maria Antônia disse, com voz rouca:

— O senhor diz que Deus é bom! Como aceitar sua bondade, que nos condena à doença, à dor e à morte? Como esperar ajuda desse Deus que se mostra tão impiedoso para com suas criaturas?

— Sua revolta não vai ajudá-la a compreender os mecanismos da vida. É melhor acalmar-se para tentar perceber quais foram as suas atitudes que atraíram essa doença para a senhora.

— Minhas atitudes? O que tem isso a ver com meu mal físico? É uma doença que contraí de alguém, com certeza. Nesta cidade a imundície anda pelas ruas.

— Todos nós andamos pelas ruas do Rio de Janeiro. Por que não estamos doentes?

— Pura sorte — argumentou ela.

— Não, D. Maria Antônia. Porque temos uma defesa que não está no físico, mas no espírito. É a maneira como pensamos, vemos as coisas, acreditamos.

— O senhor dá demasiada importância a simples pensamentos. É ridículo!

— Tem alguma explicação melhor?

Ela o olhou sem encontrar nada para dizer. Ao cabo de alguns instantes, tornou:

— Não tenho explicação e é isso o que me irrita. Por que sofrer tanto neste mundo?

— Talvez as explicações não lhe pareçam satisfatórias porque esteja observando de uma premissa imprópria. Contudo, talvez seja mais importante, ao invés do porquê, perguntar como. Como sofrerei menos neste mundo? O que fazer já para modificar o quadro doloroso de minha vida?

— E o senhor pensa que não tenho feito? Corremos os melhores médicos do Rio de Janeiro e nenhum conseguiu curar-me.

— O que prova que não será por aí.

— Não compreendo...

— Compreenderá. Se os médicos não puderem ainda curá-la, deve apelar para outros meios. Onde os homens são impotentes, Deus pode. Ele é o dono da vida e o distribuidor de bens a todos nós.

— Pensa que Ele poderá curar-me? Não me está iludindo?

— Sei que Ele pode curá-la, uma vez que é sua vontade e sua força que alimenta e comanda o universo. Mas a senhora precisará encontrar o caminho para isso dentro de si mesma. Jamais virá de fora. Tudo que vem de fora é apenas reflexo do que emitimos dentro de nós, é sintonia, é resposta, não é a causa. Ela se encontra em nossa maneira de ser. Para haver cura, deverá haver mudança. Enquanto se mantiverem os elementos que ocasionaram a doença, ela permanecerá.

— O senhor diz coisas estranhas. Difíceis de entender. Tenho uma doença física e o senhor vem-me com metáforas.

— A senhora tem uma doença no corpo, cuja causa está em sua alma. Se não procurar curá-la em seu mundo interior, nunca a eliminará do corpo.

Maria Antônia passou a mão pela testa, num gesto cansado.

— Como Deus pode ajudar-me?

— Confie nele. Criou tudo, inclusive a vida. Peça-lhe, com sinceridade, que lhe mostre o que precisa perceber sobre isso. Abra seu coração a ele, mostre-se com vontade de cooperar, de enxergar a verdade onde estiver. Livre-se dos preconceitos. Converse com ele com sincero interesse de aprender.

— Pensa que conseguirei?

— Por certo.

— Dará resultado?

— Tente.

— O senhor diz coisas diferentes. Por que deveria ouvi-lo?

— Fez-me perguntas e eu as respondi conforme penso. Não é obrigada a fazer nada do que eu sugeri. Contudo, se não tem uma alternativa melhor, o que lhe custaria experimentar?

A partir daquela noite, Maria Antônia interessou-se em conversar com Eduardo. Fazia-lhe perguntas capciosas, provocava-o, tentava irritá-lo. Mas em meio a suas indagações, percebia-se que ela pensara nos assuntos e havia uma dissimulada tentativa de busca.

Eduardo ia a casa do amigo duas ou três vezes por semana. Assim, teve oportunidade de falar-lhe sobre a sobrevivência da alma após a morte, sobre a reencarnação, a mediunidade. Quando ele falara sobre reencarnação, ela ouvira séria. Por fim dissera:

— Não creio em nada disso. Não me lembro de haver tido outras vidas... contudo, há uma coisa curiosa...

— O quê? — indagou Eduardo.

— Às vezes tenho a impressão nítida de já ter estado doente como agora. Vejo-me em um quarto de paredes brancas e sinto a boca, a garganta, até o estômago, todo em ferida, ardendo como se eu os houvesse queimado. É uma sensação breve e sempre tem uma mulher segurando minhas mãos, dando-me coragem.

Menelau sentiu lágrimas virem-lhe aos olhos.

Maria Antônia tinha reminiscências de sua passagem no mundo espiritual.

— É uma lembrança de alguma fase de sua vida anterior — explicou Eduardo. — Embora não esteja consciente agora, as impressões aparecem.

Maria Antônia ficou pensativa por alguns instantes, depois disse, pausadamente:

— Doente duas vezes. Como pode ser isso? Uma fatalidade?

— A doença é o sintoma de uma necessidade espiritual. Quando perceber e sanar a causa, ela irá embora.

— Não acredito. É muito fantasioso. O que eu preciso mesmo é de um bom médico que saiba curar realmente. Talvez na Europa eu encontre alívio. Eu quero ir à Europa! Lá, por certo, saberão curar-me.

Eduardo calou-se. Menelau olhou para ele suplicante. Por fim, ele respondeu:

— Faça o que seu coração pedir, é um direito seu. A vida é sua.

A partir desse dia, ela se apegou à idéia de ir tratar-se na Europa. Apesar disso, continuava pedindo ajuda espiritual sempre que sentia dor. Menelau, angustiado, não sabia como proceder.

— O pior — confidenciava a Eduardo — é que nenhum médico dá esperanças. Dizem que a viagem será inútil. Além de não curá-la, poderá apressar o desenlace. Tenho medo! Entretanto, Diomedes pede, ela também, o que farei?

— Nesse caso, procure ouvir seu coração. É difícil alguém decidir pelo outro. Faça o que sentir melhor.

— Apressarei os negócios e vou levá-los à Europa. Na Suíça há grandes especialistas.

— Faça isso. Se quiser, posso cuidar dos seus negócios enquanto estiver fora.

— É um grande amigo. Obrigado.

Providenciou tudo e dois dias depois estavam de partida. Eduardo acompanhou-os ao embarque e, vendo-os acenar do convés do navio, sentiu um aperto no coração.

Maria Antônia, rosto pálido, magro, tinha nos olhos um brilho de esperança. Envolta em um xale, não se assemelhava em nada com a jovem de outros tempos, e, apesar dos tristes presságios ou até por causa deles, Eduardo procurou envolvê-los com um pensamento de otimismo e de amor e pôs-se a orar.

Capítulo XXIII

O dia estava lindo naquela manhã de dezembro e o sol, quente. Eduardo tirou o relógio do bolso e olhou: eram nove e meia. Fazia meia hora que esperava o desembarque dos amigos. O navio atracara à noite, mas os passageiros ainda não haviam começado a descer.

Havia seis meses que eles tinham partido e durante aquele tempo recebera apenas uma carta contando que Maria Antônia piorava e que ela não suportaria a longa viagem de volta.

Naquela manhã, recebera um recado de uma pessoa da tripulação que saltara em terra e, a pedido de Menelau, avisara-o da sua chegada. Apressara-se em ir ao cais e ansiosamente aguardava os amigos.

Eram quase dez horas quando os passageiros começaram a descer. Eduardo, ansioso, viu o amigo, Diomedes, mas não viu Maria Antônia. Em poucos minutos estavam abraçados.

— Sejam bem-vindos — disse. — Há quanto tempo!

— É verdade — respondeu Menelau, um tanto embargado. — Quando partimos não esperávamos ficar tanto tempo! Infelizmente, não adiantou. Amanhã faz um mês que Maria Antônia partiu.

— Sinto muito, amigos — tornou Eduardo, comovido. — Meus sentimentos.

Apertou a mão dos dois. Os olhos de Diomedes estavam cheios de lágrimas.

— Temos que esperar a bagagem — explicou Menelau.

— Vamos embora. Um empregado meu fará isso e levará tudo a sua casa. É só dar-lhe os comprovantes.

— Está bem. Obrigado por mais este favor. É bom chegar em casa, apesar de tudo.

Foi com emoção que chegaram em casa, onde cada coisa recordava a presença de Maria Antônia.

Apesar do seu desespero, Diomedes compreendia que não devia lamentar-se. Seu maior desejo era que o espírito de sua mãe pudesse estar bem e não queria entristecê-la com sua dor.

— Gostaria de ter notícias dela, Sr. Eduardo. Poderá perguntar na sessão?

— Claro. Podemos nos informar sobre seu estado. No entanto, meu filho, o melhor auxílio para ela será a nossa alegria, nossa compreensão e nossos pensamentos de harmonia e de paz.

— Farei o que puder. Confio em Deus. Sei que seus sofrimentos acabaram.

— Isso mesmo, Diomedes. Otimismo e confiança a ajudarão, com certeza.

Menelau levou Eduardo a seu gabinete e, uma vez a sós, relatou ao amigo aqueles meses de tristeza e de luta contra a doença. Consultaram vários especialistas e todos foram unânimes em afirmar que nada podiam fazer para curá-la. Cada um trocava o analgésico e nada mais.

A boca muito inflamada, a garganta também, impediam-na de alimentar-se. Enfraqueceu tanto que não suportaria a viagem de volta. Quando o inverno começou, eles viajaram para o sul em busca de um clima mais ameno.

Foi na Espanha que Maria Antônia precisou ser hospitalizada. Nenhum hotel aceitava sua presença. Em Madri ela faleceu. Seus últimos dias haviam sido de dor e de drogas que lhe tiraram a consciência até a morte.

Menelau estava arrasado. Cansado emocionalmente, tentando conter-se diante de Diomedes, frente ao amigo deu livre curso às suas mágoas.

— Chore, meu amigo. Uma etapa de sua vida foi encerrada. Cumpriu a tarefa que se impôs até o fim. Deu a ela tudo quanto pôde. Tenho a certeza de que, com amor, continuará cuidando de Diomedes.

Passado o desabafo, Menelau confidenciou:

— Eu a queria bem. Seu medo, sua luta apareciam claramente diante de mim.

— Você a ajudou muito, tenho certeza.

— Ela mudou: aprendeu a gostar de Diomedes. Agarrava-se a ele quando sentia medo. Um dia, olhou-o comovida e disse: "Você me ama! Nunca me abandonou." Ao que ele respondeu: "Ficarei com a senhora aconteça o que acontecer."

— Ela se humanizou — considerou Eduardo. — Seu espírito aproveitou a encarnação.

— Gostaria que ela houvesse aceitado mais as verdades espirituais. Nunca consegui transmitir-lhe a fé plena.

— As pessoas necessitam de tempo para amadurecer. Ela percebeu o que lhe foi possível. Um dia chegará aonde você deseja. Todos estamos aprendendo. Quantas coisas ainda não possuímos capacidade para enxergar?

— É verdade. Minha consciência está em paz. Apesar de tudo, sinto-me bem.

— Isso. Você está cansado, esgotado. Logo estará recuperado. A morte é irreversível e a vida continua.

— Quero dar a Diomedes todo bem que puder.

— Ajudá-lo a desenvolver-se para enfrentar sua própria vida.

Menelau sorriu:

— Tem razão. Não pretendo exagerar.

— Sei que fará o melhor. Agora, nada de tristezas. O passado está morto. Hoje, tudo é diferente.

Menelau abraçou o amigo comovido. Ele estava com a razão.

* * *

Sentada em um banco no alvo corredor, Eleonora estava ansiosa e preocupada. Sua filha deixara a Terra e fora recolhida por um grupo de socorro e encontrava-se em um quarto daquele hospital.

Por amor, ela se entregara ao esforço de disciplina do seu grupo de trabalho, na esperança de obter ajuda para Antonieta, que ainda se encontrava na Terra, muito doente, e também para conseguir permissão para vê-la de quando em quando.

Esmerava-se em cumprir todas as ordens e fazer o melhor que podia. Conseguira trabalhar na colônia espiritual onde fora acolhida, e onde recebia orientação e assistência. O trabalho era humilde, mas ela o fazia de bom grado, chegando a ser estimada pelos companheiros. O que não faria pelo amor da filha?

Na hora extrema estivera ao lado dela no hospital da Terra e, com orações, assistira o desligamento de seu espírito adormecido. Durante um mês, pudera visitá-lo no hospital do astral para onde fora levada após a morte do corpo, mas Maria Antônia dormia, sem voltar à consciência.

— Quero estar a seu lado quando ela acordar — pedira Eleonora. — Desejo ajudá-la!

Agora ela fora chamada; contudo, aguardava permissão para entrar no quarto da filha.

— Talvez ela não a reconheça de pronto — disse a assistente.

— Não importa. Saberei esclarecê-la.

— Sabe que não deve apressar as coisas. É melhor que tudo ocorra com naturalidade.

— Eu sei. Terei paciência.

Eleonora olhou ansiosa a porta do quarto. Demorariam a chamar?

Finalmente a enfermeira apareceu dizendo:

— Pode entrar agora. Ela está acordada. Nada de emoções fortes ou de revelações. Ela precisa de pensamentos alegres e harmoniosos.

Eleonora concordou com a cabeça e levantou-se imediatamente. A enfermeira pousou a mão em seu braço e concluiu:

— Se ela se lembrar de coisas, fizer perguntas, responda com naturalidade. Evite dramatizar os fatos. Agora venha.

Eleonora concordou mais uma vez e seguiu a enfermeira compondo a fisionomia.

Maria Antônia, no leito, recostada em almofadas, sentia-se melhor. Despertara naquele quarto desconhecido sem compreender como fora parar ali. Um novo hotel com certeza. Lembrava-se de haver estado muito mal e das dores terríveis, da angústia, do desespero.

Agora, porém, sentia-se muito melhor. Suas dores haviam desaparecido. Levou a mão ao pescoço apalpando e não sentiu nenhuma dor. Engoliu e sentiu-se normal. "Estou curada!!", pensou. Finalmente. Por certo algum médico novo.

Menelau revelara-se seu melhor amigo, ele e Diomedes. Seu filho! Sentiu-se comovida. Quando todos a abandonaram, eles haviam ficado a seu lado lutando para sua cura. Certamente a eles devia a melhora. Sem tanta dedicação, não teria conseguido.

Ela estava um pouco fraca, o que era natural depois de tanto tempo doente. Mas os tristes sintomas que tanto a atormentavam haviam desaparecido.

"Preciso de um espelho", pensou. "Quero ver como estou."

Olhou em volta. Era um quarto simples, paredes pintadas de verde claro, grande janela branca, guarnecida de leve cortina esvoaçante. Ao lado, uma mesa pequena, uma poltrona estofada em verde-folha, do outro lado pequeno móvel com lindo arranjo de flores graciosas e um espelho oval.

Maria Antônia tentou levantar-se. Sentiu-se tonta. Quanto tempo estivera dormindo? Amparando-se nos móveis, foi até a janela e abriu-a. Respirou gostosamente o ar agradável e olhou o jardim onde pessoas passavam conversando, algumas parecendo convalescentes.

"Estou em um hospital", pensou. Queria ver Menelau, Diomedes, dar-lhes as boas novas. Finalmente, a cura!

A enfermeira entrou:

— Finalmente acordou — disse satisfeita. — Está muito bem!

— Estou tonta.

— É natural. Vou ajudá-la. Faremos alguns exercícios respiratórios.

Maria Antônia desejava perguntar, mas a enfermeira não permitiu.

— Vai sentir-se melhor, então conversaremos.

Ela obedeceu. Foi se sentindo melhor.

— Agora deve deitar-se e descansar. Aos poucos se sentirá muito bem.

— Antes desejo ver como estou.

— Está bem. Ampare-se em mim.

Com emoção Maria Antônia olhou-se. Estava ainda magra, um tanto pálida, mas seus lábios haviam voltado ao normal. Passou os dedos trêmulos sobre eles, para certificar-se do que estava vendo, e sorriu com alegria. Abriu a boca e não estava vermelha ou inchada. Estava realmente curada.

— Agora é melhor repousar um pouco. Deite-se e descanse. Far-lhe-á bem.

— Desejo ver meu marido, meu filho, devem estar aí fora. Preciso contar-lhes que estou bem.

— Eles já sabem. Tranqüilize-se.

— Quero vê-los. Chame-os, por favor.

— Eles não estão aqui. Deite-se, deixe-me ajudá-la.

Ajudou Maria Antônia a deitar-se, ajeitando os travesseiros confortavelmente.

— Naturalmente saíram um pouco, mas voltarão logo mais. Eles nunca me deixaram desde que adoeci.

— Tem uma pessoa aí fora que deseja vê-la.

— Quem é?

— Uma amiga que lhe quer muito bem.

— Não conheço ninguém aqui na Espanha.

— Ela tem estado sempre a seu lado, desde que chegou.

— Está bem. Mande-a entrar. Quero ver quem é.

Quando Eleonora entrou atrás da enfermeira, Maria Antônia fixou-a curiosa. Seu rosto era-lhe familiar. Claro que a conhecia, mas de onde?

Eleonora aproximou-se e beijou-a na testa com muito amor.

— Finalmente está bem — disse.

— Sim. Estou curada. Sei que a conheço, mas, não me leve a mal, não consigo lembrar-me de onde.

— Faz muito tempo que não me vê. Vai lembrar-se certamente.

— É uma sensação estranha. Conhece meu marido, meu filho?

— Muito.

— Talvez possa ajudar-me. Sente-se, por favor.

A enfermeira saiu e Eleonora sentou-se ao lado da cama.

— Se os conhece, talvez possa chamá-los para mim ou dizer-me onde eles estão. Parece-me estranho que tenham me deixado sozinha. Eles nunca me abandonaram, ainda que por alguns instantes. Quando um saía, o outro sempre ficava.

— Sei que eles lhe são muito dedicados. Pude presenciar como eles cuidaram de você.

— Pôde? Não a vi em nenhum lugar.

— Mas eu estava sempre a seu lado. Jamais a abandonei desde que reencarnou na Terra. Segui todos seus passos, seu casamento, o nascimento de Diomedes, tudo.

Maria Antônia fixou-a, admirada.

— Há muitas coisas que não estou entendendo. Como viu tudo se eu não me lembro de você? De que forma?

— Agora eu estou aqui, mas houve uma época em que não saía de sua casa.

— Você diz coisas sem sentido.

— O importante é que você está bem e estamos juntas de novo.

— Quem é você?

— Eleonora.

— Não me lembro, no entanto...

— O quê?

— Tudo é muito familiar.

— Não se preocupe. Lembrar-se-á, quando for o momento. Agora é melhor repousar para sair logo dessa cama. Vou cantar para você, feche os olhos, descanse. Ficarei aqui. Quando acordar, sentir-se-á melhor.

Maria Antônia sentia muito sono, fechou os olhos e Eleonora começou a cantar com voz doce uma antiga canção de ninar.

Nos dias que se seguiram, Maria Antônia foi melhorando rapidamente. Sentia-se bem como nunca se lembrava de haver estado, alegre, cheia de força e de vigor. Estranhava a ausência de Menelau e de Diomedes e percebia também que aquele hospital era muito diferente de todos os lugares que conhecera. Todos falavam português. Teria regressado ao Brasil sem perceber? Por que ninguém lhe explicava onde estava? Queria descobrir, falar com a direção, afinal seu marido deveria estar pagando regiamente seu tratamento.

Procurou pelo diretor e foi conduzida a uma sala e apresentada.

— D. Maria Antônia deseja falar-lhe. Esse é João, chefe do nosso setor.

Maria Antônia estendeu-lhe a mão, que ele apertou discretamente.

— Sente-se, por favor — disse.

Ela se acomodou em uma cadeira em frente à mesa atrás da qual ele permanecia sentado.

— Em que lhe posso ser útil?

— Talvez possa responder-me algumas perguntas. Aqui passam-se coisas estranhas.

— Pode perguntar.

Maria Antônia desfilou todas suas dúvidas, a ausência dos familiares, a presença de Eleonora; o comportamento ali era muito diferente do comum das pessoas, o tratamento menos cerimonioso. Havia móveis que ela nunca vira antes, falavam português, mas nada ali era como no Brasil.

Ele a deixou falar à vontade. Quando ela parou, olhou-a nos olhos com firmeza e sinceridade. Era um homem de meia-idade, olhos verdes e magnéticos, agradável sorriso.

— É observadora e inteligente. Percebeu quase tudo.

— Quase... O que falta que ainda não vi?

— Tirar conclusões sobre tudo quanto observou.

Ela não desviou o olhar. Sentia-se prestes a descobrir alguma coisa nova, uma chave que lhe daria todas as respostas.

— Meu filho Diomedes, meu marido. Eles não estão aqui porque não os deixam entrar. Eles nunca me abandonariam. Eles não estão porque não os deixam entrar — repetiu. — Não é verdade?

— Eles não estão aqui porque não podem. Ainda não chegou a hora deles.

— Quer dizer que... eu... chegou a minha hora de vir e eles não? Está brincando comigo!

— Quando chega a hora dessa viagem, nossos parentes não podem nos acompanhar.

— Do jeito como fala, até parece que eu morri.

Ele continuou a fixá-la e nada respondeu.

— Não é possível! Eu sarei. Estou curada! Não vê! Eu estava muito doente, mal mesmo, havia dor, angústia, sofrimento.

— Agora você sarou. Deixou na Terra o corpo com as marcas da sua enfermidade. Regressou ao mundo espiritual.

— Não acredito — gritou ela, assustada. — Veja, eu tenho um corpo, está sadio, curado. É mentira. Não morri. Não quero morrer. Sou jovem ainda. Quero viver. Ver meu filho. Ir para casa! Estou me sentindo mal, sinto-me sufocar...

Ele se levantou e segurou-lhe as mãos dizendo, calmo:

— Não tenha medo. Você está curada. Acalme-se. Respire fundo. Olhe para mim. Você vai descansar. Adormecer. Quando acordar, estará serena.

Maria Antônia fechou os olhos, sua cabeça pendeu e ela por fim adormeceu.

Quando acordou, estava novamente deitada em seu quarto. Eleonora velava, solícita. Sentou-se no leito, interdita:

— Tenho certeza de que não foi sonho! — disse. — Eu estava lá, na sala, e ele me disse aquilo. Eu estava acordada.

— Acalme-se. O que aconteceu?

— Fui ver o Sr. João.

Olhou fixamente para Eleonora e um grito forte escapou-se-lhe do peito:

— Mãe! É você! Eu me lembro!

Num segundo as duas estavam abraçadas misturando as lágrimas. Vencida a emoção, Eleonora disse com suavidade:

— Tenho esperado muito por esse instante! Poder abraçá-la de novo era tudo quanto eu pedia a Deus.

— Então é mesmo verdade! Eu morri. Custo a crer. Menelau tinha razão. O Sr. Eduardo me parecia um tanto louco, mas agora não sei o que pensar.

Eleonora abanou a cabeça afirmativamente.

— Ele sempre esteve certo. Por incrível que possa parecer. Ele entende muitas coisas e eu mesma sou-lhe grata, já me ajudou muito. Graças à sua interferência pude melhorar, trabalhar para poder agora ficar a seu lado.

— Estou me recordando daqui, de você, mas ainda me parece impossível. Quando estamos no mundo, não nos lembramos de nada.

— Melhor assim. Se lembrasse, não teria se casado com seu pai e nossos planos não teriam se realizado.

— Papai? Eu casei com papai?

— É uma história longa que um dia lhe contarei.

— Não creio nisso. Papai Raul, eu me lembro, era um homem leviano que nos abandonou para fugir com sua própria cunhada. Desprezo-o. Assim como desprezo todos os homens. Por isso quis arrasá-los, a todos. Quando esqueci esse sentimento e me apaixonei, compreendi que não havia um sequer que valesse a pena respeitar. Alberto foi tão canalha como os demais. No entanto, agora há dois homens pelo menos que eu respeito e admiro. Duas exceções. Menelau, que sempre foi impoluto e ficou a meu lado até o fim, e Diomedes, meu filho, que não saiu ao canalha do pai e que me amava profundamente.

Quando Maria Antônia começou a falar, Eleonora sentiu-se irritada. Menelau não era o santarrão que ela acreditava. Abriu a boca para contestar. Contudo, nada disse. A filha era descrente e sofrida. De que lhe serviria contar a verdade?

Eleonora agora estava mais amadurecida. Depois, Menelau cumprira sua palavra. Afastara-se de Maria José. Sua filha parecia-lhe mais lúcida e consciente. Trazer à tona queixas passadas seria levá-la de volta a esse passado triste que agora lutava para esquecer. Decidiu-se a contar apenas o que fosse útil:

— Raul mudou muito. Arrependeu-se do que fez.

— Você o perdoou? Logo você, tão revoltada com a traição?

— A vida tem me ensinado muitas coisas. Aqueles tempos foram tristes e agora pretendo esquecer. Estivemos juntos antes de vocês retornarem à Terra e, com a ajuda de nossos mentores, programamos uma experiência que nos ajudasse a resolver nossos problemas. Eu afirmo a você que Menelau é Raul. Ele prometeu e cumpriu, com amor, a tarefa de ajudá-la a vencer seus problemas. Deve lembrar-se da outra vez que regressou, de forma dolorosa e a contragosto. E embora não pretenda julgar seus atos, há de concordar que sua maneira de olhar a vida, suas atitudes contribuíram muito para isso. Você estava doente da alma e ele, arrependido, sentindo o amor de pai, desejou ajudá-la.

— Custo a crer. Parece mentira!

— É a pura verdade.

— Então foi por isso que ele me perdoou, voltou para casa, aceitou Diomedes e o ama muito. Meu Deus! Quem poderia suspeitar?

— Ele sabe de tudo. Eduardo, nas sessões, descobriu. Eu mesma estive lá, conversando com eles!

Maria Antônia ficou calada, pensando durante alguns minutos. Depois disse:

— Se Menelau era meu pai Raul, Diomedes, quem é?

— Alguém que a ama muito e que sofreu horrivelmente com sua morte.

— Quem?

— Mudemos de assunto. Basta por agora. Não convém arrancarmos do passado tantos fatos dolorosos.

— Desejo saber. Tenho estado cega até agora. Sinto necessidade de beber o cálice da verdade até a última gota. Fale, quem é Diomedes?

— É Otaviano, marido de Célia, que se vingou tirando-lhe a vida.

Imediatamente o rosto de ambos apareceu em sua memória e ela recordou cenas de sua vida anterior. Lembrou-se de Otaviano, jovem e galanteador. Da sua insistência em cortejá-la e de como fora excitante e divertido encontrar-se com ele às escondidas de sua esposa Célia, moça sem grandes dotes físicos, mas com dinheiro, posição e orgulho.

Empalideceu. Nunca poderia supor que Diomedes fosse Otaviano.

— Mas Otaviano era alegre, divertido, leviano, e casou-se com Célia pelo dinheiro dela. Diomedes é diferente. É sério, responsável, desinteressado.

Eleonora deu de ombros.

— Todos nós mudamos. O que sei é que Otaviano sofreu muito. Depois que descobriu que Célia foi a responsável pela sua morte, o remorso o atormentou. Ela se vingou dele, trancafiando-o em uma casa de loucos aproveitando-se de que, abalado e sem poder conter o remorso, ele tinha crises em que se acusava do crime. Mesmo depois que voltou para cá, esse remorso não o deixou. E quando recebeu permissão para reencarnar, pediu para ficar a seu lado e ajudá-la. Nós sabíamos, pelos problemas que você ainda enfrentava, que passaria por momentos dolorosos. Ele desejou redimir-se. Apagar a culpa da consciência. Para isso, sujeitou-se a tudo, lutando para vencer.

— Eu não queria filhos! Então, foi ele quem quis.

— Não é bem assim que as coisas acontecem aqui. Ele queria, mas se essa não houvesse sido uma necessidade sua, ele não teria conseguido. Eu não sei como eles conseguem isso, mas tudo tem que ser combinado, isto é, ser bom para todos para dar certo.

Maria Antônia baixou a cabeça, pensativa. Começou a compreender que ela ignorava muitas coisas. Tudo encadeava-se de forma a demonstrar que nada acontecia ao acaso. Havia razões e justificativas para cada uma e ela sentiu despertar de si uma curiosidade nova.

— Gostaria de entender melhor como tudo acontece — disse, por fim.

— Eu também — considerou Eleonora. — Estou cansada de tantos sofrimentos. Tenho visto aqui pessoas felizes que têm me aconselhado a aceitar os tratamentos que nos são oferecidos, bem como a ingressar nos grupos de estudo. Agora que você está aqui, poderemos ir juntas. Quem sabe encontraremos um modo de sermos felizes também. O Sr. João nos diz sempre que, se nós acreditarmos nisso e nos esforçarmos, tudo acontecerá.

Olhando através da janela a tarde que morria, Eleonora pediu:

— Vou pensar, mamãe. Vou pensar. Todos esses fatos me abalaram muito e eu preciso de tempo. Desejo saber mais, descobrir o que ainda está oculto em minha vida. Sinto que estou pronta para um novo caminho mas, ao mesmo tempo, tenho medo de aventurar-me. Preciso pensar. Quero rever o que aprendi, olhar para mim mesma, coisa que nunca fiz. Eu saltava de ilusão em ilusão qual borboleta imprevidente ao redor da luz. Queimei as asas, senti o gosto do desencanto, da dor. Vi o corpo que reverenciava e adornava como se fosse tudo transformar-se em putrefação, vergonha angústia e destruição. Compreendi o quanto ele era mutável e passageiro. Quero ver agora se há alguma coisa mais segura, mais importante do que ele. Preciso pensar, mãe, quero perceber, quero saber.

Eleonora abraçou a filha comovida. Ela também sentia-se assim. Queria virar a página, partir para novos conhecimentos, mas desta vez com mais lucidez e atendendo a orientação dos mestres que estavam ali, sempre prontos a ensinar.

— Vamos rezar, filha, para que Deus nos ensine a melhor maneira de recomeçar.

Enquanto as duas oravam com sinceridade, baixou sobre elas uma onda agradável de paz.

Capítulo XXIV

Sentado em seu gabinete, Menelau, olhos perdidos em um ponto indefinido, pensava. Sentia-se muito só. Fazia um ano que Maria Antônia se fora e Diomedes havia manifestado o desejo de estudar medicina. Mostrava-se muito interessado nos problemas mentais. Convivendo tantos anos com a mãe, percebendo-lhe a insatisfação, o desequilíbrio, as atitudes antagônicas, sua dificuldade em aceitá-lo e, por fim, a doença incurável, desejou dedicar-se seriamente à medicina na esperança de encontrar remédio para esses males.

Vendo-lhe a decisão, Menelau decidiu cooperar. Queria que ele estudasse na França, onde havia grandes médicos e maravilhosas escolas. Planejaram tudo cuidadosamente e Diomedes partiu, levando no coração o desejo vivo e ardente de realizar seu ideal. Menelau acompanhara-o até o cais junto com Eduardo e, vendo o navio afastar-se, acenando o lenço, comovido, considerou:

— Que Deus o acompanhe. Ficará fora durante alguns anos.

— Será bom para ele. É a primeira vez que sai sozinho, será uma boa experiência.

— Por certo. Eu é que fiquei só. Sentirei muito sua falta. Nunca nos separamos.

— Será bom também para você. É hora de olhar para si. Faz tempo que só pensa nos outros.

Menelau sorriu.

— Estou um tanto perdido. Não sei o que farei.

— Vá descansar. Tire umas férias. Por que não visita Manuela?

Menelau olhou o amigo, surpreso. Desde a morte do pai, Manuela e Maria José se tornaram inseparáveis. Passavam temporadas na fazenda, em Itu, ou na Província, na velha casa da família.

Ana casara-se com rico comerciante, mudara-se para São Paulo; Rosa, por sua vez, tendo desposado um fazendeiro, fora morar nas Minas Gerais.

Quando Adalberto resolveu casar-se e estabelecer-se na Província, Manuela convidou-o a residir no casarão da família enquanto ela passou a morar definitivamente com Maria José.

Menelau, que a esse tempo estava na Europa com Maria Antônia, não pôde ser consultado, mas elas sabiam que ele concordaria. Quando regressou da triste viagem, Manuela escreveu-lhe carinhosa carta, contando as novidades e mostrando-se pesarosa com a morte da cunhada. Ela nunca simpatizara com Maria Antônia, mas compreendia a dor do irmão.

Maria José também lhe escrevera palavras de conforto e de compreensão pelo momento difícil que ele enfrentava.

Menelau levantou-se e começou a andar pela sala, pensativo. Lembrou-se de Maria José, tão cheia de vida, de amor, e sentiu uma onda de calor invadir-lhe o coração. Ela, em seus braços, trêmula e apaixonada.

Muitos anos decorreram, ela ainda se lembraria? Não teria esquecido o passado? Desejaria ir até lá, mas sentia medo. Estava envelhecido, amargurado e só. No entanto, como gostaria de revê-la! Confiar-lhe súas lutas de tantos anos, dizer-lhe que guardava no coração intacto o mesmo amor de sempre. Agora, era livre. Eleonora não mais poderia cobrar-lhe nada. Havia Romualdo. Não o via há anos. Como estaria?

Estava só. Sua casa vazia era povoada de tristes e angustiantes recordações. Desejava rever Maria José, mas não iria perturbá-la? Depois de tantos anos, reviver o passado não seria forçar uma situação só para aplacar sua solidão?

Essas dúvidas tornaram-no infeliz e triste.

Confidenciou seus problemas a Eduardo, que o aconselhou a ir ter com ela e descobrir a verdade.

— Não se prenda a preconceitos. Agora, ambos estão livres. Nada os impede de ficar juntos para sempre. Um amor como o de vocês não se apaga com a distância. Não tenha medo! Vá até lá, verifique.

Mas Menelau não se decidia. Foi então que recebeu carta de Manuela, que, dizendo-se saudosa, pretendia realizar um velho sonho, conhecendo a capital da república, e matar a saudade do irmão. Maria José e Romualdo a acompanhariam.

Menelau foi da tristeza à euforia. Não sabia o que fazer. Procurou Eduardo, contou-lhe a novidade. Chamou as criadas e providenciou acomodações. Mandou que arejassem a casa, melhorou a arrumação, esperou ansiosamente.

No dia da chegada, encheu a casa de flores e, depois de verificar se tudo estava em ordem, foi esperá-los na estação.

Quando o trem chegou, olhava ansioso, procurando, quando dois braços o agarraram.

— Manuela! — disse.

A moça abraçou-o com força e ele lhe beijou a face com carinho.

— Como você está linda! — disse, alegre.

Manuela realmente estava bonita. Vendo-a, elegante, esbelta, os cabelos levantados em lindo penteado deixando à mostra seu pescoço alongado e realçando o tamanho de seus belos olhos castanhos e amendoados, ninguém acreditaria que ela já beirasse os quarenta anos. Depois de contemplá-la, embevecido, viu Maria José e Romualdo sorrindo. Abraçou-os comovido.

— Os anos não passaram para você — comentou ele.

Maria José sorriu. Estava um pouco mais madura, mas continuava bonita e elegante como sempre fora. Romualdo transformara-se em um belo rapaz, alto, rosto simpático, os mesmos cabelos bastos e aloirados, olhos expressivos, e Menelau percebeu, satisfeito, o quanto eles se pareciam.

— Em contrapartida — continuou ele, — Romualdo transformou-se, está um homem.

— Um bonito homem, posso dizer — considerou Manuela, com entusiasmo.

Menelau sentia-se feliz. Com carinho e alegria levou-os para casa, instalando-os confortavelmente. Depois do jantar, sentaram-se na sala, conversando com animação.

— Sou-lhes muito grato por terem vindo. Estava me sentindo muito só.

— Você podia ter ido passar algum tempo conosco — considerou Manuela.

— Pensei em ir, mas não quis levar-lhes a minha tristeza.

— O que aconteceu foi muito triste. Só o tempo poderia atenuar — disse Maria José.

— Agora, tudo passou — tornou Romualdo. — As coisas que Deus faz são sempre certas. Não podemos compreender as razões, mas o que não depende de nós vem de Deus. Lamentar o passado não muda o que já foi. Por isso, tio, não vamos agora cultivar nenhuma mágoa. Prefiro falar de coisas alegres, gostaria de vê-lo sorrir, esquecer. Para isso viemos.

Menelau ficou agradavelmente surpreendido. Romualdo tinha razão.

— Você está certo, meu filho. A alegria é o tônico da alma. Deus não erra nunca. Confio que Maria Antônia esteja, nesta hora, recuperada e muito bem no outro lado da vida.

A conversa seguiu mais alegre. Romualdo aprendera com a mãe a conhecer e a estudar os fenômenos da mediunidade. Maria José, orientada por Eduardo, equilibrara sua sensibilidade e, muitas vezes, quando faziam as orações em família a que tinham se habituado, ela era envolvida por espíritos amigos que conversavam com eles, dando-lhes sábios conselhos e muitos esclarecimentos. Depois, Bentinho, estimado, respeitado, tornara-se companheiro nessas reuniões e, através dele, os espíritos compareciam para orientar e até receitar remédios do mato, atendendo aos problemas da família. Ele e Zefa possuíam quatro filhos, todos trabalhando na fazenda.

Romualdo falou de seus projetos. Conseguiu matricular-se na faculdade de direito da Província e esperava, com entusiasmo, o início das aulas no começo do próximo ano. Menelau entusiasmou-se. Lembrou-se de seus estudos, falou da Sorbonne, e as horas passaram alegres. Era tarde quando se recolheram.

Estendido no leito, Menelau não conseguia adormecer. Pensava em Maria José. À lembrança dos momentos de amor e intimidade que haviam vivido, sentia renascer a emoção e seu amor por ela. Tinha vontade de saber se ela ainda o amava. Durante todos aqueles anos sufocara seus sentimentos a tal ponto que conseguira sobreviver dedicando-se a outros interesses. No entanto, agora, vendo-a, percebera que a chama não se apagara.

Ambos estavam livres. Contudo, havia os filhos, a sociedade. Não eram jovens. Maria José, o que pensaria? Por outro lado, viver sozinho era triste. Desejava procurá-la para esclarecer as dúvidas que lhe acudiam à mente. Como seria bom poder amá-la livremente, estar a seu lado e de Romualdo pelo resto da vida.

Lembrou-se do espírito de Eleonora. Aceitaria uma aproximação entre eles agora que Maria Antônia morrera?

O dia estava clareando quando, finalmente, Menelau conseguiu dormir. No dia seguinte, pela tarde, foram à casa de Eduardo, que os recebeu com prazer.

Encantou-se com Manuela, e Menelau, percebendo-lhe o interesse, observava-os divertido. Eduardo fora sempre retraído com as mulheres. Não se casara. Dizia não haver ainda encontrado a mulher dos seus sonhos.

A conversa fluiu agradável e Eduardo convidou-os a ficar para o jantar. Quando se despediram, Maria José perguntou:

— Podemos vir à sessão amanhã à noite?

— Certamente — respondeu Eduardo. — Poderão conhecer alguns amigos que estudam conosco. Eles iam às sessões do Sr. Sampaio. Quando ele morreu, não quisemos interromper. Tenho uma boa sala separada onde fazemos nossas pesquisas. Menelau tem vindo.

— É verdade. Agradeço a Deus por essa oportunidade.

Despediram-se, prometendo voltar na noite seguinte. De volta a casa, Menelau, abraçado a Manuela, notou-lhe o interesse.

— Muito agradável seu amigo Eduardo — considerou ela.

— É de fato um grande amigo. Devo-lhe muitos favores.

— Vive sozinho?

— Sim.

— Por que não se casou?

Menelau sacudiu a cabeça.

— Não sei. Talvez por não haver encontrado a mulher dos seus sonhos.

Manuela sorriu, satisfeita.

— Você gostou dele! — concluiu Maria José, com um sorriso.

— É um homem simpático, só isso. Fiquei curiosa.

— Eduardo é como um irmão para mim. Não sei mesmo por que até agora nenhuma mulher o conquistou. É o que se pode chamar de um bom partido.

— É uma excelente pessoa — observou Maria José.

— Pelo jeito vocês gostam mesmo dele! Que entusiasmo!

— Não passou despercebido que ele se encantou em conhecê-la.

— É um homem fino e bem-educado — disse Manuela.

— Sei o que estou dizendo — aduziu Menelau, alegre. — Você nos acompanhará amanhã à noite?

— Certamente. Tenho participado das orações com Maria José — respondeu ela.

Chegando em casa, Manuela recolheu-se pretextando cansaço. Romualdo foi dar um passeio, ver a cidade. Vendo-se a sós com Maria José, Menelau olhou-a emocionado.

— Parece um sonho — disse. — Ter você aqui, na minha casa!

Ela o fixou com olhos brilhantes.

— Tenho sonhado com este momento e imaginado como seria.

Menelau aproximou-se sentindo brotar dentro de si forte emoção. Abraçou-a, beijando-lhe as faces, os cabelos, depois os lábios, com arrebatamento. Entregaram-se àqueles momentos, sentindo o coração bater forte e avaliando o sentimento que os unia.

Passados os primeiros arroubos, Maria José afastou-se um pouco, dizendo emocionada:

— Devemos nos acalmar. Pode vir alguém. Guardamos nosso segredo durante tanto tempo, não quero que descubram agora.

— Somos livres. Se não quer falar do passado, posso compreender. Mas hoje podemos nos amar, não há nada a nos impedir.

— Apesar de tudo, não quero que Romualdo saiba a verdade. Julgaria mal.

— Você se arrependeu?

— Não — respondeu ela com voz firme. — Nosso amor aconteceu e aqueles momentos foram os mais belos de minha vida. Lamento a situação em que estávamos. Não me envergonho de nada. Temo que Romualdo não compreenda.

— Tem razão. Não vejo necessidade de contar-lhe a verdade. O passado está morto.

Maria José levantou para ele os olhos castanhos nos quais havia uma interrogação.

— Você já esqueceu?

— Não.

— Não me procurou depois que Maria Antônia partiu. Cheguei a pensar que o tempo houvesse apagado o que aconteceu entre nós.

Menelau tornou a abraçá-la, apertando-a de encontro ao peito, beijando-a nos lábios repetidas vezes.

— Eu a amo! — disse com voz que a emoção embargava. — Você sabe que nunca houve outra mulher em minha vida. Nunca a esqueci. Tive medo de procurá-la depois que enviuvei. Temia que não se lembrasse mais.

Ela passou a mão delicadamente pelo rosto dele, acariciando-o. Ele prosseguiu:

— Tenho me sentido amargurado, envelhecido. Você sempre tão cheia de vida! Eu a quero, mas temo que seja tarde.

— Por quê? Porque alguns anos passaram e nossos corpos estão mais gastos? Nosso amor, Menelau, está na alma. Não tem idade nem tempo, é um sentimento eterno. O que sei é que quero ficar com você, se me quiser.

— É bom demais para ser verdade! Parece um sonho. Você ainda me ama!

— Sim — disse ela, com suavidade. — Eu o amo!

Menelau beijou-a novamente com amor.

— Acha que Romualdo aceitará? E os outros, concordarão?

— Eles o estimam verdadeiramente, ficarão felizes.

— Falarei com eles.

— O que lhes dirá?

— Que nos sentimos sozinhos, que nos amamos, que desejamos ser felizes juntos.

— Não mencione o passado. Eles não precisam saber. Nossa felicidade lhes dará alegria.

No dia seguinte, Manuela, vendo-os juntos no café da manhã, olhou-os surpreendida. Perspicaz, sentiu que havia algo no ar. Menelau, vendo-a sentar-se, depois de desejar-lhe um bom dia, abordou o assunto. Sabia o quanto a irmã apreciava Maria José e contava conseguir sua cooperação.

— Manuela — disse. — Tenho me sentido muito só ultimamente. Ontem à noite eu e Maria José conversamos muito. Ela também se sente só. Descobrimos que nos queremos muito bem e estamos pensando em nos casar...

Manuela soltou ligeiro grito de alegria.

— É maravilhoso! Nunca vi duas pessoas tão adoráveis. São feitos um para o outro!

— Você aprovaria? — perguntou Maria José.

Manuela levantou-se e, aproximando-se, depositou um beijo na face da cunhada.

— Aprovo e faço muito gosto.

— Há os meninos — disse Menelau, hesitante. — Não sei se aceitarão. Não desejo desgostá-los.

— Tenho certeza de que ficarão felizes. Sempre se preocuparam com a solidão da Maria José. Vai contar logo a Romualdo?

Menelau abanou a cabeça.

— Gostaria. Não sei como.

Manuela sorriu deliciada.

— Faça a corte a Maria José e deixe que ele perceba. Veremos o que fará.

— Boa idéia — disse Maria José, divertida.

— Preferia falar-lhe claramente — considerou Menelau.

— Faça como achar melhor. Estou muito feliz com a notícia.

Menelau ficou pensativo. Lembrou-se de Demerval. Onde estaria? Teria condições de compreender também? Temia que seu irmão o odiasse por isso.

À noite, compareceram à casa de Eduardo para a reunião. Menelau nada disse, mas de alguma forma esperava notícias. Algo que lhe indicasse que seu irmão não sofreria com seu casamento. Sabia que o fato de ele ter morrido não o impedia de desejar conservar a ligação com a esposa. Eleonora o perseguira por julgar-se traída, considerando um compromisso de uma vida passada do qual ele nem sequer podia recordar-se. Mesmo estando aparentemente livres para ficar juntos, essa decisão seria aceita por eles?

Eleonora mostrara-se intolerante; e Demerval, sempre tão apegado à família, entenderia?

O ambiente estava agradável, harmonioso, porém Menelau sentia-se inquieto. A reunião decorreu com tranqüilidade. Estudaram alguns assuntos sobre espiritualidade e, no final, uma senhora recebeu um amigo espiritual em esclarecedora mensagem. A sessão encerrou-se após ligeira oração de Eduardo.

Apesar de um pouco decepcionado, Menelau sentiu-se mais calmo. No café com bolos que Eduardo servia sempre ao término dessas reuniões, a conversa continuou animada. Eduardo sentou-se ao lado de Manuela e conversaram com interesse. A moça interessava-se verdadeiramente pela mediunidade e pelos fenômenos espirituais.

As demais pessoas retiraram-se, mas, por insistência de Eduardo, eles foram ficando. Menelau observou que o amigo estava emocionado. Olhava Manuela com olhos brilhantes. Nunca o vira agir assim. Embora curioso, não ousava perguntar. Foi ele quem mencionou o assunto.

— Desculpe — disse —, mas preciso contar-lhes o que aconteceu comigo. Na semana passada, na quinta-feira, no fim da tarde, eu cheguei em casa e, de repente, senti-me um pouco cansado. Como era cedo para o jantar, fui para o quarto, tirei os sapatos e sentei-me na poltrona, estendendo as pernas sobre um banquinho. Branda sonolência me envolveu e adormeci. Vi-me em um lugar agradável, bela sala, ricamente decorada à moda européia. Encantado, olhava os objetos de arte que havia e ao mesmo tempo sentia-me tomado de grande emoção. Tudo parecia-me extremamente familiar e, aos poucos, uma saudade imensa me envolveu. Sentia que iria rever alguém muito importante para mim. E, de repente, uma mulher apareceu e eu senti vibrar todo o meu sentimento. Senti que um amor grande nos unia. Corri para ela e abracei-a, extasiado. Ela sorriu correspondendo ao meu abraço. Depois disse:

— "Nosso tempo está próximo. Breve, estaremos juntos de novo."

— Vou morrer, pensei. Essa mulher por certo estará me esperando do outro lado da vida. Mas, para surpresa minha, ela abanou a cabeça negativamente.

— "Você não vai morrer" — disse. — "Irei ter com você dentro em breve. Estou muito feliz."

— Deu-me leve beijo na face e acordei, sentindo ainda seus lábios em meu rosto.

Eduardo fez uma pausa e, vendo que todos o escutavam atentamente, continuou:

— A emoção foi tão real e intensa que nos dias que se seguiram não consegui esquecer esse fato. Contudo, o mais curioso estava por vir. Quando vocês vieram aqui ontem, fiquei chocado. Nem sequer pude conciliar o sono. É que Manuela era a moça do meu sonho. O mesmo rosto, o mesmo sorriso e até o mesmo vestido. Estou emocionado. Não sei o que dizer. Ia ficar calado. Não suportei. Afinal, somos amigos.

Manuela ouvia-o um pouco corada, olhos brilhantes, e todos sentiam que Eduardo falava com sinceridade.

— Talvez vocês tenham se conhecido em vidas passadas — sugeriu Menelau.

— Nesse caso, estão se reencontrando — disse Maria José.

— Fico emocionado quando olho para ela — reconheceu Eduardo. — Isso nunca me aconteceu.

— E eu sinto que o conheço de algum lugar — disse Manuela, fixando-o, séria.

— O que estava fazendo na quinta-feira à tarde? — perguntou Menelau.

— Tínhamos feito algumas compras para a viagem — lembrou Maria José. — Chegamos em casa quase às cinco. Tomamos café, depois fui para meu quarto, Manuela para o seu.

— É verdade. Fui descansar um pouco.

— Eis aí o que aconteceu — concluiu Menelau, com satisfação. — Seu espírito veio visitar Eduardo.

— Mas eu não o conhecia — respondeu Manuela.

— Nesta encarnação ainda não se haviam encontrado. Mas está claro que seu espírito sabia que estava na hora e veio ter com ele.

— Só pode ser isso — concordou Eduardo. — Devo convir que esse fato me emocionou.

Manuela sorriu.

— A vida tem coisas estranhas.

— Já que tudo ficou esclarecido, precisamos comemorar esse reencontro. Amanhã vá passar a tarde conosco, jantaremos juntos.

— Irei, com prazer.

Eduardo compareceu na tarde seguinte e nos dias subseqüentes. Ele e Manuela conversavam muito e sentiam-se bem juntos. Menelau olhava-os com satisfação. Sentia que se compreendiam. Ele, contudo, não tivera coragem de falar com Romualdo sobre seu casamento com Maria José.

O tempo passou depressa. Tanto Maria José quanto Manuela não desejavam voltar. Contudo, Romualdo queria ir para casa. Viajaria para São Paulo logo no início do ano e desejava preparar seu guarda-roupa, instalar-se na casa do irmão, ansioso para começar na universidade. Para não contrariá-lo, as duas resolveram marcar a volta.

Eduardo estava apaixonado por Manuela. Sentindo-se correspondido, declarou-se, falando do seu desejo de casar-se com ela. Combinaram que os dois amigos iriam ter com elas antes do Natal, ocasião em que Menelau pretendia falar com os sobrinhos. Ambos pretendiam marcar o casamento o mais breve possível.

Faltavam três semanas para o Natal. As duas, acompanhadas por Romualdo, voltaram para a fazenda.

Na estação as despedidas foram calorosas e Menelau percebeu o olhar indagador de Romualdo vendo-o abraçado a Maria José. Apesar da despedida, estavam felizes. Dentro de duas semanas, os dois seguiriam para a fazenda.

Depois dos acenos, vendo o trem desaparecer ganhando distância, Menelau, olhos marejados, comentou:

— A felicidade é tanta que chego a temer...

— Por quê? — indagou Eduardo.

— Não sei. Penso em Demerval, no espírito de Eleonora. Podem interferir em nossas vidas, causar problemas.

Eduardo balançou a cabeça negativamente.

— Não creio. Vocês cumpriram com o dever. Maria Antônia recebeu todo seu carinho e dedicação. Ninguém pode objetar nada.

— Mesmo assim. Até há pouco tempo, Eleonora tudo fazia para nos manter separados. Quanto a Demerval, receio que não possa compreender. Era muito apegado a Maria José. Considerava-se ainda seu marido. Fico angustiado só de pensar nisso.

— Você ainda se considera culpado pelo que aconteceu no passado. No fundo, não se julga com direito à felicidade.

Menelau abaixou a cabeça, pensativo. O amigo colocara o dedo na ferida. Ele havia errado. Merecia ser punido.

Eduardo calou-se por alguns minutos. Depois, disse com voz firme:

— Não permita que esses pensamentos mascarem seus mais puros sentimentos. Não seja um juiz mais rigoroso do que Deus.

— Por que diz isso?

— A vida afastou todos os obstáculos e permite que vocês se unam. Não lhe parece prova bastante de que Deus concorda com essa união?

— Acha isso?

— Por certo. O caminho está livre. Deve esquecer o passado. Sua única culpa foi ceder ao amor que sentia por Maria José. Não premeditou, não pretendeu trair seu irmão.

— Mas traí. Isso tem me incomodado muito.

— Concordo que não foi bom ter acontecido isso. Porém de nada vale recriminar-se agora. Por mais que se arrependa, não poderá voltar o tempo e agir de maneira diferente. Por outro lado, você lutou dignamente. Mesmo amando Maria José apaixonadamente, afastou-se dela. Cumpriu seus compromissos com Maria Antônia, eu diria até de forma abnegada. Compreendeu quando ela o traiu, fez mais, protegeu, criou, amou uma criança que não era sua. Meu amigo, é hora de esquecer o passado e pensar na sua felicidade. Vocês merecem! Mesmo que Demerval não aceite, nada poderá fazer contra vocês, que estão dentro dos seus direitos.

Menelau sorriu. Eduardo continuou:

— Faça mais. Quando estiver só, medite, analise, mergulhe fundo nos seus sentimentos e jogue fora de sua alma essa culpa inútil e desnecessária.

— Quisera manter essa confiança, esse otimismo.

— Pode ter a certeza de que a vida sempre age com acerto. Quando devemos pagar, ela sempre cobra. Tenho comigo que agora é sua hora de ser feliz. Não perca a oportunidade.

Menelau distendeu a fisionomia e abraçou o amigo com satisfação.

— Obrigado — disse. — Tem razão. Chegou a nossa hora de sermos felizes.

Capítulo XXV

Sentado em um banco do agradável jardim, Demerval conservava a fisionomia triste e abatida. Não se interessava pelas pessoas que circulavam pelas alamedas floridas nem pela beleza do céu naquela tarde calma. Estava triste, magoado. Por que ninguém o compreendia?

Eram todos educados, tratavam-no com delicadeza, mas não podia sair dali. Ele queria cuidar de sua vida. Sabia que estava morto. Mas preocupava-se com a família. Desejava ver os filhos. Sentia ciúme de Maria José.

Fora traído. Menelau! Traíra-o por duas vezes. Queria voltar!

Todavia, a vigilância era rígida. Por mais que desejasse escapar, não conseguia. A assistente que o atendia aconselhava-o, tentando fazê-lo mudar a maneira de pensar, ponderando os fatos, pedindo-lhe para esquecer, confiar em Deus, trabalhar em favor de si mesmo e de sua harmonização interior, inutilmente. Particularmente, naquela tarde, ele estava muito deprimido.

Eleonora o visitara contando que Maria Antônia havia regressado. Enquanto a amiga falava da sua alegria com a melhora da filha, ele fora assaltado por uma onda de violento ciúme. Menelau estava viúvo! Eles estavam livres. Por certo se casariam, seriam felizes, ele seria esquecido para sempre. Até o amor dos filhos Menelau lhe roubara! Ficou desesperado.

— Você precisa ir lá — disse, com raiva. — Deve impedi-los de ficar juntos. Você prometeu.

Eleonora olhou-o triste.

— Tenho sofrido muito — considerou. — Talvez agora seja melhor esquecer.

— Como?!! Depois de tudo quanto nos fizeram?

— Estou cansada. Raul cumpriu o que me prometeu. Fez mais do que eu poderia esperar. Agora não quero mais odiar. Tenho pensado muito. Não vale a pena. Deus tem sido bom comigo. Permitiu-me cuidar de minha filha. É só o que desejo. Que ela possa mudar, aprender a ser feliz. Raul não me ama. Algum dia hei de encontrar alguém que me aprecie. Desejo refazer minha vida. Sei que conseguirei.

— Você afrouxou, mas eu não. Hei de sair daqui e então eles vão me pagar!

— Está sendo teimoso. Vai se machucar ainda mais. Por que não ouve os conselhos de D. Dalva? Ela é uma das melhores assistentes deste lugar. Seria melhor se a escutasse.

Quando Eleonora se foi, Demerval sentiu-se ainda mais só. Como fazer? Precisava sair dali, tentar impedir que se casassem, não podia deixá-lo cometer essa indignidade.

Maria José era sua mulher, mãe de seus filhos! Lembrou-se de Romualdo e fechou os punhos com raiva.

— Aqueles traidores — pensou. — Preciso detê-los e dar-lhes a lição que merecem.

Vendo Dalva, que se aproximava, procurou dissimular. A assistente sentou-se a seu lado.

— Está uma linda tarde — disse.

— Está? — indagou ele, com indiferença.

— Estive à sua espera. Tínhamos um encontro, esqueceu?

— Não.

Ele a olhou, aborrecido.

— Não tinha vontade — continuou ele. — De que me serve conversar, se não posso fazer o que quero? De que me adianta aparentar uma calma que não sinto? Quero sair daqui. Cuidar da minha vida. Estão acontecendo coisas com minha família e preciso tomar certas atitudes.

— Sua família tem condições de cuidar de si mesma. Você não pode intervir em suas ações. Precisa aceitar isso.

— Não aceito. Enquanto vocês me prendem aqui, eles estão juntos. Não posso permitir.

— Está aqui há cinco anos. Estava mais calmo, pensei que houvesse esquecido. Por que essa atitude de novo?

— Por que agora aquele traidor está livre. Sua esposa regressou. Não quero que se casem.

— Você sabe que aqui os compromissos feitos na Terra deixam de ser considerados. Só têm validade os sentimentos e o desejo de cada um

— Mas eu ainda a quero. Apesar de me haver traído, Maria José é minha esposa.

— Se ela quiser ser quando vier para cá. Por enquanto ela é livre. Você não pode interferir em sua vida.

— Não aceito. Desejo ir embora, não posso ficar aqui, quero minha liberdade.

— Tem certeza de que quer isso mesmo? Devo dizer-lhe que, agindo assim, pode aumentar seus próprios problemas.

— Não importa. Não quero ficar aqui.

Dalva levantou-se.

— Muito bem. Falarei com o conselho sobre o caso.

— Quando? Tenho urgência.

— Amanhã mesmo. Pense bem, se mudar de idéia, avise-me.

— Estou decidido. Ficarei esperando com impaciência.

Na tarde seguinte, ele foi chamado por um dos conselheiros.

— Fale-me sobre seu caso — pediu ele.

Demerval relatou seu inconformismo, sua tristeza, sua revolta pela traição sofrida. O conselheiro ouviu-o, calmo. Ao final disse:

— Está conosco há alguns anos. Recorda-se por que veio aqui?

— Sim. Fiquei muito doente.

— Lembra-se por quê?

— Bem, eu queria encontrar Neneu, ele me tirou a vida!

— E o encontrou?

— Sim — murmurou Demerval, a contragosto.

— Recorda-se de que se uniu a um grupo de criaturas infelizes que prometeram ajudá-lo em sua vingança?

Demerval baixou a cabeça, confundido. Gostaria de esquecer esse pedaço de sua vida.

— Eu estava revoltado, ele me tirou a vida. Estou passando por tudo isso por culpa dele!

— Demerval! Os sofrimentos pelos quais passou por causa dessa sua forma de pensar não o fizeram perceber a verdade? Quando foi socorrido e trazido para cá, estava dementado e sofrido. Cheio de chagas e dominado por aquelas criaturas. Foi preciso tempo e tratamento para devolver-lhe o equilíbrio e a memória. Contudo, agora pretende abandonar tudo e voltar a envolver-se com as pessoas na Terra. Você ainda não está preparado para ir até lá. Não é prisioneiro aqui. Esta casa é um lugar de recuperação e seu tratamento ainda não acabou. O que pede pode inutilizar tudo e mergulhá-lo novamente no sofrimento.

— Estou sofrendo aqui, longe dos meus. Tenho que ir, impedir que eles se casem. Não suportarei nova traição! Tenho razão. Como ficar aqui de braços cruzados?

— Não nos é lícito interferir na vida dos outros.

— Ela é minha mulher. Não abro mão disso. Se me impedirem de ir, fugirei. Irei de qualquer jeito.

Demerval estava alterado e não conseguia controlar-se. O conselheiro levantou-se e, fixando-o, disse com voz firme:

— Se você quiser, poderá sair daqui. No entanto, é meu dever esclarecer-lhe que não poderá mais voltar. Não será mais aceito nesta comunidade.

— Não importa. O que quero é sair.

— Muito bem. Dar-lhe-ei um passe de saída. Você poderá ir quando quiser.

Demerval exultou. Dentro em pouco estaria de regresso ao lar.

Entardecia, o sol ainda brilhava no horizonte, despedindo-se daquela face da Terra, colorindo o céu de tons rosados.

Maria José, na varanda da casa-grande, passou os olhos pelos canteiros graciosos cobertos de flores. Estavam lindos. Sentia-se orgulhosa. A fazenda estava bem cuidada e tudo muito arrumado. Ela havia conseguido melhorar o nível da habitação, renovando parte do mobiliário e decorando-a com muito bom gosto. Manuela aproximou-se.

— É incrível — disse. — Tudo está tão lindo! Realmente você transformou esta casa velha em um lugar agradável e confortável.

— Estou feliz — disse Maria José. — Reencontrei a alegria de viver!

— Dá para perceber. Tem razão. Um amor ilumina a nossa vida, tudo fica diferente.

Maria José abraçou-a.

— Você gosta dele! Finalmente apaixonou-se.

Manuela corou.

— É verdade. Estou apaixonada como se tivesse quinze anos.

— É tão bom amar! — considerou Maria José. — Chegarão hoje ainda?

— Talvez. Estou com saudade. Confesso que me sinto feliz.

— Eu também.

— Com certeza, vão se casar logo — disse Manuela.

— Por mim, o mais breve possível. Há os filhos. Precisamos conversar com eles.

— Sabe o que eu penso?

Maria José sacudiu a cabeça. Manuela prosseguiu:

— Que Menelau será marido perfeito para você. Serão muito felizes. Demerval tinha um gênio difícil. Menelau é mais afetivo, mais fácil de conviver.

— Vê-se que era seu irmão predileto.

— Não posso negar. Nunca me entendi bem com Demerval. Para ser sincera, sempre admirei sua paciência.

— Demerval possuía muitas qualidades — afirmou Maria José. — Concordo que era genioso. Vamos entrar, dar uma olhada nos quartos dos hóspedes.

— Boa idéia.

As duas entraram e circularam pela casa, com satisfação. Estava tudo brilhando de limpo e cheio de flores. Sentaram-se na sala.

— O tempo custa a passar — considerou Manuela.

— Concordo. Regressamos há tão pouco tempo, mas parece que faz anos.

Manuela sorriu alegre.

— Você também está apaixonada! Não negue.

Maria José corou.

— Gosto de Menelau — disse.

— Você o ama!

— Está certa. Eu o amo.

— Fico contente. Seremos felizes.

Maria José, de repente, levou a mão ao peito.

— O que foi? — indagou Manuela. — Ficou pálida, sente-se mal?

— Um pouco. Senti uma dor aguda no peito, um arrepio pelo orpo, uma angústia!

— Estranho. Você estava tão bem. Passou?

— Um pouco. Sinto uma sensação de peso no corpo.

— Trabalhou demais estes dias todos. Será cansaço. Vamos ao seu uarto. Precisa descansar um pouco.

— Eu não sentia cansaço. Até parece que alguma alma penada se ncostou em mim.

— Será?

— Só pode ser. Vamos para o quarto, faremos uma prece.

As duas dirigiram-se ao quarto de Maria José, sentaram-se na cama , em silêncio, começaram a orar. Demerval inquietou-se. Maria José ercebera sua presença. Ele havia chegado há algumas horas e logo ercebeu a atmosfera festiva da casa. Não estava preparado para encon-ar tudo tão bem. Gostaria que fosse o contrário. Assim, poderiam la-entar sua ausência.

Os ingratos! Passara a vida vivendo para eles. Agora fora rapida-ente esquecido. Ouvira a conversa das duas. O que ele temia estava ara acontecer. Maria José o esquecera. Só pensava no amor de Menelau. Ele não permitiria, haveria de vingar-se! Agarrou-se a Maria José dizendo-lhe ao ouvido:

— Você não pode dizer que o ama! Estou aqui. Sou seu marido!

Vendo-a levar a mão ao peito, ele continuou:

— Você precisa ver. Estou aqui.

Quando as duas começaram a orar, Demerval afastou-se para um canto do quarto. Tinha medo da oração. Alguém poderia intervir e obrigá-lo a afastar-se.

Quando terminaram, Maria José sentiu-se melhor.

— Ainda bem, as cores voltaram a seu rosto — disse Manuela.

— Estou bem agora.

Demerval observava. Decidiu não se precipitar. Agiria na hora certa. Foi na hora do almoço do dia seguinte que, finalmente, os dois chegaram. Trouxeram muitos presentes e muita alegria no coração.

Foram recebidos com carinho pelas duas. Almoçaram com apetite e se acomodaram na sala, onde conversaram longamente. Os filhos de Maria José ainda não haviam chegado. Eles viriam para as festas do Natal e Ano Novo, como de hábito.

Cada casal em um sofá conversava trocando confidências em agradável colóquio. Teciam planos para o futuro. Menelau pretendia aproveitar a presença dos sobrinhos para comunicar seu desejo de casar-se com Maria José. A um canto, Demerval os observava com rancor.

— Acha que eles concordarão com nosso casamento? — perguntou Menelau.

— Penso que sim. Sempre o estimaram. Não têm por que não aceitar.

— E Romualdo?

— É muito meu amigo. Ficará feliz com nossa alegria.

— É o que mais desejo. Não gostaria que ele se aborrecesse.

Demerval irritou-se ainda mais. Aqueles traidores! Sua vingança, para ser completa, atingiria também aquele filho bastardo. Ele fora traído, enganado. Tinham-lhe impingido um filho que não era seu. Precisava castigá-los. Fazer justiça! Maria José, com a mania de rezar, Menelau com aquele amigo feiticeiro, não seriam presa fácil aos seus desejos. Romualdo era jovem, sem experiência. Nele concentraria sua atenção. Disposto a agir, Demerval saiu imediatamente à procura do moço.

Faltavam três dias para o Natal quando os filhos de Maria José começaram a chegar.

A casa tornou-se movimentada e alegre. Romualdo pretendia passar com a mãe todo o mês de janeiro. Depois ficaria na Província, conforme o combinado. Estava feliz por cursar a faculdade.

Não lhe passou despercebida a atitude do tio e sentiu um aperto no coração. Desconfiou que ele estivesse interessado em sua mãe e essa idéia irritou-o. Ele, que sempre havia gostado do tio Menelau, passou a antipatizar com ele. Evitava sua presença e tudo quanto ele dizia tinha o poder de contrariá-lo.

Menelau sentiu que o rapaz estava arredio e confidenciou com Eduardo:

— Sinto que ele me evita, que está contra mim. Tenho receio de falar em meu casamento. Acho que ele não vai concordar.

— Pode estar enciumado. É muito apegado à mãe. Não se preocupe com ele. Com o tempo, isso passará.

— Temo que ele já tenha notado meu interesse por Maria José e não me aceite para padrasto.

— Não se deixe levar por esse receio. Vocês têm direito à felicidade. Mesmo que ele esteja contra, com o tempo aceitará. Você o estima de verdade e o amor vence todas as barreiras. Falaremos hoje à noite, conforme o combinado.

— Não sei...

— Chega de indecisão. Hoje, após o jantar, conversaremos sobre nossos casamentos.

Menelau concordou, finalmente. Talvez fosse melhor esclarecer mesmo o assunto definitivamente.

O jantar decorreu alegre, só Romualdo mostrava-se inquieto e nervoso, a ponto de Maria José o interpelar:

— O que se passa com você, meu filho? Tem algum problema?

— Não tenho nada. Sinto-me cansado, é só!

Foi quando serviram o licor que Menelau levantou-se dizendo:

— Quero aproveitar este momento em que estamos todos reunidos para comunicar o breve casamento de Manuela com Eduardo. Brindemos à felicidade deles.

Todos aplaudiram alegremente e beberam felizes. Menelau, colocando o cálice sobre a mesa, prosseguiu com seriedade.

— Quero também dizer que nos últimos tempos tenho me sentido muito só. Como sabem, meu único filho está estudando na Europa e tem mostrado desejo de ficar lá definitivamente. Sinto falta de um lar, dos filhos, dos netos, de uma esposa. Maria José também sente-se só. Por isso, desejamos nos casar. Gostaríamos de saber o que pensam a respeito, se me aceitam como um novo pai.

Rosa correu e abraçou o tio, beijando-lhe a face.

— Que alegria — disse. — Não pode haver nada melhor!

Correu a abraçar a mãe.

Adalberto abraçou o tio, comovido. Ana, que abraçara a mãe, correu por sua vez a beijar o tio, com lágrimas nos olhos. Romualdo, em pé, olhos faiscando de rancor, disse, irritado:

— Que disparate! Por acaso aqui não se respeita mais a figura de meu pai?

Maria José empalideceu e olhou assustada para Manuela. Todos os olhares admirados eram para Romualdo. Maria José esclareceu:

— Estou viúva há muitos anos. A memória de seu pai sempre foi respeitada. Sou livre e posso me casar outra vez. Tenho esse direito.

— É traição — disse Romualdo, com raiva. — Não permitirei que isso aconteça. Nunca.

E antes que os irmãos saíssem do estupor e dissessem alguma coisa, ele se retirou da sala. Menelau sentou-se e enterrou a cabeça nas mãos. Sentia-se chocado. Romualdo era seu filho e não o desejava como pai.

Os sobrinhos cercaram-no, tentando alegrá-lo, pedindo-lhe que esquecesse a atitude desagradável do rapaz. Quando ele refletisse, por certo se arrependeria e mudaria de opinião.

Menelau estava inconsolável.

Maria José jamais esperara essa atitude do filho, sempre tão compreensivo e disposto a vê-la feliz.

Foi procurá-lo. Ele se fechara no quarto e, por mais que ela chamasse, não respondeu. Ele não se conformava. Menelau não merecia essa atitude de Romualdo.

Ela o amava, e mesmo que o filho discordasse, estava resolvida a casar-se. Sofrera muito durante aqueles anos todos e não mais se submeteria a caprichos, ainda que fossem do seu filho querido.

Reuniram-se no salão, mas a alegria fora substituída pela tensão e um certo mal-estar. Recolheram-se cedo, e tanto Menelau quanto Maria José só conseguiram dormir muito tarde.

No dia seguinte, véspera de Natal, havia muita atividade na fazenda. Maria José levantou-se cedo, procurando preparar tudo para os festejos natalinos, mas sentia o coração oprimido, triste.

Menelau estava quieto e pensativo. Todos esforçaram-se para alegrá-los, mas a atmosfera da casa estava pesada.

Bentinho, vendo Eduardo e Manuela sentados na varanda, aproximou-se, dizendo com voz respeitosa:

— Sinhô Eduardo, preciso falá com o sinhô.

Eduardo levantou-se e abraçou Bentinho com prazer.

— Bom dia, Bentinho. Mal nos vimos na chegada. Como vai?

— Bem, sinhô.

— Tenho saudade das nossas reuniões. Você tem ajudado muita gente, D. Maria José me contou.

— A sinhá é uma santa. Bendita hora que o sinhô apareceu e me ajudô a compreendê as coisa. Sô muito feliz. Tenho família, sô home de respeito. As pessoa gosta de mim. Deus Nosso Sinhô tem me ajudado muito!

— É verdade, Bentinho. Eu também sou feliz. Vamos nos casar, Manuela e eu.

— Já sabia, sinhô. Desde que elas voltaram da capital num falam de outra coisa. Mas eu quero lhe avisá que o sinhô Demerval voltô. Eu vi ele e tava muito brabo. Num qué o casamento da sinhá com o doutô Menelau.

Eduardo fez um gesto de surpresa.

— Puxa! Não havia pensado nisso. Então foi ele!

— Ele tá com raiva da sinhá e do sinhozinho Romualdo. Qué se vingá dele. Eu vi ele.

— Ainda bem, Bentinho. Precisamos ajudar. Ele não pode mais prejudicar as pessoas. Tantos anos e ele ainda não aprendeu.

— Tô pronto pra ajudá. Fazê tudo que o sinhô quisé. Zefa disse que a sinhá tá triste que faz pena. Eu também num gosto de vê ela assim. Podia tirá ele daqui na força. Mas sei que num é certo. Quero fazê tudo direito, como Deus gosta.

— Muito bem, meu amigo. Estou contente com sua forma de agir. Fique atento. Falarei com Menelau e Maria José. Combinaremos tudo e o avisarei.

— Tá bem, sinhô. Tô de oio nele.

— Onde está ele agora? — perguntou Manuela, assustada.

— Tá no quarto, agarrado ao sinhozinho Romualdo.

— Vamos conservar a fé. Deus nos ajudará. Tudo ficará bem.

Quando Bentinho se afastou, Eduardo considerou:

— Esse negro é um grande amigo e grande coração.

— É verdade. Segue Maria José com desvelo e bondade. O que ela disser, é lei.

— Em boa hora ela o trouxe para esta casa. Vamos procurá-la para dar-lhe a notícia.

Maria José arrepiou-se:

— Foi por isso, então — disse, convicta.

— Por isso o quê? — inquiriu Eduardo.

— No dia em que chegaram, pouco antes, senti-me indisposta. Percebi a aproximação de alguém que não estava bem.

— É verdade — ajuntou Manuela. — Ela quase desmaiou. Fizemos prece e ela melhorou. Teria sido Demerval?

— É provável — concordou Eduardo.

— O que faremos? Demerval está envolvendo Romualdo. Poderá prejudicá-lo.

— Não compreendo como ele pode odiar o próprio filho — disse Manuela. — Bentinho não teria se enganado?

— Não — respondeu Maria José. — Ele não aceita Romualdo. Sei que ele o prejudicará, se puder.

— Custo a crer — considerou Manuela.

— Isso agora não é importante. Precisamos fazê-lo enxergar a verdade. Se ele aceitar, tudo se resolverá.

— Eu temo que ele não aceite — retrucou Maria José, com voz insegura.

— Vou procurar Menelau. Está triste, desanimado.

— Vá, Eduardo. Conte-lhe tudo. Talvez o anime. O que faremos?

Maria José estava ansiosa.

— Certamente uma reunião com Bentinho, você e Menelau.

— Posso participar? — indagou Manuela.

— Pode — concordou Eduardo. — Precisamos da sua prece.

Ouvindo o amigo, Menelau, embora tendo compreendido a atitude de Romualdo, não se furtou a um sentimento de culpa. Demerval ainda não o perdoara e talvez nunca o fizesse. Desejava muito vê-lo, pedir-lhe perdão, dar-lhe explicações.

A reunião foi marcada para a tarde. Romualdo, amuado, não participara do almoço. Manuela fora chamá-lo e ele lhe dissera que não se sentaria à mesa enquanto o tio estivesse presente. A moça escondeu a verdade, alegando que o rapaz se sentia indisposto.

Pouco antes das quatro, reuniram-se em pequena e discreta sala Eduardo, Menelau, Bentinho, Manuela e Maria José. Menelau e Maria José estavam tensos e havia tristeza em seus corações. Eduardo fez sentida prece, pedindo a Deus por aquelas pessoas que muito já haviam sofrido e agora mostravam-se desejosas de encontrar o verdadeiro caminho e a felicidade.

Evocou o espírito de Demerval a que comparecesse para colocar suas razões e esclarecer suas dúvidas.

O silêncio se fez e os olhos de Maria José estavam cheios de lágrimas. Gostaria muito que Demerval compreendesse.

Ela se dedicara a ele o quanto lhe fora possível. Porém, como impedir aquele amor que fora a razão maior de sua vida? Como não sentir se sua alma gritava esse afeto? Por causa dos filhos e da sociedade, refreara os sentimentos, esperara. Quantas noites de solidão e de tristeza havia amargado longe de Menelau? Quanto amor tivera que reprimir, aguardando o momento de expressá-lo? Agora que a vida os libertara dos compromissos e que poderiam dar livre curso aos sentimentos, Demerval aparecia para exigir ainda mais?

Menelau, por sua vez, sentia no fundo do coração que jamais tivera a intenção de ferir o irmão. Nunca previu que aquele momento de entrega e de amor pudesse acontecer. Queria dizer a Demerval que o respeitava, que desejava que ele fosse feliz. Maria José não o amava. Ele nada poderia fazer quanto a isso. Mesmo que ele renunciasse ao seu amor, ela não voltaria para ele. Sabia disso. Estava cansado de sofrer seus sentimentos. Amava e seu amor tanto tempo reprimido queria expressar-se. Agora que estavam livres, não aceitaria a renúncia. Se Demerval pudesse entender!

— Ele chegou — murmurou Bentinho a Eduardo.

Na mesma hora Maria José estremeceu e seu rosto se transformou em uma careta rancorosa. Seu corpo adquiriu uma postura orgulhosa.

— Os traidores estão reunidos! Todos! Melhor. Poderei dar minhas condições.

— Vamos conversar — propôs Eduardo, calmo.

— Posso perceber que deseja enganar-me. Não conseguirá desta vez. Estou alerta.

— O que deseja?

— Que esse traidor saia desta casa onde nunca deveria ter posto os pés.

Menelau ia responder à ofensa, mas Eduardo fez-lhe sinal para que se calasse.

— E se ele recusar? — indagou Eduardo.

— Arrancarei Romualdo daqui e farei com que mergulhe no ódio e na loucura.

— Acha justo ferir um inocente?

— Eu o odeio! Ele é filho da traição!

— Ele não sabe de nada.

— Não importa. Sei como dominá-lo. Essa é minha força. O que ele fez é nada perto do que fará. Vocês verão!

— Demerval, está equivocado. A violência, a vingança, só geram sofrimentos para você. Depois de tantos anos, ainda sofre pelos mesmos motivos! Não lhe ocorreu que já pagou um preço muito alto pela sua teimosia?

— Sou um homem honesto. Não admito que me enganem. Meu próprio irmão, enquanto fingia ajudar-me, apunhalava-me pelas costas.

— Você conhece o passado. Sabe que eles se amavam antes de renascer. Que concordaram em separar-se durante algum tempo para ajudar, pela dedicação e trabalho, aqueles que, por causa desse sentimento, haviam prejudicado. Pense bem, Demerval. Quando Menelau veio socorrê-lo, deixando seus próprios interesses para cuidar dos seus, não se recordava desse sentimento. A reencarnação ajuda a apagar o passado. Mas, dentro de suas almas, esse afeto estava intacto. Houve um momento em que não lhes foi possível resistir.

— Você os defende?

— Não. Mas posso compreender. Naquele momento, não pensaram em nada. Não houve intenção deliberada. Você deve saber o quanto sofreram por causa disso. Seu irmão o estima e respeita. Não queria feri-lo.

— Fui traído duas vezes. Ela abandonou a família. Fugiram juntos.

— Isso foi antes, em outra vida, outros tempos. Desta vez eles se afastaram, e mesmo depois de sua morte eles continuaram separados por causa de Maria Antônia.

— Ela ainda é minha mulher. Quero que continue me respeitando. Eu sou o marido!

— Quando você morreu, o casamento acabou! Por que insiste? D. Maria José está livre. Poderá casar-se de novo com quem quiser.

— Não aceito isso. Você fala como os meus instrutores. Ela vai fazer só o que eu quiser!

— Seu domínio acabou, Demerval. Por causa desse seu temperamento, abreviou seus dias na Terra. Por acreditar em violência, morreu assassinado. Por querer dominar as pessoas, acabou dominado pelas forças alheias. Não percebe que você é o único responsável por tudo quanto lhe aconteceu?

— Sempre fui honesto, bom e zelei pela família.

— Escolher o caminho é um direito seu. Se prefere continuar como até agora, atraindo sofrimento, dor, desilusão para sua vida, nada poderemos fazer para ajudá-lo. Contudo, previno-o de que a bondade divina já estabeleceu o limite. Maria José durante muitos anos cuidou de você e da família com abnegação, renúncia e carinho. Menelau afastou-se para não magoá-lo, depois de tê-lo ajudado em tudo. Romualdo é jovem e nada lhe fez. Por isso, estamos fazendo uma última tentativa. Será melhor que atenda nosso pedido. Que compreenda, perdoe, esqueça o passado. Caso se recuse, temos meios de afastá-lo desta casa para sempre. Não é justo que queira cobrar de quem já não deve nada. A própria vida os liberou. Merecem a felicidade.

Eduardo falara com segurança e Demerval sentiu medo. Sabia que a qualquer momento poderia ser obrigado a sair dali. De inquisidor passou a vítima.

— Vocês querem ver-se livres de mim! Nunca pensei. Meus filhos! Esqueceram-me muito depressa. Com que alegria aceitaram outro pai!

— Eles o amam e respeitam, mas gostam do tio, que sempre os estimou. Compreenderam que eles têm o direito à felicidade. Por que não aceita isso? De que lhe serve insistir em alguma coisa que nunca mais dará certo? Maria José o estima, mas é a Menelau que ela ama! É-lhe difícil compreender isso?

— Ela se casou comigo! Não pode me deixar agora. Vocês estão todos juntos, felizes. E eu? Nada me restou.

— Isso acontece porque insiste em querer dominar os outros, comandar a vida. Quer manipulá-la, dominá-la. Jamais conseguirá. Ela é livre e soberana. A vida é Deus!

Demerval chorava desalentado. Cansara de lutar. De repente toda sua mágoa, sua dor, sua revolta transformou-se naquele pranto sentido e incontrolável. Queria ser amado, compreendido, confortado.

Maria José soluçava desconsoladamente. Eduardo sentiu-se tocado por aquele pranto. Sabia como era difícil aceitar certas verdades. Menelau e Manuela não conseguiam conter as lágrimas, que deixavam correr livremente. Menelau estava tomado de compaixão e disse, com emoção:

— Demerval, perdoe-me. Não desejava tê-lo magoado desta forma. Eu o estimo e respeito. Nunca convivemos muito, temos idéias diferentes. Porém, neste instante, sinto o quanto lhe quero bem e desejo que encontre toda a felicidade que merece.

Falava com sinceridade e amor. Demerval olhou para Menelau e, surpreendido, viu que uma energia luminosa e rosada saia de seus olhos, dos seus lábios e do seu coração e o envolvia carinhosamente.

Parou de chorar. Sua mágoa e revolta esvaíram-se e ele, de repente, sentiu-se bem como há muito não se sentia. Como era possível? Menelau o estimava de verdade? Ficou ligeiramente envergonhado. O irmão estava sendo sincero. Teria se enganado em julgá-lo?

As energias que saíam de Menelau o envolviam mais e mais e, surpreendido, Demerval viu ao lado dele o espírito de Maria José. Ela o olhava com carinho e amizade. Como podia ser isso? Percebeu que ela orava por ele suplicando que a perdoasse. Aos poucos, foi se sentindo mais lúcido e calmo.

— Estou cansado. Não quero mais lutar.

— Está melhor — disse Eduardo. — Veja quem veio buscá-lo.

Demerval não sentia mais raiva. Olhou à frente e divisou Eleonora trazendo Maria Antônia pela mão.

Olhos brilhantes, Eleonora pediu:

— Perdoe, Demerval. Poderá ir conosco e recomeçar uma vida nova. Há de encontrar alguém que o ame verdadeiramente e poderá ser feliz. Diga a eles que os perdoa e poderemos seguir.

Apesar de tudo, Demerval hesitava. Não restava mais nenhuma animosidade, mas o orgulho o impedia de reconhecer isso e perdoar. Maria Antônia aproximou-se dele, os olhos brilhantes, e disse com emoção:

— Demerval! Não se envergonhe de mostrar seus sentimentos! Menelau é credor de todo nosso reconhecimento. Ele também foi traído, mas não só evitou que eu matasse o corpo do meu filho como dedicou-se a ele com todo o amor! Nenhum de nós teria a força de fazer isso. Devo muito a ele. Sei que tudo tem feito e fará por Diomedes, que se demora na Terra, como cuidará dos seus filhos com o mesmo amor. Você se diz um justo, não sente que deve ser grato a ele e desejar que vivam em paz daqui para a frente? Outros rumos foram dados às nossas vidas e tenho aprendido que tudo quanto Deus faz é sempre para melhor.

Demerval compreendeu.

— Vou embora — disse através de Maria José, a cujo corpo ainda se mantinha ligado. — Quero esquecer. Eu perdôo. Façam como quiserem. Não interferirei mais. Eu os deixarei em paz.

— Deus o abençoe — disse Eduardo, com sincera emoção. — Agiu acertadamente. Verá que a vida tem meios mais sábios e efetivos para dar-lhe a felicidade que merece. Tenho certeza de que nos encontraremos de novo algum dia, com alegria e paz.

— Lembre-se — disse Menelau — de que o estimamos. Gostaria que não esquecesse nossa amizade.

— Não esquecerei. Sinto-me confortado.

Maria José calou-se. Eduardo proferiu uma prece de gratidão. Quando terminou, o silêncio se fez.

Ninguém tinha coragem de falar. Maria José abriu os olhos emocionada, porém serena. Foi Bentinho, em cujos olhos havia o brilho das lágrimas, quem falou primeiro.

— Que beleza! Nunca vi tanta luz! Foi bonito.

— O que você viu? — indagou Eduardo.

— Do sinhô Menelau saiu uma luz que amansô sinhô Demerval. Ele ficô quieto e acabô a brabeza toda. Aí, veio umas duas muié. Uma era D. Maria Antônia. Faz tempo, mais eu me alembro dela. Tá diferente. Num é mais aquela moça orgulhosa. Sinhô tava com vergonha de perdoá. Ele viu as duas. A mais véia falô com ele. Acho que já vi a alma dela aqui na fazenda, faz muito tempo. Queria que ele perdoasse pra i com elas. Ele relutava. Daí, D. Maria Antônia chegô nele e falô as coisa que aconteceram com ela e sinhozinho Menelau. Então, ele conseguiu perdoá. As duas gostam muito do sinhozinho Menelau.

Menelau não escondia a emoção. Maria Antônia e Eleonora não estavam contra seu casamento. Vieram ajudá-lo. Finalmente, podia sentir-se livre dos compromissos passados.

— Como ela estava? — indagou ele a Bentinho.

— Muito bem.

— Ela morreu em sofrimento. Seu rosto estava muito doente. Como está agora?

— Num parece que tem nada no rosto. Tá até mais bonita.

Menelau sorriu, satisfeito. Finalmente Maria Antônia estava bem!

Manuela não se atrevia a falar. Jamais pudera supor aquele drama na família. Maria José olhou-a, dizendo:

— Desculpe e perdoe. Hoje você nos viu por dentro. Quando a emoção passar, lhe contarei tudo.

Manuela sorriu.

— Não precisa contar nada. Eu amo vocês, conheço-os bem. Agora, depois do que se passou aqui, admiro-os ainda mais.

— Eduardo, conte-lhe tudo, peço-lhe. Você tem sido o amigo de sempre a quem tanto devemos e estimamos — pediu Menelau.

— Assim farei. Desta vez foi Bentinho quem nos ajudou — reconheceu Eduardo.

Maria José levantou-se e segurou as mãos do negro com carinho depositando um sonoro beijo em sua testa. Bentinho perdeu o jeito, seus lábios grossos começaram a tremer e em seus olhos havia um brilho emocionado.

— Obrigada, meu amigo. Você é meu anjo da guarda — disse ela.

Zefa, que entrara na sala pela porta que Manuela abrira, disse com ar comovido:

— Cruz credo, sinhá. Mimando ele desse jeito, vai ficá mole. Vamo Bentinho, me ajuda a servi o café. Tá na mesa, sinhá, na sala.

Apesar de aliviado, Menelau conservava ainda um ar de preocupação. Eduardo disse-lhe em voz baixa:

— Ânimo, meu amigo. Tudo está bem agora!

— Estou pensando em Romualdo. Até que ponto era influência de Demerval? E se ele continuar não aceitando?

— Vamos confiar. O pensamento é força. Tire de sua mente o sentimento de culpa. O passado acabou. Agora a vida será diferente. Sorria.

Maria José aproximou-se e Eduardo prosseguiu:

— Hoje tenho certeza de que uma página foi virada no livro das nossas vidas. É preciso perceber que a vida é perfeita e sábia. Quando ela não nos dá o que queremos, é porque ainda não é o momento certo. Quando estamos prontos, os obstáculos desaparecem e tudo vem às nossas mãos.

— Por que diz isso? — inquiriu Maria José.

— Porque os fatos estão se desenrolando de tal maneira que tudo converge para a união de vocês.

— Falta Romualdo — disse Menelau, preocupado.

— Ele mudará de idéia, Demerval já se foi.

— O que me preocupa é que não julgava meu filho tão influenciável. Como Demerval conseguiu dominá-lo?

— Romualdo é muito apegado a você. Sente ciúme. Esse foi o ponto fraco que permitiu Demerval envolvê-lo.

— Então é isso? — disse Menelau, admirado.

— Claro. Ninguém nos poderá dominar ou envolver se nós mesmos não abrirmos a porta. Se estivermos com pensamentos positivos e harmoniosos, nenhum espírito ou pessoa poderá nos influenciar. O pensamento bom nos imuniza e defende. Só quando escolhemos sentimentos pobres e baixamos nosso padrão de energia é que, pela afinidade, eles conseguem seus efeitos.

— Quer dizer que, se Romualdo não fosse ciumento, Demerval não o teria dominado?

— Se ele não fosse ciumento e não tivesse outros sentimentos de baixo padrão, não mesmo.

— Quer dizer que o afastamento de Demerval pode não significar muito. O seu ciúme continuará, ele não aceitará nosso casamento.

— Ele usou um sentimento de Romualdo que pode ser de pouca intensidade e conseguiu transformá-lo, acrescentando os seus próprios sentimentos que eram vigorosos e carregados de muita energia. Agora, por certo, sem essa contribuição, o ciúme de Romualdo voltará ao que sempre foi e, com carinho e compreensão, deverá desaparecer.

— Deus o ouça — disse Menelau.

— Se Romualdo teimar, pretendo não lhe dar ouvidos — disse Maria José, com voz segura. — Sei o que quero. Amo meu filho, mas não estou disposta a renunciar a minha felicidade por causa de um sentimento que o diminui e ilude.

Menelau olhou-a, emocionado.

— Faria isso por nós?

— Farei o que é certo. Se concordar com ele, estarei valorizando essa mentira. Eu amo muito todos os meus filhos. Tenho dado inúmeras provas desse amor. Romualdo, por ser o mais novo e ter ficado mais comigo nos últimos tempos, e por termos grande afinidade, sabe que ocupa um lugar muito especial em meu coração. Mas isso não lhe dá o direito de decidir o que eu devo ou não fazer. Se amanhã ele quisesse casar-se, por certo não admitiria que eu lhe impusesse minha vontade.

— Eu também o quero muito, você sabe — disse Menelau. — Mas eu apreciaria que ele não sentisse ameaçado pela minha presença.

— Fale com ele — sugeriu Eduardo. — Você está certa. Na vida, é preciso tomar decisões corajosamente. Há que separar as coisas. O amor, seja entre pais e filhos, amigos ou parentes, não é uma prisão onde cobramos dos entes queridos atitudes e posturas inadequadas. O amor é livre. Quem ama derrama esse sentimento sem exigir nada. Quem condiciona o afeto está apenas expressando orgulho e egoísmo, desconhece o que seja amor.

— Falarei com ele hoje mesmo. Vamos ao café antes que esfrie.

Durante o lanche, apesar de Romualdo continuar no quarto, o ambiente estava calmo e alegre. Quando terminaram, Maria José foi até o quarto de Romualdo e bateu delicadamente. O rapaz abriu a porta com cara de sono.

— Preciso falar-lhe.

— Entre — pediu ele.

Maria José entrou, sentando-se em uma poltrona.

— Sente-se, meu filho. Precisamos conversar.

O rapaz sentou-se na cama. Em seus olhos passou rapidamente um brilho de satisfação. Por certo sua mãe vinha dizer-lhe que desistira desse casamento. Estava habituado a que ele atendesse aos seus desejos.

Maria José começou com doçura, falando do quanto amava a família e o que significava para ela o amor dele em especial. Descreveu seus sentimentos, disse-lhe o quanto desejava que ele fosse feliz.

— Meu amor por você é muito grande e estará dentro de mim aconteça o que acontecer. É um fato que não posso mudar.

Romualdo sentiu-se comovido, envergonhado, recordando sua intransigência e indelicadeza.

— Você sabe que eu também a amo muito — disse.

— Entretanto, é preciso que saiba que também amo Menelau. O que nos une não é apenas o fato de estarmos os dois sozinhos. Desejo que saiba toda a verdade. Diante de você, meu filho, não está mais sua mãe, mas apenas uma mulher. Quero que entre nós não exista nenhuma mentira. Quero apenas que me veja como eu sou.

O rapaz olhava-a surpreendido. Sua mãe para ele sempre parecera um livro aberto. Do que ela estava falando?

— Nossa história começou há muitos anos, em outras vidas.

E Maria José, com voz emocionada e firme, relatou ao filho fielmente tudo quanto acontecera até aquele instante. Romualdo ouviu a corajosa narrativa sem articular palavra, fascinado pelos fatos que se desenrolavam, impressionado. Ela não omitiu nada, inclusive sobre a vida de Menelau com Maria Antônia. Finalizou com voz firme:

— Foi esse homem, cuja nobreza de sentimentos e bondade a cada dia eu admiro mais, que é seu próprio pai, que você ofendeu e recusou aceitar.

Romualdo não controlou mais as lágrimas que desceram livremente pelas faces. Maria José prosseguiu ainda:

— Vim aqui para dizer-lhe que eu e Menelau o amamos muito e ficaremos felizes se você nos aceitar. Entretanto, decidimos nos casar e o faremos seja qual for sua opinião, porque sabemos que temos direito a essa felicidade e queremos usufruí-la.

Romualdo olhou para a mãe dominado por funda emoção. A sinceridade, a dignidade dela, sua honestidade, impunham-lhe enorme respeito e admiração. Essa mulher extraordinária o amava tanto, a ponto de permitir que ele penetrasse fundo seus mais íntimos e verdadeiros sentimentos.

Sentiu vergonha. Fora mesquinho, infantil. Num impulso atirou-se a seus pés abraçando-a com força, colocando a cabeça no seu peito. Quando serenou a emoção, disse com voz trêmula.

— Mãe, perdoe-me. Fui egoísta e rude. Estou arrependido. Pode perdoar-me?

Maria José o afastou um pouco e olhando firme em seus olhos disse, segura:

— Nunca o recriminei. Você é meu filho e eu o amo!

Romualdo beijou-lhe a face com amor.

— Obrigado, mãe. Estou envergonhado — repetiu. — Gostaria de falar com...

Parou interdito, não sabia como dirigir-se a Menelau.

— ...meu pai — disse por fim, com firmeza. — Desejo dizer-lhe que estou arrependido.

— Quando quer vê-lo?

— Agora.

— Vamos ao seu quarto. Sei que ele se recolheu.

Romualdo procurou recompor-se um pouco e juntos bateram à porta de Menelau. Este recolhera-se pensativo e um pouco inquieto. Sabia que Maria José havia ido falar com o filho. O que lhe diria? Não sabia. Esperava entre a alegria e o receio. Rezava para que Romualdo entendesse.

Quando bateram à porta, abriu imediatamente. Os dois estavam diante dele, olhos ainda molhados pelo pranto, rosto corado pela emoção. Coração batendo forte, olhou o filho, ansioso.

Romualdo disse com voz clara:

— Pai, vim pedir-lhe que me perdoe. Estou arrependido.

Menelau abriu os braços sentindo as lágrimas de alegria banharem seu rosto. Não conseguiu responder. Abraçou o filho sentindo um amor imenso, uma felicidade indescritível inundando-lhe o coração.

Maria José olhava-os com o rosto transmudado de alegria.

Quando os dois serenaram, Romualdo separou-se de Menelau e, olhando a mãe na soleira da porta, puxou-a. Os três se uniram no mesmo abraço.

— Estou feliz — disse Romualdo — por ter vocês como pais. Pela confiança e carinho que tiveram comigo hoje, fazendo-me crescer e me tornar um homem, Deus os abençoe.

Os dois não responderam, mas reuniram-se novamente em um abraço forte, sincero e cheio de amor.

Lucius.

Sucessos de ZIBIA GASPARETTO

Crônicas e romances mediúnicos.
Mais de seis milhões de exemplares vendidos.
Há mais de dez anos Zibia Gasparetto vem se mantendo na lista dos mais vendidos, sendo reconhecida como uma das autoras nacionais que mais vende livros.

Crônicas: Silveira Sampaio

- PARE DE SOFRER
- O MUNDO EM QUE EU VIVO
- BATE-PAPO COM O ALÉM

Crônicas: Zibia Gasparetto

- CONVERSANDO CONTIGO!

Autores diversos

- PEDAÇOS DO COTIDIANO
- VOLTAS QUE A VIDA DÁ

Romances: Lucius

- O AMOR VENCEU
- O AMOR VENCEU *(em edição ilustrada)*
- O MORRO DAS ILUSÕES
- ENTRE O AMOR E A GUERRA
- O MATUTO
- O FIO DO DESTINO
- LAÇOS ETERNOS
- ESPINHOS DO TEMPO
- ESMERALDA
- QUANDO A VIDA ESCOLHE
- SOMOS TODOS INOCENTES
- PELAS PORTAS DO CORAÇÃO
- A VERDADE DE CADA UM
- SEM MEDO DE VIVER
- O ADVOGADO DE DEUS
- QUANDO CHEGA A HORA
- NINGUÉM É DE NINGUÉM
- QUANDO É PRECISO VOLTAR
- TUDO TEM SEU PREÇO
- TUDO VALEU A PENA
- UM AMOR DE VERDADE
- NADA É POR ACASO

Sucessos de LUIZ ANTONIO GASPARETTO

Estes livros irão mudar sua vida!
Dentro de uma visão espiritualista moderna, estes livros irão ensiná-lo a produzir um padrão de vida superior ao que você tem, atraindo prosperidade, paz interior e aprendendo acima de tudo como é fácil ser feliz.

- ATITUDE
- FAÇA DAR CERTO
- SE LIGUE EM VOCÊ *(adulto)*
- SE LIGUE EM VOCÊ - nº1 *(infantil)*
- SE LIGUE EM VOCÊ - nº 2 *(infantil)*
- SE LIGUE EM VOCÊ - nº 3 *(infantil)*
- A VAIDADE DA LOLITA *(infantil)*
- ESSENCIAL *(livro de bolso com frases para auto-ajuda)*
- GASPARETTO *(biografia mediúnica)*

- PROSPERIDADE PROFISSIONAL
- CONSERTO PARA UMA ALMA SÓ *(poesias metafísicas)*
- PARA VIVER SEM SOFRER

- CALUNGA - "Um dedinho de prosa"
- CALUNGA - Tudo pelo melhor
- CALUNGA - Fique com a luz...

- série AMPLITUDE:

1- Você está onde se põe

2- Você é seu carro

3- A vida lhe trata como você se trata

4- A coragem de se ver

OUTROS AUTORES

Conheça nossos lançamentos que oferecem a você as chaves para abrir as portas do sucesso, em todas as fases de sua vida.

LOUSANNE DE LUCCA:

- ALFABETIZAÇÃO AFETIVA

MARIA APARECIDA MARTINS:

- PRIMEIRA LIÇÃO - "Uma cartilha metafísica"
- CONEXÃO - "Uma nova visão da mediunidade"
- MEDIUNIDADE e AUTO-ESTIMA

VALCAPELLI:

- AMOR SEM CRISE

VALCAPELLI e GASPARETTO:

- METAFÍSICA DA SAÚDE:

vol.1: sistemas respiratório e digestivo

vol.2: sistemas circulatório, urinário e reprodutor

vol.3: sistemas endócrino *(incluindo obesidade)* e muscular

MECO SIMÕES G. FILHO:

- EURICO um urso de sorte (infantil)
- A AVENTURA MALUCA DO PAPAI NOEL

E DO COELHO DA PÁSCOA (infantil)

RICKY MEDEIROS:

- A PASSAGEM
- QUANDO ELE VOLTAR
- PELO AMOR OU PELA DOR...
- VAI AMANHECER OUTRA VEZ
- DIANTE DO ESPELHO

MARCELO CEZAR (ditado por Marco Aurélio):

- A VIDA SEMPRE VENCE
- SÓ DEUS SABE
- NADA É COMO PARECE
- NUNCA ESTAMOS SÓS
- MEDO DE AMAR
- VOCÊ FAZ O AMANHÃ

MÔNICA DE CASTRO (ditado por Leonel):

- UMA HISTÓRIA DE ONTEM
- SENTINDO NA PRÓPRIA PELE
- COM O AMOR NÃO SE BRINCA
- ATÉ QUE A VIDA OS SEPARE
- O PREÇO DE SER DIFERENTE
- GRETA
- SEGREDOS DA ALMA

LEONARDO RÁSICA:

- FANTASMAS DO TEMPO - Eles voltaram para contar

MÁRCIO FIORILLO (ditado por Madalena):

- EM NOME DA LEI

LUIZ ANTONIO GASPARETTO EM CD:

Aprenda a lidar melhor com as suas emoções, para conquistar um maior domínio interior.

- Prosperidade
- Confrontando a desilusão
- Confrontando a solidão
- Confrontando as críticas
- Confrontando a depressão
- Prece da Solução *(pelo espírito Calunga)*

• série VIAGEM INTERIOR *(n° 1, n° 2 e n° 3)*:

Através de exercícios de meditação mergulhe dentro de você e descubra a força da sua essência espiritual e da sabedoria. Experimente e verá como você pode desfrutar de saúde, paz e felicidade desde já.

• série REALIZAÇÃO:

Com uma abordagem voltada aos espiritualistas independentes, eis aqui um projeto de *16 cds* para você melhorar.

Encontros com o Poder Espiritual para práticas espirituais da prosperidade.

Temos que trabalhar para alcançar nossos objetivos. Para isto necessitamos de conhecimento e práticas adequadas.

Nesta coleção você aprenderá práticas de consagração, dedicação, técnicas de orações científicas, conceitos novos de força espiritual, conhecimento das leis do destino, práticas de ativar o poder pessoal e práticas de otimização mental.

• série LUZES:

Coletânea de 8 cds, nos volumes 1 e 2.

Através de curso ministrado no Espaço Vida e Consciência, pela mediunidade de Gasparetto, os espíritos desencarnados que formam no mundo astral o grupo dos Mensageiros da Luz, nos revelaram os poderes e mistérios da Luz Astral, propondo exercícios para todos aqueles que querem trabalhar pela própria evolução e a melhoria do planeta.

Nesta coletânea trazemos aulas captadas ao vivo, para que você também possa juntar-se às fileiras dos que sabem que o mundo precisa de mais luz.

• série ESPÍRITO *(composto de 12 cds)*:

1- espírito do trabalho
2- espírito do dinheiro
3- espírito do amor
4- espírito da arte
5- espírito da vida
6- espírito da paz
7- espírito da natureza
8- espírito da juventude
9- espírito da família
10- espírito do sexo
11- espírito da saúde
12- espírito da beleza

A realidade tem muitas camadas, porém mais profunda é aquela que gera a existência das outras. Nós a chamamos de **Espírito**.

Sendo o centro de cada um de nós, é pois o guia de nossos destinos rumo à realização.

Eleve-se, aprofunde-se e acorde para o seu espírito.

ESPAÇO VIDA & CONSCIÊNCIA

É um centro de cultura e desenvolvimento da espiritualidade independente.

Acreditamos que temos muito a estudar para compreender de forma mais clara os mistérios da eternidade.

A Vida parece infinitamente sábia em nos dotar de inteligência para sobreviver com felicidade, e me parece a única saída para o sofrimento humano.

Nosso espaço se dedica inteiramente ao conhecimento filosófico e experimental das Leis da Vida, principalmente aquelas que conduzem os nossos destinos.

Acreditamos que somos realmente esta imensa força vital e eterna que anima a tudo, e não queremos ficar parados nos velhos padrões religiosos que pouco ou nada acrescentaram ao progresso da humanidade.

Assim mudamos nossa atitude para uma posição mais cientificamente metodológica e resolvemos reinvestigar os velhos temas com uma nova cabeça.

O resultado é de fato surpreendente, ousado, instigador e prático.

É necessário querer estar à frente do seu tempo para possuí-lo.

Luiz Antonio Gasparetto

EDITORA GRÁFICA VIDA & CONSCIÊNCIA

INFORMAÇÕES E VENDAS:

Rua Agostinho Gomes, 2312
Ipiranga • CEP 04206-001
São Paulo • SP • Brasil
Fone / Fax: (11) 6161-2739 / 6161-2670
E-mail: editora@vidaeconsciencia.com.br
Site: www.vidaeconsciencia.com.br